FEMMES QUI COURENT AVEC LES LOUPS

Histoires et mythes de l'archétype de la Femme Sauvage

DU MÊME AUTEUR

LE JARDINIER DE L'EDEN, *Conte de sagesse à propos de Ce qui ne peut mourir*, Grasset, 1998.

CLARISSA PINKOLA ESTÉS

FEMMES QUI COURENT AVEC LES LOUPS

Histoires et mythes de l'archétype de la Femme Sauvage

Traduit de l'américain par
Marie-France Girod

BERNARD GRASSET
PARIS

L'édition originale de cet ouvrage a paru en 1992, sous une forme légèrement différente, chez Ballantine Books, une division de Random House, Inc., sous le titre :

WOMEN WHO RUN WITH THE WOLVES
Myths and Stories of the Wild Woman Archetype

La présente édition française a été établie à partir de l'édition de poche de Ballantine Books Paperback Edition, parue en 1995.
L'Editeur remercie, pour avoir autorisé la reproduction d'extraits d'œuvres déjà publiées :
Houghton Mifflin Company : pour l'extrait de « The Red Shoes », tiré de *The Book of Folly*, par Anne Sexton. © 1972 Anne Sexton. Reproduit avec l'autorisation de Houghton Mifflin Co. Tous droits réservés.
Macmillan Publishing Company et *Methuen Londres* : pour l'extrait de *For colored girls who have considered suicide/when the rainbow is enuf*, par Ntozake Shange. © 1975, 1976, 1977 Ntozake Shange. Reproduit avec l'autorisation de Macmillan Publishing Co. et Methuen Londres.
W.W. Norton & Company, Inc., et *Adrienne Rich* : pour l'extrait de « Diving into the Wreck », tiré de *The Fact of a Doorframe, Poems Selected and New, 1950-1984*, par Adrienne Rich. © 1975, 1978 W.W. Norton & Company, Inc. © 1981 Adrienne Rich. Reproduit avec l'autorisation de l'auteur et de l'éditeur, W.W. Norton & Company, Inc.

Avertissement

Les contes, poèmes, récits inclus dans cet ouvrage sont une création littéraire de Clarissa Pinkola Estés. Ses contes ou légendes littéraires se prolongent par de courts poèmes, des chansons, des histoires transmis dans une langue et un style spécifiques. Ils font l'objet d'un copyright et ne sont pas dans le domaine public.
De même les histoires *Txati, la Femme Squelette, la Loba, Dead Bolt, Manawee, Tüz* et autres, ainsi que divers poèmes et traductions originales de l'auteur, sont protégés par un copyright et ne sont pas dans le domaine public.
On trouve dans les recueils des Frères Grimm, de Hans Christian Andersen, et de Charles Perrault des versions très différentes de contes comme *les Souliers Rouges, Barbe-Bleue* et *la Petite Marchande d'Allumettes*. On trouve chez différents éditeurs des légendes comme l'arcane *la Llorona*, et l'histoire de Déméter et Perséphone dans la mythologie grecque. Selon les versions, elles se trouvent ou non dans le domaine public.

A kedves szüleimnek
Mária és Joszef,
Mary et Joseph,
Szeretlek benneteket
y
Para todos los que yo amo
que continúan desaparecidos

LE DON DE LA FEMME SAUVAGE

Avant-Propos

Nous éprouvons toutes un ardent désir, une nostalgie du sauvage. Dans notre cadre culturel, il existe peu d'antidotes autorisés à cette brûlante aspiration. On nous a appris à en avoir honte. Nous avons laissé pousser nos cheveux et nous en sommes servies pour dissimuler nos sentiments, mais l'ombre de la Femme Sauvage se profile toujours derrière nous, au long de nos jours et de nos nuits. Où que nous soyons, indéniablement, l'ombre qui trotte derrière nous marche à quatre pattes.

Clarissa Pinkola Estés
Cheyenne, Wyoming

Introduction

Chanter au-dessus des os

La vie sauvage et la Femme Sauvage sont toutes deux des espèces en danger.

Au fil du temps, nous avons vu la nature instinctive féminine saccagée, repoussée, envahie de constructions. On l'a malmenée, au même titre que la faune, la flore et les terres sauvages. Cela fait des milliers d'années que, sitôt que nous avons le dos tourné, on la relègue aux terres les plus arides de la psyché. Au cours de l'histoire, les terres spirituelles de la Femme Sauvage ont été pillées ou brûlées, ses tanières détruites au bulldozer, ses cycles naturels forcés à suivre des rythmes contraires à la nature pour le bon plaisir des autres.

Ce n'est pas un hasard si les étendues sauvages de notre planète disparaissent en même temps que la compréhension de notre nature sauvage profonde s'amoindrit. On voit aisément pourquoi les vieilles forêts et les vieilles femmes sont tenues pour des ressources négligeables. Et si les loups et les coyotes, les ours et les femmes sauvages ont le même genre de réputation, cela n'a rien d'une coïncidence. Tous correspondent à des archétypes instinctuels proches. C'est pourquoi on les considère à tort, les uns et les autres, comme peu amènes, fondamentalement dangereux, et gloutons.

Ma vie et mon travail en tant qu'analyste jungienne, poétesse et cantadora, *gardienne des vieilles histoires, m'ont appris qu'on pouvait restaurer la vitalité faiblissante des femmes en se livrant à des fouilles « psycho-archéologiques » des ruines de leur monde souterrain. Ces méthodes nous permettent de retrouver les voies de la psyché instinctive naturelle et, à travers sa personnification dans l'archétype de la Femme Sauvage, de discerner de quelle manière fonctionne la nature innée de la femme. La femme moderne est un tourbillon d'activité. On lui demande d'être tout, pour tout le monde. Il y a longtemps que la vieille sagesse n'a plus cours.*

Le titre de cet ouvrage, Femmes qui courent avec les loups, histoires et mythes de l'archétype de la Femme Sauvage, *est né de mon étude de la biologie animale, en particulier des loups. Ce qu'on sait des loups* Canis lupus *et* Canis rufus *présente en effet des similitudes avec l'histoire des femmes, tant sur le plan de l'ardeur que du labeur.*

Les loups sains et les femmes saines ont certaines caractéristiques psychiques communes : des sens aiguisés, un esprit ludique et une aptitude extrême au dévouement. Relationnels par nature, ils manifestent force, endurance et curiosité. Ils sont profondément intuitifs, très attachés à leur compagne ou compagnon, leurs petits, leur bande. Ils savent s'adapter à des conditions perpétuellement changeantes. Leur courage et leur vaillance sont remarquables.

Pourtant, les uns et les autres ont été chassés, harcelés. A tort, on les a accusés d'être dévorateurs, retors, ouvertement agressifs, on les a considérés comme étant inférieurs à leurs détracteurs. Ils ont été la cible de ceux qui veulent nettoyer l'environnement sauvage de la psyché au même titre que les territoires sauvages, et parvenir à l'extinction de l'instinctuel. Une même violence prédatrice, issue d'un même malentendu, s'exerce contre les loups et les femmes. La ressemblance est frappante.

C'est donc pendant que j'étudiais les loups que le concept de l'archétype de la Femme Sauvage a pris forme pour la première fois dans mon esprit. J'ai également étudié d'autres animaux, les ours, les éléphants et les âmes-oiseaux – les papillons. Et les caractéristiques de chaque espèce éclairent de manière métaphorique la psyché instinctuelle féminine.

J'ai reçu par deux fois la nature Sauvage en héritage. La première fois, de par ma naissance au sein d'un lignage hispano-mexicain passionné, la seconde, plus tard, quand une famille de Hongrois au tempérament volcanique m'a adoptée. J'ai grandi près de la frontière entre Michigan et Indiana, entourée de bois, de vergers et de champs, et à proximité des Grands Lacs. Là, mon esprit a été nourri de tonnerre et d'éclairs. Toute la nuit, les champs de maïs craquaient et parlaient à voix haute. Plus haut vers le nord, les loups venaient caracoler et prier dans les clairières au clair de lune. Nous pouvions tous, sans crainte, nous abreuver aux mêmes ruisseaux.

J'étais alors trop jeune pour l'appeler par son nom, mais mon amour pour la Femme Sauvage est né dans ma petite enfance. J'étais plus esthète qu'athlète et j'avais un seul désir : vagabonder, l'âme en extase. Aux chaises et aux tables je préférais le sol, les arbres, les grottes, car je pouvais m'y appuyer sur la joue de Dieu.

La rivière appelait toujours *ma visite de ses vœux, à la nuit tombée. Les champs* avaient besoin *d'être foulés pour bruire de paroles. Il* fallait *que des feux brûlent dans l'obscurité de la forêt, il* fallait *que des histoires soient racontées loin des oreilles d'adultes.*

J'ai eu beaucoup de chance de grandir dans la Nature. Là, la foudre, en tombant, m'apprenait la brutalité de la mort et la fugacité de la vie. Les nids de souris montraient qu'une nouvelle vie venait adoucir la mort. Quand je déterrais dans la glaise des « perles indiennes », des fossiles, je comprenais que longtemps, très longtemps auparavant, des êtres humains s'étaient trouvés là. J'ai découvert l'art sacré de la parure du corps avec des papillons monarques posés sur ma tête, des vers luisants en guise de bijoux nocturnes et des grenouilles vert émeraude pour bracelets.

Une louve tua l'un de ses petits mortellement blessé ; ce fut une dure leçon sur la compassion, sur la nécessité de permettre aux agonisants de mourir. Les chenilles velues qui tombaient des branches et rampaient pour remonter m'enseignèrent l'obstination, les chatouilles qu'elles me faisaient en évoluant sur mes bras me révélèrent que la peau est vivante. Et j'eus un avant-goût de la sexualité en grimpant au sommet des arbres.

Ma génération d'après-guerre grandit à une époque où les femmes étaient infantilisées et traitées comme une propriété privée. Elles restaient en jachère, mais, Dieu merci, le vent apportait toujours de mauvaises herbes... Même si ce qu'elles écrivaient n'avait pas l'imprimatur, elles posaient leurs jalons. Même si ce qu'elles peignaient n'était pas reconnu, cela leur nourrissait l'âme. Il leur fallait mendier les instruments et l'espace nécessaires à leur art et si elles ne les obtenaient pas, elles s'installaient dans les arbres, dans les grottes, dans les bois, dans les placards.

Elles avaient à peine le droit de danser. Aussi dansaient-elles dans les forêts, là où personne ne pouvait les voir, ou dans les sous-sols, ou en allant vider la poubelle. Se parer était suspect. Un corps orné, un vêtement séduisant, accroissaient le danger d'être victime d'une agression, sexuelle ou non.

C'était une époque où les parents qui se montraient violents envers leurs enfants étaient simplement qualifiés de « stricts », où l'on appelait « dépression nerveuse » les profondes blessures de l'esprit des femmes outrageusement exploitées, où l'on disait « gentilles » les jeunes filles et les femmes étroitement tenues, corsetées, muselées, et où l'on étiquetait comme « mauvaises » les femmes qui desserraient quelque temps l'étau.

Aussi, comme beaucoup de femmes avant et après moi, ai-je vécu comme une créature, une criatura, *déguisée. Comme mes sœurs, j'ai trébuché sur mes hauts talons et je suis allée chapeautée à l'église. Souvent, pourtant, ma queue fabuleuse dépassait de dessous l'ourlet de ma robe et mes oreilles pointaient jusqu'à faire glisser mon chapeau.*

Je n'ai pas oublié la chanson de ces années noires, hambre del alma, *le chant des âmes affamées. Mais je n'ai pas non plus oublié le joyeux* cante hondo, *le chant profond, dont les paroles nous reviennent quand nous travaillons à réclamer notre dû, celui de l'âme.*

Telle une piste qui, dans la forêt, se fait de plus en plus étroite jusqu'à sembler disparaître, la psychologie classique tourne court lorsqu'il s'agit de la femme créatrice, de la femme douée, de la femme profonde. Elle est souvent peu bavarde ou carrément silencieuse sur les questions d'une grande impor-

tance pour les femmes : celles de l'archétype, de l'intuition, du sexuel et du cyclique, des âges de la femme, de sa façon d'être, de son savoir, de la flamme de sa créativité. C'est ce qui, pendant plus de vingt ans, m'a poussée à travailler sur l'archétype de la Femme Sauvage.

On ne peut traiter des questions de l'âme féminine en modelant la femme selon les critères d'une culture inconsciente, pas plus que ceux qui se prétendent les seuls détenteurs de la conscience ne peuvent lui donner une forme plus facilement acceptable, intellectuellement parlant. Non, c'est là ce qui a poussé des millions de femmes à se mettre en dehors de leur propre culture, à devenir des « outsiders »... Au contraire, le but doit être de faire recouvrer à la femme la beauté de ses formes psychiques naturelles.

Les histoires, les contes de fées, les mythes aiguisent notre vision des choses, en nous aidant à mieux les comprendre, de sorte que nous pouvons retrouver et suivre la piste tracée par la nature sauvage. L'enseignement des contes nous donne la certitude que la piste n'a pas disparu, qu'elle mène les femmes de plus en plus profondément au cœur de la connaissance d'elles-mêmes. Les traces que nous suivons toutes sont celles du Soi instinctuel, du Soi sauvage et profond.

Je l'appelle la Femme Sauvage, car ces mots mêmes, femme *et* sauvage, *produisent* llamar o tocar a la puerta, *les coups que frappe le conte de fées à la porte de la psyché féminine.* Llamar o tocar a la puerta *signifie littéralement qu'on joue d'un instrument dans le but d'ouvrir une porte. Autrement dit, on utilise des mots qui provoquent l'ouverture d'un passage. Quelles que soient ses influences culturelles, toute femme comprend intuitivement les mots* femme *et* sauvage.

Quand les femmes entendent ces mots, un vieux, très vieux souvenir s'éveille, la mémoire de leur parenté absolue, indiscutable et irrévocable avec la féminité sauvage. Ce lien peut s'être distendu du fait de notre négligence ou avoir été mis hors la loi par la culture environnante. Il a pu avoir été domestiqué à l'excès ou bien encore nous avons cessé de le comprendre. Mais même si nous avons oublié les noms de la Femme Sauvage, même si nous faisons la sourde oreille quand elle prononce le nôtre, dans la moelle de nos os, nous la connaissons, nous la désirons. Elle nous appartient, nous lui appartenons. Et nous le savons.

C'est dans cette relation fondamentale, primitive, essentielle que nous sommes nées, c'est d'elle que, dans notre essence, nous dérivons. L'archétype de la Femme Sauvage enveloppe l'être alpha du matrilignage. Lorsque, parfois, nous en faisons l'expérience, même fugitivement, nous mourons d'envie de continuer. Chez certaines femmes, ce « goût du sauvage » vient à la grossesse, ou bien pendant qu'elles s'occupent de leurs tout-petits, ou au cours de ce changement miraculeux qui intervient en elles lorsqu'elles élèvent un enfant, ou enfin quand elles entretiennent une relation amoureuse comme on entretient son jardin.

La vision de spectacles d'une grande beauté nous permet d'approcher la Femme Sauvage. Je l'ai sentie qui frémissait en moi devant un coucher de soleil magnifique. Je l'ai sentie en voyant, au crépuscule, des pêcheurs reve-

nir du lac à la lumière de lanternes, en découvrant les orteils de mon nouveau-né, bien rangés comme les grains d'un épi de maïs doux. Nous pouvons la voir partout.

Le son nous permet tout aussi bien de l'approcher : la musique, qui fait vibrer le sternum et excite le cœur, le tambour, le sifflet, l'appel, le cri, le mot, écrit ou parlé. Parfois, un mot, une phrase, un poème ou une histoire sont si riches d'évocation, si justes, qu'ils nous rappellent, du moins un bref instant, de quoi nous sommes faites et où se trouve notre vraie demeure.

Ce « goût du sauvage » va et vient avec l'inspiration. On éprouve cette aspiration à la Femme Sauvage lorsqu'on croise une personne qui a établi cette relation sauvage, lorsqu'on prend conscience de s'être trop consacrée à la flamme mystique ou à la rêverie, au détriment de sa propre créativité, de l'œuvre de sa vie ou de ses amours vraies.

C'est pourtant ce goût fugitif, né de la beauté comme de la perte, qui nous rend si agitées, si désireuses de continuer à poursuivre cette nature sauvage. Alors nous bondissons dans la forêt, le désert ou la neige et nous courons, nous courons, nos yeux sondant le sol, l'oreille tendue. Nous cherchons partout, dessus, dessous, un signe, un indice, un vestige prouvant qu'elle vit encore, que nous n'avons pas laissé passer notre chance. Et quand nous découvrons sa trace, nous redoublons d'efforts pour nous rattraper, pour remettre tout au propre, nos amours comme notre esprit, pour tourner la page, rompre les ponts, enfreindre les règles, arrêter la planète. Car nous n'avons pas l'intention de continuer sans elle.

Quand les femmes l'ont perdue et retrouvée, elles font tout pour la garder à jamais. Elles se battent pour cela, car avec elle leur vie créatrice s'épanouit, avec elle leurs amours gagnent en profondeur, en signification, en bien-être, avec elle les cycles de leur sexualité, de leur créativité, de leur travail se rétablissent. Elles ne sont plus les victimes désignées de la violence prédatrice des autres. Elles sont égales devant les lois de la nature, égales pour croître et lutter. Désormais, si elles sont fatiguées à la fin de la journée, c'est suite à des tâches satisfaisantes, non parce qu'elles étaient enfermées dans un travail, un état d'esprit ou une relation amoureuse étriqués. Elles savent instinctivement quand les choses doivent vivre et quand elles doivent mourir. Elles savent partir, elles savent rester.

En réaffirmant leur relation avec la nature sauvage, les femmes reçoivent le don d'une observatrice intérieure permanente, une personne sage, visionnaire, intuitive, un oracle, une inspiratrice, quelqu'un qui écoute, crée, réalise, invente, guide, suggère, qui insuffle une vie vibrante au monde intérieur et au monde extérieur. Quand les femmes sont dans la proximité de cette nature, il émane d'elles une lumière. Ce professeur sauvage, cette mère sauvage, ce mentor sauvage soutient envers et contre tout leur vie intérieure et extérieure.

Le mot sauvage n'est donc pas utilisé ici en son sens moderne, péjoratif, d'« échapper à tout contrôle », mais en son sens originel de « vivre une vie naturelle », une vie où la criatura, la créature, a une intégrité foncière et des limites saines. Les mots femme et sauvage créent une métaphore qui décrit la force fondatrice de l'espèce féminine. Ils personnifient cette force sans laquelle les femmes ne peuvent vivre.

L'archétype de la Femme Sauvage peut aussi être exprimé en d'autres termes, également adéquats. On peut donner à cette puissante nature psychologique le nom de « nature instinctive », mais la Femme Sauvage est la force qui la sous-tend. On peut l'appeler « psyché naturelle », mais la Femme Sauvage est également la force qui la sous-tend. On peut parler de nature innée, foncière, intrinsèque On peut, en poésie, parler de « l'Autre », des « sept mers de l'univers », des « bois lointains » ou de « l'Amie » [1]. Selon la perspective ou la psychologie, on l'appellera peut-être le ça, le Soi, la nature médiale. En biologie, on parlera de nature fondamentale ou typique.

Mais parce qu'elle est tacite, presciente et viscérale, parmi les cantadoras on l'appelle la nature qui sait, ou la nature sage. Parfois, aussi, « la femme qui vit au bout du temps » ou « la femme qui vit au bord du monde ». Et cette criatura est toujours une sorcière-créatrice, une Déesse de la mort, une jeune fille en cours de descente, ou autre. Elle est à la fois l'amie et la mère des égarés, de ceux qui ont besoin de savoir, qui ont une énigme à résoudre, qui errent dans le désert ou la forêt, en quête de quelque chose.

En réalité, dans l'inconscient psychoïde – une couche de la psyché d'où ce phénomène émane – la Femme Sauvage n'a pas de nom. Elle est trop vaste. Mais dans la mesure où cette force engendre chaque facette importante de la féminité, ici-bas nous lui donnons des noms en quantité et pas uniquement pour avoir un aperçu des innombrables aspects de sa nature : pour nous arrimer aussi à elle. Parce qu'au début où se rétablit notre relation avec elle, elle peut en un instant se changer en fumée, nous créons en la nommant un territoire intérieur où nous la pensons et la sentons. Ainsi, elle viendra et si elle est valorisée, elle restera.

En espagnol, elle pourra s'appeler Río Abajo Río, la rivière sous la rivière, La Mujer Grande, la Grande Femme, Luz del abismo, lumière de l'abysse, La Loba, la femme louve ou La Huesera, la femme aux os.

En Hongrie, on l'appelle Ö, Erdöben, Elle des Bois, et Rozsomák, le glouton – cet animal proche du loup. En navajo, elle est Na'ashjé'ii Asdzáá, la Femme-Araignée, qui tisse la destinée des humains, des animaux, des plantes et des rochers. Au Guatemala, elle est, entre autres nombreux noms, Humana de Niebla, L'Etre de Brume, la femme qui vit à tout jamais. Au Japon, elle est Amaterasu Omikami, La Numineuse qui apporte toute lumière, toute conscience. Au Tibet, on l'appelle Dakini : c'est la puissance dansante qui fait voir clair aux femmes.

La compréhension de la nature de cette Femme Sauvage n'est pas une religion. C'est une pratique. C'est une psychologie au sens strict du terme : psukhê/psych, âme, et ologie ou logos, connaissance de l'âme. Sans elle, les femmes n'ont pas d'oreille pour l'entendre parler à leur âme ou pour écouter l'horloge de leurs propres rythmes internes. Sans elle, leur regard intérieur est occulté par une main d'ombre et elles passent la majeure partie de leurs journées à s'ennuyer ou à souhaiter que tout soit différent. Sans elle, leur âme ne va plus d'un pas sûr. Sans elle, elles oublient pourquoi elles sont là, elles en *font trop ou pas assez, elles restent dans un silence glacé alors qu'en fait elles brûlent. Elle est le cœur qui régularise leur âme comme l'autre cœur, l'organe, régularise leur corps.*

Quand nous perdons le contact avec la psyché instinctive, nous sommes à demi détruites et nous ne permettons pas aux images et aux pouvoirs naturels à l'espèce féminine de s'épanouir. Quand une femme est coupée de sa source fondamentale, elle est stérilisée, elle perd ses instincts, ses cycles de vie naturels, que la culture a occultés, ou l'intellect, ou le moi – le sien ou celui des autres.

La Femme Sauvage, c'est la santé de toutes les femmes. Sans elle, la psychologie féminine n'a aucun sens. Elle est la femme prototype. Qu'importe la culture, l'époque, le contexte politique, elle ne change pas. Ses cycles changent, ses représentations symboliques changent. Elle, *en essence, ne change pas ; elle est ce qu'elle est et elle est un tout.*

Elle passe par le canal des femmes. Qu'on les brime et elle lutte pour émerger. Si les femmes sont libres, elle l'est aussi. Heureusement, même si on l'enfonce souvent, elle remonte toujours. On peut l'interdire, la repousser, la diluer, la torturer, la traiter de folle, de dangereuse, de malsaine, elle monte et émane des femmes, jusqu'à la plus tranquille, la plus tenue d'entre elles, qui gardera toujours en secret une petite place pour elle. Même la femme la plus opprimée a une vie secrète. Ses pensées, ses émotions secrètes sont torrides et sauvages. C'est-à-dire naturelles. Même la femme la plus captive protège l'emplacement du soi sauvage, car elle sait intuitivement qu'un jour il y aura une opportunité et qu'il pourra s'échapper.

Pour moi, tous les hommes et toutes les femmes sont nés avec des dons. Il n'en reste pas moins que l'on a peu décrit la vie psychologique et la façon d'être des femmes douées, talentueuses, créatrices. En revanche, on a abondamment écrit sur les faiblesses des humains en général et des femmes en particulier. Il nous faut donc, dans le cas de l'archétype de la Femme Sauvage et pour la sonder, l'appréhender, utiliser ce qu'elle peut offrir, nous intéresser plus aux pensées, aux émotions, aux efforts qui augmentent la force des femmes. Il nous faut aussi comptabiliser les facteurs et internes et *culturels qui les affaiblissent.*

En règle générale, lorsque nous considérons la nature sauvage en tant qu'être de plein droit, animant et informant la vie la plus profonde d'une femme, nous pouvons commencer à nous épanouir d'une manière que nous n'aurions jamais imaginée. Toute psychologie qui échoue à prendre en considération cet être spirituel inné au centre de la psychologie féminine passe à côté des femmes, de leurs filles, des filles de leurs filles, et de leurs descendantes.

Il faut donc, pour appliquer une bonne médecine sur les parties blessées de la psyché sauvage et rétablir la relation avec l'archétype de la Femme Sauvage, nommer avec exactitude les désordres de la psyché. Ma pratique clinique propose certes une méthode statistique de diagnostic fiable et quantité de diagnostics différentiels, ainsi que des paramètres psychanalytiques qui déterminent la psychopathie en fonction de l'organisation (ou de l'absence d'organisation) dans la psyché objective et l'axe moi/Soi [2]*, mais il existe d'autres comportements et émotions qui, d'après le système de référence d'une femme, décrivent expressément ce dont il est question.*

Quels sont certains des symptômes d'une relation perturbée avec la force sauvage de la psyché ? Exprimés dans le langage des femmes, les actes, pensées ou sentiments suivants, quand ils existent de façon chronique, signifient que l'on a en partie ou entièrement rompu la relation avec la psyché instinctuelle profonde : se sentir complètement stérile, lessivée, fragile, déprimée, muselée, bâillonnée, froide, en pleine confusion, effrayée, faible, sans inspiration, pétrie de honte, chroniquement sur les nerfs, d'humeur changeante, coincée, squeezée, rendue zinzin, improductive.

Impuissante, doutant perpétuellement, à vif, bloquée, incapable d'aller jusqu'au bout, sacrifiant sa créativité aux autres, se laissant dévorer par le travail, les hommes ou les amis, inerte, indécise, sans assurance, incapable de trouver le calme, de se fixer des limites.

Ignorante de ses propres rythmes, mal à l'aise, loin de son Dieu ou de ses dieux, loin de tout ce qui peut revivifier, noyée sous les tâches domestiques, le travail, intellectualisant à outrance ou sombrant dans l'inertie, parce que tout cela est rassurant pour quelqu'un qui a perdu ses instincts.

Effrayée à l'idée de s'aventurer seule ou de se dévoiler, de se chercher un mentor, une mère, un père, de montrer un travail encore inachevé, de partir en voyage, de s'occuper d'un autre ou des autres, de manquer, de s'effondrer. Craignant l'autorité, fléchissant, perdant son énergie au moment de se lancer dans un projet créatif. Humiliation, fureur, repli, anxiété.

Craignant de mordre lorsqu'il n'y a rien d'autre à faire. Peur de la nouveauté, d'affronter les choses, de prendre la parole, de s'élever contre, cœur serré, estomac retourné, pliée en deux, étranglée, trop gentille, trop conciliante. Revanche.

Ayant peur d'arrêter, peur d'agir, comptant jusqu'à trois pour ne rien faire, finalement, complexe de supériorité, ambivalence, par ailleurs tout à fait capable, fonctionnant parfaitement. Toutes ces coupures d'avec la Femme Sauvage ne sont pas le mal du siècle, le mal d'une époque, le mal d'une ère. Elles sont une épidémie partout et à chaque fois que des femmes sont capturées, à chaque fois que la nature sauvage a été prise au piège.

Une femme saine est comme une louve : robuste, pleine comme un œuf, débordante de vitalité, consciente de son territoire, donneuse de vie, inventive, loyale, bougeant beaucoup. Séparée de la nature sauvage, sa personnalité s'affaiblit, s'étiole, devient spectrale. Nous ne sommes pas faites pour avoir le poil rare et être incapables de bondir, de chasser, de donner la vie, de créer la vie. Quand la vie des femmes est en état de stase ou bien est pleine d'ennui, il est temps qu'émerge la femme sauvage ; il est temps que la fonction créatrice de la psyché vienne inonder le delta.

Comment la Femme Sauvage agit-elle sur les femmes ? Avec elle pour alliée, pour leader, pour modèle et professeur, nous ne voyons plus le monde avec nos deux yeux seulement, mais avec les milliers d'yeux de l'intuition. L'intuition nous rend semblables à la nuit constellée d'étoiles.

La nature Sauvage a dans son sac à médecine tout ce qu'il faut pour soigner. Elle a tout ce dont une femme a besoin, tout ce qu'elle a besoin de savoir. Elle a les histoires, les rêves, les mots, les chansons, les signes et les symboles. Elle est le véhicule et la destination.

S'adjoindre la nature instinctuelle ne signifie pas tout changer de fond en comble, agir de manière inconsidérée ou incontrôlée. Ni perdre ses repères sociaux premiers ou se défaire de son humanité. Bien au contraire. Cela signifie marquer son territoire, trouver sa bande, être bien dans son corps, fière de son corps, sans tenir compte de ses qualités et de ses limites, parler et agir en son nom propre, être en éveil, en alerte, utiliser ces pouvoirs féminins innés que sont l'intuition et le fait de sentir les choses, intégrer ses propres rythmes, découvrir sa véritable appartenance, se montrer digne, conserver le plus possible de conscience.

La Femme Sauvage archétypale est la patronne de celles qui peignent, écrivent, sculptent, dansent, pensent, prient, cherchent, trouvent – car elles sont dans le domaine de l'invention et c'est là sa principale occupation. Elle est dans les tripes, non dans la tête, comme toujours quand il s'agit d'art. Elle peut se lancer sur des traces, courir, convoquer, repousser, sentir, camoufler, aimer profondément. Elle est intuitive, typique, normative. Elle est absolument essentielle à la santé de l'âme et de l'esprit des femmes.

Qu'englobe donc la Femme Sauvage? Elle est, tant du point de vue de la psychologie archétypale que des anciennes traditions, l'âme féminine. Et pourtant, elle est plus encore. Elle est la source du féminin. Elle est tout ce qui est de l'ordre de l'instinct, des mondes visible et invisible – elle est le fondement. Nous recevons d'elle une cellule lumineuse où sont contenus tous les instincts, tous les savoirs dont nous avons besoin pour vivre.

« ... Elle est la force de Vie/Mort/Vie. Elle est l'incubatrice. Elle est l'intuition, celle qui voit loin, celle qui entend tout, elle est le cœur loyal. Elle encourage les humains à continuer à parler les multiples langages des rêves, de la passion, de la poésie. Elle chuchote dans les rêves nocturnes, elle laisse derrière elle ses empreintes sur le terrain de l'âme des femmes, qui, alors, éprouvent l'infini désir de la trouver, de la libérer, de l'aimer.

« Elle est les idées, les émotions, les pulsions, la mémoire. Perdue et presque oubliée depuis longtemps, bien longtemps, elle est la source, la lumière, la nuit, l'obscurité, l'aube. Elle est la bonne odeur de la boue, la patte du renard. Les oiseaux qui nous disent des secrets lui appartiennent. Elle est la voix qui dit "Par ici, par ici".

« Elle est celle qui fulmine après l'injustice, qui tourne comme une immense roue, crée les cycles. C'est pour aller à sa recherche que nous quittons la maison. C'est pour la retrouver que nous rentrons chez nous. Elle est la boueuse racine de toutes les femmes. Elle est ce qui nous aide à continuer quand nous baissons les bras, ce qui incube et fait éclore les idées à naître. Elle est l'esprit qui nous pense. Nous sommes les pensées qu'elle émet.

« Où la trouve-t-on? Où peut-on sentir sa présence? Elle parcourt les déserts, les bois, les océans, les villes, les barrios, *les châteaux. Elle vit chez la reine ou la* campesina, *dans l'usine, dans la prison, dans les solitudes, les*

ghettos, les universités. Elle laisse ses empreintes en toute femme chez qui elle trouve un sol fertile. A nous de glisser nos pas dans les siens.

« Où vit-elle ? Au fond du puits, dans les larmes, dans l'océan, dans le cambium *de l'arbre, dans l'éther d'avant tous les temps. Elle appartient au futur et au commencement. On l'appelle et elle arrive du passé. Elle est là aujourd'hui, s'assoit à notre table, fait la queue avec nous, précède notre voiture sur la route. Elle est dans le futur et vient nous rejoindre à reculons.*

« Elle est dans la pousse verte qui perce sous la neige, dans les tiges bruissantes du maïs qui meurent à l'automne, elle vit là où les morts viennent pour qu'on les embrasse et où les vivants prient. Elle vit à l'endroit où se crée le langage. On la trouve en poésie, dans les percussions, le chant, les notes, dans une cantate ou dans le blues. Elle est ce moment qui précède l'inspiration. Elle vit loin, très loin, en un lieu qui affleure à notre monde.

« Certaines personnes vont demander des preuves de son existence. Autant réclamer la preuve de la psyché. Comme nous sommes la psyché, nous en sommes en même temps la preuve. Chacune d'entre nous est la preuve non seulement de l'existence de la Femme Sauvage, mais de sa condition en nous toutes. Nous sommes la preuve de ce numen * *féminin ineffable. Notre existence est parallèle à la sienne.*

« Les preuves, ce sont les expériences que nous avons d'elle et de son manque. Les vérifications, ce sont nos millions de rencontres avec elle, dans notre psyché, à travers nos rêves nocturnes et nos pensées diurnes, nos aspirations et nos inspirations. La manifestation de son passage, c'est que nous nous languissons d'elle quand nous en sommes séparées[3]*... »*

J'ai fait un doctorat d'ethnopsychologie clinique, discipline qui étudie à la fois la psychologie clinique et l'ethnologie, laquelle met l'accent sur l'étude de la psychologie des groupes, en particulier des tribus. Après ce doctorat, j'ai obtenu un diplôme de psychologie analytique, qui m'a donné la qualité d'analyste jungienne. Mon travail avec les analysants est également enrichi par mon expérience de cantadora/mesemondó, *de poétesse et d'artiste.*

Parfois, on me demande de raconter comment, dans mon cabinet, j'aide les femmes à retrouver leur nature sauvage. Je mets l'accent, de manière significative, sur la psychologie clinique et évolutive, et j'utilise le plus simple et le plus accessible des ingrédients pour soigner : les histoires. Nous nous servons du matériau des rêves de la patiente, qui contient maintes intrigues et histoires. Les sensations physiques de l'analysante, sa mémoire corporelle sont aussi des histoires que l'on peut déchiffrer, lire et porter à la conscience.

J'utilise en outre une forme de transe interactive, proche de l'imagination active de Jung; il en sort aussi des histoires qui aident à mieux élucider le voyage psychique de la patiente. Nous mettons au jour le Soi sauvage par le

* Les termes *numen, numineux, numinosité* que l'on rencontre dans cet ouvrage se rapportent à l'expression d'une puissance mystérieuse, sacrée. *(N.d.T.)*

voyage psychique de la patiente. Nous mettons au jour le Soi sauvage par le biais de questions spécifiques, ainsi qu'à travers l'examen de contes, de légendes, de la mythologie. En général, avec le temps, nous pouvons découvrir quel mythe ou conte de fées contient les éléments dont une femme a besoin pour son évolution psychique du moment et est susceptible de la guider. Ces histoires ont en elles toute la dramatique de l'âme d'une femme. Elles sont comme une pièce de théâtre, avec des personnages et des indications scéniques.

« Créer avec ses mains » est une part importante du travail que j'effectue. Je m'efforce de donner du pouvoir à mes patientes en leur apprenant cet artisanat ancestral, entre autre l'art symbolique de la réalisation de talismans, las ofrendras *et les* retablos *– qui vont du simple ruban tressé à la sculpture élaborée. L'art est important. Il marque les commémorations des saisons de l'âme ou d'un événement particulier, quelquefois tragique, du voyage de l'âme. L'art n'est pas seulement destiné à soi-même, il n'est pas seulement un jalon sur la route de la compréhension de soi, c'est aussi une carte destinée à montrer la route à celles qui viendront après nous.*

Comme vous pouvez l'imaginer, le travail avec chacune est individualisé à l'extrême, car personne n'est semblable. Ces facteurs-là, néanmoins, sont pour moi une constante. Ils sont aussi le fondement du travail de tous les humains, le mien comme le vôtre. Poser les questions, raconter des histoires, travailler de ses mains : tout cela participe de la création de quelque chose et ce quelque chose, c'est l'âme. A chaque fois que nous nourrissons l'âme, il est sûr qu'elle va croître.

Vous découvrirez, je l'espère, que ce sont là des moyens tangibles pour assouplir les vieux tissus cicatriciels, panser les vieilles blessures et avoir une nouvelle vision des choses, et par là même redonner vie aux anciens savoir-faire qui font se manifester concrètement, visiblement, l'âme.

Les contes dont je me sers dans ces pages pour élucider la nature instinctuelle des femmes sont, pour certains, des histoires originales. D'autres sont la version littéraire que j'ai tirée des histoires particulières confiées à ma garde par mes tías y tíos, abuelitas y abuelos, omahs et opahs, *les anciens de mes familles – ceux dont, aussi loin que nos souvenirs remontent, les traditions orales n'ont jamais été rompues. Quelques-uns ont été écrits à la suite de rencontres personnelles, d'autres sont issus du passé et tous viennent du cœur. Ils sont fidèlement restitués dans tous leurs détails et dans leur intégrité archétypale. Je les perpétue avec l'autorisation et avec la bénédiction de trois générations de guérisseurs-conteurs toujours en vie, qui comprennent les subtilités qu'implique l'histoire en tant que phénomène de guérison*[4]*.*

A cela viennent s'ajouter certaines des questions que je pose aux personnes qui sont en analyse avec moi et à celles que j'essaie d'aider avec mes conseils. Je montre également en détail comment les femmes peuvent concrètement, grâce à l'art et grâce à l'expérience, garder en mémoire le numen *de leur travail. Autant d'éléments qui aident à se retrouver en accord avec le précieux Soi sauvage.*

Les histoires soignent. J'ai été prise par elles dès la première que j'ai entendue. Elles ont un immense pouvoir. Elles ne nous demandent rien, sauf de les écouter. Elles contiennent les remèdes pour régénérer les pulsions psychiques perdues. Elles engendrent l'excitation, la tristesse, les interrogations, la nostalgie, la compréhension qui ramènent spontanément à la surface l'archétype, en l'occurrence celui de la Femme Sauvage.

Elles sont fertiles en instructions pour nous guider au travers des complexités de l'existence. Elles nous aident à comprendre ce besoin que nous avons de faire émerger un archétype englouti et les moyens d'y parvenir. Les histoires qui suivent sont celles qui, parmi les centaines dans lesquelles je me suis plongée et avec lesquelles j'ai travaillé pendant des décennies, expriment le mieux à mes yeux les riches bienfaits de l'archétype de la Femme Sauvage.

Parfois, la structure originelle des contes se trouve modifiée par des retouches culturelles diverses. Par exemple, dans le cas des frères Grimm (entre autres collecteurs de contes de fées des siècles passés), on soupçonne les conteurs de l'époque d'avoir parfois « purifié » leurs histoires, par égard pour leur religion. Au fil du temps, les vieux symboles païens ont été recouverts par d'autres, chrétiens. Ainsi, une vieille guérisseuse devient-elle dans un conte une méchante sorcière, un esprit devient-il un ange, un châle ou un voile d'initiation un mouchoir, un enfant nommé Beau (nom habituellement donné aux enfants nés pendant la fête du Solstice) se voit-il appeler Schmerzenreich, *Affligé. Des éléments d'ordre sexuel ont disparu. Des créatures et des animaux bienveillants ont souvent été changés en démons et croquemitaines.*

De la sorte, de nombreux contes riches d'enseignement sur le sexe, l'amour, l'argent, le mariage, l'enfantement, la mort, la transformation ont-ils été perdus, comme ont été ensevelis les contes de fées et les mythes susceptibles d'expliciter d'anciens mystères féminins. La plupart des anciens recueils de contes de fées et les récits mythologiques qui sont parvenus jusqu'à nous ont perdu en route leurs éléments scatologiques, sexuels, pervers (par le biais des mises en garde), féminins, initiatiques, pré-chrétiens, les Déesses, les remèdes à divers maux psychologiques et les indications pour parvenir à des extases spirituelles.

Ils les ont perdus, mais pas à tout jamais. Les fragments d'une histoire peuvent permettre d'avoir une idée de sa forme globale. J'ai pratiqué ce que, par plaisanterie, j'appelle la médecine légale du conte et la paléomythologie, même si, fondamentalement, ce travail de reconstruction est une entreprise de longue haleine, complexe et contemplative. Quand cela se révèle utile, j'utilise diverses formes d'exégèse. Je compare les leitmotive et prend en considération les éléments anthropologiques et historiques susceptibles de me guider dans mes conclusions, ainsi que les formes anciennes et nouvelles. Cette méthode reconstitue le conte à partir d'anciens schémas archétypaux que j'ai appris durant mes années d'études de psychologie analytique et archétypale, discipline qui conserve et étudie tous les motifs et les intrigues des contes de fées, des légendes et de la mythologie, dans le but d'appréhender la vie instinctuelle des êtres humains. Les modèles que recèlent l'imaginaire, les images de l'inconscient collectif et ceux auxquels les rêves et les états de conscience modifiés peuvent nous donner accès me fournissent une aide efficace. On peut raffiner un peu plus en comparant les différentes matrices des contes avec les éléments archéologiques appartenant aux cultures anciennes, tels les masques, poteries et figurines rituels. Pour parler comme dans les contes de fées, je passe beaucoup de temps à fourrer mon nez dans les cendres.

Il y a plus de vingt-cinq ans que je me livre à l'étude des schémas archétypaux et deux fois plus longtemps que j'ai entamé celle du folklore, des mythes et des contes de fées appartenant à mes cultures familiales. J'en sais désormais pas mal sur les os qui composent le squelette des histoires et je n'ai aucun mal à repérer où les os d'une histoire manquent. Au fil des siècles, le noyau originel des vieilles histoires a été recouvert ou modifié par les diverses conquêtes et les conversions religieuses, volontaires ou forcées.

Bonne nouvelle, toutefois : malgré tous les chambardements structurels dans les versions des contes, un schéma bien précis persiste, à partir duquel nous pouvons reconstituer l'histoire. D'après la forme des parties restantes, nous pouvons déterminer de manière relativement fiable ce qu'elle a perdu et le reconstituer. Cela, parfois, met du baume sur nos plaies en révélant d'extraordinaires infrastructures. Les vieux mystères n'ont pas été détruits. Les os du squelette de l'histoire nous chuchotent tout ce que nous aurons jamais besoin de savoir.

Recueillir l'essence des histoires est un patient travail de paléontologue. Plus on réunit d'os du squelette d'une histoire, plus on a de chances de la reconstituer dans son intégralité. Plus une histoire est complète, plus elle présente de nuances et de déformations subtiles et plus nous avons de chances d'évoquer et d'appréhender notre travail de l'âme. Quand nous travaillons sur l'âme, la Femme Sauvage crée encore plus d'elle-même.

Quand j'étais enfant, j'ai eu la chance d'être entourée de personnes originaires de la vieille Europe et du Mexique. De nombreux membres de ma famille, mes voisins, mes amis, étaient récemment arrivés de Hongrie, d'Allemagne, de Roumanie, de Bulgarie, de Yougoslavie, de Pologne, de Tchécoslovaquie, de Serbie, de Croatie, de Russie, de Lituanie, de Bohême, ou encore de Jalisco, Michoacan, Juarez et de nombreux villages des aldeas fronterizas *entre le Mexique et le Texas ou l'Arizona. Ils étaient venus, avec beaucoup d'autres – Indiens d'Amérique, gens des Appalaches, émigrés arrivés d'Asie, familles afro-américaines du sud – louer leurs bras pour des tâches domestiques ou agricoles, ou travailler comme ouvriers dans les aciéries ou les brasseries. La plupart n'avaient pas fait d'études et pourtant ils étaient d'une immense sagesse, porteurs d'une riche tradition, uniquement orale ou presque.*

La plupart des personnes qui m'entouraient, voisins ou membres de ma famille, avaient survécu aux camps, qu'ils fussent de travail, de personnes déplacées, de déportés ou de concentration – où les conteurs avaient vécu une version cauchemardesque de Schéhérazade. Beaucoup avaient été dépouillés de leurs terres, emprisonnés et forcés à émigrer. C'est d'eux que j'ai appris les histoires que l'on raconte lorsqu'à tout moment la vie peut s'arrêter et la mort engendrer la vie. Leurs récits étaient emplis de tant de souffrance et d'espérance que, lorsque j'ai été assez grande pour lire les contes de fées des livres, ceux-ci, en comparaison, m'ont paru amidonnés, plats comme si on les avait repassés.

Plus tard, au début de ma vie d'adulte, je suis allée vers l'Ouest et j'ai vécu parmi des étrangers affectueux, Juifs, Irlandais, Grecs, Italiens, Afro-Américains et Alsaciens, qui sont devenus des amis proches par le cœur et l'esprit. J'ai eu le bonheur de connaître quelques-unes des rares anciennes communautés de Latinos du Sud-Ouest américain, comme les Trampas et les Truchas du Nouveau-Mexique. J'ai eu la chance de fréquenter des natives *américains – amis et proches –, des Inuit du Nord aux Nahuas, Lacandones, Tehuanas, Huicholes, Seris, Mayas Quiché, Mayas Caqchiqueles, Mesquitos, Cunas, Nasca/Quechuas et Jivaros de l'Amérique du Sud et de l'Amérique centrale, en passant par les Pueblos et les Indiens des Plaines à l'Ouest.*

*Avec mes frères et sœurs guérisseurs *, j'ai échangé des histoires à des tables de cuisine et sous des treilles, dans des poulaillers et des étables, en aplatissant des tortillas ou en cousant mon millionième point de croix. J'ai partagé le dernier bol de chili, chanté des gospels à réveiller les morts et dormi à la belle étoile, je me suis assise à une table ou au coin d'un feu au sein des communautés ethniques du Far West ou du Midwest urbains, de la Little Italy à Los Barrios en passant par Polish Town, j'ai recueilli, plus récemment, des histoires de* sparats, *les méchants fantômes, auprès d'amis griots des Bahamas.*

Et j'ai eu l'immense chance de voir, partout où je suis allée, les enfants, les mères de familles, les hommes jeunes, les vieux sages et les vieilles – les artistes de l'âme – sortir des bois, de la jungle, des prés, des dunes pour m'offrir leurs commentaires. Et moi j'ai fait de même.

Il y a plusieurs approches aux contes. Spécialistes du folklore, jungiens, freudiens, analystes de tous bords, ethnologues, anthropologues, archéologues, théologiens, chacun a sa méthode, tant pour recueillir l'histoire que pour en faire usage. Sur le plan intellectuel, c'est au travers de ma formation en psychologie analytique et archétypale que j'ai abordé les histoires. Durant un peu plus de cinq ans, au cours de cette formation psychanalytique, j'ai étudié les leitmotive et leur extension, la symbologie archétypale, la mythologie

* Dans le cours de l'ouvrage, il faut entendre en général ce terme au sens large de personne qui guérit les blessures de l'âme et de l'esprit. *(N.d.T.)*

universelle, l'iconologie traditionnelle et populaire, l'ethnologie, les religions du monde et l'interprétation des contes de fées.

Viscéralement, toutefois, j'approche les histoires en tant que cantadora, gardienne des vieilles histoires. Je descends d'une longue lignée de conteuses, de mesemondók, ces vieilles Hongroises qui racontent les histoires assises sur des chaises de bois, genoux écartés, les jupes tombant jusqu'à terre, et de cuentistas, ces vieilles Latinas aux hanches larges et à la poitrine généreuse, qui racontent debout, d'une voix forte, dans le style ranchera. L'un et l'autre clan racontent les histoires avec la simplicité des femmes qui savent ce que sont le sang, les enfants, le pain et les os. Pour nous, l'histoire est une médecine qui remet sur pied et dans le droit chemin l'individu et la communauté.

Ceux qui ont accepté les responsabilités de cet art et sont engagés vis-à-vis du numen qu'il recouvre sont les descendants directs d'une ancienne, d'une immense communauté de personnes sacrées, de troubadours, bardes, griots, cantadoras, cantors, poètes voyageurs, vagabonds, vieilles sorcières et esprits dérangés. Une fois, j'ai rêvé que je racontais des histoires et que quelqu'un me tapotait le pied pour m'encourager. Baissant les yeux, je m'apercevais que j'étais debout sur les épaules d'une vieille femme qui me tenait aux chevilles et me souriait.

– Voyons, disais-je, c'est à vous de monter sur mes épaules. Car je suis jeune et vous êtes âgée.

– Absolument pas. C'est ainsi que les choses doivent être.

Je découvrais alors qu'elle se tenait sur les épaules d'une femme encore beaucoup plus vieille qu'elle, qui elle-même se tenait sur les épaules d'une femme vêtue d'une longue robe, laquelle se tenait sur les épaules d'une autre âme et ainsi de suite...

La vieille femme du rêve avait raison. Ce sont les dons et la force de nos prédécesseurs qui nourrissent les histoires que l'on raconte et que l'on écoute. D'après moi, ce qui fait la force de la narration, c'est une haute colonne d'êtres humains, unis dans le temps et dans l'espace, richement ou pauvrement vêtus comme à leur époque ou encore dans leur nudité et pleins de la sève d'une vie qui continue. S'il existe une source unique aux histoires et à leur numen, c'est cette longue chaîne humaine.

Le conte est beaucoup plus ancien que l'art et la science de la psychologie. Et il le restera à jamais. L'une des plus anciennes façons de raconter m'intrigue énormément. C'est l'état de transe, dans laquelle la narratrice « sent » son audience – qu'elle ait un seul ou plusieurs auditeurs – puis entre dans un état du « monde entre les mondes », où l'histoire est « attirée » vers la conteuse en transe et racontée par son intermédiaire. De la sorte cette conteuse aide à « faire de l'âme ».

La conteuse en transes évoque El Duende[5], ce vent qui souffle l'âme au visage de l'assistance. Elle apprend à avoir une double articulation psychique par la pratique méditative de l'histoire, c'est-à-dire en apprenant à ouvrir certaines barrières psychiques et certaines brèches du moi, afin de laisser parler cette voix plus ancienne que les pierres. Une fois ceci accompli, l'histoire peut suivre n'importe quelle piste, être mise sens dessus dessous, être cousue *d'or ou remplie de nourriture pour aller apaiser la faim du pauvre, ou pousser l'auditeur vers l'autre monde. La conteuse ne sait jamais comment cela va tourner et c'est ce qui fait en partie la magie des histoires.*

Cet ouvrage est un recueil de récits autour de l'archétype de la Femme Sauvage. Il aurait été contraire à l'esprit de la Femme Sauvage d'essayer de la réduire à des diagrammes ou d'enfermer sa vie psychique dans des schémas. On n'a jamais fini de la connaître, c'est la tâche de toute une vie.

Voici donc quelques histoires à prendre en guise de vitamines de l'âme, quelques observations, quelques fragments de cartes, quelques petits morceaux de bois et quelques plumes pour indiquer le chemin sur les arbres, quelques herbes aplaties pour montrer la route du retour vers el mundo subterráneo, *le monde souterrain, notre demeure psychique.*

Les histoires mettent en branle la vie intérieure, ce qui est d'une importance particulière lorsque cette vie intérieure est apeurée, coincée, acculée. Elles huilent les rouages, font monter l'adrénaline, nous montrent comment nous en sortir et taillent dans des murs lisses de grandes et belles portes, ouvertures conduisant au pays des rêves, à l'amour et au savoir, au retour à la vraie vie, celle de femme sauvage, de femme qui sait.

Un conte comme Barbe-Bleue *nous dit exactement ce qu'il faut savoir sur la blessure des femmes qui ne cesse de saigner. Un conte comme* La Femme Squelette *démontre le pouvoir mystique du lien amoureux et comment un sentiment anéanti peut revivre et redevenir un amour profond. On retrouve les dons de la Vieille Mère Mort dans le personnage de Baba Yaga, la vieille Sorcière Sauvage. La petite poupée qui, lorsque tout semble perdu, montre la voie, fait remonter à la surface un art féminin et instinctuel perdu dans* Vassilissa la Sage. *Une histoire comme* La Loba, *femme aux os du désert, nous aide à découvrir la fonction de transformation de la psyché.* La Jeune Fille sans Mains *nous permet de retrouver les étapes perdues des anciens rites initiatiques d'antan et par là même nous guide, de toute éternité, au long de notre vie de femme.*

C'est la rencontre avec la nature Sauvage qui nous pousse à ne pas limiter nos conversations aux êtres humains, ni nos plus belles figures au parquet d'une salle de danse, à ne pas nous borner à entendre seulement la musique des instruments créés par l'homme, à voir la beauté « enseignée », à éprouver des sensations permises, à enfermer notre esprit dans des limites connues et reconnues. Toutes ces histoires représentent la lame acérée de la perspicacité, la flamme de la vie passionnée, le souffle pour exprimer ce que l'on sait, le courage de regarder les choses en face, la fragrance de l'âme sauvage.

C'est un livre qui raconte des histoires de femmes, offertes comme autant de petits cailloux sur le chemin. Elles sont destinées à être lues et méditées. Elles vous accompagneront sur la pente d'une liberté naturellement gagnée, de l'amour de soi, des animaux, de la terre, des enfants, des sœurs, des bien-aimés, des hommes. Je peux vous dire que peu de portes ouvrent sur le monde du Soi Sauvage. Mais elles sont précieuses. Si vous avez une cicatrice profonde, c'est une porte. Une vieille, très vieille histoire, c'est aussi une porte. Si vous aimez le ciel et l'eau d'un amour presque insupportable, c'est une porte. Si vous mourez d'envie d'une vie plus profonde, plus épanouie, plus saine, c'est une porte.

Tout le matériel que contient cet ouvrage a été choisi afin que vous vous enhardissiez. Il a pour propos d'affermir la marche des femmes qui sont en route, celles qui progressent lentement dans des paysages intérieurs difficiles comme celles qui doivent se battre pour progresser dans le monde ou le faire progresser. Il faut lutter pour permettre à notre âme de s'épanouir naturellement. La nature sauvage n'exige pas d'une femme qu'elle ait une certaine couleur de peau, une certaine éducation, un certain style de vie ou qu'elle appartienne à une certaine classe sociale. En fait, elle ne peut se développer harmonieusement dans une atmosphère où règne le « politiquement correct », ni si on la tuteurise avec de vieux paradigmes périmés. Elle pousse bien si on lui fournit l'air frais d'une nouvelle perspective. Elle se développe selon sa nature propre.

Aussi, que vous soyez introvertie ou extravertie, que vous aimiez les hommes ou les femmes, ou Dieu, ou tout ensemble, que vous soyez un cœur simple ou ayez les ambitions d'une Amazone, que vous ayez l'intention de vous hisser au sommet ou de vivre au jour le jour, que vous soyez exubérante ou renfermée, royale ou humble – la Femme Sauvage vous appartient. Elle appartient à toutes.

Pour la trouver, les femmes doivent faire retour à leur vie instinctive, à leur savoir le plus profond[6]*. Commençons donc par remonter à l'âme sauvage. Laissons-la redonner chair à nos os par son chant. Dépouillons-nous des oripeaux qu'on nous a donnés. Enfilons le manteau authentique de l'instinct et de la connaissance. Infiltrons les terres psychiques qui nous ont un jour appartenu. Otons nos pansements. Le remède est prêt. Redevenons maintenant des femmes sauvages qui hurlent, rient, chantent les louanges de Celle qui nous aime tant.*

C'est très simple : sans nous, la Femme Sauvage meurt. Sans la Femme Sauvage, nous mourons. Para Vida, *pour la vraie vie, les deux doivent vivre.*

LES HISTOIRES

1

HURLER AVEC LES LOUPS : RÉSURRECTION DE LA FEMME SAUVAGE

La Loba, la louve

Je dois vous avouer que je n'appartiens pas à la catégorie divine de ceux qui se retirent dans le désert et reviennent emplis de sagesse. J'ai beaucoup voyagé. J'ai connu bien des feux de camps, mais, plus que de la sagesse, j'ai récolté de fâcheux épisodes de *Giardasis*, *E. coli* [1] et autres dysenteries amibiennes. Tel est le sort d'une mystique de la classe moyenne affligée d'un intestin fragile.

Quelles que soient la sagesse et les notions que j'aie pu entrevoir au cours de ces voyages en des lieux bizarres où j'ai rencontré des personnes peu banales, j'ai appris à les protéger. En effet le vieil Akadémos, comme Cronos, a parfois tendance à dévorer les enfants avant qu'ils aient pu avoir des vertus curatives ou provoquer l'étonnement. En surintellectualisant de la sorte, on peut rendre les schémas de la Femme Sauvage et la nature instinctuelle des femmes plus flous.

Il est donc très utile, si nous voulons approfondir notre relation avec la nature instinctuelle, de comprendre les histoires comme si nous étions à l'intérieur et non comme si elles nous étaient extérieures. C'est cette écoute intérieure qui nous ouvre la porte d'un conte. L'histoire racontée est perçue comme des vibrations qui, transformées en impulsions électriques, parviennent au cerveau par l'intermédiaire du nerf auditif. Là les impulsions sont relayées et remontent à la conscience ou bien, à ce qu'on dit, à l'âme... selon l'attitude de celui qui écoute.

Autrefois, les dissecteurs disaient que le nerf auditif était divisé en trois sections au moins, qui s'enfonçaient dans le cerveau. Pour eux, en conséquence, l'oreille était destinée à entendre à trois niveaux différents : le premier permettait d'entendre les conversations terrestres, le deuxième de saisir l'apprentissage et l'art, et le troisième était là pour que l'âme elle-même puisse, du temps de son passage sur terre, entendre les conseils et acquérir un savoir.

Et maintenant, écoutez avec l'oreille de l'âme, car telle est la mission des histoires.

Os par os, la Femme Sauvage revient. Elle revient à travers les rêves, à travers des événements à demi compris et à demi oubliés. Elle revient à travers les histoires.

J'ai entamé ma propre migration à travers les Etats-Unis dans les années 60, à la recherche d'un endroit où m'installer. Il me fallait de l'eau et des arbres en abondance, et la présence des animaux que j'aimais : ours, renards, serpents, aigles, loups. Les loups avaient été systématiquement exterminés dans la partie supérieure des Grands Lacs et on les chassait un peu partout. Or, pour ma part, même si on les représentait comme une menace, je m'étais toujours sentie plus en sécurité lorsqu'il y avait des loups dans les bois. A l'époque, dans l'Ouest et le Nord, lorsqu'on campait, on entendait les montagnes et la forêt chanter la nuit, encore et encore.

L'ère des fusils à viseur, des projecteurs fixés sur les Jeeps et de la nourriture empoisonnée fit pourtant qu'un grand silence s'installa sur ces terres. Bientôt, on ne trouva pratiquement plus un loup dans les Rocheuses *. C'est ainsi que j'arrivai dans le grand désert qui s'étend pour moitié au Mexique et pour moitié aux Etats-Unis. Et plus je descendais vers le sud, plus j'entendais d'histoires de loups.

On dit qu'il existe dans le désert un lieu où l'âme des femmes et l'âme des loups se rencontrent, par-delà le temps. Je sus que j'étais sur la bonne piste lorsqu'aux frontières du Texas, j'entendis une histoire intitulée *La Loba*. Elle parlait d'une femme qui était une louve qui était une femme. Puis je découvris une vieille histoire aztèque, où il était question de deux orphelins qu'une louve allaitait, jusqu'à ce que les enfants soient suffisamment grands pour se tenir debout [2].

Enfin, j'entendis de la bouche de vieux fermiers d'origine hispanique et de Pueblos du Sud-Ouest, des échos sur les hommes et les femmes « aux os », ces anciens qui redonnent vie aux défunts et aux animaux morts. Au cours d'une de mes expéditions ethnographiques, je rencontrai alors une de ces femmes et depuis, je ne suis plus la même. Permettez-moi de vous présenter un récit de première main de la *La Loba*.

---

* Ils y ont été officiellement réintroduits en janvier 1995, après la publication originale de cet ouvrage, afin de rétablir l'équilibre écologique du milieu. *(N.d.T.)*

La Loba

IL est une vieille femme, qui vit dans un endroit caché, connu de tous mais que bien peu ont vu. Comme dans les contes de fées d'Europe de l'Est, elle semble attendre que les personnes perdues, errantes ou en quête de quelque chose parviennent jusqu'à elle.

Elle est circonspecte, souvent velue, toujours grosse et fuit la compagnie des autres. Elle croasse et caquette et s'exprime plus par des cris d'animaux que par des bruits humains.

Certains diront qu'elle vit sur les pentes de granit érodées du territoire des Indiens Tarahumara. On dit aussi qu'elle est enterrée en dehors de Phoenix, près d'un puits. On l'aurait vue descendre vers le sud, vers Monte Alban [3], dans une voiture complètement délabrée, avec la vitre arrière rabattue. Elle se tiendrait sur la grand-route près d'El Paso. Elle accompagnerait les camionneurs qui foncent vers Morelia, au Mexique. On l'aurait aperçue sur la route du marché, au-dessus d'Oaxaca, avec sur le dos des fagots aux formes curieuses. Elle se donne différents noms : *La Huesera*, la Femme aux Os; *La Trapera*, La Ramasseuse, et *La Loba*, la Louve.

La Loba a pour unique tâche de ramasser des os. Elle a la réputation de ramasser et de conserver surtout ce qui risque d'être perdu pour le monde. Sa caverne est pleine d'os de toutes sortes appartenant aux créatures du désert : cerfs, serpents à sonnettes, corbeaux. Mais on la dit spécialiste des loups.

Elle arpente les *montañas*, les montagnes, et les *arroyos*, le lit asséché des rivières, et les passe au crible, à la recherche d'os de loups. Lorsqu'elle est parvenue à reconstituer un squelette dans sa totalité, lorsque le dernier os est en place et que la belle architecture blanche de l'animal est au sol devant elle, elle s'assoit auprès du feu et réfléchit au chant qu'elle va chanter.

Quand elle a trouvé, elle se lève et, les mains tendues au-dessus de la *criatura*, elle chante. C'est alors que la cage thoracique et les os des pattes du loup se recouvrent de chair et que sa fourrure pousse. *La Loba* chante encore et la bête s'incarne un peu plus ; sa queue puissante et recourbée se dresse.

La Loba chante encore et la créature se met à respirer.

La Loba chante toujours, un chant si profond que le sol du désert tremble et pendant qu'elle chante, la bête ouvre les yeux, bondit sur ses pattes et détale dans le canyon.

Quelque part durant sa course, soit du fait de sa vitesse, soit parce qu'elle traverse une rivière à la nage, qu'un rayon de lune ou de soleil vient se poser sur elle, elle se transforme soudain en une femme qui court avec de grands éclats de rire vers l'horizon, libre.

C'est pourquoi on raconte que si vous errez dans le désert au coucher du soleil, peut-être un tout petit peu égaré et sans doute fatigué, vous avez de la chance, car *La Loba* peut vous prendre en sympathie et vous montrer quelque chose – quelque chose qui appartient à l'âme.

Nous sommes toutes au début un tas d'os, un squelette démantelé gisant quelque part dans le désert sous le sable. A nous de recoller les morceaux. C'est une tâche pénible qu'on doit exécuter quand la lumière est bonne, car il faut y consacrer beaucoup d'attention. *La Loba* nous montre ce que nous devons chercher – l'indestructible force vitale, les os.

On peut considérer que le travail de *La Loba* représente un *cuento milagro,* un conte miracle. Il nous montre ce qui est bon pour l'âme. Il nous montre que nous pouvons aller directement à la recherche de l'âme. C'est un conte de la résurrection, qui parle du lien souterrain avec la Femme Sauvage. Il nous promet que par le chant, nous allons pouvoir évoquer les restes psychiques d'âme sauvage et lui redonner forme vivante.

La Loba chante au-dessus des os qu'elle a rassemblés. Chanter, c'est se servir de la voix de l'âme. C'est transmettre par le souffle la vérité du pouvoir et la vérité du besoin, c'est insuffler de l'âme à ce qui souffre ou a besoin de se rétablir. Pour ce faire, il faut plonger au plus profond des émotions et de l'amour, jusqu'à être submergé par le désir d'une relation avec le Soi sauvage, puis laisser s'exprimer l'âme à partir de cet état d'esprit. C'est cela, chanter au-dessus des os. Nous ne pouvons faire l'erreur de tenter de tirer d'un amant cette magnifique forme d'amour, car cette tâche féminine qui consiste à trouver et à chanter l'hymne créatif est un travail solitaire qui s'accomplit dans le désert de la psyché.

Examinons *La Loba*. Dans le vocabulaire symbolique de la psyché, le symbole de la Vieille Femme est l'une des personnifications archétypales les plus répandues dans le monde, les autres étant la Grande Mère, le Grand Père, l'Enfant Divin, le *Trickster* ou Fripon, le Sorcier ou la Sorcière, la Vierge et le Jeune Homme, l'Héroïne-Guerrière, le Fou ou la Folle. On peut considérer *La Loba*, elle, comme fondamentalement différente en ceci qu'elle est la racine nourricière de tout un système instinctuel.

Dans le Sud-Ouest des Etats-Unis, on peut aussi appréhender l'archétype de la vieille femme sous la forme de la vieille *La Que Sabe*, Celle Qui Sait. La première fois que j'ai été conduite à comprendre ce qu'était *La Que Sabe*, c'est lorsque je vivais dans les Monts Sangre de Cristo, au Nouveau-Mexique, juste sous Lobo Peak. Une vieille sorcière de Ranchos me raconta que *La Que Sabe* savait tout sur les femmes car elle les avait créées à partir d'un pli de sa divine plante des pieds. C'est pourquoi les femmes ont le savoir. Elles sont en essence faites de cette peau qui sent tout. Cette idée sonne juste, car une femme, une Indienne acculturée, membre de la tribu des Kiché, m'a dit une fois qu'elle avait porté sa première paire de chaussures à l'âge de vingt ans et qu'elle n'arrivait toujours pas à s'habituer à marcher *con los ojos vendados*, avec des œillères aux pieds.

L'essence sauvage qui vit dans la nature a reçu quantité de noms. On la retrouve, toutes nations confondues, au fil des siècles : La Mère des Jours est la Mère-Créateur-Dieu de tous les êtres et de tout ce qui est, y compris le ciel et la terre ; Mère Nyx règne sur toutes les créatures de la boue et de l'obscurité ; Durga domine les cieux, les vents et les pensées des humains d'où découle toute réalité ; Coatlicue donne naissance à l'univers, un enfant remuant et difficile, mais comme une mère louve, elle lui mord l'oreille pour le faire tenir tranquille ; Hécate, la vieille voyante qui « connaît son monde », porte sur elle l'odeur de l'humus et le souffle de Dieu. Et il existe beaucoup, beaucoup d'autres noms. Ce sont là les représentations de ce qui vit en dessous de la colline, au fin fond du désert, dans les prodondeurs de la forêt.

Quel que soit le nom qu'on lui donne, la force que personnifie *La Loba* enregistre le passé de tous et le passé du monde, parce que, génération après génération, elle a survécu et qu'elle n'a plus d'âge. Elle est l'archiviste des intentions des femmes, la conservatrice de la tradition féminine. Ses moustaches perçoivent le futur ; son regard voilé de vieille sage voit loin ; elle existe simultanément en amont et en aval du temps.

Cette ancienne, la Vieille Qui Sait, nous la portons en nous. Elle s'épanouit au plus profond de l'âme-psyché des femmes. Elle habite cet espace du temps où l'âme du loup et celle de la femme se rencontrent, où l'esprit et l'instinct se mêlent, où la vie profonde assoit la vie de ce monde. C'est le point où se rejoignent et s'embrassent le « je » et le « Tu », l'endroit où, en esprit, les femmes courent avec les loups.

Cette vieille femme se tient entre deux mondes : celui du rationnel et celui du mythe. Elle est leur articulation. Cet entre-deux est le lieu inexplicable que nous reconnaissons lorsque nous en faisons l'expérience, mais si nous essayons d'en saisir les nuances, elles nous échappent et changent de forme, sauf si nous passons par la poésie, la musique, la danse ou les histoires.

On pense que le système immunitaire du corps pourrait avoir sa source dans ce mystérieux territoire psychique, ainsi que la mystique, les images archétypales et nos besoins, y compris notre soif de Dieu, notre faim de mystères et tous les instincts, sacrés ou profanes. On dit parfois que l'histoire de l'humanité, les sources de la lumière et de l'obscurité se trouvent également là. Ce n'est pas un vide, mais plutôt la demeure des Etres de Brume, le lieu où les choses sont et ne sont pas encore, où les ombres ont une substance et où la substance est transparente.

Ce qui est certain, c'est que ce territoire est vieux, plus vieux que les océans. Il est sans âge. L'archétype de la Femme Sauvage est le fondement de cette couche qui émane de la psyché instinctuelle. Même si elle prend différentes formes dans nos rêves et nos expériences créatrices, elle n'appartient pas à la strate de la mère, de la vierge, de la femme médiale, elle n'est pas non plus l'enfant intérieur. Ni la reine, l'amazone, l'amante, la voyante. Elle est ce qu'elle est et elle le reste, quels que que soient les noms qu'on lui donne, noms anciens ou noms nouveaux, *La Que Sabe*, Celle Qui Sait, la Femme Sauvage, *La Loba*.

En tant qu'archétype, la Femme Sauvage est une force ineffable et inimitable, riche d'idées, d'images, de particularités qu'elle offre à l'humanité. L'archétype est partout présent et pourtant on ne peut le voir, au sens habituel du terme. Ce qu'il révèle de lui dans l'obscurité n'est pas nécessairement visible en pleine lumière.

L'archétype se devine dans les images et les symboles qu'on trouve dans les contes, la littérature, la poésie, la peinture et la religion. Sa lumière, sa voix, son parfum sont destinés à nous tirer de la contemplation morose de la gadoue pour nous offrir à l'occasion une promenade dans les étoiles.

Là où vit *La Loba*, le corps physique est, comme l'écrit le poète Tony Moffeit, « un animal lumineux [4] » et, si l'on en croit certaines constatations, la pensée consciente semble renforcer ou affaiblir le système immunitaire. Là où vit *La Loba*, les esprits se manifestent sous la forme de personnages et *La voz mitológica*, La Voix Mythologique de la psyché profonde, parle en tant que poète et oracle. Ce qui a valeur psychique peut être rendu à la vie une fois mort. Et ce qui fonde toutes les histoires ayant jamais existées provient de l'expérience que quelqu'un a eue sur ce territoire psychique inexplicable, et de sa tentative pour raconter ce qui lui est arrivé là.

Ce lieu entre les mondes porte des noms divers. Jung l'appelait l'inconscient collectif, la psyché objective ou encore l'inconscient psychoïde – en se référant à une couche plus ineffable. Pour lui, ce dernier était un lieu où l'univers biologique et le monde psychologique partagent en amont le même lit, où la biologie et la psychologie peuvent se mêler et s'influencer mutuellement. Dans la mémoire des hommes, ce lieu – qu'on l'appelle Nod, qu'on l'appelle la demeure des Etres de Brume ou la fissure entre les mondes – est l'endroit où s'opèrent les visitations, les miracles, les inspirations, les imaginations, les guérisons.

Ce site a beau donner une solide santé psychique, on ne doit pas l'approcher sans préparation, car on pourrait être tenté de se noyer dans le ravissement qu'il procure. Par comparaison, la réalité consensuelle peut sembler beaucoup moins excitante. En ce sens, ces couches profondes de la psyché peuvent représenter des pièges à ravissement, dont on revient vacillant, marchant sur un nuage. Or tel n'est pas le but. Le but est de revenir complètement lavé, plongé dans des eaux revivifiantes, des eaux riches d'enseignement, avec sur la peau le parfum du sacré.

Toute femme peut avoir accès au *Río Abajo Río*, cette rivière sous la rivière. Elle y parviendra grâce à la méditation, à la danse, à l'écriture, à la peinture, à la prière, au chant, à l'imagination active ou toute activité nécessitant un état de conscience différent. C'est parce qu'elle désire et recherche quelque chose qu'elle discerne du coin de l'œil qu'elle va se retrouver dans ce monde-entre-les-mondes. Les activités intensément créatrices, la solitude librement consentie, la pratique des arts vont l'y conduire, mais même alors une grande partie de ce qui se passe dans ce monde ineffable nous restera à jamais mystérieux, car cela n'obéit pas aux lois physiques et rationnelles que nous connaissons.

Il existe une histoire, courte, mais riche, qui montre avec quel soin nous devons pénétrer cet état psychique. C'est celle des quatre rabbis qui brûlaient d'envie de voir la roue sacrée d'Ezéchiel.

Les Quatre Rabbis

UNE nuit, un ange apparut à quatre Rabbis. Après les avoir réveillés, il les conduisit à la Septième Voûte du Septième Ciel. Là, ils aperçurent la Roue sacrée d'Ezéchiel.

Au cours de sa descente du *Pardes*, du Paradis, vers la Terre, l'un des Rabbis perdit l'esprit après avoir vu une telle splendeur et il erra, bouche écumante, jusqu'à la fin de ses jours. Le second fit preuve d'un grand cynisme : « Oh, j'ai rêvé de la Roue d'Ezéchiel, un point c'est tout. Rien ne s'est *vraiment* passé. » Le troisième, totalement obsédé par ce qu'il avait vu, devint intarissable, exposant indéfiniment comment elle était construite et quel était le sens de tout cela... par là même s'égarant et trahissant sa foi. Le quatrième Rabbi était un poète. Il prit du papier, une plume, s'assit auprès de la fenêtre et composa de multiples chants, sur la colombe du soir, sur sa fille dans son berceau, sur les étoiles dans le ciel. Et sa vie n'en fut que meilleure [5].

Nous ignorons qui vit quoi dans la Septième Voûte du Septième Ciel. Nous savons en revanche que tout contact avec le monde où résident les Essences nous fait connaître quelque chose qui dépasse l'entendement humain, tout en nous emplissant d'un sentiment de grandeur et d'une sensation d'expansion. Le fait de toucher au véritable fondement de Celle Qui Sait nous conduit à agir et réagir du plus profond de notre nature intégrale.

Dans son magnifique essai *La Fonction Transcendante* [6], Jung effectue une mise en garde. Certaines personnes, dit-il, dans leur quête du Soi, pourront sur-esthétiser l'expérience de Dieu ou du Soi, d'autres la sous-évaluer, d'autres encore être blessées par elle, faute d'être prêtes pour une telle expérience. Mais d'autres trouveront le chemin de ce que Jung appelle « l'obligation morale » de vivre et d'exprimer ce qu'on a appris dans la descente ou l'ascension vers le Soi sauvage.

Cette obligation morale nous pousse à vivre ce que nous avons perçu en un des lieux où le souffle de *La Que Sabe* nous enveloppe et nous transforme, que ce soit sur les Champs Elysées psychiques, sur les îles des morts, sur le versant de la montagne ou le rocher sur la mer, dans les déserts où gisent les os de la psyché, dans le monde souterrain. Notre tâche est de montrer l'action de ce souffle sur nous, de vivre en quelque sorte dans le monde du dessus ce que nous avons reçu et appris des histoires, du corps, des rêves et des voyages en tout genre.

La Loba représente un parallèle à des mythes universels, dans lesquels les morts sont ramenés à la vie. Dans la mythologie égyptienne, c'est ce que fait Isis chaque nuit pour son frère défunt Osiris, démembré par Seth, le frère malfaisant. Du crépuscule à l'aube, Isis travaille à rassembler les morceaux d'Osiris avant le matin, sans quoi le soleil ne se lèvera pas. Le Christ a ressuscité Lazare, mort depuis si longtemps qu'il « sentait ». Une fois l'an, Déméter fait revenir la pâle Perséphone, sa fille, du Royaume des Morts. Et *La Loba* chante au-dessus des os.

En tant que femmes, c'est là notre pratique de la méditation : rappeler les aspects de nous-mêmes démembrés, morts, rappeler les aspects démembrés, morts, de la vie même. Qui re-crée à partir de ce qui est déjà mort est toujours un archétype à double face. La Mère de la Création est aussi la Mère de la Mort et vice versa. A cause de cette nature duale, ou de cette tâche double, nous avons devant nous un labeur d'importance : apprendre à déterminer ce qui, autour de nous, en nous et à notre propos doit vivre ou mourir. Il nous faut permettre de mourir à ce qui doit mourir, permettre de vivre à ce qui doit vivre.

Pour les femmes, le *Río Abajo Río*, le monde où coule la rivière-sous-la-rivière, où vit la Femme-aux-Os, est source de savoir direct sur les jeunes pousses, l'origine et le grain de semence du monde. Au Mexique, on dit que les femmes portent *la luz de la vida*, la lumière de la vie. Et cette lumière ne se trouve ni dans les yeux, ni dans le cœur de la femme, mais *en los ovarios*, dans ses ovaires, où, dès avant sa naissance, est déposé tout le stock de graines. (L'image équivalente, pour les hommes, si l'on explore les idées profondes sur la fertilité et la nature des graines, ce sont *los cojones*, les bourses, le scrotum.)

C'est ce qu'on apprend en s'approchant de la Femme Sauvage. Quand chante *La Loba*, elle chante avec ce que lui apprennent *los ovarios*, avec un savoir qui lui vient du plus profond du corps, du plus profond de l'esprit, du plus profond de l'âme. Le symbole de la graine et le symbole des os sont similaires. Si l'on a la souche, la base, la part originelle, si l'on a le grain de semence, on peut parer aux pires dévastations, aux pires ravages.

Si l'on a la semence, on a la clé de la vie. Si l'on se trouve dans les cycles de semence, on danse avec la vie, on danse avec la mort, on rentre de nouveau dans la vie en dansant. C'est la personnification de la Mère de la Vie et de la Mort sous sa forme la plus ancienne, la plus porteuse de principes. Et parce qu'elle évolue selon ces cycles constants, je l'appelle la Mère de la Vie/Mort/Vie.

C'est à elle qu'il faut faire appel lorsqu'on a perdu quelque chose, à elle qu'il faut parler. C'est elle qu'il faut écouter. Il est parfois dur, parfois difficile de mettre en pratique ses conseils psychiques, mais cela transforme et restaure toujours. Aussi, en cas de perte, faut-il se tourner vers elle, la vieille femme qui, toujours, vit dans l'abri du pubis – moitié dans le feu de la création, moitié en dehors. Il n'y a pas de meilleur endroit où les femmes puissent vivre, tout près des *huevos* fertiles, de leurs œufs, de leur semence féminine. Là, les idées les plus minuscules comme les plus grandes attendent que notre esprit et nos actes les mettent en œuvre.

Imaginez cette vieille femme comme la femme quintessentielle, la femme de deux millions d'années [7]. La Femme Sauvage originelle, qui vit en dessous du monde et pourtant réside aussi à sa surface. Elle vit en nous, par nous. Elle nous entoure. Les déserts, les forêts, la terre sous nos maisons ont deux millions et quelques années.

J'ai toujours été frappée par le plaisir que les femmes prennent à creuser profondément le sol. Elles plantent des bulbes pour le printemps, repiquent des plants de tomates au parfum âcre, leurs doigts profondément enfoncés dans le terreau. Pour moi, elles creusent à la recherche de la vieille femme de deux millions d'années. Elles veulent se l'offrir comme un cadeau.

Car avec elle, elles se sentent unes et sereines. Et sans elle, ça ne va pas. Combien de femmes ai-je entendues, au fil des ans, entamer leur première séance par une variation sur le thème : « Eh bien, ça ne va pas trop mal, mais ça ne va pas bien non plus » ? Cet état n'a rien de très mystérieux : insuffisance de terreau. Le remède ? *La Loba*. Trouver la femme de deux millions d'années. C'est elle qui joue le rôle de fossoyeur des choses-des-femmes mortes ou en train de mourir. C'est elle le chemin entre les vivants et les morts. Elle chante les hymnes de la création au-dessus des os.

La vieille femme, la Femme Sauvage, c'est *La voz mitológica*, la voix mythique qui connaît le passé et notre histoire ancienne et les conserve pour nous sous forme d'histoires. Parfois, nous rêvons d'elle comme d'une voix désincarnée, mais magnifique.

En tant que sorcière-jeune fille, elle nous montre qu'on peut avoir la peau parcheminée sans être desséchée. Les bébés naissent fripés avec un vieil instinct qui leur indique ce qui est bon pour eux. Si une femme conserve ce don précieux, être vieille tout en étant jeune et jeune tout en étant vieille, elle saura toujours faire face. Si elle l'a perdu, elle pourra encore le retrouver, grâce à un travail psychique déterminé.

La Loba, la vieille femme du désert, ramasse des os. En symbologie archétypale, les os représentent la force indestructible. On ne peut facilement les réduire. Leur structure les rend difficiles à brûler et presque impossibles à pulvériser. Dans les mythes et les histoires, ils représentent l'âme-esprit, qui, nous le savons, peut être blessée, voire mutilée, mais se révèle pratiquement impossible à tuer.

On peut faire plier l'âme, lui infliger des cicatrices, laisser sur elle les marques de la maladie et les stigmates de la peur. Mais elle ne mourra pas, car elle est protégée dans le monde souterrain par *La Loba*, celle qui trouve et fait incuber les os.

Les os sont assez lourds pour qu'on s'en serve comme d'une arme, assez acérés pour entamer la chair et, une fois vieux, pour tinter comme du verre. Les os des vivants se renouvellent sans cesse. Un os vivant possède une étrange « peau », très fine. Il semble avoir le pouvoir de se régénérer, d'une certaine manière. Même une fois desséché, il héberge de petites créatures vivantes.

Dans cette histoire, les os de loup représentent l'aspect indestructible du Soi sauvage, de la nature instinctuelle, de la *criatura* dédiée à la liberté et à la pureté originelle, celle qui n'acceptera jamais les rigueurs et les exigences d'une culture défunte ou civilisatrice à outrance.

On y retrouve des métaphores qui déterminent dans son intégralité le processus pour qu'une femme parvienne à la plénitude de ses sens sauvages instinctuels. La vieille qui ramasse les os est en nous. En nous sont les os d'âme de ce Soi sauvage. Nous avons en nous le potentiel pour reprendre chair et redevenir la créature que nous avons été. Nous avons en nous les os pour changer le monde et notre monde. En nous le souffle, nos vérités, nos aspirations. Tous ensemble ils forment le chant, l'hymne de création que nous avons brûlé de chanter.

Cela ne veut pas dire pour autant que nous devrions nous promener les cheveux dans les yeux, des griffes sales en guise d'ongles. Oui, nous restons humaines. Mais la femme humaine abrite le Soi instinctuel, animal. Ce n'est pas un personnage de dessin animé. Il a de vraies dents, une immense générosité, une ouïe d'une finesse inégalée, des griffes acérées, une poitrine généreuse et velue.

Ce Soi doit être libre d'aller et venir, de parler, d'être en colère, de créer. Ce Soi est résistant, il a du ressort et une grande intuition. Il a de grandes connaissances lorsqu'il s'agit de faire face, sur le plan spirituel, aux choses de la mort et de la vie.

Aujourd'hui, la vieille qui est en vous ramasse des os. Que reconstitue-t-elle ? Elle est le Soi-âme, elle édifie l'âme. *Ella lo hace a mano*, elle fait et refait l'âme à la main. Qu'est-elle en train de faire pour vous ?

Même dans le meilleur des mondes, l'âme a besoin de temps en temps d'un petit ravalement. C'est comme les maisons d'adobe dans le Sud-Ouest des Etats-Unis, il y a toujours quelque chose qui s'écaille, s'effondre, s'érode. On voit toujours une bonne femme toute ronde, les pieds chaussés de pantoufles, qui mélange l'eau, la terre et la paille et colmate les murs d'adobe du plat de la main. Après, ils sont comme neufs. Sans elle, la pluie finirait par réduire la maison à un tas de boue.

Elle est la gardienne de l'âme. Sans elle, nous perdons notre forme. Sans elle, les humains sont, dit-on, sans âme, ou des âmes damnées. Elle donne forme à la maison d'âme et en rajoute un peu à la main, comme la femme en pantoufles. Elle construit l'âme, réveille la louve, elle est la gardienne de ce qui est sauvage.

Je vous le dis affectueusement : que vous soyez louve noire, louve grise, louve rouge du Sud ou louve blanche de l'Arctique – c'est une image – vous êtes la *criatura* instinctuelle quintessentielle. Même si certains préféreraient vous voir vous bien conduire plutôt que de grimper aux rideaux ou de sauter au cou des visiteurs, faites-le. Quelques-uns se reculeront, dégoûtés ou effrayés. Mais l'être aimé, lui, appréciera votre nouveau visage, s'il est la personne qu'il vous faut.

C'est pour se recentrer sur le plan psychique que les gens pratiquent la méditation, entreprennent des analyses et des psychothérapies, analysent leurs rêves et ont des activités artistiques, que certains interrogent les tarots, le Yi King, font de la danse, du théâtre, des percussions, taquinent la muse ou prient. C'est cela, rassembler les os. Ensuite, il faut s'asseoir au coin du feu et réfléchir à l'hymne de création ou de re-création que nous allons chanter au-dessus des os. Et les vérités que nous disons feront la chanson.

Il est bon de se poser certaines questions avant de décider quelle chanson, quelle vraie chanson choisir. Qu'est-il arrivé à ma voix de l'âme ? Quels os de ma vie sont enterrés ? Où en est ma relation avec le Soi instinctuel ? A quand remonte la dernière fois où j'ai couru en liberté ? Comment faire pour rendre vie à la vie ? Où s'en est allée *La Loba* ?

La vieille femme chante au-dessus des os et les os reprennent chair. Nous aussi, nous « devenons » lorsque nous déversons de l'âme sur les os que nous avons trouvés. Tandis que nous déversons notre nostalgie et nos peines de cœur sur les os de ce que nous étions dans notre jeunesse, de ce que nous savions des siècles auparavant, sur l'accélération que nous percevons dans le futur, nous nous tenons à quatre pattes. En déversant de l'âme, nous sommes revivifiées. Nous ne sommes plus désormais une petite chose en train de se dissoudre. Non, nous sommes à l'étape de la transformation où nous « devenons ».

Comme les os desséchés, nous partons bien souvent d'un désert. Nous nous sentons aliénées, coupées de tout, même d'un malheureux cactus. Les anciens appelaient le désert le lieu de la révélation divine, mais pour les femmes, c'est beaucoup plus que ça.

Un désert est un endroit où la vie est très concentrée. Les racines retiennent jusqu'à la dernière goutte d'eau et la fleur économise son humidité en ne se montrant qu'à l'aube et au crépuscule. La vie dans le désert est restreinte mais brillante et en grande partie souterraine. Comme la vie de beaucoup de femmes.

Le désert n'a rien de luxuriant. La vie y a des formes très intenses, mystérieuses. Nombre d'entre nous ont mené des vies semblables, réduites en surface et considérables en dessous. *La Loba* nous montre les éléments précieux que ce genre de répartition psychique peut susciter.

La psyché d'une femme peut s'être frayé un chemin vers le désert par affinité, ou parce qu'elle a souffert, ou parce qu'on ne lui a pas permis une vie plus épanouie à la surface. Aussi, très souvent, la femme a-t-elle alors l'impression de vivre dans un endroit désert, avec peut-être un seul cactus et sa belle fleur rouge et autour, à cinq cents kilomètres à la ronde, rien. Mais celle qui atteindra le cinq cent et unième kilomètre se verra récompensée. Elle trouvera une bonne vieille petite maison. Qui l'attend.

Certaines femmes ne veulent pas se retrouver dans le désert psychique. Elles détestent sa fragilité, son aridité. Elles tentent de poursuivre leur chemin, clopin-clopant, vers une ville-lumière de la psyché entièrement fantasmée. Et elles sont déçues, car il n'y a là rien de sauvage, rien de luxuriant. Cela, c'est dans le monde de l'esprit qu'on le trouve, dans ce monde entre deux mondes, *Río Abajo Río*, la rivière sous la rivière.

Soyez raisonnable. Retournez en arrière, plantez-vous sous cette belle fleur rouge et marchez. Faites le dernier kilomètre, le plus difficile. Allez frapper à la vieille porte battue par les intempéries. Pénétrez dans l'antre. Glissez-vous par la fenêtre d'un rêve. Fouillez le désert et voyez ce que vous trouverez.

C'est tout ce que nous *avons* à faire.

Vous avez besoin d'un conseil psychanalytique ?

Allez ramasser des os.

2

TRAQUER L'INTRUS : UN DÉBUT D'INITIATION

Barbe-Bleue

Il y a plusieurs êtres humains en un seul et chacun possède ses propres valeurs, ses propres motivations, ses propres systèmes. Certaines technologies utilisées pour l'étude de la psychologie proposent d'appréhender ces êtres-là, de les décompter, de les nommer et de les soumettre, tels des vaincus en esclavage. Mais ce genre de méthode éteindrait les lueurs sauvages qui dansent dans les yeux des femmes et les flammes que leur cœur lance, de sorte qu'elles ne feraient plus d'étincelles. Plutôt que de corrompre cette beauté naturelle, notre tâche est d'offrir à tous ces êtres une campagne sauvage où les artistes parmi eux peuvent créer, les amants aimer et les guérisseurs guérir.

Mais que faire de ces créatures intérieures lorsqu'elles sont folles ou qu'elles apportent la destruction ? Il faut leur faire une place, une place où, néanmoins, elles puissent être contenues. Il faut tout particulièrement prendre conscience de l'existence de l'entité la plus trompeuse et la plus fugitive de la psyché – le prédateur naturel – et la contenir.

L'insuffisance de sève nourricière est une des grandes causes des souffrances de l'être humain, mais il existe aussi dans la psyché un aspect *contra naturam* inné, une force contre nature. Cette force contre nature s'oppose à l'aspect positif : elle va contre le développement, contre l'harmonie, contre le sauvage. C'est un antagoniste meurtrier qui est né en nous, et même les meilleurs des soins nourriciers ne peuvent empêcher que le seul but de l'intrus soit d'essayer de transformer tous les carrefours en routes barrées.

Ce potentat prédateur [1] apparaît de manière récurrente dans les rêves des femmes. Il fait irruption dans leurs plans les plus inspirés, les plus significatifs. Il les coupe de leur nature intuitive. Lorsqu'il a accompli cette tâche, il laisse la femme avec des sentiments appauvris, avec la crainte d'avancer dans l'existence, tandis que ses idées et ses rêves gisent inanimés à ses pieds.

Barbe-Bleue est une histoire de ce genre. Aux Etats-Unis, on la connaît surtout dans ses versions française et allemande [2], mais je préfère cette version, mélange de la française et de la slave. Elle est proche de celle que m'a donnée ma tante Kathé, qui vivait en Hongrie à Csíbrak, près de Dombovar. Dans notre entourage de fermières conteuses d'histoires, on commence *Barbe-Bleue* par une anecdote à propos de quelqu'un qui a vu quelqu'un qui a vu l'horrible preuve de la mort de Barbe-Bleue.

Barbe-Bleue

DANS les montagnes lointaines, au sein du couvent des sœurs blanches, se trouve un lambeau de barbe. Comment est-il arrivé là ? Nul ne le sait. On dit que les nonnes ont enterré ce qui restait du corps, car personne ne voulait y toucher. On ignore pour quelle raison elles ont voulu conserver ce genre de relique : pourtant le fait est là. Une amie d'amie l'a vue de ses propres yeux. La barbe est bleue, d'après elle, très exactement indigo, aussi bleue que la glace dans les profondeurs du lac, que l'ombre d'un trou dans la nuit. Cette barbe a appartenu à un homme dont on dit qu'il fut un magicien raté, un géant amateur de femmes. On le connaissait sous le nom de Barbe-Bleue.

On raconte qu'il a courtisé trois sœurs en même temps. Mais il leur faisait peur, avec l'étrange ombre bleue de sa barbe. Aussi se cachaient-elles lorsqu'il les appelait. Pour faire la preuve de sa bienveillance, il les invita à une promenade dans la forêt. Il arriva avec des chevaux parés de clochettes et de rubans cramoisis, y jucha la mère et ses filles et tous partirent au petit trot dans la forêt. Ils passèrent une merveilleuse journée à chevaucher, leurs chiens courant devant eux ou à leurs côtés. Un peu plus tard, ils s'arrêtèrent sous un arbre géant ; Barbe-Bleue leur raconta de belles histoires et leur offrit des mets raffinés.

Les sœurs commençaient à se dire : « Après tout, peut-être ce Barbe-Bleue n'est-il pas si mal que ça. »

Elles rentrèrent chez elles en bavardant des agréments de cette journée et des bons moments qu'au fond elles avaient passés. Pourtant, les deux sœurs aînées furent reprises par leurs soupçons et elles se jurèrent de ne plus revoir Barbe-Bleue. Mais la plus jeune pensait que si un homme pouvait se montrer aussi charmant, il n'était sans doute pas si mauvais que cela. Plus elle s'en persuadait et moins il semblait affreux et moins sa barbe semblait bleue.

Aussi, lorsque Barbe-Bleue lui demanda sa main, elle réfléchit sérieusement puis accepta, jugeant qu'elle allait épouser un homme très élégant. Les noces se firent, puis ils partirent pour son château au fond des bois.

Un jour, son époux vint la voir et lui dit : « Je dois m'absenter pour un temps. Invite ta famille, si tu le souhaites. Tu peux aller te promener à cheval dans les bois, demander aux cuisiniers de te préparer un festin, faire tout ce que tu veux, tout ce que ton cœur désire. Voici l'anneau avec mes clefs. Tu peux ouvrir toutes les portes du château, celles des magasins à provisions, celles des chambres où je garde mon argent, mais cette petite clef-là, celle qui est ouvragée sur le dessus, ne t'en sers pas. »

Son épouse répondit : « Je ferai ainsi que vous me le demandez. Tout cela me convient. Partez tranquille, mon cher époux, et revenez vite. »

Il s'éloigna donc sur son cheval et elle resta.

Ses sœurs vinrent la voir et elles étaient, comme tout le monde, très curieuses de savoir ce que le Maître avait dit de faire pendant son absence.

« Il a dit, déclara gaiement la jeune épouse, que nous pourrions faire tout ce que nous voulions et entrer dans toutes les pièces où nous le souhaiterons, sauf une. Mais je ne sais de laquelle il s'agit. J'ai juste la clef. J'ignore quelle porte elle ouvre. »

Les sœurs décidèrent de s'amuser à découvrir quelle porte la clef ouvrait. Le château avait deux étages et chaque aile avait cent pièces. Elles s'amusèrent beaucoup à aller de porte en porte et à les ouvrir. Les provisions étaient derrière l'une, l'argent derrière une autre. Il y avait toutes sortes de richesses derrière les portes, plus belles les unes que les autres. A la fin, lorsqu'elles eurent vu toutes ces merveilles, elles arrivèrent à la cave. Au fond du couloir, il y avait un mur aveugle.

Elles s'interrogèrent sur la dernière clef, celle qui était ouvragée sur le dessus. « Peut-être qu'elle ne correspond à rien du tout... » Comme elles prononçaient ces paroles, elles entendirent un drôle de bruit : crriii... Elles jetèrent un coup d'œil à l'angle, et, voilà qu'une petite porte était en train de se refermer. Quand elles essayèrent de la rouvrir, elle était solidement close. Une des sœurs s'écria : « Ma sœur, ma sœur, apporte ta clef. C'est sans doute la clef de cette mystérieuse petite porte. »

Sans plus réfléchir, l'une des sœurs glissa la clef dans la serrure et la tourna. La serrure grinça et la porte s'ouvrit. Mais il faisait trop sombre pour y voir quoi que ce soit.

« Ma sœur, ma sœur, apporte une chandelle... » Elles allumèrent une chandelle et, la tenant, pénétrèrent dans la pièce. Les trois femmes poussèrent un même hurlement. Il y avait là une mare de sang caillé, des os noircis épars et des crânes entassés dans les angles comme des pyramides de pommes.

Elles refermèrent violemment la porte puis, d'une main tremblante, sortirent la clef de la serrure et restèrent pantelantes. Leurs poitrines se soulevaient : Oh mon Dieu, Oh mon Dieu !

L'épouse baissa les yeux vers la clef et s'aperçut qu'elle était tachée de sang. Horrifiée, elle essaya de la nettoyer avec le pan de sa robe, mais le sang demeura. Oh non ! s'écria-t-elle. Chacune des sœurs prit la minuscule clef dans ses mains et s'efforça de lui rendre son aspect premier. En vain.

L'épouse cacha la minuscule clef dans sa poche et courut à la cuisine. Lorsqu'elle y parvint, sa robe blanche était tachée de rouge de la poche à l'ourlet, car la clef pleurait lentement des larmes de sang pourpre. Elle ordonna à la cuisinière : « Vite, donne-moi du tissu de crin. » Elle récura la clef, mais celle-ci ne cessait de saigner. Des gouttes de sang rouge vif en tombaient.

Elle alla dehors et mit dessus des cendres de l'âtre, puis la récura de nouveau. Elle la présenta à la chaleur du feu. Elle y posa de la toile d'araignée pour faire cesser le flot. Rien n'y faisait. Le sang continuait à couler.

Elle se mit à pleurer.

« Seigneur, que vais-je faire ? se dit-elle. J'ai trouvé. Je vais mettre à part la petite clef. Je vais la placer dans la garde-robe et fermer la porte. Ce n'est qu'un mauvais rêve. Tout va s'arranger. »

Ainsi fit-elle.

Son époux revint dès le lendemain matin. Il entra dans le château en appelant sa femme.

– Alors, comment cela s'est-il passé en mon absence ?

– Bien, Monsieur mon époux.

– Et comment sont les magasins à provisions ? grommela-t-il.

– Très beaux, Monsieur mon époux.

– Et les chambres où je garde mon argent ? gronda-t-il.

– Très belles, Monsieur mon époux.

– Alors tout va bien, femme ?

– Tout va bien, Monsieur mon époux.

– Dans ce cas, chuchota-t-il, mieux vaut que tu me rendes mes clefs.

Au premier coup d'œil, il vit qu'une clef manquait. – Où est la plus petite clef ?

– Je... je l'ai perdue, oui, je l'ai perdue. Je me suis promenée à cheval, l'anneau avec les clefs est tombé et j'ai dû en perdre une.

– Qu'as-tu fait avec cette clef, femme ?

– Je... je ne me souviens pas.

– Ne me mens pas ! Dis-moi ce que tu as fait avec cette clef !

Il attira son visage à lui comme s'il voulait la caresser, mais au lieu de cela, il la prit par les cheveux. – Femme déloyale ! hurla-t-il en la jetant à terre. Tu es allée dans cette pièce, n'est-ce pas ?

Il ouvrit sa garde-robe. La petite clef, sur l'étagère du haut, avait laissé couler le sang rouge sur la magnifique soie des robes qui y étaient suspendues.

– Maintenant, c'est ton tour, ma belle ! hurla-t-il.

Et il la traîna à la cave, jusqu'à ce qu'ils arrivent devant la terrible porte. A peine Barbe-Bleue avait-il jeté un regard incandescent à la porte, que celle-ci s'ouvrait devant lui, révélant les squelettes de toutes ses anciennes épouses.

– Et maintenant... rugit-il.

Mais l'épouse s'était accrochée aux montants de la porte et ne lâchait pas prise, tout en le suppliant de l'épargner : – Par pitié, permettez-moi de me préparer à mourir. Donnez-moi un quart d'heure avant de m'ôter la vie, afin que je puisse me mettre en règle avec Dieu.

– Entendu, grinça-t-il. Tu as un quart d'heure, mais tiens-toi prête.

L'épouse monta les escaliers quatre à quatre jusqu'à sa chambre et demanda à ses sœurs de faire le guet sur les remparts du château. Elle s'agenouilla, mais au lieu de prier, elle appela ses sœurs.

– Mes sœurs, mes sœurs, voyez-vous arriver nos frères ?

– Nous ne voyons rien, rien que la plaine à perte de vue.

Et à chaque instant, elle criait en direction des remparts : – Mes sœurs, mes sœurs, voyez-vous venir nos frères ?

– Nous voyons au loin un tourbillon de poussière.

Pendant ce temps, Barbe-Bleue s'était mis à rugir que son epouse devait se rendre à la cave pour qu'il lui coupe la tête

Elle cria encore : – Mes sœurs, mes sœurs, voyez-vous venir nos frères ?

Barbe-Bleue appela de nouveau d'une voix terrible et entreprit de monter lourdement les marches de pierre.

Ses sœurs s'écrièrent : – Oui ! Oui, nous les voyons. Nos frères sont là, ils viennent d'entrer dans le château.

Les pas de Barbe-Bleue résonnèrent dans le couloir et s'approchèrent de la chambre de son épouse. – Je viens te chercher ! tonna-t-il.

Ses pas étaient si lourds que les pierres du couloir vibrèrent et que le sable du mortier se répandit sur le sol.

Au moment où Barbe-Bleue entrait pesamment dans sa chambre, les mains tendues pour s'emparer d'elle, ses frères débouchèrent à cheval dans le couloir et pénétrèrent au galop dans la pièce. Ils repoussèrent Barbe-Bleue jusqu'au garde-fou et là, l'épée brandie, ils marchèrent sur lui et le taillèrent en pièces, frappant, coupant, tailladant, perçant, jusqu'à ce qu'il tombe à terre et qu'enfin ils le tuent et laissent son sang et ses cartilages aux vautours.

Le prédateur naturel de la psyché

Dans le cadre de l'individuation de la femme, il est très important qu'elle établisse une relation avec la nature sauvage. Pour ce faire, elle doit s'aventurer dans l'obscurité, sans pour autant être irrémédiablement prise au piège, capturée, ou tuée à l'aller ou au retour.

Barbe-Bleue traite du thème de ce chasseur, de cet homme noir qui habite la psyché de toutes les femmes, le prédateur inné. Il représente une force spécifique et incontournable qu'il faut contenir et mémoriser. Pour contenir le prédateur naturel de la psyché [3], il faut que les femmes restent en possession de leurs pouvoirs instinctuels, parmi lesquels la perspicacité, l'intuition, l'endurance, l'affection obstinée, la sensibilité aiguë, la vision de loin, la finesse de l'ouïe, le chant sur les morts, la guérison instinctive et l'alimentation de leur propre flamme créatrice.

Dans l'interprétation psychologique, nous faisons appel à tous les aspects du conte de fées, pour représenter le schéma dramatique dans la psyché d'une femme. Barbe-Bleue correspond à un complexe de profonde réclusion qui guette toutes les femmes aux marges de leur existence et attend l'occasion de s'opposer à elles. Et, même s'il peut être symbolisé parfois de manière différente dans la psyché masculine, il est depuis toujours l'ennemi des deux sexes.

Il est difficile de saisir cette force dans sa totalité, car elle est innée. Elle accompagne les êtres humains depuis la naissance et en ce sens elle n'a pas d'origine consciente. Il me semble pourtant que nous avons une petite idée de la manière dont sa nature s'est développée dans le préconscient des humains car, dans le conte, Barbe-Bleue est appelé « un magicien raté ». En cela, il est lié à des personnages d'autres contes de fées qui décrivent de même le prédateur de la psyché comme un mage à l'allure plutôt normale mais à l'immense pouvoir destructeur.

En utilisant cette description comme on le ferait d'un tesson retrouvé lors de fouilles archéologiques, nous le comparons à ce que l'on sait, en histoire des mythologies, de la sorcellerie ou des pouvoirs spirituels qui ont échoué à atteindre leur but. Dans l'Antiquité grecque, Icare s'approcha trop près du soleil, de telle sorte que ses ailes de cire fondirent et qu'il retomba sur la terre. Le mythe zuni *Le Garçon et l'Aigle* raconte l'histoire d'un garçon qui serait entré au royaume des aigles, s'il n'avait pensé pouvoir violer les lois de la mort. Alors qu'il s'élevait dans le ciel, l'habit de plumes d'aigle qu'il avait emprunté fut arraché et il tomba en chute libre. Dans le mythe chrétien, Lucifer prétendit à l'égalité avec Yahveh et fut entraîné aux enfers. Le folklore ne manque pas d'apprentis sorciers qui voulurent imprudemment s'aventurer au-delà de leurs possibilités en tentant de contrevenir aux lois de la nature. Des cataclysmes, des blessures furent leur punition.

Lorsque nous examinons ces leitmotive, nous voyons que les prédateurs souhaitent avoir sur les autres la supériorité et le pouvoir. Ils présentent une sorte d'inflation psychologique. Celle-ci pousse l'entité à souhaiter être aussi importante et plus sublime que l'Ineffable, qui, traditionnellement, répartit et contrôle les forces mystérieuses de la nature, y compris, entre autres, les systèmes de la vie et de la mort et les règles de la vie humaine.

L'histoire et le mythe nous montrent que lorsqu'une entité essaie de violer, soumettre ou altérer le mode par lequel opère l'Ineffable, elle est punie et doit souffrir soit un amoindrissement de ses capacités dans l'univers du mystère et de la magie – comme des apprentis qu'on n'autorise plus à pratiquer –, soit un exil solitaire loin de la terre des dieux, ou toute autre perte similaire de grâce et de pouvoir par amoindrissement, par mutilation ou par la mort.

Si nous sommes capables de voir en Barbe-Bleue le représentant interne du mythe intégral d'un tel être déchu, nous devons pouvoir également comprendre la solitude profonde, inexplicable, qui l'(nous) envahit de temps en temps, parce qu'il vit un exil permanent, loin de la rédemption.

Le problème posé dans *Barbe-Bleue* est celui-ci : plutôt que d'aviver la lumière des jeunes forces féminines de la psyché, il est au contraire empli de haine et désire anéantir les lumières de celle-ci. Il n'est pas difficile de comprendre qu'il y a, dans une constitution aussi maligne, quelqu'un pris au piège, quelqu'un qui voulut un jour surpasser la lumière et fut pour cela déchu de la Grâce. Nous saisissons alors pourquoi, par la suite, l'exilé poursuit sans pitié la lumière des autres. Nous imaginons facilement qu'il espère s'adjoindre suffisamment d'âme(s) pour provoquer un éclat de lumière tel que son obscurité en serait finalement abolie et sa solitude amendée.

En ce sens, au début du conte, nous avons un être redoutable sous sa forme brute. C'est pourtant là une des vérités fondamentales dont la plus jeune sœur du conte doit prendre connaissance, comme toutes les femmes : tant à l'intérieur qu'à l'extérieur, il y a une force qui va se trouver en opposition avec les instincts du Soi naturel et cette force maligne *est ce qu'elle est*. Nous devons nous montrer indulgentes à son égard, mais nous devons commencer par la reconnaître, par nous protéger de ses ravages pour plus tard nous séparer de son énergie meurtrière.

Toutes les créatures doivent apprendre l'existence des prédateurs. La femme qui l'ignore sera incapable d'évoluer au cœur de sa propre forêt sans se faire dévorer. Comprendre le prédateur, c'est être un animal qui a atteint sa maturité et ne saurait être vulnérable par naïveté, inexpérience ou inconscience.

Tel un rusé chasseur, Barbe-Bleue sent qu'il intéresse la plus jeune des filles, autrement dit qu'elle accepte d'être sa proie. Il la demande en mariage et dans un moment d'exubérance propre à la jeunesse, mélange comme souvent de folie, de plaisir, de bonheur et d'intrigue sexuelle, elle accepte. Quelle femme ne reconnaît pas ce scénario ?

La femme naïve comme proie

La plus jeune des sœurs, la moins évoluée, est l'incarnation de la femme naïve. C'est son propre chasseur intérieur qui va la capturer temporairement. Pourtant, à la fin, elle émergera plus sage, plus forte et reconnaîtra le prédateur de sa propre psyché quand elle le verra.

Le thème psychologique sous-jacent au conte s'applique également à la femme plus âgée qui n'est pas encore complètement parvenue à reconnaître le prédateur inné. Peut-être a-t-elle entamé le processus à de nombreuses reprises mais ne l'a-t-elle pas mené à son terme, faute de conseils et de soutien.

C'est pourquoi il est si enrichissant de raconter des histoires. Elles fournissent des cartes initiatiques, de sorte qu'on peut reprendre ce qui a été interrompu en butant sur un obstacle. Toutes les femmes peuvent se servir de l'histoire de Barbe-Bleue, qu'elles soient jeunes et viennent tout juste de découvrir l'existence du prédateur ou qu'après avoir été chassées, harcelées par lui pendant des décennies, elles s'apprêtent enfin à lui livrer un ultime et décisif combat.

La plus jeune sœur représente un potentiel de création à l'intérieur de la psyché. Quelque chose qui s'achemine vers une vie exubérante. Mais elle fait un détour en chemin en acceptant de devenir la récompense d'un homme vicieux, parce qu'elle n'a pas gardé intact l'instinct qui lui aurait permis de ne pas s'engager sur cette voie.

Sur le plan psychologique, les jeunes gens et les jeunes filles ne sont pas conscients du fait qu'ils représentent une proie. C'est comme s'ils ne s'étaient pas éveillés à cette idée. La vie serait plus facile et moins douloureuse si tous les humains naissaient les yeux grands ouverts, mais ce n'est pas le cas. Nous sommes tous en naissant des *anlagen*, comme le potentiel au cœur d'une cellule : en biologie, l'*anlage* est la partie de la cellule qui représente « ce qui va devenir ». Dans l'*anlage* se trouve la substance primale qui, avec le temps, va se développer, nous permettant de devenir quelqu'un de complet.

Notre rôle, dans notre vie de femme, est donc d'accélérer l'*anlage*. Le conte *Barbe-Bleue* aide à l'éveil, à l'éducation de ce centre psychique, de cette cellule lumineuse. Au nom de cette éducation, la plus jeune sœur accepte d'épouser une force qu'elle considère comme très élégante. Le mariage du conte de fées représente un nouveau statut recherché, une nouvelle strate de la psyché sur le point d'être déroulée.

La jeune épousée, néanmoins, s'est leurrée. Au début, Barbe-Bleue lui faisait peur. Elle s'en méfiait. Et puis, un peu de plaisir dans les bois a suffi pour que son intuition soit noyée. Toutes les femmes ont connu cette expérience au moins une fois dans leur vie. Celle-ci finit par se persuader que Barbe-Bleue n'est pas dangereux, simplement particulier, excentrique. « Que je suis sotte ! Pourquoi suis-je rebutée par cette petite barbe bleue ? » Et pourtant sa nature sauvage a déjà eu vent de la situation, elle sait que cet homme à la barbe bleue est fatal, mais la psyché naïve ne lui permet pas de l'exprimer.

Cette erreur de jugement est presque routinière chez une très jeune femme dont le système d'alarme n'est pas encore développé. Elle ressemble à un louveteau orphelin qui joue dans la clairière, inconscient du gros chat sauvage qui approche dans l'ombre. Quant à la femme plus âgée, coupée de la nature sauvage au point qu'elle entend à peine ses avertissements intérieurs, elle continue de la même manière, un sourire naïf aux lèvres.

Tout cela, demanderez-vous, peut-il être évité ? Comme dans le monde animal, la jeune fille apprend à voir le prédateur à travers ce que lui en apprennent ses père et mère. Si elle n'est pas guidée affectueusement de la sorte, il y a de fortes chances qu'elle devienne une proie encore plus tôt. Presque toutes, reconnaissons-le, nous avons connu cela, cette idée irrésistible ou cette personne un peu bizarre qui, psychiquement parlant, sont entrées une fois la nuit par effraction dans notre chambre et nous ont prises par surprise. Et même si elles portent une cagoule, un sac plein d'argent jeté sur l'épaule et si elles ont un couteau entre les dents, nous les croyons lorsqu'elles nous affirment qu'elles travaillent dans la banque.

Pourtant, même protégée par la sagesse parentale, l'adolescente peut, surtout vers les douze ans, être séduite et éloignée de sa propre vérité par ses pairs, des groupes culturels, des pressions psychiques et commencer ainsi à prendre des risques dans le but de se rendre compte par elle-même. Quand je travaille avec des jeunes filles qui sont convaincues que le monde sera OK si elles savent s'y prendre avec lui, je me sens comme une vieille chienne en face d'elles. J'ai envie de poser mes pattes sur mes yeux et de gémir, car je vois ce qu'elles ne voient pas et je sais, surtout si elles sont entêtées, qu'elles feront en sorte d'être en contact avec le prédateur au moins une fois avant d'être brutalement réveillées.

Au début de notre existence de femme, nous envisageons les choses sous un angle très naïf et donc nous appréhendons mal ce qui est caché. C'est pourtant ainsi que nous commençons toutes, en nous plaçant dans des situations confuses. Si nous n'avons pas été initiées en ce sens, c'est que nous nous trouvons dans une période de notre vie où nous sommes capables de voir seulement ce qui est évident.

Chez les loups, lorsque la femelle laisse ses petits pour aller chasser, ceux-ci essayent de la suivre hors de la tanière. Elle se met alors à gronder, à prétendre bondir sur eux, bref à les effrayer jusqu'à ce qu'ils rentrent à l'abri, la queue basse. En tant que mère, elle sait que sa progéniture est encore incapable de se faire une idée sur les autres bêtes. Les petits ignorent qui est un prédateur et qui ne l'est pas. Elle le leur apprendra en son temps, à la dure, mais avec efficacité.

Les femmes ont besoin de la même initiation. Elles doivent apprendre que ni le monde intérieur ni le monde extérieur ne sont un lit de roses. Certaines n'ont même pas reçu sur le prédateur les leçons de base que la louve donne à ses petits, du genre : s'il est menaçant et plus gros que vous, fuyez ; s'il est plus faible, voyez par vous-mêmes ; s'il est malade, laissez-le ; s'il a des piquants, des crocs, des griffes acérées ou du poison, faites volte-face et partez en sens inverse ; s'il a une odeur alléchante mais qu'il est entouré de mâchoires d'acier, passez votre chemin.

La plus jeune sœur du conte ne fait pas seulement preuve de naïveté sur son fonctionnement mental et d'ignorance totale sur les aspects meurtriers de sa propre psyché, elle se révèle aussi capable de se laisser prendre aux plaisirs du moi. Et pourquoi pas, d'ailleurs ? Nous souhaitons toutes que la vie soit belle. Chaque femme souhaite monter un cheval paré de clochettes et chevaucher à perdre haleine par la verte et sensuelle forêt. Tout être humain souhaite le paradis sur terre. Le problème est que le moi en éprouve le désir, mais que cette aspiration au paradis, lorsqu'elle s'ajoute à la naïveté, loin de nous combler, va venir nourrir le prédateur.

C'est généralement quand les filles sont très jeunes – avant l'âge de cinq ans – qu'elles acceptent l'idée d'épouser le monstre. On leur apprend à fermer les yeux et au contraire à se livrer à des minauderies, qu'elles soient jolies ou non. C'est cette éducation qui pousse la plus jeune des sœurs à dire : « Au fond, sa barbe n'est pas si bleue que cela », cet apprentissage précoce qui demande aux femmes d'« être gentilles » et finit par se substituer à leur intuition. En ce sens, on leur apprend purement et simplement à se soumettre au prédateur. Imaginez une mère louve qui apprendrait à ses petits à « être gentils » en face d'un furet agressif ou d'un serpent à sonnettes !

Dans le conte, même la mère collabore. Elle participe à la journée, à la promenade. Elle ne prononce pas la moindre mise en garde à l'adresse de ses filles. On pourrait dire que la mère biologique ou la mère intérieure est endormie, ou qu'elle est elle-même naïve, comme c'est souvent le cas chez les très jeunes filles ou chez les femmes qui n'ont pas été maternées.

Il est intéressant de noter que les deux autres sœurs se montrent plus averties lorsqu'elles déclarent que, même si Barbe-Bleue les a traitées d'une manière exquise, elles n'en continuent pas moins à ne pas l'aimer. C'est-à-dire que certains aspects de la psyché, représentés par les sœurs aînées, voient un peu mieux les choses, qu'elles ont un « savoir » plus développé qui les met en garde et les protège. La femme qui n'a pas été initiée ne fait pas attention ; elle est déjà trop identifiée à la naïveté.

Prenons, par exemple, une femme naïve qui persiste à se tromper dans le choix de ses compagnons. Au fond d'elle-même, elle sait que ce schéma est stérile, qu'elle devrait adopter des critères différents. Souvent, même, elle sait comment faire, mais quelque chose la pousse à continuer à se soumettre à ce schéma destructeur, quelque chose qui est de l'ordre de l'hypnose. Dans la plupart des cas, elle pense que si elle s'en tient encore un peu à ce système, le sentiment paradisiaque qu'elle recherche se manifestera au prochain battement de cœur.

Autre cas extrême, une femme qui se drogue. Il y a en elle-même des sœurs aînées qui lui disent : « Non, arrête ! C'est mauvais pour le corps, mauvais pour l'esprit ! Nous refusons de continuer ! » Mais le désir du paradis pousse la femme à épouser Barbe-Bleue, le dealer qui lui procure ses paradis psychiques artificiels.

Quel que soit le problème auquel une femme est confrontée, la voix de ses aînées de la psyché continue à l'adjurer de montrer lucidité et sagesse dans ses choix. Elles chuchotent des vérités qu'elle peut fort bien ne pas vouloir entendre, car elles mettent un terme à son fantasme du paradis retrouvé.

Et donc, le mariage fatal a lieu. Quand Barbe-Bleue part en voyage, la jeune épouse ne se rend pas compte que même si on l'exhorte à faire ce qu'elle veut – à une exception près –, sa vie est restreinte, au contraire. De nombreuses femmes ont vécu le conte au sens propre. Elles se marient alors qu'elles sont encore naïves au sujet des prédateurs et elles choisissent un homme qui va se révéler destructeur pour elles. Elles sont déterminées à le « soigner » par l'amour. On pourrait dire qu'elles ont passé beaucoup de temps à répéter : « Sa barbe n'est pas si bleue que ça. »

Plus tard, elles vont voir leur espoir d'une vie décente pour elles et leurs enfants s'amenuiser de plus en plus. Il faut espérer qu'elles finiront par ouvrir la porte de la pièce où gît tout ce qui a été détruit de leur vie. Si leur compagnon peut être responsable de ces destructions, il n'en reste pas moins que le prédateur naturel dans leur propre psyché y joue aussi un rôle. Tant qu'une femme est forcée de croire qu'elle est impuissante et/ou qu'on lui a appris à ne pas prendre conscience de ce qu'elle sait être la vérité, les élans et les dons de sa psyché féminine seront tués dans l'œuf.

Lorsque la jeune âme épouse le prédateur, elle est captive ou limitée durant une période de son existence qui devait être épanouissement. Au lieu de vivre librement, elle commence à vivre dans l'erreur. Le prédateur lui a fait une promesse qu'il ne tiendra pas, la promesse qu'elle va devenir d'une manière ou d'une autre une reine, alors qu'en fait son meurtre est programmé. Il existe néanmoins une échappatoire. Mais elle nécessite une clef.

La clef de la connaissance : savoir fureter

Ah, cette petite clef, c'est elle qui procure l'accès au secret que toutes les femmes connaissent sans le connaître... Elle représente la permission de prendre connaissance des secrets les plus sombres de la psyché – dans ce cas précis, ce qui dégrade et détruit le potentiel humain d'une femme.

Barbe-Bleue poursuit son plan destructeur en poussant sa femme à se compromettre, psychologiquement parlant. « Fais ce que tu veux », intime-t-il, l'incitant à ressentir une fallacieuse impression de liberté. Il sous-entend qu'elle est libre de s'épanouir en des paysages bucoliques, du moins dans les limites du territoire fixé. Mais en réalité, elle ne l'est nullement, car elle est contrainte de se tenir à l'écart des sinistres révélations sur le prédateur, même si, au plus profond de la psyché, elle a déjà envisagé l'issue.

La femme naïve accepte tacitement de rester « sans savoir ». Les femmes crédules, tout comme celles dont l'instinct a subi des dommages, continuent, telles des fleurs, à se tourner en direction de toute forme de soleil qui se manifeste. La femme naïve ou la femme handicapée va donc se laisser facilement prendre à des promesses d'opulence, de bonheur, de plaisirs variés, qu'elles soient promesses d'un statut élevé aux yeux de leur famille ou de leurs pairs ou promesses d'une sécurité accrue, d'un amour éternel, de la grande aventure, ou d'une sexualité torride.

Barbe-Bleue interdit à la jeune femme de se servir de la clef qui lui ferait prendre conscience des choses. En cela, il la dépouille de sa nature intuitive, de l'instinct naturel qui la pousse à la curiosité et lui permet de découvrir « ce qui gît en dessous » et au-delà de l'évidence. Sans ce savoir, la femme est dénuée de protection. Si elle essaie d'obéir à l'injonction de Barbe-Bleue de ne pas se servir de la clef, elle choisit la mort pour son esprit. En choisissant d'ouvrir la porte de la terrifiante pièce au secret, elle choisit la vie.

Dans le conte, ses sœurs viennent la voir et « elles étaient, comme tout le monde, très curieuses ». L'épouse leur dit gaiement : « nous pouvons faire tout ce que nous voulons, sauf une chose. » Et les sœurs décident de s'amuser à chercher à quelle porte correspond la petite clef, avançant à nouveau vers la prise de conscience.

Certains théoriciens de la psychologie, et parmi eux Freud et Bruno Bettelheim, ont interprété les épisodes du type de celui que l'on trouve dans ce conte comme une punition de la curiosité sexuelle des femmes [4]. A ses débuts, la psychologie traditionnelle donnait une connotation franchement négative à la curiosité féminine, tandis que chez les hommes, la curiosité se voyait qualifier d'investigatrice. Les femmes, disait-on, « fourraient leur nez » partout, les hommes enquêtaient. En fait, en banalisant la curiosité féminine de façon à la réduire à des manières de fouine, on dénie aux femmes toute perspicacité, tout pressentiment, toute intuition. Tous leurs sens. On s'en prend à leurs pouvoirs les plus fondamentaux : leur capacité à différencier et à déterminer les choses.

Donc, considérant que les femmes qui n'ont pas encore ouvert la porte redoutable sont aussi celles qui se précipitent dans les bras de Barbe-Bleue, il est fortuit que les sœurs aînées jouissent d'un instinct de curiosité sauvage intact. Elles sont les représentantes de la psyché individuelle de la femme, les petits coups de coude, en quelque sorte, qui viennent du fond de l'esprit lui remettre en mémoire ce qui est important. Il est important de trouver la petite porte, important de désobéir aux ordres du prédateur et il est absolument essentiel de découvrir ce que cette pièce a de particulier.

Pendant des siècles, les portes ont été faites de pierre et de bois. Dans certaines cultures, on pensait que l'esprit du bois ou celui de la pierre demeurait dans la porte et on faisait appel à lui en tant que gardien de la pièce. Jadis, il y avait plus de portes dans les tombeaux que dans les demeures et l'idée même de *porte* signifiait qu'à l'intérieur se trouvait quelque chose ayant une valeur spirituelle ou devant être contenu.

Dans le conte, la porte est décrite comme une barrière psychique, une sorte de sentinelle placée devant le secret. Ce gardien, qui se trouve dans la pierre ou le bois, nous rappelle à nouveau la réputation de mage du prédateur – une force psychique qui nous embrouille et nous emmêle comme par magie, de sorte que nous sommes empêchées d'avoir connaissance de ce que nous savons. Lorsque les femmes se découragent ou découragent les autres de plonger dans les profondeurs, car sinon, « tu pourrais être dépassée par ce que tu vas trouver », elles renforcent cette porte ou cette barrière. Pour la forcer, il convient d'employer une « contre-magie » adéquate. On la trouve dans le symbole de la clef.

En matière de transformation, il y a un acte essentiel : poser la bonne question. C'est valable dans les contes de fées, en analyse, dans l'individuation. La bonne question fait germer la conscience. La bonne question, correctement formulée, naît toujours d'une curiosité fondamentale à propos de ce qui « se trouve derrière ». Les questions sont les clefs qui ouvrent d'un coup les portes secrètes de la psyché.

Les sœurs ont beau ignorer quel trésor ou déguisement se trouve derrière la porte, elles ont recours à leurs bons instincts et posent précisément la question psychologique : « Où penses-tu que se trouve cette porte et que peut-il bien y avoir derrière ? »

C'est à ce moment-là que la nature naïve commence à mûrir, à se demander : « Qu'y a-t-il au-delà des apparences ? Qu'est-ce qui fait que cette ombre se projette sur le mur ? » La jeune nature naïve commence à comprendre que s'il existe quelque chose de secret, d'interdit, quelque chose qui projette une ombre, il faut aller voir ce que c'est. Celles dont la conscience va se développer se lancent à la recherche de tout ce qui se trouve derrière l'immédiatement observable, le pépiement dont la source est invisible, une fenêtre obscure, une porte qui se lamente, le rai de lumière sous le seuil. Elles le recherchent jusqu'à ce que la substance même de la question se révèle à leurs yeux.

Comme nous allons le constater, c'est la capacité de supporter ce qu'elle voit qui permet à une femme de faire retour à sa nature profonde, là où elle sera soutenue dans toutes ses pensées, ses émotions, ses actions.

Le fiancé animal

Donc, même si la jeune femme essaie de suivre les ordres du prédateur et accepte de rester dans l'ignorance du secret de la cave, elle finit par introduire la clef, la question, dans la porte et découvre l'horreur du carnage qui a été perpétré quelque part dans sa vie profonde. Et cette clef, ce minuscule symbole de son existence, va soudain se mettre à saigner sans discontinuer, à pleurer des larmes de sang intarissables pour avertir que quelque chose ne va pas. Une femme peut essayer de se cacher la dévastation de sa vie, mais l'hémorragie, la perte de l'énergie, va continuer jusqu'à ce qu'elle reconnaisse le prédateur pour ce qu'il est et qu'elle le maîtrise.

Quand les femmes ouvrent la porte de leur propre existence et découvrent le carnage perpétré dans ces parties reculées, elles s'aperçoivent la plupart du temps qu'elles ont autorisé l'assassinat de leurs rêves, de leurs objectifs et de leurs espoirs vitaux. Des pensées, des émotions, des désirs autrefois pleins de promesses, gisent là exsangues, sans vie, maintenant. Qu'ils aient porté sur les relations affectives, sur l'accomplissement, le succès, une œuvre d'art, qu'importe ; lorsqu'on fait ce genre de macabre découverte dans la psyché, on peut être sûr que le prédateur naturel, souvent symbolisé dans les rêves par le fiancé animal, est passé par là et a méthodiquement détruit les désirs, les préoccupations, les aspirations les plus chers d'une femme.

Dans les contes de fées le personnage du fiancé animal est un thème courant. On peut y voir le symbole de quelque chose de malveillant travesti sous les apparences de la bienveillance. Lui, ou une incarnation proche, est toujours présent lorsqu'une femme fait des déclarations naïves au sujet de quelqu'un ou de quelque chose. Lorsqu'une femme tente d'éviter de reconnaître les dégâts qui ont été accomplis en elle, ses rêves nocturnes vont vraisemblablement l'avertir à grands cris et l'exhorter à s'éveiller, à chercher de l'aide, à fuir ou à lâcher les chiens.

Au fil des ans, j'ai eu le loisir de prendre connaissance de nombreux rêves de femmes où l'on retrouvait ce fiancé animal ou cette impression que « les choses ne vont pas aussi bien qu'elles le semblent ». L'une de mes patientes rêva d'un homme qui était beau et tout à fait charmant, mais quand elle baissait les yeux, elle s'apercevait qu'un anneau de fil de fer barbelé commençait à sortir de sa manche en se déroulant. Une autre rêva qu'elle aidait une vieille personne à traverser la rue et soudain celle-ci, avec un sourire diabolique, se mettait à « fondre » sur son bras en la brûlant profondément. Une autre encore rêva qu'elle mangeait en compagnie d'un ami inconnu dont la fourchette fut propulsée à travers la table, la blessant mortellement.

Il ne s'agit pas là de voir, de comprendre, ni de percevoir que nos désirs profonds ne correspondent pas à nos actes ; il s'agit de la trace laissée par le fiancé animal. La présence de ce facteur dans la psyché explique que les femmes qui déclarent vouloir établir une relation amoureuse font au contraire tout leur possible pour saboter une histoire d'amour qui marche. Elle explique que les femmes qui se fixent des buts bien précis dans le temps et dans l'espace ne vont même pas faire le premier pas vers eux ou abandonneront au premier handicap. Elle explique que tous les atermoiements qui finissent par conduire à la haine de soi-même, tous les sentiments de honte qui sont repoussés sous la surface ou au-dehors et laissés à s'infecter, tous les nouveaux départs dont le besoin douloureux se fait sentir, tout ce qui aurait dû arriver depuis longtemps, rien de tout cela n'aboutit. Partout où le prédateur vient accomplir sa tâche, tout déraille, tout est détruit, décapité.

On rencontre fréquemment le fiancé animal dans les contes de fées. En général, l'histoire se présente comme suit : un homme étrange courtise une jeune femme qui accepte de l'épouser, mais avant les noces, elle va se promener dans les bois, se perd et, la nuit tombant, grimpe dans un arbre pour échapper aux prédateurs. Là, tandis qu'elle attend le jour, elle aperçoit son futur époux qui arrive en portant une pelle sur l'épaule. Quelque chose alors, chez celui-ci, révèle qu'il n'est pas vraiment humain. Parfois c'est un pied, une main, un bras, dont la conformation bizarre le trahit, à moins que ce ne soit une pilosité incongrue.

Il commence à creuser une tombe sous l'arbre même où elle se tient, tout en chantonnant et en marmonnant qu'il va assassiner sa future épouse et l'enterrer là. La jeune fille, terrifiée, se fait toute petite et au matin, lorsque le futur époux a disparu, elle se précipite chez elle, raconte ce qu'elle a vu à ses frères et à son père. Les hommes tendent une embuscade au fiancé animal et le tuent.

C'est là un processus archétypal fort de la psyché féminine. La femme est intuitive et, même si au début elle accepte d'épouser le prédateur naturel de la psyché, si elle passe une période où elle se perd dans la psyché, elle trouve la volonté de s'en sortir à la fin, car elle est capable de voir la vérité, d'en prendre conscience et de faire ce qu'il faut pour résoudre le problème.

Vient alors l'étape suivante, encore plus difficile, celle qui consiste à être capable de supporter ce que nous voyons, notre autodestruction, notre anéantissement.

L'odeur du sang

Dans le conte, les sœurs claquent la porte de la chambre macabre et la jeune épouse contemple le sang sur la clef. Un gémissement lui monte aux lèvres : « Je dois faire disparaître ce sang, sinon il saura ! »

Maintenant, le soi naïf sait qu'une force meurtrière est lâchée dans la psyché. Le sang sur la clef, c'est du sang de femme. S'il s'agissait simplement du sang résultant du sacrifice de fantasmes frivoles, il n'y aurait qu'une trace sur la clef, mais là, c'est beaucoup plus grave, car il exprime le carnage des aspects les plus profonds de la vie créatrice, les plus ancrés dans l'âme.

La femme qui se trouve dans cet état perd son énergie créatrice, soit pour résoudre des problèmes quotidiens tels ceux de l'école, de la famille, des amis, soit pour se préoccuper des problèmes du monde qui l'entoure, soit vis-à-vis de questions moins terre à terre comme son développement personnel ou son art. Ce ne sont pas de simples atermoiements, car cela dure des semaines et des mois. Même si les idées ne lui manquent pas, elle semble vidée de tout, profondément anémique et de plus en plus incapable d'entreprendre quoi que ce soit.

Le sang dont il est question dans le conte n'est pas du sang menstruel, mais le sang des artères de l'âme. Il ne se contente pas de souiller la clef, il coule sur toute la personne de l'épouse et tache sa robe, comme il va tacher toutes les robes que contient sa garde-robe. En psychologie archétypale, le vêtement peut personnifier la présence extérieure. La *persona* est un masque que la personne présente au monde. Il cache beaucoup de choses. Avec des rembourrages et des déguisements psychiques adéquats, les hommes comme les femmes peuvent présenter une *persona* quasi parfaite, une façade quasi parfaite.

Lorsque la clef qui pleure des larmes de sang – la question – tache notre persona, nous ne pouvons cacher plus longtemps nos peines. Nous pouvons dire ce que nous voulons, présenter une façade des plus souriantes, une fois que nous avons reçu le choc de la découverte de la chambre du crime, nous ne pouvons prétendre plus longtemps qu'elle n'existe pas. Et de voir la vérité nous fait perdre encore des flots d'énergie. Cela fait mal. Il s'agit d'une artère sectionnée. Nous devons immédiatement remédier à cet état épouvantable.

Dans ce conte, la clef joue aussi le rôle d'un récipient, elle contient le sang, qui est la mémoire de ce que l'on a vu, de ce que l'on sait maintenant. Pour les femmes, la clef signifie la pénétration d'un mystère ou d'un savoir. Dans d'autres contes de fées, cette clef symbolique est souvent représentée par des mots, comme le « Sésame, ouvre-toi » qu'Ali-Baba crie à la montagne, qui alors se met à gronder et à se fissurer pour lui livrer passage. D'une manière plus picaresque, dans le dessin animé de Walt Disney, la bonne fée, marraine de Cendrillon, prononce le « Abracadabra » qui transforme la citrouille en carrosse et les souris en cochers.

Dans les mystères d'Eleusis, on cachait la clef sur la langue, ce qui signifiait que le nœud de la question, l'indice, la trace, pouvait être découvert dans un certain groupe de mots, ou dans des questions-clés. Et les mots dont les femmes ont le plus besoin dans des situations similaires à celle décrite dans *Barbe-Bleue* sont : Qu'y a-t-il derrière ? Qu'est-ce qui n'est pas selon son apparence ? Que sais-je, au plus profond de mes *ovarios*, et que j'aimerais ne pas savoir ? Qu'est-ce qui, de moi, a été tué ou est en train d'agoniser ?

Chacune de ces questions est une clef. Et il est probable que les réponses arriveront tachées de sang, si la femme, au cours de son existence, n'était qu'à demi vivante. L'aspect meurtrier de la psyché, qui a entre autres tâches celle de faire en sorte que la femme ne puisse prendre conscience des choses, va se manifester de temps en temps et arracher, ou empoisonner, toute nouvelle pousse. C'est sa nature. C'est son job.

Aussi est-ce seulement la persistance du sang sur cette clef qui conduit la psyché à s'accrocher à ce qu'elle a vu, au sens positif du terme. Il s'établit dans notre existence une censure de tous les événements négatifs et douloureux. Le moi censeur doit sans aucun doute vouloir oublier qu'il a vu cette pièce et les cadavres qu'elle contient. C'est pourquoi l'épouse de Barbe-Bleue entreprend de récurer la clef avec du tissu de crin. Elle essaie de soigner les lacérations et les blessures profondes par tous les moyens, tous les remèdes de bonne femme qu'elle connaît : les toiles d'araignée, les cendres, le feu – autant d'éléments associés au travail de filature des Parques, tissant la vie et la mort. Pourtant, non seulement elle échoue à cautériser la clef, mais elle ne peut mettre un terme au processus en prétendant qu'il n'a pas lieu. Elle ne peut empêcher la minuscule clef de pleurer des larmes de sang. Paradoxalement, alors que sa vie d'avant est en train de mourir et qu'aucun remède ne peut dissimuler ce fait, elle prend conscience qu'elle perd son sang et en conséquence commence tout juste à vivre.

La femme auparavant naïve doit affronter ce qui s'est passé. En assassinant toutes ses épouses « curieuses », Barbe-Bleue tue le féminin créatif, le potentiel de développement d'une existence nouvelle, riche sous tous ses aspects. Le prédateur se révèle particulièrement agressif à l'égard de la nature sauvage féminine. En dernière instance, il cherche à accabler sous son mépris la femme dans sa relation avec son inspiration, sa perspicacité, la poursuite de ses objectifs et peut aller jusqu'à tenter de couper ces liens.

Une autre de mes patientes, intelligente et douée, me parla de sa grand-mère, qui vivait dans le Midwest. Jeune fille, celle-ci aimait prendre le train pour Chicago, coiffée d'un grand chapeau, puis descendre Michigan Avenue en léchant les vitrines. Elle adorait la toilette. Or, de gré, de force ou parce que c'était son destin, elle épousa un fermier. Ils allèrent s'installer dans les grandes plaines à blé et, petit à petit, elle s'étiola dans sa jolie ferme, près de ses enfants impeccables et de son mari parfait. Elle n'avait désormais plus de temps à consacrer aux « frivolités » d'autrefois. Trop occupée par la maison et les enfants.

Quelques années plus tard, après avoir un jour scrupuleusement nettoyé à la main le sol de la cuisine et du salon, elle enfila sa plus belle blouse de soie, ajusta sa jupe longue et vissa son grand chapeau sur la tête. Elle plaça le canon du fusil de chasse de son époux dans sa bouche et appuya sur la détente. Toutes les femmes comprendront pourquoi elle avait d'abord lavé le sol.

L'âme privée de nourriture peut éprouver une souffrance telle que la femme finit par ne plus pouvoir la supporter. Parce que les femmes ressentent dans l'âme le besoin de s'exprimer à leur manière propre, elles doivent pouvoir s'épanouir comme elles l'entendent et sans subir les brimades des autres. En ce sens, on peut dire que la clef avec le sang dessus représente aussi les liens du sang avec les femmes qui les ont précédées. Qui parmi nous ne connaît dans son entourage affectif au moins une femme qui a perdu l'instinct de faire les bons choix pour elle-même et a été forcée de vivre une vie marginale, ou pis encore ? Cette femme, c'est peut-être vous, d'ailleurs.

Lorsqu'on éclaire au maximum l'obscurité de la psyché, les ombres n'en paraissent que plus noires là où la lumière ne porte pas. C'est un des points les moins discutés du processus d'individuation. Il en résulte que lorsque nous illuminons une partie de la psyché, nous devons affronter une obscurité encore plus profonde. Il ne faut pas ignorer cette part obscure. La clef, les questions, ne doivent être ni cachées, ni oubliées. Il faut poser les questions. Et trouver la réponse.

Le travail le plus profond est aussi le plus obscur. Toute femme courageuse, toute femme en train de devenir sage va aménager les territoires les plus pauvres du psychisme, car si elle ne construit que sur les meilleurs terrains de sa psyché, elle aura vue sur ce qu'elle a de moins bien. Ne craignons donc pas d'explorer ce que nous avons de pire. Le pouvoir de l'âme en sortira renforcé, grâce aux nouvelles perspectives, aux nouvelles opportunités qui permettront une vision neuve de notre vie, de notre soi.

C'est dans ce domaine de l'aménagement psychique du territoire que la Femme Sauvage brille. Elle n'a pas peur du noir : elle voit dans l'obscurité. Ni les immondices, ni les détritus, ni la pourriture, la puanteur, le sang, ni les ossements, ni les jeunes filles agonisantes ou les époux assassins ne lui font peur. Elle peut en supporter la vue, l'accepter, apporter son aide. Et c'est ce que la plus jeune sœur du conte apprend.

Les squelettes du cabinet représentent la force indestructible du féminin sous son jour le plus positif. Sur le plan archétypal, les os représentent l'indestructible. Les histoires qui tournent autour des os parlent essentiellement de quelque chose de difficile à détruire dans la psyché. Notre seul bien difficile à détruire, c'est notre âme.

Quand nous parlons de l'essence de la féminité, nous parlons en fait de l'âme féminine. Quand nous parlons des corps éparpillés dans la cave, nous signifions par là que quelque chose est arrivé à la force de l'âme et pourtant, même si sa vitalité extérieure lui a été ôtée, elle n'a pas été complètement détruite. Elle peut encore revenir à la vie.

C'est par le biais de la jeune femme et de ses sœurs qu'elle va le faire. Celles-ci se révèlent en mesure de pouvoir, au bout du compte, abolir le vieux schéma d'ignorance en étant capables de supporter la vision de l'horreur sans détourner les yeux.

Nous voici de retour auprès de *La Loba*, dans la caverne archétypale de la Femme aux os. Là se trouvent les restes de ce qui fut jadis une femme dans son intégralité. Toutefois, à la différence des cycles de vie et de mort de l'archétype de la Femme Sauvage qui prend la vie prête à mourir, l'incube et la replace dans le monde, Barbe-Bleue se borne à tuer la femme et à la démanteler jusqu'à ce qu'elle ne soit qu'un tas d'os. Il ne lui laisse ni beauté, ni amour, ni moi et, en conséquence, aucune capacité d'agir pour elle-même. Pour y remédier, nous devons, en tant que femmes, voir la chose meurtrière qui s'est emparée de nous, examiner le résultat de son travail de mort, l'enregistrer dans notre conscience et l'y maintenir, avant d'agir, pour *notre* propre compte et non pour le sien.

Les symboles de la cave, du cachot, de la caverne ont tous un lien commun. Ce sont d'anciens lieux d'initiation, vers lesquels ou par lesquels une femme descend auprès de la ou des victimes de l'assassinat, brise des tabous pour découvrir la vérité et grâce à son intelligence et/ou à une douloureuse mise au jour, parvient à triompher en bannissant, transformant ou exterminant l'assassin de la psyché. Le conte nous indique clairement la tâche à accomplir : rechercher les cadavres, suivre ses instincts, voir ce qui doit être vu, rassembler ses forces psychiques et anéantir l'énergie destructrice.

Si une femme n'envisage pas ces questions-là, elle continue d'obéir aux diktats du prédateur. Une fois qu'elle ouvrira la pièce de la psyché et découvrira à quel point elle a été massacrée, elle constatera que diverses parties de sa nature féminine et de sa psyché instinctuelle ont été supprimées derrière une bonne santé de façade. Et quand elle aura vu cela de ses yeux, qu'elle aura compris à quel point elle s'est fait posséder et quelle part importante de la vie psychique est en jeu, elle pourra s'affirmer de manière encore plus efficace.

Rentrer sous terre et resurgir par-derrière

Pour échapper au prédateur, certains animaux rentrent sous terre et resurgissent derrière son dos. C'est la même tactique à laquelle la femme de Barbe-Bleue se livre, psychiquement parlant, pour recouvrer la maîtrise de sa propre vie.

Lorsque Barbe-Bleue découvre ce qu'il juge être la trahison de son épouse, il la saisit par les cheveux et la traîne dans l'escalier. « Maintenant, c'est ton tour ! » rugit-il. L'élément meurtrier de l'inconscient vient menacer de détruire la femme consciente.

L'analyse, l'interprétation des rêves, la connaissance et l'exploration de soi, sont autant de manières d'esquiver et de surprendre et c'est pour cette raison que l'on s'y livre. C'est une façon de plonger sous le problème pour réapparaître un peu plus loin et l'examiner sous un autre angle. Si l'on n'a pas la capacité de voir, et de voir vraiment, ce qu'on apprend du soi-moi et du Soi numineux nous échappe.

Dans *Barbe-Bleue*, la psyché tente maintenant d'éviter d'être tuée. Elle n'est désormais plus naïve, mais rusée ; elle réclame un peu de temps pour se préparer à la mort – en d'autres termes, un peu de temps pour rassembler ses forces avant l'ultime bataille. Dans la vie courante, les femmes se préparent aussi à fuir – une existence destructrice, un amant, un travail. Elles prennent le temps d'élaborer une stratégie et rassemblent leurs forces intérieures avant de changer les choses à l'extérieur. Il suffit parfois de cette formidable menace du prédateur pour qu'une douce créature se retrouve avec un regard d'aigle.

Ironiquement, les deux aspects de la psyché, le prédateur et le jeune potentiel, atteignent l'un comme l'autre le degré d'ébullition. Lorsqu'une femme comprend qu'elle a servi de proie, à la fois dans la vie courante et dans sa vie intérieure, elle a du mal à le supporter. Frappée à la racine de son être véritable, elle envisage, comme elle doit le faire, de tuer la force prédatrice.

Pendant ce temps, son complexe prédateur est furieux de voir qu'elle a ouvert la porte interdite et il fait des rondes, essayant de couper toutes les issues pour qu'elle ne puisse s'échapper. Cette force destructrice se fait meurtrière, considérant que la femme a violé le Saint des Saints et que pour cela elle doit mourir.

Lorsque les aspects opposés de la psyché d'une femme atteignent ces extrêmes, elle se sent souvent épouvantablement fatiguée, car sa libido est tirée dans deux directions opposées. Mais même si ses pauvres luttes l'épuisent totalement, même si elle est privée de la nourriture de l'âme, elle doit néanmoins faire des plans pour s'échapper, elle doit se forcer à aller de l'avant. Traverser cette période critique, c'est comme passer un jour et une nuit dehors, alors que le thermomètre est tombé au-dessous de zéro. Pour survivre, il ne faut pas céder à l'épuisement. Dormir maintenant, c'est mourir.

C'est là l'initiation la plus profonde, l'initiation d'une femme à ses propres sens instinctifs, au sein desquels le prédateur va être identifié et banni. C'est le moment où la femme captive passe du statut de victime à celui d'être à l'esprit rusé, au regard perçant, à l'oreille fine, où, par un effort quasi surnaturel, la psyché exténuée parvient à son ultime tâche. Les questions-clés continuent à apporter leur aide, car la clef continue à perdre son sang de sagesse même lorsque le prédateur a interdit de prendre conscience des choses. « Prends-en conscience et tu meurs », tel est son message dément. L'épouse va le piéger en le laissant penser qu'elle est sa victime consentante alors qu'elle projette sa mort.

On dit que, dans le monde animal, il existe une danse psychique mystérieuse entre la proie et son prédateur. Si la proie lance un certain regard servile, si un frisson parcourt sa peau, elle reconnaît sa faiblesse et accepte de devenir la victime.

Il y a un temps pour frissonner et pour courir, et un temps pour ne pas le faire. A ce moment critique, la femme ne doit pas frissonner, ne doit pas ramper. Lorsque la jeune épouse de Barbe-Bleue le supplie de lui laisser un peu de temps, il ne faut pas y voir le signe de sa soumission au prédateur. C'est une ruse pour rassembler l'énergie dans ses muscles. Comme certains animaux de la forêt, elle s'apprête à attaquer le prédateur. Elle va rentrer sous terre pour lui échapper et réapparaître par surprise dans son dos.

Pousser le cri

Quand Barbe-Bleue appelle sa femme d'une voix tonitruante et que celle-ci le supplie de lui laisser un peu de temps, elle essaye donc de rassembler ses forces afin de triompher du prédateur – que ce prédateur soit une religion et/ou une famille et/ou un mari destructeurs, ou des complexes négatifs.

Elle plaide sa cause avec talent. – Par pitié, murmure-t-elle, permettez-moi de me préparer à la mort.

– Entendu, répond-il, mais tiens-toi prête.

La jeune femme fait appel à ses frères psychiques. Que représentent-ils ? Ce sont les moteurs les plus musclés, les plus agressifs de la psyché. Ils représentent la force intérieure de la femme qui va agir lorsque le temps de mettre fin aux impulsions mauvaises sera venu. On leur donne habi tuellement le genre masculin, mais le genre féminin leur convient également. Ils peuvent aussi être neutres, représentés par des éléments comme la montagne qui se referme sur l'intrus, ou le soleil qui, un instant, descend et vient réduire le maraudeur en cendres.

L'épouse grimpe les escaliers quatre à quatre jusqu'à sa chambre et poste ses sœurs sur les remparts. « Voyez-vous venir nos frères ? » leur crie-t-elle. Et les sœurs lui crient en retour qu'elles ne voient toujours rien venir. Alors, tandis que Barbe-Bleue rugit que sa femme descende à la cave afin qu'il lui tranche la tête, elle crie de nouveau : « Voyez-vous venir nos frères ? » Et ses sœurs crient en retour que, peut-être, elles voient au loin un petit tourbillon de poussière.

Ici, nous avons le scénario de l'irruption du pouvoir intrapsychique d'une femme. Ses sœurs, les plus sages, se portent sur le devant de la scène dans cette ultime étape initiatique. Elles deviennent ses yeux. Le cri de l'épouse va franchir une longue distance à l'intérieur de la psyché et parvenir à l'endroit où vivent ses frères, où se tiennent ces aspects de la psyché qui sont entraînés à combattre, si nécessaire jusqu'à la mort. Mais à l'origine, les défenseurs de la psyché ne sont pas aussi près de la conscience qu'ils le devraient. Chez beaucoup de femmes, l'empressement et la nature combative sont insuffisamment proches de la conscience pour être efficaces.

Il faut que les femmes prennent l'habitude de battre le rappel de leur nature combative, d'en appeler aux attributs de leur propre tourbillon, le symbole du tourbillon représente une force de détermination capable de leur communiquer une énergie considérable si elles évitent de l'éparpiller. De la sorte, elles ne perdront pas conscience ni ne seront enterrées avec le reste. Elles résoudront une fois pour toutes la question de ce meurtre intérieur, de la perte de leur libido, de leur amour passionné de la vie. Les questions-clés ouvrent la porte de leur libération, mais sans les yeux des sœurs, sans l'épée des frères, elles ne peuvent réussir.

Barbe-Bleue appelle sa femme à grands cris et commence à monter pesamment les degrés de pierre. L'épouse demande à nouveau à ses sœurs si elles ne voient rien venir et cette fois, ça y est, les frères arrivent au galop, surgissent dans sa chambre et coincent Barbe-Bleue contre le parapet, où ils l'exécutent à l'épée et laissent ses restes aux charognards.

Lorsque les femmes refont surface, laissant derrière elles leur naïveté, elles ramènent quelque chose d'inexploré. Dans le cas présent, c'est l'aide d'une énergie interne masculine que l'épouse, désormais plus avisée, reçoit. Jung l'a appelée l'*animus.* Cet élément de la psyché féminine en partie mortel, en partie instinctuel, en partie culturel, apparaît dans les contes de fées et dans les rêves sous la forme du fils, du mari, de l'étranger et/ou de l'amant – et se révèle parfois menaçant, selon les circonstances. Il revêt une importance particulière dans la mesure où il possède des qualités que l'éducation traditionnelle refuse aux femmes, notamment l'agressivité.

Lorsque cet élément énergique appartenant au sexe opposé est sain, comme les frères dans *Barbe-Bleue*, il aime la femme qu'il habite et l'aide, de l'intérieur de la psyché, à accomplir ce qu'elle souhaite. C'est lui qui possède la force, les muscles psychiques, alors qu'elle aura peut-être le don de différer. Il va l'aider à prendre conscience des choses. Chez de nombreuses femmes, cet aspect contresexuel jette un pont entre les émotions, les pensées intérieures et le monde extérieur.

Plus cet *animus* est fort, plus ce pont est solide, plus les femmes sont capables d'exprimer leurs idées et de créer de manière concrète, avec facilité et originalité. La femme dont l'*animus* est faiblement développé a de nombreuses idées, mais reste incapable de les manifester. Elle s'arrête avant de pouvoir organiser et concrétiser les images merveilleuses qu'elle a en elle.

Les frères sont la force, l'action bénies. Ils permettent tout d'abord que soient neutralisées les aptitudes incapacitantes du prédateur dans la psyché féminine, ensuite que la femme perde son regard ingénu au profit de deux yeux bien ouverts, et enfin que des guerriers viennent l'encadrer lorsqu'elle fait appel à eux.

Les mangeurs de péché

Barbe-Bleue est tout du long une histoire d'amputation et de réunion, avec pour finir le cadavre de Barbe-Bleue abandonné aux mangeurs de chairs, cormorans et autres vautours. C'est là une fin étrange et mystique. Dans l'Antiquité, il y avait des mangeurs de péché, personnifiés par des esprits, des oiseaux, des animaux, parfois même des humains, qui, un peu à la manière des boucs émissaires, se chargeaient des péchés, des déchets de la collectivité, afin que les gens soient rachetés et purifiés des immondices d'une vie difficile ou d'une existence mal vécue.

Nous avons vu que celle qui trouve les morts et chante au-dessus de leurs os pour les rappeler à la vie est une représentation de la nature sauvage. Cette nature de Vie/Mort/Vie est un attribut principal de la nature sauvage et instinctuelle des femmes. Il existe de même, dans la mythologie scandinave, des mangeurs de péché : ce sont des charognards qui dévorent les morts, les incubent dans leur estomac et les conduisent à Hel, déesse de la vie et de la mort. Elle apprend aux morts à faire le chemin de la vie à l'envers. Ils deviennent de plus en plus jeunes, jusqu'à être prêts à naître de nouveau et à être remis dans le circuit de l'existence.

Cette dévoration des péchés et des pécheurs, suivie de leur incubation puis de leur restitution à la vie, constitue un processus d'individuation pour les aspects fondamentaux de la psyché. Il est bon en ce sens de supprimer toute énergie aux éléments prédateurs de la psyché et de les tuer à proprement parler, afin qu'ils puissent retourner à la mère de la Vie/Mort/Vie qui, pleine de compassion, leur permettra d'être transformés et de renaître à la vie dans un état moins belliqueux, il faut l'espérer.

Parmi les études qui ont été faites de *Barbe-Bleue*, beaucoup considèrent que le personnage représente une force échappant à toute rédemption [5]. Je crois pour ma part que, sans passer du *serial killer* à l'ange de douceur, cet aspect de la psyché est semblable à une personne qu'on doit placer dans une maison de santé convenable, avec des arbres, une bonne nourriture, peut-être un peu de musique pour adoucir ses mœurs, et non pas dans une geôle du tréfonds de la psyché où elle sera victime des pires traitements.

D'un autre côté, je ne veux pas dire que le mal pur, le mal irrécupérable n'existe pas, car ce n'est pas le cas, mais, depuis toujours, il existe le sentiment mystique que tout travail d'individuation accompli par les êtres humains apporte un peu de lumière dans l'inconscient collectif de l'humanité, là où réside le prédateur. Jung a affirmé que Dieu devenait plus conscient [6] au fur et à mesure que s'accroissait la conscience des hommes. Il postulait que les hommes permettent à la lumière d'éclairer la face sombre de Dieu lorsqu'ils chassent leurs démons personnels vers la lumière du jour.

Je ne prétends pas savoir comment cela se passe, mais si l'on suit le schéma archétypal, les choses se présenteraient à peu près ainsi : au lieu d'invectiver contre le prédateur de la psyché ou de le fuir, nous le démembrons, et ce, en ne nous autorisant aucune pensée qui soit un facteur de division à propos de la vie de l'âme et de notre valeur en particulier. Nous capturons toute odieuse pensée avant qu'elle ne prenne suffisamment forme pour faire des ravages et nous la démembrons.

Nous effectuons ce démembrement en prenant le contre-pied des diatribes du prédateur grâce à nos pensées nourricières. Le prédateur : « Tu ne termines jamais ce que tu entreprends. » Nous : « Je termine pas mal de choses. » Et puis, nous prenons à cœur ce qu'il y a de vrai dans ses affirmations, nous nous en occupons, et nous jetons le reste.

Ce démembrement, nous l'accomplissons aussi en nous attachant à nos intuitions, à nos instincts et en résistant aux assauts de séduction du prédateur. Si nous devions établir la liste de tout ce que nous avons perdu jusqu'à ce jour, en nous remémorant les moments de déception, d'impuissance face aux tourments, les fantasmes de frivolité, nous comprendrions que ce sont là des points vulnérables de notre psyché. C'est vers eux que se tourne le prédateur afin de dissimuler le fait qu'il a pour seule intention de vous entraîner à la cave et de pomper votre énergie comme par une transfusion sanguine.

La fin du conte voit les restes de Barbe-Bleue livrés aux charognards. Il y a là un aperçu très net de la transformation du prédateur, car c'est l'ultime tâche des femmes, au cours de ce voyage, de permettre à la nature de Vie/Mort/Vie de dépecer le prédateur et de l'emporter afin qu'il soit incubé, transformé, et remis dans le circuit de la vie.

Lorsque nous refusons de distraire le prédateur, sa force s'enfuit hors de lui et il est incapable d'agir sans nous. Nous le conduisons vers la strate profonde de la psyché où tout ce qui est à créer n'a pas encore pris forme et nous le laissons mijoter doucement dans cette soupe éthérique jusqu'à ce que nous lui ayons trouvé une meilleure forme à revêtir. Quand l'*energum* psychique du prédateur est restitué, on peut lui donner une autre forme, dans un but autre. Et dans ce cas, nous sommes des créatrices ; une fois la substance brute réduite à l'essentiel, elle devient le matériau de notre propre création.

En triomphant du prédateur, en lui prenant ce qui est utile et en laissant le reste, les femmes sont emplies d'une intense vitalité, d'un élan formidable. Elles lui font restituer ce qui leur a été volé, de la vigueur, de la substance, en quelque sorte elles le « clarifient ». On peut concevoir ainsi cette transformation de l'énergie du prédateur en quelque chose d'utile : avec la fureur du prédateur, on alimente le feu de l'âme et cette flamme va permettre d'accomplir de grands desseins. La ruse du prédateur va servir à mieux voir, à mieux prendre ses distances. Sa nature meurtrière va servir à anéantir ce qui doit mourir dans une vie de femme, ou ce à quoi celle-ci doit mourir dans sa vie quotidienne, ce qui n'est pas la même chose et ne se fait pas en même temps. Généralement, la femme sait pertinemment ce dont il s'agit.

« Extraire la substantifique moelle » de Barbe-Bleue, c'est comme prendre à l'ombre mortelle de la nuit sa part de remède, ou à la belladone empoisonnée ses éléments curatifs. Des cendres du prédateur, de ce qu'il en reste, renaîtra de fait quelque chose, mais sous une forme plus réduite, plus reconnaissable, quelque chose qui aura un bien moindre pouvoir de duperie et de destruction – car vous vous serez réappropriée nombre des pouvoirs qu'il utilisait pour détruire et vous en aurez fait de l'utile, de l'adéquat.

Barbe-Bleue est l'un des contes initiatiques que je considère comme importants pour les femmes jeunes, par l'esprit ou par le corps. Il parle de la naïveté du psychisme et du pouvoir que donne le fait de violer l'interdiction de ne pas « regarder », avant de tailler en pièces le prédateur naturel de la psyché et « d'en extraire la substantifique moelle ».

Pour moi, une histoire a pour but de remettre en marche la vie intérieure. Celle de Barbe-Bleue est un remède qu'il convient tout particulièrement d'appliquer là où la vie intérieure d'une femme a souffert de terreur, là où elle s'est retrouvée acculée, meurtrie. La solution qu'elle apporte atténue les craintes, injecte la bonne dose d'adrénaline au bon moment et ouvre des portes dans des murs aveugles, ce qui est d'une importance capitale pour le moi naïf captif.

A un niveau peut-être plus fondamental, *Barbe-Bleue* élève jusqu'à la conscience la clef psychique, la capacité de poser toutes les questions nécessaires sur soi-même, sur sa famille, sur ses efforts et sur la vie en général. Là, comme la créature sauvage qui renifle les choses et met son nez partout, la femme va être libre de découvrir les vraies réponses à ses questions les plus profondes et les plus obscures. Elle est libre d'arracher à la chose qui l'a assaillie ses pouvoirs et de s'en servir pour elle dans un sens positif. C'est cela, une femme sauvage.

L'homme noir dans les rêves des femmes

Le prédateur naturel de la psyché ne se rencontre pas seulement dans les contes de fées. Il vit aussi dans les rêves. Il existe un rêve initiatique universellement répandu chez la femme, si commun qu'à vingt-cinq ans rares sont celles qui ne l'ont pas encore fait.

Ce rêve les réveille en sursaut, angoissées. Il se déroule selon le schéma suivant : la rêveuse est seule, généralement chez elle. Dehors, dans l'obscurité, se trouvent un ou plusieurs rôdeurs. Effrayée, elle compose le numéro de police-secours et s'aperçoit soudain que le rôdeur est là, dans la maison, tout près d'elle [7]... Peut-être même sent-elle son souffle sur sa nuque. Peut-être même la touche-t-il. Elle n'a pas le temps de laisser sonner le téléphone qu'elle s'éveille, le cœur battant la chamade.

Il y a une composante fortement physique dans ce rêve de l'homme noir, souvent accompagné par une respiration haletante, des sueurs, des mouvements désordonnés et parfois des cris de terreur et des gémissements. C'est comme s'il y avait dans ce rêve des messages subtils qui, par le biais d'images perturbant le système nerveux de la rêveuse, lui communiquent leur urgence.

Le ou les antagonistes rencontrés dans ce rêve de « l'homme noir » sont habituellement, selon les mots mêmes des femmes, « des terroristes, des violeurs, des étrangleurs, des nazis dans les camps de concentration, des maraudeurs, des assassins, des criminels, des personnages répugnants ou mal intentionnés, des voleurs ». On peut interpréter ce genre de rêve à différents niveaux, selon les conditions de vie et les conflits intérieurs propres à la rêveuse.

Il indique par exemple de façon relativement fiable que la dormeuse, comme c'est le cas avec une femme très jeune, est en train de prendre conscience du prédateur inné de la psyché. Il peut aussi être le signe précurseur de la découverte, récente ou proche, d'une fonction de la psyché captive et sur le point d'être libérée. Parfois encore, le rêve montre que le contexte culturel dans lequel évolue la dormeuse lui est de plus en plus intolérable et qu'elle doit s'en libérer soit par la fuite, soit en combattant.

Essayons de comprendre les idées subjectives de ce thème, appliquées à la vie personnelle et intérieure de la rêveuse. Le rêve de « l'homme noir » révèle à la femme dans quelle mauvaise passe elle se trouve, quelle attitude cruelle, personnifiée par la brute, elle adopte envers elle-même. Telle l'épouse de Barbe-Bleue, la femme peut se libérer si elle parvient à mettre la main sur la question-clé et à y répondre en toute franchise. Alors les prédateurs de la psyché ne pourront plus exercer sur elle une aussi forte pression. Ils s'éloigneront vers le fin fond d'une lointaine strate, où elle pourra s'occuper d'eux en parfaite conscience et non dans le drame.

L'homme noir apparaît dans les rêves lorsqu'est imminente une initiation – le passage, dans le psychisme, d'un niveau de connaissance et de comportement à un autre niveau de savoir et d'action, plus mûr ou plus énergique. Le rêve a lieu aussi bien chez celle qui n'est pas encore initiée que chez les familières des rites de passage, car l'initiation n'est jamais terminée. Quel que soit l'âge d'une femme, il lui reste toujours à connaître d'autres étapes, d'autres âges, d'autres « premières fois ». C'est de cela qu'il s'agit dans l'initiation : elle construit une arcade sous laquelle il faut se préparer à passer pour avoir accès à une nouvelle manière d'être, à une connaissance nouvelle.

Les rêves sont des *portales*, des entrées, des exercices, une préparation à une nouvelle étape dans la conscience des femmes, le « lendemain » dans le processus d'individuation. Une femme peut donc faire un rêve mettant en scène le prédateur lorsque dans son psychisme tout est trop calme ou trop complaisant. En quelque sorte, ce rêve intervient afin de déclencher un orage dans la psyché et de permettre qu'un travail énergique s'accomplisse. Il peut aussi révéler que la vie de cette femme doit changer, qu'elle se trouve dans une situation de hiatus face à un choix difficile, qu'elle hésite à franchir le pas, à aller de l'avant, à disputer son propre pouvoir au prédateur et n'a pas l'habitude d'être/d'agir/de lutter à plein.

Le rêve de l'hómme noir est aussi un signal d'alarme. Il signifie qu'il faut prêter attention à quelque chose qui risque d'être définitivement perdu dans le monde extérieur, la vie personnelle ou le contexte culturel. La psychologie traditionnelle a tendance à couper radicalement la psyché du terrain sur lequel vit l'être humain, en omettant purement et simplement celui-ci, comme elle la coupe de la connaissance des étiologies culturelles du malaise et de l'inquiétude, ainsi que de la politique et des politiques qui modèlent la vie intérieure et la vie quotidienne des êtres humains. Comme si le monde extérieur n'était pas aussi surréel, aussi chargé en symboles, aussi actif sur la vie de l'âme de chaque personne que le tumulte intérieur. Le cadre géographique, culturel et politique dans lequel nous vivons contribue tout autant à sculpter le paysage psychique de l'individu et doit en conséquence être pris en compte de la même manière que le milieu personnel.

Quand le monde intérieur fait intrusion dans la vie de l'âme fondamentale d'une personne ou de plusieurs, les rêves de l'homme noir sont légion. J'ai eu la tâche fascinante de rassembler les rêves de femmes qu'un événement extérieur est venu perturber, telles celles qui vivaient près des émanations nocives des hauts fourneaux de York City [8], dans l'Idaho, les rêves de femmes très impliquées dans l'action sociale et la protection de l'environnement, comme *Las guerrillas compañeras* d'Amérique centrale [9], les femmes des *Cofradios des Santuarios* [10] aux Etats-Unis et des militantes pour les droits civiques du comté de Latino [11]. Toutes faisaient en abondance le rêve de l'homme noir.

Pour les femmes naïves ou peu informées, ce rêve signifie : « Attention, réveille-toi, tu es en danger. » Pour celles qui sont conscientes des choses et engagées dans l'action sociale, l'homme noir semble pratiquement avoir une action tonifiante et leur rappeler ce contre quoi elles luttent, les encourager à rester en éveil et à continuer.

Le rêve du prédateur naturel n'est donc pas toujours seulement un message concernant la vie intérieure. C'est parfois un message mettant en garde contre des aspects menaçants de notre environnement culturel – que ce soit le cadre de notre profession, celui de notre propre famille, du voisinage, ou celui, beaucoup plus vaste, de notre culture religieuse ou nationale. Chaque groupe, chaque culture semble, comme vous pouvez le voir, posséder son propre prédateur naturel psychique et l'histoire est là pour nous prouver qu'il existe des époques où le prédateur se trouve identifié à la souveraineté absolue jusqu'à ce que la marée de ses opposants le balaie.

Une grande partie de la psychologie met l'accent sur les causes familiales de l'angoisse et pourtant les composantes culturelles ont un poids aussi lourd, car la culture est la famille de la famille. Si la famille de la famille souffre de maux divers, toutes les familles à l'intérieur de cette culture devront se confronter au même malaise. Dans ma famille, on dit : *cultura cura*, la culture soigne. Si cette culture guérit, les familles vont apprendre à se soigner, à moins lutter, à avoir une action plus réparatrice, moins blessante, emplie de plus de grâce et d'affection. Si c'est une culture où règne le prédateur, toute nouvelle vie à naître, toute vie ancienne à disparaître vont être maintenues dans l'immobilité ; les âmes des citoyens resteront glacées de peur et auront faim de spiritualité.

On ignore exactement pourquoi cet intrus qui, dans les rêves féminins, prend la plupart du temps une forme masculine tente d'assaillir la psyché instinctuelle et tout particulièrement ses pouvoirs sauvages de connaissance. On dit que c'est sa nature. Il s'avère toutefois que ce processus de destruction est exacerbé lorsque l'environnement culturel d'une femme fortifie et protège les attitudes destructrices à l'égard de la nature instinctuelle profonde et de l'âme. En cela, la culture permet à ces valeurs destructrices – que le prédateur approuve avidement – de se renforcer dans la psyché collective de tous ceux qui en font partie. Quand une société exhorte ses membres à se méfier de la vie instinctuelle profonde et à s'en tenir à l'écart, elle renforce l'élément autoprédateur dans la psyché de chacun.

Et pourtant, même dans une culture oppressive, en chaque femme où la Femme Sauvage existe encore et fleurit ou tout au moins luit, les questions-clés vont être posées – non seulement celles que nous jugeons utiles sur le plan personnel mais aussi celles qui concernent notre culture. « Qu'y a-t-il derrière ces interdictions du monde extérieur ? Qu'est-ce qui gît là, assassiné ou agonisant, et qui était bon et utile à l'individu, à la culture, à la planète, à la nature humaine ? » Une fois qu'on a étudié ces questions, on peut agir selon ses capacités et son talent. C'est agir dans l'esprit sauvage que de prendre le monde à bras-le-corps dans un geste d'où l'âme ressort fortifiée, épanouie.

Il faut donc absolument préserver la nature sauvage des femmes et même, dans certaines circonstances, exercer à son égard une vigilance de tous les instants afin qu'elle ne leur soit pas soudain enlevée et proprement étranglée. Il faut aussi la nourrir, l'abriter, la faire croître, car même dans l'environnement culturel, familial ou psychique le plus restrictif, la femme qui a su rester en relation avec la nature instinctuelle sauvage montre une capacité de réaction. Certes, la femme captive et/ou induite à demeurer naïve et accommodante est blessée, mais elle a toujours en elle suffisamment d'énergie pour venir à bout de son geôlier et s'échapper, puis, plus tard, pour en extraire la substantifique moelle et s'en servir pour se reconstruire.

Il existe d'autres circonstances particulières dans lesquelles les femmes ont de fortes chances de faire le rêve de l'homme noir : c'est lorsqu'en elles la flamme de leur créativité s'étouffe toute seule, manque de combustible ou que des cendres viennent s'accumuler sous une marmite pourtant désespérément vide. Ces syndromes peuvent se produire lorsque nous sommes devenues des vétérans dans notre domaine ou que nous ne nous y impliquons plus. Ils apparaissent quand il y a irruption du prédateur dans la psyché, avec ce résultat que nous ne prenons aucune des mesures nécessaires pour accomplir ce qui nous tient à cœur.

Dans ce cas, le rêve de l'homme noir, même s'il s'accompagne d'un réveil en sursaut, n'est pas un rêve de mauvais augure, bien au contraire. Il nous fait sentir en temps voulu le besoin de prendre conscience d'un mouvement destructeur qui a lieu dans la psyché – vol de notre feu intérieur, intrusion au sein de notre énergie créatrice, dépossession du lieu, de l'espace, du temps, du territoire où nous créons.

Notre créativité est souvent ralentie ou stoppée parce que, dans notre psyché, un élément a une faible opinion de nous-mêmes et qu'au lieu de lui donner un bon coup sur la tête et de nous enfuir vers la liberté, nous nous traînons à ses pieds. Dans la plupart des cas, nous pouvons rétablir la situation en nous prenant au sérieux plus que nous ne l'avons fait jusqu'alors, avec nos idées, notre art. Par le fait que, sur plusieurs générations, des brèches sont venues rompre la chaîne de l'aide et l'assistance matrilinéaires (et patrilinéaires), tout ce qui touche à la valorisation de la vie créatrice – c'est-à-dire la valorisation des idées et des travaux issus de l'âme sauvage, profondément originaux, artistiques et harmonieux – est devenu pour les femmes un problème permanent.

Au cours de ma pratique, j'ai pu voir certaines poétesses jeter leurs poèmes sur le divan de mon cabinet comme s'il s'agissait d'immondices et non d'un trésor. J'ai vu des peintres apporter leur travail aux séances et en heurter l'encadrement de la porte en entrant. J'ai vu les yeux des femmes briller d'une colère mal dissimulée parce que les autres semblaient pouvoir créer et elles pas. J'ai entendu dans leur bouche toutes les excuses possibles et imaginables : « Je n'ai pas de talent, je ne compte pas, je n'ai aucune éducation, je n'ai pas d'idées, je ne sais pas comment, ni quand, ni quoi », et la plus insupportable : « Je n'ai pas le temps. » A chaque fois, j'ai envie de les secouer, la tête en bas, jusqu'à ce qu'elles se repentent et qu'elles promettent de ne plus raconter de contre-vérités. En fait, je n'ai nul besoin de le faire. L'homme noir s'en charge dans leur sommeil et si ce n'est pas lui, ce sera un autre personnage de leurs rêves.

Le rêve de l'homme noir est un rêve effrayant et en tant que tel, il est bon, la plupart du temps, pour la créativité. Il montre aux artistes ce qui va leur arriver si elles se laissent réduire à l'état d'épaves talentueuses. Ce rêve suffit souvent à remettre les femmes à l'ouvrage en leur faisant peur, ou du moins à leur permettre de se servir de l'homme noir de leurs rêves comme matériau de création.

A nous toutes, la menace que représente l'homme noir sert d'avertissement : si tu ne prêtes pas attention aux trésors, on va te les voler... De sorte que lorsqu'une femme a ce genre de rêves, elle doit comprendre que s'ouvre l'immense grille qui donne accès aux territoires initiatiques où elle va pouvoir réévaluer ses talents et reconnaître, appréhender, s'occuper de ce qui lui était dérobé ou la détruisait.

Si elle fait le nécessaire pour repérer le prédateur de sa psyché, si elle prend en compte sa présence et le combat comme elle doit le faire, alors celui-ci se retirera en un lieu plus isolé, plus discret de la psyché. En revanche, si elle l'ignore, la haine et la jalousie du prédateur vont croître et avec eux le désir de la faire taire à jamais.

Sur le plan du quotidien, la femme qui fait des rêves d'homme noir ou de personnages du genre de Barbe-Bleue doit évacuer toute négativité de son existence. Il lui faut parfois restreindre ou réduire certains liens, car si elle est entourée de personnes qui s'opposent à sa vie profonde ou la négligent, son prédateur intérieur s'en nourrit et s'en fortifie, à son détriment à elle.

Les femmes ont souvent des sentiments ambivalents lorsqu'il faut attaquer l'intrus, car, pensent-elles, cela ne les avancera pas plus que de rester sans rien faire. Si elles ne se libèrent pas, elles deviennent l'esclave de l'homme noir et lui devient leur geôlier. Si elles le font, il les poursuivra sans fin, comme si elles lui appartenaient. Elles craignent qu'il ne les pourchasse jusqu'à ce qu'elles soient soumises à nouveau et cela se reflète dans le contenu de leur rêve.

Il est donc courant de voir les femmes supprimer leur nature sauvage, fondamentalement originale, leur âme créatrice en réaction à la menace du prédateur. C'est pourquoi les femmes gisent, sous forme de cadavres et de squelettes, dans la cave de Barbe-Bleue. Elles ont appris l'existence du piège, mais trop tard. Pour sortir de la boîte, pour échapper à la torture, il faut prendre conscience. La prise de conscience est le chemin qui éloigne de l'homme noir. Les femmes ont le droit de lutter bec et ongles pour y avoir accès.

Dans *Barbe-Bleue*, nous voyons comment une femme tombée sous le charme du prédateur se secoue et lui échappe – elle sera plus avisée la prochaine fois. Le conte traite de la transformation de quatre introjections qui sont autant de sujets de discorde pour les femmes : manquer de perspicacité, n'avoir ni vision propre, ni voix originale, ni action décisive. Pour bannir le prédateur, il faut ouvrir les choses ou nous-mêmes afin de voir ce qu'elles recèlent, user de notre perspicacité, de nos capacités pour supporter ce que nous découvrons, clamer la vérité à voix haute et nous servir de notre tête pour agir comme il se doit en fonction de ce que nous voyons.

Celles qui ont une nature instinctuelle forte reconnaissent intuitivement le prédateur intérieur par l'odorat, la vue, l'ouïe; elles devinent sa présence, l'entendent arriver et prennent les mesures nécessaires pour lui faire faire demi-tour. Celles dont l'instinct est endommagé n'ont même pas encore conscience de sa présence que le prédateur est déjà sur elles, car leur capacité d'écoute, d'appréhension, leur savoir sont amoindris – notamment par des introjections qui les exhortent à se montrer gentilles, à bien se comporter et tout particulièrement à ne pas voir qu'elles sont abusées.

Sur le plan psychique, il est difficile de déterminer au premier regard la différence entre les non-initiées, qui sont encore jeunes et par conséquent naïves, et les femmes dont l'instinct a été abîmé. Ni les unes ni les autres ne savent grand-chose du noir prédateur et elles sont donc encore crédules. Mais par chance, lorsque l'élément prédateur de la psyché féminine se met en branle, il laisse derrière lui des traces parfaitement identifiables dans leurs rêves. Elles vont conduire à sa découverte, à sa capture, à sa maîtrise.

Pour la femme naïve comme pour celle dont l'instinct est endommagé, le remède est le même : écouter son intuition, sa voix intérieure, poser des questions, être curieuse, voir ce qu'elle voit, entendre ce qu'elle entend et agir en connaissance de cause. Notre âme a reçu ces dons intuitifs à la naissance. Ils ont été recouverts de cendres et d'excréments, quelquefois des années durant. Ce n'est pas la fin du monde. Nous pouvons nettoyer, frotter, gratter et avec un peu de pratique, nos pouvoirs de perception redeviendront comme neufs.

Si nous allons chercher ces pouvoirs dans les profondeurs ombreuses de notre psyché, nous ne serons pas de simples victimes des circonstances internes ou externes. Qu'importe si la culture, la personnalité, la psyché réclament que les femmes s'habillent et se conduisent bien, qu'importe si les autres veulent les garder comme un troupeau d'oies sous la surveillance d'une dizaine de *dueñas* dodelinantes pour les chaperonner, qu'importe la pression qui peut s'exercer sur la vie de l'âme : rien de tout cela ne pourra changer le fait qu'une femme est ce qu'elle est, que cela est dicté par l'inconscient sauvage. Et que c'est bien, très bien ainsi.

Nous devons à tout prix avoir à l'esprit que lorsque nous faisons des rêves de l'homme noir, il y a toujours un pouvoir opposé, c'est-à-dire équilibrant, qui se tient prêt à nous aider. Lorsque nous libérons de l'énergie sauvage pour rétablir l'équilibre avec le prédateur, devinez qui se montre aussitôt ? La Femme Sauvage, qui vole à notre secours, quels que soient les barrières, les murs et les obstacles érigés par le prédateur. Elle n'a rien d'une icône qu'on accroche au mur comme un retable. C'est une créature vivante qui vient à nous partout et dans toutes les circonstances. Il y a bien longtemps que le prédateur et elle se connaissent. Elle le poursuit à travers les histoires, les contes, la vie des femmes. Elle est là où il se trouve, car elle rétablit l'équilibre avec lui.

La Femme Sauvage dit aux femmes dans quelles circonstances elles ne doivent pas se montrer « gentilles » quand il s'agit de protéger la vie de l'âme. La nature sauvage sait que la douceur fera simplement sourire le prédateur. Quand cette vie-là est menacée, il n'est pas seulement recommandé, mais requis, de prendre ses distances. La femme qui agit ainsi ne subit plus pendant longtemps d'intrusion dans sa vie, car elle découvre immédiatement ce qui ne va pas et elle peut repousser le prédateur dans ses foyers. Elle a cessé d'être naïve, d'être une cible une proie. C'est là le remède qui, en fin de compte, peut faire cesser de saigner la clef, la fameuse petite clef.

3

DÉCOUVRIR LES FAITS AU FLAIR : LE RÉTABLISSEMENT DE L'INTUITION EN TANT QU'INITIATION

La poupée dans la poche : Vassilissa la Sage

L'intuition est le trésor de la psyché féminine. Elle est pareille à un objet divinatoire, à une boule de cristal offrant une mystérieuse vision intérieure, pareille à une vieille femme emplie de sagesse qui serait toujours à vos côtés et vous dirait exactement si vous devez tourner à droite ou à gauche. Elle est une des formes de Celle Qui Sait, la vieille *La Que Sabe*, la Femme Sauvage.

Dans les traditions selon lesquelles j'ai été élevée, les conteurs étaient toujours en train de faire des fouilles psychiques, de balayer délicatement des siècles de boue, de creuser sous des strates de culture et de conquêtes, de numéroter soigneusement chaque fresque, chaque frise narrative qu'ils découvraient. Parfois, une histoire a été réduite en poudre, parfois des fragments, des détails manquent ou ont été effacés, parfois la forme est intacte, mais la couleur a disparu. Pourtant, même dans ce cas, ils gardent lors de chaque fouille l'espoir de retrouver une histoire dans sa totalité et dans son intégralité. Le conte qui suit fait partie de ces incroyables trésors.

Pour moi, *Vassilissa*, un conte russe [1] qui raconte l'initiation d'une femme, est pratiquement intact : il ne manque guère à son squelette d'os essentiels. Il raconte ce qui se passe quand on prend conscience que les choses ne sont pas ce qu'elles semblent être. En tant que femmes, nous faisons appel à notre intuition et à nos instincts pour flairer ce qui se passe. Nous utilisons nos sens pour extraire la vérité des faits, pour prendre à nos idées leurs nutriments, pour voir ce qu'il y a à voir, savoir ce qu'il y a à savoir, pour être les gardiennes de la flamme de notre créativité et pour avoir une connaissance intime des cycles de Vie/Mort/Vie de toute nature – tout ce qui fait qu'une femme est initiée.

On trouve en Russie, en Roumanie, en Yougoslavie, en Pologne et dans tous les pays baltes des contes dans lesquels Vassilissa est le personnage principal. Dans certains cas, on l'appelle *Vassilissa la Sage*. On peut retrouver trace de ses racines archétypales en remontant jusqu'aux cultes des anciennes Déesses-juments antérieures à la culture grecque classique. Ce conte représente une carte psychique ancestrale de l'accès au monde souterrain de la divinité féminine sauvage. Il traite de la transmission aux femmes du pouvoir primaire, instinctuel, de la Femme Sauvage, l'intuition.

C'est ma tante Kathé qui m'a fourni la trame du conte dont vous trouverez ici une version littéraire. Il commence par l'une des formules les plus vieilles qu'utilisent les conteurs : « Il était une fois et une fois il n'était pas [2]... » Cette phrase paradoxale est destinée à placer en alerte l'âme de celui qui écoute, à le prévenir que cette histoire se déroule dans le monde entre les mondes, où rien n'est ce qu'il semble être. Et maintenant, commençons.

Vassilissa

Il était une fois et une fois il n'était pas, une jeune mère qui gisait sur son lit de mort, le visage aussi pâle que les roses de cire blanche dans la sacristie de l'église proche. Sa petite fille et son mari étaient assis au bout de son vieux lit de bois et priaient Dieu qu'il la conduise en toute sécurité vers l'autre monde.

La mère mourante appela Vassilissa, et la petite fille aux bottes rouges et au tablier blanc vint s'agenouiller auprès de sa mère.

– Voici pour toi une poupée, mon amour, murmura la mère.

Du dessus-de-lit en laine, elle tira une poupée minuscule, vêtue comme Vassilissa de bottes rouges, d'un tablier blanc, d'une jupe noire et d'une veste brodée de fils de couleurs.

– Ce sont mes dernières paroles, mon aimée, dit la mère. Si tu perds ton chemin ou si tu as besoin d'aide, demande ce que tu dois faire à cette poupée. Tu seras assistée. Garde toujours la poupée avec toi. N'en parle à personne. Nourris-la si elle a faim. Elle te vient de ma mère, c'est ma bénédiction, ma chère enfant.

Sur ces mots, le souffle de la mère alla dans les profondeurs de son corps chercher son âme et lui fit franchir ses lèvres. Elle était morte.

L'enfant et son père la pleurèrent très longtemps. Puis, tel un champ cruellement labouré par la guerre dont reverdissent les sillons, la vie du père connut le renouveau. Il épousa une veuve avec deux filles. La belle-mère et ses filles avaient beau parler poliment et sourire comme de nobles dames, leur sourire était celui d'un rongeur. Et le père de Vassilissa ne s'en apercevait pas.

Lorsque les trois femmes étaient seules avec Vassilissa, elles la tourmentaient, l'obligeaient à les servir, l'envoyaient couper du bois jusqu'à ce que sa jolie peau en soit tout abîmée. Elles la haïssaient, car il y avait en elle une douceur qui appartenait à un autre monde. De plus, elle était très belle. Ses seins étaient épanouis, tandis que les leurs s'étiolaient. Elle se montrait serviable et ne se plaignait jamais, tandis que la marâtre et ses filles se comportaient entre elles comme font les rats, la nuit, parmi les immondices.

Un jour, elles en eurent assez de Vassilissa.

– Faisons en sorte que le feu s'éteigne, puis envoyons Vassilissa dans la forêt demander du feu pour notre foyer à Baba Yaga, la sorcière. Quand elle sera devant la Yaga, la vieille la tuera et la mangera.

Et elles de battre des mains et de couiner, exactement comme ces bêtes qui vivent dans l'obscurité.

Ce soir-là, donc, lorsque Vassilissa rentra après avoir ramassé du bois, la maison était plongée dans l'obscurité. Très ennuyée, Vassilissa demanda à sa belle-mère :

– Que s'est-il passé ? Comment allons-nous préparer le repas ? Avec quoi allons-nous nous éclairer ?

La marâtre la tança :

– Petite idiote ! Tu vois bien que nous n'avons plus de feu. Et je ne peux aller dans les bois parce que je suis vieille. Quant à mes filles, elles ne le peuvent pas non plus parce qu'elles ont peur. Tu es donc la seule à être capable d'aller dans la forêt trouver Baba Yaga et lui demander de la braise afin que notre feu puisse repartir.

– Très bien, répondit innocemment Vassilissa, c'est ce que je vais faire.

Elle s'en fut donc. Les bois s'assombrissaient et sous ses pieds des brindilles craquaient, ce qui la remplissait de terreur. Elle plongea la main dans la poche de son tablier et trouva la poupée que lui avait donnée sa mère sur son lit de mort. Vassilissa tapota la poupée dans la poche. « Rien que de toucher cette poupée, je me sens mieux », se dit-elle.

A chaque bifurcation du chemin, Vassilissa mettait la main dans sa poche et consultait la poupée.

– Dois-je aller à gauche ou dois-je aller à droite ?

La poupée indiquait : « Oui » ou « Non » ou bien « Par ici » ou encore « Par là ». Vassilissa lui donna un peu de son pain et se laissa guider par ce qui émanait d'elle.

Soudain, un homme vêtu de blanc, monté sur un cheval blanc, passa au galop et le jour pointa. Un peu plus loin, un homme vêtu de rouge passa au petit trot et le soleil se leva. Vassilissa marcha encore et encore et, au moment où elle atteignait l'antre de Baba Yaga, arriva un cavalier vêtu de noir, monté sur un cheval noir, qui entra au petit trot dans la cabane. La nuit tomba. La barrière formée d'os et de crânes qui entourait la cabane se mit à flamboyer, éclairée par un feu intérieur, de sorte que là, dans la forêt, la clairière rougeoyait d'une lumière surnaturelle.

La Baba Yaga était une créature absolument terrifiante. Elle se déplaçait non pas dans un chariot ou un carrosse, mais dans un chaudron en forme de mortier qui avançait tout seul dans les airs. Elle dirigeait ce véhicule grâce à un aviron semblable à un pilon, tout en balayant les traces de son passage au moyen d'un balai fait avec des chevelures de morts.

Et le chaudron fendait le ciel, les cheveux gras de Baba Yaga volant au vent. Son long menton se recourbait vers le haut, son long nez se recourbait vers le bas et ils se rencontraient au milieu. Elle avait un petit bouc blanc et des verrues sur la peau à force de manipuler des crapauds. Ses doigts tachés de brun étaient épais, annelés comme un toit de tuiles et si incurvés qu'elle ne pouvait fermer le poing.

La maison de Baba Yaga était plus étrange encore. Elle était juchée sur d'immenses pattes de poulet jaunes et se baladait toute seule, quand elle ne tournait pas sur elle-même comme un danseur en transe. Les poignées des portes et des volets étaient faites de doigts et d'orteils humains et la serrure de la porte d'entrée était un groin aux nombreuses dents acérées.

Vassilissa consulta sa poupée et demanda : – Est-ce là la maison que nous cherchons ? Et la poupée répondit à sa manière : – Oui, c'est bien ce que tu cherches.

Avant que Vassilissa n'ait fait un pas de plus, Baba Yaga fondit sur elle avec son chaudron en hurlant :

– Qu'est-ce que tu veux ?

La jeune fille trembla.

– Grand-mère, je viens chercher du feu. Ma maison est toute froide... les miens vont mourir... j'ai besoin de feu.

Baba Yaga dit d'une voix cassante :

– Ah oui, je te connais et je connais les tiens. Eh bien, inutile enfant... tu as laissé le feu s'éteindre. C'est être bien mal avisée. Par-dessus le marché, pourquoi crois-tu que je vais te donner la flamme ?

Vassilissa consulta sa poupée et se hâta de répondre :

– Parce que je te le demande.

Baba Yaga ronronna :

– Tu as de la chance. C'est la bonne réponse.

Et Vassilissa se sentit très chanceuse d'avoir fourni la bonne réponse.

Baba Yaga menaça :

– Il m'est impossible de te donner du feu tant que tu n'as pas travaillé pour moi. Si tu accomplis ces tâches pour moi, tu auras le feu. Sinon...

Et Vassilissa vit les yeux de Baba Yaga se changer en braises rougeoyantes : – Sinon, mon enfant, tu mourras.

Baba Yaga alla dans son antre en grommelant. Elle s'allongea sur son lit et demanda à Vassilissa de lui apporter ce qui mijotait dans le four. Dans le four, il y avait assez pour nourrir dix personnes et la Yaga mangea tout, ne laissant à Vassilissa qu'une minuscule croûte et un dé à coudre de potage.

– Lave mes vêtements, balaye la cour et nettoie la maison, prépare ma nourriture, sépare le froment attaqué par la rouille du bon blé et veille à ce que tout soit en ordre. Je reviendrai bientôt pour vérifier ton travail. S'il n'est pas fait, tu me serviras de festin.

Là-dessus, Baba Yaga s'envola sur son chaudron et la nuit tomba de nouveau.

Dès qu'elle eut disparu, Vassilissa se tourna vers la poupée. – Que dois-je faire ? Vais-je pouvoir accomplir ces tâches dans les temps ?

La poupée l'assura qu'elle le pourrait et lui dit de manger un peu et d'aller dormir. Vassilissa donna aussi un peu à manger à la poupée et s'endormit.

Au matin, la poupée avait fait tout le travail. Il ne restait plus qu'à préparer le repas. Lorsque le soir, Baba Yaga rentra, tout était terminé. Satisfaite en un sens et en un sens pas satisfaite du tout parce qu'elle ne découvrait aucune faute, elle lança :

– Tu as beaucoup de chance, ma fille.

Elle appela alors ses fidèles servantes pour moudre le grain. Trois paires de mains apparurent dans les airs et se mirent à la tâche. La balle volait dans la maison comme une neige d'or. Lorsque ce fut fait, Baba Yaga se mit à table. Elle mangea durant des heures et, le lendemain, ordonna à Vassilissa de nettoyer à nouveau la maison, de balayer la cour et de laver ses vêtements.

La Yaga désigna un énorme monticule de terre dans la cour.

– Il y a là de nombreuses graines de pavot, des millions de graines de pavot. Je veux que demain matin il y ait une pile de graines de pavot et un monticule de terre, bien distincts l'un de l'autre. Compris ?

Vassilissa manqua s'évanouir. – Ciel, comment vais-je faire cela ?

Elle glissa la main dans sa poche et la poupée murmura : – Ne t'inquiète pas, je m'en occupe.

Cette nuit-là, Baba Yaga se mit à ronfler et Vassilissa essaya... de trier... les... graines de pavot... Au bout d'un moment, la poupée lui dit :

– Va dormir. Tout ira bien.

De nouveau la poupée se mit au travail et quand la vieille femme revint à la maison, il ne restait plus rien à faire.

– Bien, bien ! s'exclama Baba Yaga d'une voix sarcastique, une chance que tu aies pu en venir à bout !

Elle appela ses fidèles servantes pour qu'elles pressent les graines de pavot et en extraient l'huile. A nouveau, trois paires de mains firent leur apparition et se mirent au travail.

Cependant que Baba Yaga se barbouillait les lèvres de graisse en mangeant son ragoût, Vassilissa se tenait non loin d'elle.

– Eh bien, que regardes-tu ainsi ? aboya Baba Yaga.

– Puis-je vous poser quelques questions, Grand-Mère ?

– Pose, répondit Baba Yaga, mais rappelle-toi, en savoir trop peut faire vieillir prématurément.

Vassilissa interrogea Baba Yaga sur l'homme blanc sur son cheval blanc.

– Ah, dit Baba Yaga d'une voix chaleureuse, celui-ci, le premier, c'est mon Jour.

– Et l'homme rouge sur le cheval rouge ?

– Ah, c'est mon Soleil levant.

– Et l'homme noir sur le cheval noir ?

– Ah oui, c'est le troisième, c'est ma Nuit.

– Je vois, dit Vassilissa.

– Continue, continue, mon enfant, susurra la Yaga.

Vassilissa allait l'interroger sur les paires de mains qui apparaissaient et disparaissaient, mais la poupée se mit à s'agiter dans sa poche. Au lieu de quoi, Vassilissa dit alors :

– Non, Grand-Mère, comme vous le dites, en savoir trop peut faire vieillir prématurément.

– Ah, fit la Yaga en penchant la tête tel un oiseau, tu es bien sage pour ton âge, ma fille. Et comment en es-tu arrivée là ?

– Grâce à la bénédiction de ma mère.

– La bénédiction ! grinça Baba Yaga. La bénédiction ! Nous n'avons pas besoin de bénédictions dans cette maison ! Tu ferais mieux de filer, mon enfant.

Elle poussa Vassilissa dehors, dans la nuit.

– Je vais te dire, ma fille. Tiens ! Baba Yaga prit à sa barrière un crâne aux yeux ardents et le plaça sur un bâton. Tiens ! Emporte ce crâne chez toi au bout d'un bâton. Voilà, c'est ton feu. Ne prononce pas un mot de plus. File.

Vassilissa commença à remercier la Yaga, mais la poupée se mit à s'agiter dans sa poche et Vassilissa se rendit compte qu'elle devait prendre le crâne et s'en aller. Elle courut jusque chez elle à travers la forêt obscure, suivant les méandres du chemin selon les indications de la poupée. Vassilissa traversait la forêt, portant le crâne, avec le feu qui jaillissait des trous à l'endroit de ses oreilles, de ses yeux, de son nez et de sa bouche. Soudain, elle eut peur de son poids et de sa lumière surnaturelle et eut envie de le jeter au loin. Mais le crâne lui adressa la parole. Il lui enjoignit de se calmer et de continuer à marcher vers la demeure de sa belle-mère et de ses filles. Ce qu'elle fit.

Tandis que Vassilissa approchait de la maison, la belle-mère et ses filles se mirent à la fenêtre et virent une étrange lumière qui dansait dans le bois et approchait de plus en plus. Elles ne parvenaient pas à s'imaginer ce que c'était. Elles avaient décidé, à la suite de la longue absence de Vassilissa, que celle-ci était morte maintenant, que les animaux avaient éparpillé ses os et bon débarras !

Vassilissa se rapprochait de plus en plus. Lorsque la belle-mère et ses filles la virent, elles se précipitèrent sur elle, disant qu'elles étaient demeurées sans feu depuis son départ et qu'elles avaient eu beau tout faire pour essayer d'en allumer un, il s'éteignait toujours.

Vassilissa entra dans la maison avec un sentiment de triomphe, car elle avait survécu à son dangereux voyage et rapporté le feu. Mais le crâne fixa son regard incandescent sur la marâtre et ses filles, et ne les quitta plus des yeux, si bien qu'au matin il avait réduit le cruel trio en cendres.

Nous voilà avec une fin abrupte, destinée à nous éjecter du conte de fées pour nous faire retomber dans la réalité. Les contes de fées abondent en fins de ce genre. C'est comme si on criait : hou ! à ceux qui écoutent, pour les ramener aux réalités quotidiennes.

Vassilissa traite de la transmission, de mère en fille, de l'intuition féminine, d'une génération à l'autre. L'intuition, ce pouvoir formidable, se compose d'une vision intérieure, d'une écoute intérieure, d'une connaissance intérieure, du fait de sentir de l'intérieur, et le tout se fait à la vitesse de l'éclair.

Au fil des générations, ces pouvoirs intuitifs ont été comme des courants souterrains chez les femmes. La désuétude et un rejet injustifié les ont enterrés. Jung a néanmoins remarqué que rien n'était perdu à jamais dans la psyché. Nous pouvons, je crois, être certaines que ce qui s'est perdu dans la psyché y demeure. Ainsi de cette source de l'intuition féminine instinctuelle. Ce qui a été recouvert peut de nouveau être mis au jour.

Pour saisir toute l'importance de ce conte, il faut bien comprendre que les personnages représentent les éléments de la psyché d'une seule femme. Ainsi tous les aspects de l'histoire font-ils partie d'une psyché individuelle en train de subir un processus initiatique et l'élucident-ils. L'initiation s'accomplit par la réalisation de certaines tâches. Dans ce conte, la psyché doit en effectuer neuf, qui, toutes, ont pour but d'enseigner une partie des méthodes de la Vieille Mère Sauvage.

En accomplissant ces tâches, l'intuition féminine – cet être connaissant qui accompagne partout les femmes, examine tout dans leur vie, voit ce qui est vrai et fait des commentaires pertinents – est relancée dans la psyché. Le but est d'établir une relation d'amour et de confiance avec cet être que nous en sommes venues à appeler « la femme qui sait », l'essence de l'archétype de la Femme Sauvage.

Voici quelles sont les tâches initiatiques dans le rite de la vieille Déesse Baba Yaga :

Première tâche – Permettre à la trop-bonne mère de mourir

Dans l'ouverture du conte, la mère est en train de mourir et de transmettre à sa fille un important héritage.

A cette étape, les tâches psychiques dans la vie d'une femme sont :

Accepter le fait que la mère psychique toujours en éveil, dominatrice, protectrice, ne puisse jouer le rôle du guide principal vers la vie instinctuelle future (la trop-bonne mère meurt). S'attaquer à la tâche d'acquérir son autonomie et de développer sa propre conscience du danger, des intrigues, des ruses. Etre soi-même sur ses gardes, pour soi-même. Laisser mourir ce qui doit mourir. Lorsque meurt la trop-bonne mère, la nouvelle femme naît.

Dans le conte, le processus initiatique débute à la mort de la chère, de la bonne mère. Elle ne sera plus là, désormais, pour caresser les cheveux de Vassilissa. Toutes, nous passons par le moment où la bonne mère de la psyché – celle qui, auparavant, s'occupait parfaitement de nous – se change en trop-bonne mère, et où celle-ci, au nom de ses valeurs protectrices, commence à nous empêcher de répondre à de nouveaux défis et, en conséquence, de nous développer.

Au cours du processus naturel de maturation, la trop-bonne mère doit être de moins en moins consistante jusqu'à ce que nous soyons capables de prendre soin de nous-mêmes d'une nouvelle manière. Même si nous conservons toujours un peu de sa chaleur, cette transition psychique naturelle nous laisse seules dans un monde qui n'est aucunement maternel à notre égard. Mais attention : cette trop-bonne mère n'est pas exactement ce qu'elle semble être au départ. Sous la couverture, elle cache une poupée qu'elle va donner à sa fille.

Il y a quelque chose de la Mère Sauvage dans cette figure. Mais la trop-bonne mère ne peut aller jusqu'au bout, car elle est la mère nourricière, la mère bénie dont chaque bébé a besoin pour avancer dans le monde psychique de l'amour. Alors, même si cette trop-bonne mère ne peut accompagner la vie de sa fille au-delà d'un certain point, elle va agir ici en faveur de sa progéniture. Elle fait don à Vassilissa de la poupée, ce qui est vraiment, comme nous l'avons vu, une bénédiction.

Cet effacement psychologique de la mère prédominante se produit lorsque la fille quitte le nid bien protégé de la préadolescence pour la jungle de l'adolescence. Chez certaines, néanmoins, le processus de développement d'une nouvelle mère, une mère intérieure plus avisée – celle qu'on appelle intuition – n'est encore qu'à demi entamé. Ces femmes-là vont errer des années durant avec, dans l'âme, le désir de connaître l'expérience initiatique dans sa totalité, en essayant tant bien que mal de pallier ce manque...

Il y a plusieurs causes à cet arrêt dans le processus initiatique. Par exemple, la femme a pu connaître précocement un surcroît de souffrance psychologique – particulièrement quand elle n'a pas connu une « mère suffisamment-bonne » dans la petite enfance [3]. L'initiation a également pu être repoussée ou réalisée de manière incomplète parce que la tension était insuffisante dans la psyché, car la trop-bonne mère, vivace comme les mauvaises herbes, surprotégeait sa fille à l'ombre de ses feuilles, alors qu'elle aurait déjà dû quitter la scène. Dans ce genre de situation, les femmes ne se sentent pas toujours le courage de s'aventurer seules dans les bois et résistent tant qu'elles peuvent.

Pour elles, comme pour des femmes que les rigueurs de l'existence éloignent de leur vie intuitive profonde, les poussant à gémir souvent : « Je suis si lasse de m'occuper de moi », il existe un bon vieux remède. Quel que soit leur âge, une nouvelle recherche ou une ré-initiation vont relancer l'intuition profonde, celle qui sait sur-le-champ ce qui est bon pour nous et ce qu'il nous faut ensuite... si nous l'écoutons.

L'initiation de Vassilissa débute lorsqu'elle apprend à laisser mourir ce qui doit mourir. Autrement dit, à laisser mourir les attitudes et les valeurs qui, à l'intérieur de la psyché, ne peuvent plus la nourrir. Il faut tout particulièrement examiner ce qui rend la vie trop sûre, ce qui surprotège, ce qui fait marcher les femmes à petits pas précipités et non à grandes enjambées.

La période durant laquelle s'efface la « mère positive » de l'enfance – et où ses attitudes meurent avec elle – est toujours une importante période d'apprentissage. Il existe bien sûr dans toute existence un temps durant lequel il est normal de rester proche de la mère psychique protectrice – par exemple lorsqu'on est enfant, ou lorsqu'on sort d'un choc psychologique ou spirituel, ou qu'on relève de maladie, ou encore quand on se trouve en danger et qu'il vaut mieux se faire tout petit pour s'en sortir. Mais, même si l'on conserve d'elle d'importantes provisions de secours, vient toujours le moment de changer de mère, pour ainsi dire [4].

Si nous restons ouvertement trop longtemps auprès de la mère protectrice au sein de notre propre psyché, nous nous coupons de tous les défis et bloquons en conséquence tout développement futur. Bien sûr, je ne veux pas dire par là qu'une femme doit se mettre dans ces situations qui vont lui faire violence, mais j'entends qu'elle doit se fixer dans la vie un but à atteindre et prendre les risques qui vont avec. C'est par ce processus qu'elle va affûter ses pouvoirs intuitifs.

Parmi les loups, lorsque la femelle élève ses petits, tous passent beaucoup de temps à paresser ensemble; ils forment un gros tas de fourrure, bien loin du monde extérieur et de ses défis. Néanmoins, lorsque la louve finit par apprendre à ses louveteaux à chasser et à rechercher leur nourriture, elle leur montre les dents plus souvent qu'à son tour, elle se fait cassante, exige qu'ils se comportent bien et obéissent.

C'est donc pour pouvoir continuer à nous développer que nous échangeons la mère protectrice intérieure qui nous convenait si bien lorsque nous étions enfants contre un autre type de mère, celle qui vit plus loin encore dans les profondeurs des territoires psychiques sauvages, celle qui est à la fois une escorte et un professeur. C'est une mère aimante, mais aussi féroce et exigeante.

La plupart d'entre nous ne vont pas laisser mourir la trop-bonne mère juste parce que le moment est venu. Elle a beau ne pas permettre à nos énergies les plus vivaces d'émerger, c'est si bon d'être avec elle, si confortable, alors pourquoi s'en aller ? Souvent, nous entendons en nous des voix qui nous encouragent à rester en retrait, en sécurité.

Elles disent des choses du genre : « Oh, ne dis pas ça », ou « Tu ne peux pas faire ça », ou « Bon, tu n'es pas vraiment mon enfant (amie) si tu fais ça », ou « C'est dangereux, là-bas », ou bien « Qui sait ce qu'il va advenir de toi si tu persistes à vouloir quitter ce nid douillet ? » ou encore « Tu vas te faire humilier quelque chose de bien », ou enfin, plus insidieux : « Fais semblant de prendre des risques et en secret reste ici avec moi. »

Tout cela, ce sont les voix de la trop-bonne mère dans la psyché, effrayée et exaspérée, qui ne peut s'empêcher de parler. Pourtant, si nous restons trop longtemps auprès d'elle, notre existence et nos dons d'expression demeurent dans l'ombre et nous végétons au lieu d'être en pleine force.

Pire, que se passe-t-il lorsque quelqu'un comprime une énergie vivace et ne lui permet pas d'exister ? La même chose qu'avec le contenu du pot magique qui, en de mauvaises mains, augmente, augmente, augmente jusqu'à ce que tout explose et qu'il se répande sur le sol. Il nous faut donc veiller à ce que la psyché intuitive soit revigorée et que la trop gentille protectrice s'affaiblisse. Ou peut-être, plus exactement, nous finissons par nous trouver expulsées de ce confortable et douillet tête-à-tête, non parce que nous l'avons voulu – personne n'est jamais tout à fait prêt – mais parce que quelque chose nous attend au coin du bois et que c'est notre destin de le rencontrer.

Il est courant que les femmes aient peur de laisser mourir une existence trop-confortable, trop-pleine-de-sécurité. Elles se sont parfois délectées de la protection d'une trop-bonne mère et ont le désir de continuer *ad vitam aeternam*. Or, elles doivent désirer éprouver de l'anxiété, sinon elles auraient aussi bien fait de rester au nid.

Certaines, craignant de manquer de sécurité et de certitudes, même sur une courte période, se trouvent toujours quantité d'excuses. Il leur faut plonger, sans savoir ce que leur réserve l'avenir. C'est la seule façon de récupérer leur nature intuitive. D'autres encore sont si occupées à jouer le rôle de trop-bonne mère à l'égard d'autres adultes que ceux-ci sont vissés à leurs *tetas*, leurs mamelles, et n'ont pas l'intention de les laisser s'en aller. Dans ce cas, elles doivent s'en débarrasser d'un bon coup de patte et poursuivre leur chemin.

Dans la mesure où la psyché compense par le rêve ce qui, entre autres, ne sera pas accepté par le moi, volontairement ou non, les rêves, durant une période comme celle-ci, seront remplis de poursuites, de culs-de-sac, de voitures qui ne démarrent pas, de grossesses inabouties et autres symboles illustrant une existence qui ne peut avancer. Viscéralement, la femme sait qu'il est terriblement nocif de demeurer trop longtemps quelqu'un de trop gentil.

La première étape consiste donc à desserrer notre étreinte sur le lumineux archétype de la trop-bonne mère de la psyché, éternellement gentille. Nous quittons le sein maternel et apprenons à chasser. Une mère sauvage nous attend pour nous éduquer. Mais en attendant, notre deuxième tâche est de nous accrocher à la poupée pendant que nous apprenons à nous en servir.

Deuxième tâche – Mettre à nu l'ombre brute

Dans cette partie du conte, la belle-famille [5] de Vassilissa, sa méchante, sa mauvaise belle-famille, entre dans son univers et lui rend la vie impossible. Les tâches à accomplir lors de cette période sont les suivantes : *Apprendre encore plus précisément à se débarrasser de la mère trop positive. Découvrir que la bonté, la gentillesse, un comportement agréable ne feront pas pour autant que la vie sera belle (Vassilissa devient une esclave et cela ne l'aide en rien). Faire l'expérience de sa propre part d'ombre, et tout particulièrement des aspects de soi les plus susceptibles d'exclusion, de jalousie, d'exploitation (la marâtre et ses filles). Les reconnaître sans équivoque. Etablir des relations aussi bonnes que possible avec ses plus mauvais côtés. Laisser monter la pression entre ce qu'on nous apprend à être et ce qu'on est réellement. Enfin, travailler à laisser mourir le vieux soi pour que naisse le nouveau soi intuitif.*

La marâtre et ses filles représentent les éléments cruels de la psyché qui ne se sont pas développés. Ce sont des éléments de l'ombre, autrement dit des aspects de soi-même que le moi considère comme indésirables ou inutiles et qu'il relègue dans l'obscurité. D'un côté, le matériel de l'ombre peut être très positif, car c'est là aussi que sont souvent relégués les dons de la femme qui attendent, dissimulés, d'être découverts. D'un autre côté, le matériel de l'ombre négatif – celui qui tue dans l'œuf ou retient toute vie nouvelle – peut aussi, comme nous le verrons, être utilisé à notre profit. Lorsqu'il fait surface et que nous finissons par déterminer quels sont ses aspects et ses sources, nous en sortons renforcées, riches d'une plus grande sagesse.

A ce stade de l'initiation, la femme est en butte aux exigences de sa psyché, qui l'exhorte à se conformer aux souhaits des autres. Elle doit comprendre alors qu'être soi-même peut la mettre à l'écart des autres et que se conformer aux désirs des autres peut l'éloigner de ce qu'elle est. La tension est terrible, mais il faut la supporter. Et il n'y a aucun doute sur le choix à faire.

Vassilissa reste une esclave parce qu'elle hérite d'une belle-famille qui, héritant d'elle, ne peut ni la comprendre ni l'apprécier et la considère comme parfaitement inutile. La marâtre et ses filles la haïssent, l'injurient. Elles la traitent comme l'Etrangère, celle en qui l'on ne peut avoir confiance. Dans les contes de fées, le rôle de l'étranger ou du banni est habituellement attribué à l'être le plus intimement lié à la nature sachante.

On peut aussi considérer la marâtre et ses filles comme des créatures placées dans la psyché par la culture à laquelle appartient la femme. Dans la psyché, la belle-famille diffère de la « famille d'âme ». Elle appartient en effet au surmoi, cet aspect de la psyché dont la structure est établie selon ce que chaque société attend – plus ou moins sainement – de la femme. Les femmes ne ressentent pas ces injonctions, ces surcouches culturelles – du surmoi – comme émanant de la psyché de l'âme-Soi, mais elles les expérimentent comme venant « de là-bas », d'une source extérieure. Ces surcouches culturelles/du surmoi peuvent être aussi bien extrêmement positives qu'extrêmement nocives.

La belle-famille de Vassilissa est un ganglion intrapsychique qui vient pincer le nerf vital de l'existence. Elle fait son entrée comme un chœur de vieilles sorcières qui répètent : « Tu n'y arriveras pas, tu n'es pas assez bonne, tu n'es pas assez audacieuse. Tu es stupide, insipide, vide. Tu n'as pas le temps. Tu n'es bonne qu'à des tâches élémentaires. Tu ne peux aller au-delà. Laisse tomber tant qu'il est temps. » Vassilissa n'a pas encore conscience de son pouvoir. Elle laisse faire. Pour qu'elle se réapproprie son existence, quelque chose doit se passer, qui va la sauver.

C'est la même chose pour chacune d'entre nous. Nous voyons bien dans cette histoire que Vassilissa n'a qu'une vague intuition de ce qui se passe autour d'elle. Le père de la psyché lui-même ne remarque pas l'hostilité de l'environnement. Lui aussi est trop bon parent et il n'a aucune intuition. Il est intéressant de noter que les filles dont le père est naïf mettent souvent longtemps à s'éveiller.

Pour nous aussi, c'est comme si quelque chose comprimait notre nerf vital lorsque la belle-famille en nous et/ou autour de nous nous déclare que nous ne valons pas grand-chose et nous pousse à focaliser sur nos défauts plutôt qu'à prendre conscience de la cruauté qui nous entoure – qu'elle émane de la psyché ou de la culture. Pour ce faire, néanmoins, il faut de l'intuition, sans compter la force nécessaire pour supporter ce que nous découvrons ainsi. A l'instar de Vassilissa, nous essayons d'être gentilles, alors que nous devrions faire preuve de sagacité. On a très bien pu nous apprendre à laisser de côté toute perspicacité, afin d'aller de l'avant. Or, tout ce que nous gagnerons à nous montrer simplement gentilles [6] lorsque nous sommes opprimées, c'est d'être encore plus maltraitées. Une femme a beau avoir l'impression qu'elle va s'aliéner les autres si elle est elle-même, cette tension psychique-là est nécessaire pour que l'âme se renforce et pour provoquer le changement.

La marâtre et ses filles ont l'intention de se débarrasser de Vassilissa. Elles complotent en secret. « Va dans la forêt, Vassilissa, disent-elles, va voir Baba Yaga et si tu survis – ah, ah ! ce qui n'arrivera pas – nous t'accepterons peut-être. » C'est un point important, car de nombreuses femmes se retrouvent au milieu du gué au cours de ce processus d'initiation. Bien qu'il y ait dans leur psyché un prédateur naturel qui dit : « Meurs ! » et « Bah ! » et encore : « Pourquoi ne laisses-tu pas tomber ? » d'une façon quasi automatique, leur environnement culturel et familial peut encore venir ajouter douloureusement à cet aspect négatif naturel, mais modéré, de la psyché.

Par exemple, celles qui ont été élevées dans des familles où l'on n'accepte pas leurs dons se lancent souvent dans des quêtes monumentales et interminables, sans savoir pourquoi. Elles ont l'impression qu'elles doivent être bardées de diplômes, se suspendre la tête en bas au sommet de l'Everest ou se lancer dans des prouesses où elles perdront tout leur temps et leur argent, afin de prouver à leur famille qu'elles valent quelque chose. « Et maintenant, vous m'acceptez ? Non ? D'accord – soupir. Alors regardez ça ! » Le ganglion de la belle-famille est en nous, quelle que soit la façon dont nous l'avons reçu et nous devons nous y attaquer. Nous voyons néanmoins que pour continuer ce travail en profondeur, il est parfaitement inutile de tenter de prouver notre valeur au chœur des sorcières jalouses. En fait, cela entrave même le processus initiatique.

Vassilissa vaque à ses tâches quotidiennes sans se plaindre. Il y a là apparemment une dose d'héroïsme. Or, cela ne fait qu'accroître la pression et le conflit entre deux natures en opposition, l'une trop-bonne, l'autre trop-exigeante. Comme le conflit entre être soi-même et se suradapter, cette pression va aboutir à quelque chose de positif. La femme qui est aux prises avec ces deux natures est en bonne voie. A condition qu'elle passe aux étapes suivantes.

Dans le conte, la marâtre et ses filles étouffent tellement la psyché en fleur que leur machination fait s'éteindre le feu. C'est à ce moment que la femme commence à perdre ses soutiens psychiques. Elle va se sentir glacée, solitaire et être prête à tout pour que revienne la lumière. C'est la secousse nécessaire pour qu'elle continue à prendre possession de son propre pouvoir. On pourrait dire que Vassilissa doit rencontrer la Grande Sorcière Sauvage parce qu'elle a besoin d'une sacrée frousse. Il nous faut quitter le chœur de nos détracteurs et nous aventurer dans la forêt. Impossible de rester et de partir en même temps.

Comme nous, Vassilissa a besoin d'une lumière pour la guider et lui indiquer ce qui est bon et ce qui ne l'est pas. Elle ne peut évoluer en restant un vrai paillasson pour les autres. Les femmes qui tentent de dissimuler leurs sentiments profonds s'étouffent. Le feu s'éteint. C'est là une forme douloureuse de syncope.

Inversement et non sans une certaine perversité, l'extinction du feu aide Vassilissa à sortir de son état de soumission. Elle meurt à son ancienne existence et s'avance en frissonnant vers une vie nouvelle, fondée sur une forme de connaissance intérieure plus ancienne, plus avisée.

Troisième tâche – Naviguer dans l'obscurité

Dans cette partie du conte, le legs de la mère – la poupée – guide Vassilissa dans l'obscurité jusqu'à la maison de Baba Yaga. Cette fois, les tâches psychiques sont les suivantes : *Accepter de s'aventurer jusqu'au lieu de l'initiation profonde (pénétrer dans la forêt) et commencer à faire l'expérience du* numen *nouveau, ressenti comme un danger, que représente le fait de dépendre de sa propre intuition. Apprendre à développer sa sensibilité en direction de l'inconscient mystérieux et à se reposer sur ses sens. Apprendre le chemin du retour vers la Mère Sauvage (suivre les instructions de la poupée). Apprendre à alimenter son intuition (nourrir la poupée). Laisser mourir encore un peu plus la fragile et ignorante ieune fille. Transférer le pouvoir vers la poupée, c'est-à-dire vers l'intuition.*

La poupée de Vassilissa fait partie des provisions de la Vieille Mère Sauvage Les poupées sont l'un des trésors symboliques de la nature instinctuelle Dans le cas de Vassilissa, elle représente la *vidacita,* la petite force de vie instinctuelle, à la fois acharnée et endurante Même si nous sommes en mauvaise posture, elle vit cachée en nous

Durant des siècles, les hommes ont pensé que le sacré et aussi le *mana* - une présence effrayante et irrésistible qui agit sur les personnes et modifie leur spiritualité – passaient par les poupées. Par exemple, chez les guérisseurs, on apprécie la racine de la mandragore pour sa ressemblance avec le corps humain, avec des bras et des jambes et un nœud à la place de la tête. Elle est réputée pour avoir un grand pouvoir spirituel. On dit que les créateurs des poupées leur insufflent une vie. On utilise certaines d'entre elles lors des rites et des rituels, pour le vaudou, pour les charmes d'amour et les intentions maléfiques. Quand je vivais parmi les Cuna, dans les îles au large de Panama, des statuettes de bois servaient de marques d'autorité et rappelaient le pouvoir de chacun.

Dans le monde entier, les musées sont remplis à ras bord d'idoles et de figurines de terre cuite, de bois, de métal. Les figurines du paléolithique et du néolithique sont des poupées. Les galeries d'art regorgent de poupées. En art contemporain, les momies de Segal, grandeur nature et drapées de gaze, ne sont pas autre chose. Sur la plupart des autoroutes américaines, les rayons des boutiques de cadeaux et des stations-service sont remplis de poupées ethniques. Depuis toujours, on a fait don aux souverains de poupées en gage de bonne volonté. Dans les églises de campagne du monde entier, il y a des poupées de saints que non seulement on baigne et revêt d'habits cousus main, mais qu'on sort en « promenade », afin qu'elles constatent l'état des cultures et des humains et puissent intercéder dans les cieux en leur faveur.

Les poupées représentent des *homunculi* symboliques, des petites vies [8]. C'est le symbole de ce qui, chez les êtres humains, est numineux et se trouve enterré, un fac-similé en minuscule du Soi originel. La poupée représente une petite part d'âme qui porte toute la connaissance de la grande âme-Soi. La poupée possède, en diminutif, la voix de la vieille *La Que Sabe,* Celle Qui Sait.

La poupée est un symbole proche des lutins, des elfes, des gnomes, des fées, des nains. Dans les contes de fées, ceux-ci représentent la sagesse qui vient irriguer la culture de la psyché. Ils poursuivent sans relâche leur tâche en nous. La psyché travaille aussi quand nous dormons, surtout quand nous dormons, même si nous ne sommes pas conscients de ce qui se passe.

Sous cet angle, la poupée représente l'esprit intérieur qui est celui des femmes, la voix de la raison, de la connaissance, de la conscience intérieures. La poupée ressemble au petit oiseau des contes de fées qui vient chuchoter à l'oreille de l'héroïne pour révéler l'existence de l'ennemi caché et ce qu'il faut faire à son sujet. C'est la sagesse de l'*homunculus*, le petit être intérieur. C'est notre aide invisible en soi, mais toujours accessible.

Une mère ne peut faire à sa fille de don plus précieux que celui de savoir écouter son intuition. Elle le transmet le plus simplement du monde : « Tu as un bon jugement. Que crois-tu qui se cache derrière ? » Plutôt que d'être définie comme une bizarrerie, imparfaite et irraisonnée, l'intuition est ainsi présentée comme la voix de l'âme. L'intuition sent dans quel sens il faut aller, elle préserve, saisit les motifs et les intentions sous-jacentes, et choisit ce qui va le moins fragmenter la psyché.

Le processus est similaire dans le conte de fées. La mère de Vassilissa a rendu un immense service à sa fille en liant celle-ci à la poupée. Etre liée à sa propre intuition fait naître un intense sentiment de confiance à son égard, quoi qu'il arrive. On passe du « *que sera, sera* » au « voyons ce qu'il y a à voir ».

Que fait donc cette intuition sauvage pour les femmes ? Tel le loup, l'intuition a des griffes qui mettent au jour et à nu les choses, qui les clouent au sol, elle a des yeux qui peuvent transpercer les boucliers de la *persona*, des oreilles qui entendent bien au-delà de l'ouïe humaine. Munie de ces puissants outils psychiques, la femme se constitue une conscience animale [9], perspicace, précognitive même, qui approfondit sa féminité et aiguise sa capacité à évoluer avec confiance dans le monde extérieur.

Maintenant, donc, Vassilissa est en route, pour essayer de trouver une braise afin de rallumer le feu. Elle est dans le noir, dans la solitude de la forêt. Impossible de faire autre chose que d'écouter la voix intérieure qui vient de la poupée. Elle est en train d'apprendre à faire confiance à cette relation et puis, aussi, elle apprend à nourrir la poupée.

Que faut-il donner à manger à l'intuition, de sorte qu'elle soit rassasiée et puisse répondre quand nous lui demandons d'examiner notre environnement ? De la vie – on la nourrit avec de la vie, en lui prêtant l'oreille. A quoi bon une voix, s'il n'est d'oreille pour l'entendre ? A quoi bon une femme dans la solitude de la grande ville ou de la vie quotidienne si elle ne peut entendre la voix de *La Que Sabe*, Celle Qui Sait, et lui faire confiance ?

J'ai entendu des femmes dire, peut-être un millier de fois : « Je sais que j'aurais dû écouter mon intuition. Je sentais bien que je devais/ne devais pas faire ceci ou cela, mais je ne l'ai pas écoutée. » Nous nourrissons le soi intuitif profond en l'écoutant et en agissant selon ses conseils. C'est un personnage en lui-même, un être magique de la taille d'une poupée qui habite le territoire psychique de la femme intérieure. En ce sens, elle ressemble aux muscles du corps. Si un muscle ne sert pas, il finit par s'atrophier. C'est exactement pareil pour l'intuition laissée sans nourriture et sans emploi.

Nourrir la poupée est un cycle essentiel de l'archétype de la Femme Sauvage, la gardienne de trésors cachés. Vassilissa lui donne à manger de deux manières : d'abord elle lui offre un bout de pain – une parcelle de vie pour cette nouvelle aventure psychique, puis elle trouve le chemin qui mène à la Vieille Mère Sauvage, la Baba Yaga, en écoutant la poupée qui, à chaque tournant, à chaque bifurcation, indique quelle route suivre pour rentrer « à la maison ».

La relation entre Vassilissa et la poupée symbolise une forme de magie empathique entre la femme et son intuition. C'est ce qui doit se transmettre d'une femme à l'autre, ce lien béni avec l'intuition, cette façon de la tester, de l'alimenter. Comme Vassilissa, nous renforçons le lien avec notre nature intuitive par l'écoute intérieure à chaque tournant du chemin. « Dois-je aller dans cette direction, dans celle-ci ? Dois-je partir ou rester ? Dois-je plier ou résister ? Dois-je fuir ou accueillir ? Cette personne, cet événement, cette aventure sont-ils authentiques ou trompeurs ? »

La rupture du lien entre une femme et son intuition sauvage est souvent mal comprise, dans la mesure où l'on juge que l'intuition ne fonctionne plus. C'est faux. Ce n'est pas l'intuition qui ne fonctionne plus, c'est la bénédiction matrilinéaire sur l'intuition qui est rompue. Il y a rupture de la transmission de la confiance intuitive d'une femme à l'autre, de toutes les femmes qui l'ont précédée à une femme de la même lignée – c'est sur cette longue rivière de femmes qu'un barrage a été édifié [10]. Il peut en résulter que la femme n'ait plus qu'une faible prise sur sa sagesse intuitive, mais, avec un certain exercice, celle-ci reviendra et se manifestera de nouveau [11].

Les poupées sont utilisées comme talismans. Les talismans servent à rappeler ce qu'on sent mais ne voit pas, ce qui n'apparaît pas comme immédiatement évident. Le *numen* talismanique de l'image de la poupée est ce qui nous rappelle les choses, nous les dit, voit loin pour nous. Cette fonction intuitive appartient à toutes les femmes. C'est une réceptivité massive, fondamentale. Non pas la réceptivité de la psychologie classique, c'est-à-dire un réceptacle passif, mais une réceptivité qui donne un accès immédiat à une sagesse profondément ancrée dans les femmes jusqu'à la moelle des os [12].

Quatrième tâche – Faire face à la Vieille Sorcière Sauvage

Cette partie du conte voit le face-à-face entre Vassilissa et la Vieille Sorcière. Les tâches à accomplir sont les suivantes : *Etre capable de supporter sans faiblir la vision de la Vieille Sorcière, c'est-à-dire affronter l'image de la mère brutale (rencontrer Baba Yaga). Se familiariser avec l'arcane, l'étrange, l'« altérité » du sauvage (habiter quelque temps la maison de Baba Yaga). Introduire certaines de ses valeurs dans notre existence, devenant en cela nous-mêmes un peu étranges (manger sa nourriture). Apprendre à affronter un pouvoir considérable – chez les autres et par conséquent en nous-mêmes. Laisser mourir un peu plus l'enfant fragile et trop-gentille.*

Baba Yaga vit dans une maison qui repose sur des pattes de poulet. Elle tourbillonne et tournoie quand l'envie lui en prend. Dans les rêves, le symbole de la maison traite de l'organisation de l'espace psychique qu'une personne habite, tant consciemment qu'inconsciemment. Il est amusant de noter que si cette histoire était un rêve de compensation, une maison aussi excentrique inférerait que le sujet, en l'occurrence Vassilissa, est trop ordinaire, trop peu remarquable, et qu'il a besoin de tournoyer et de tourbillonner de manière à découvrir à quoi ressemble le fait de danser comme un poulet pris de folie. Au moins une fois dans sa vie.

Il est maintenant évident que la maison de Baba Yaga appartient au monde instinctuel et que Vassilissa a besoin d'un supplément de cet élément dans sa personnalité. Cette maison-là marche, danse, en quelque sorte, elle est pleine de vie, d'enthousiasme, de joie. Ces attributs constituent en fait les principaux fondements de la psyché archétypale de la Femme Sauvage, une force vitale, joyeuse, qui fait danser les maisons et voler les objets inanimés comme le mortier, qui fait pratiquer la magie à la vieille femme, qui fait que rien n'est ce qu'il semble être et se révèle même en général beaucoup mieux.

Vassilissa a débuté dans la vie avec ce qu'on peut appeler une personnalité écrasée au niveau du quotidien. C'est justement cette « hypernormalité » qui nous envahit jusqu'à ce que, sans l'avoir vraiment cherché, nous ayons une existence routinière, une vie dénuée de vie. Elle pousse à négliger l'intuition [13], avec comme conséquence un manque de lumière dans la psyché. Dans ce cas, il faut faire quelque chose, plonger dans les bois à la recherche de la terrifiante vieille femme, sinon, un beau jour, alors que nous marcherons dans la rue, un trou d'homme s'ouvrira sous nos pieds et nous serons saisies par quelque force inconsciente qui nous secouera comme un chiffon – joyeusement ou pas, plutôt pas, d'ailleurs, mais pour notre bien [14].

Le don de la poupée par la douce mère originelle n'est pas complet si la Vieille Femme Sauvage n'a pas délivré sa liste des tâches à accomplir et fait son travail de mise à l'épreuve. Baba Yaga est la moelle épinière de la psyché instinctive. Nous le savons à la lumière de ce qui s'est passé avant. « Ah oui, dit-elle lorsque Vassilissa arrive, je te connais et je connais les tiens. » Plus tard, comme dans ses incarnations en tant que Mère des Jours et Mère Nyx (Mère Nuit, une déesse de la Vie/Mort/Vie) [15], la vieille Baba Yaga va se révéler gardienne des créatures du ciel et de la terre : le Jour, le Soleil levant, la Nuit. Elle les appelle : « Mon Jour, ma Nuit. »

Baba Yaga est terrifiante, car elle représente simultanément le pouvoir d'annihilation et le pouvoir de la force vitale. La regarder en face, c'est voir en même temps *vagina dentata*, le vagin denté, les yeux de sang, l'enfant divin et les ailes des anges.

Vassilissa reste là, elle accepte la divinité de la Mère Sauvage, avec sa sagesse, ses verrues et tout. Une des facettes du personnage que révèle ce conte est particulièrement intéressante : même si Yaga menace, elle se montre juste. Tant que Vassilissa exprime du respect à son égard, elle ne lui fait pas de mal. Il est crucial de savoir faire preuve de respect face à un pouvoir considérable. Une femme doit pouvoir regarder le pouvoir en face, parce qu'au bout du comptc, unc partie de ce pouvoir lui appartiendra. C'est sans obséquiosité que Vassilissa affronte Baba Yaga, sans faire la bravache, sans fuir ni se cacher. Elle se montre telle qu'elle est, avec honnêteté.

Beaucoup de femmes guérissent de leur complexe « toute gentille », qui les faisait réagir avec une extrême douceur quels que fussent leurs sentiments et la personne qui les agressait. Si elles souriaient aimablement le jour, elles grinçaient horriblement des dents la nuit – la Yaga de leur psyché tentait brutalement de se faire entendre.

Cette suradaptation par l'amabilité a souvent lieu quand les femmes craignent désespérément d'être libérées de leur esclavage ou jugées « inutiles ». Deux des rêves les plus poignants qu'il m'ait été donné d'entendre m'ont été racontés par une jeune femme qui avait vraiment besoin d'être moins « domestiquée ». Elle avait rêvé qu'elle héritait d'un album de photos – un album très spécial qui renfermait beaucoup de clichés de la Mère Sauvage. Elle était ravie. Mais la semaine suivante, elle a rêvé qu'elle ouvrait un album similaire et là, horreur, une affreuse vieille femme la regardait, une sorcière avec des dents couvertes de lichen et du jus noir de bétel aux commissures des lèvres.

Ce sont là des rêves typiques de femmes qui relèvent de leur excès de gentillesse comme d'une maladie. Le premier exprime un aspect de la nature sauvage – le côté bienveillant, généreux, positif, de son monde, le second moins séduisant, avec son sourire moussu et là... euh... est-ce qu'on ne pourrait pas remettre ça à plus tard ? La réponse est non.

A sa manière brillante, l'inconscient suggère à la dormeuse une nouvelle forme de vie qui ne se résume pas au sourire poli de la femme trop-gentille. Faire face à ce pouvoir sauvage et créateur qui est en nous, c'est avoir accès aux innombrables visages de la féminité souterraine. Ils nous sont innés et nous devons choisir ceux qui nous conviendront le mieux au moment qu'il nous plaira.

Dans ce rêve initiatique, Baba Yaga est la nature instinctive déguisée en sorcière. Le terme *sorcière* (*witch*), tout comme le terme *sauvage*, a fini par avoir une connotation péjorative, mais autrefois on appelait ainsi les guérisseuses, jeunes et vieilles, le terme *witch* étant dérivé du terme *wit*, qui signifie sage. C'était avant que les cultures porteuses de l'image religieuse d'un Dieu-seul-et-unique ne commencent à balayer les cultures panthéistes plus anciennes, pour lesquelles la Divinité s'appréhendait à travers de multiples images religieuses de l'univers et tous ses phénomènes. Qu'importe. L'ogresse, la sorcière, la nature sauvage et toute autre *criatura*, tout autre aspect intégral de la psyché féminine que la culture juge horribles sont les bénédictions mêmes que les femmes doivent souvent ramener à la surface.

De tout ce qu'on a écrit sur le sujet du pouvoir féminin, on peut déduire que les hommes en ont peur. J'ai toujours envie de m'écrier : « Sainte Vierge, mais tant de femmes elles aussi ont peur du pouvoir féminin ! » Car le champ des attributs et des forces de la femme est immense et *sans aucun doute* redoutable. On comprend fort bien que la première fois où ils se trouvent face aux Vieux Pouvoirs Sauvages, les hommes et les femmes lui jettent unanimement un regard effrayé et tournent les talons.

Si les hommes doivent apprendre un jour à supporter cette vision, alors les femmes doivent apprendre à faire de même. Si les hommes doivent apprendre un jour à comprendre les femmes, les femmes devront apprendre à leur enseigner les schémas de la féminité sauvage. Dans ce but, la fonction onirique de la psyché introduit la Yaga et ses troupes au sein de leurs chambres. Avec un peu de chance, Baba Yaga laissera ses bonnes grosses empreintes sur notre descente de lit. Elle viendra jeter un œil à celles qui ne la connaissent pas. Si nous avons pris du retard dans notre initiation, elle va se demander pourquoi nous ne lui rendons pas visite et viendra nous rencontrer par l'intermédiaire de nos rêves.

Une de mes patientes rêva de femmes vêtues de longues chemises de nuit en haillons, qui dévoraient de bon appétit des choses qu'on ne trouvera jamais sur la carte d'un restaurant. Une autre rêva d'une vieille femme qui avait la forme d'une cabine de douche griffue dont les tuyaux protestaient bruyamment et menaçaient d'éclater si la rêveuse n'abattait pas un mur pour que la douche puisse « voir ». Une autre encore rêva qu'elle formait un groupe avec deux autres vieilles femmes aveugles comme elle, mais elle perdait sans cesse son permis de conduire et devait tout le temps abandonner le groupe pour partir à sa recherche – autrement dit, elle avait du mal, en un sens, à rester identifiée aux trois Parques – les pouvoirs qui guident la vie et la mort dans la psyché. Mais elle apprit elle aussi, en son temps, à rester proche de ce qu'elle avait redouté à une époque, sa propre nature sauvage.

Toutes ces créatures des rêves rappellent à la rêveuse son soi essentiel, le Soi-Yaga, le pouvoir intense, énigmatique, de la Mère de la Vie/Mort/Vie. Oui, nous signifions par là qu'il est bon d'avoir quelque chose de la Yaga et que nous devons pouvoir l'assumer. Etre forte ne signifie nullement arborer une impressionnante musculature. Cela signifie qu'on peut rencontrer sa propre numinosité sans s'enfuir, qu'on peut vivre à sa façon avec la nature sauvage. Cela signifie être capable d'apprendre et de supporter ce que nous savons. En d'autres termes, tenir le coup et vivre.

Cinquième tâche – Servir le Non-Rationnel

Cette partie du conte voit Vassilissa demander du feu à Baba Yaga, qui accepte à la seule condition que Vassilissa accomplisse pour elle quelques tâches ménagères en échange. Les tâches psychiques de cette période d'apprentissage sont les suivantes : *Rester auprès de la Déesse Sorcière ; se familiariser avec les grands pouvoirs sauvages de la psyché féminine. Arriver à reconnaître son (votre) pouvoir et les pouvoirs de la purification intérieure : nettoyer, trier, nourrir, produire des idées et de l'énergie (laver les vêtements de la Yaga, lui faire la cuisine, nettoyer la maison et trier les éléments).*

Il y a encore peu, les femmes étaient profondément impliquées dans les cycles de vie et de mort. Elles respiraient l'odeur forte et fuligineuse du sang de l'enfantement et lavaient les corps froids des défunts. La psyché des femmes d'aujourd'hui, surtout celles qui appartiennent à la culture industrielle et technologique, est souvent privée de ces expériences fondamentales. Il existe toutefois un moyen pour la novice de participer aux aspects sensibles des cycles de vie et de mort.

Baba Yaga, la Mère Sauvage, est notre professeur en la matière. Elle apprend à mettre en ordre la maison de l'âme, proposant au moi un autre ordre où la magie peut intervenir, la joie exister, l'appétit être intact, où l'on fait les choses avec enthousiasme. Baba Yaga est le modèle à suivre pour être fidèle au Soi. Elle apprend à la fois la mort et le renouveau. Dans le conte, elle enseigne à Vassilissa à prendre soin de la maison du féminin sauvage. C'est un fabuleux symbole que de laver les vêtements de Baba Yaga. Dans certains pays, aujourd'hui encore, on descend à la rivière pour y laver son linge et l'on se livre aux ablutions rituelles par lesquelles on rénove le tissu depuis l'origine des temps. On ne pourrait trouver mieux pour évoquer le nettoyage et la purification de la psyché dans son intégralité.

Dans les mythologies, le tissage est dévolu aux mères de la Vie/Mort/Vie – comme les trois Parques, Clotho, Lachésis, Atropos, et *Na'ashjé'ii Asdzáá*, la Femme-Araignée, qui fit don de cet art au Diné – le Peuple navajo. Ces mères de la Vie/Mort/Vie apprennent aux femmes à sentir ce qui doit mourir et ce qui doit vivre, ce qui doit être cardé, ce qui doit être tissé. Baba Yaga charge Vassilissa de faire la lessive afin de mettre au jour, de faire venir à la conscience cette trame, ces schémas connus de la Déesse de la Vie/Mort/Vie, et de les rénover en les nettoyant.

Laver est un rituel de purification de toujours. Cela ne signifie pas seulement purifier, c'est aussi – comme le baptême, terme issu du latin *baptisma* et du grec *baptizein*, immerger – l'imprégner d'un mystère, d'un *numen* spirituel. Laver, c'est la première tâche du conte, pour redonner du tombé à ce qui est devenu lâche à force d'être porté. Nos idées, nos valeurs, comme les vêtements, finissent par se ramollir à force d'être endossées. C'est dans l'eau qu'on renouvelle et revivifie, qu'on redécouvre ce qu'on croit fondamentalement vrai, fondamentalement sacré.

Dans le symbolisme archétypal, le vêtement représente la *persona*, la première vision que les autres ont de nous. La *persona* est une sorte de camouflage qui montre de nous ce que nous voulons bien montrer et rien de plus. Il existe un autre sens à ce terme, beaucoup plus ancien, qu'on trouve dans les rites d'Amérique centrale et que les *cantadoras y cuentistas y curanderas,* les guérisseuses, connaissent bien. La *persona* n'est pas qu'un masque, c'est plutôt une présence qui éclipse la personnalité de tous les jours. En ce sens, la *persona* ou le masque fait état d'un rang, d'une vertu, d'un caractère, d'une autorité. Elle est, vis-à-vis de l'extérieur, une marque d'autorité [16].

J'aime énormément cette tâche initiatique qui requiert d'une femme qu'elle nettoie les *personae*, les signes vestimentaires de l'autorité de la grande Yaga de la forêt. Ce faisant, l'initiée verra de quelle manière sont cousus les habits de la *persona*. Elle aura bientôt un peu de ces *personae* qu'elle pourra placer dans ses placards auprès des autres qu'elle · façonnées au cours de son existence [17].

On imagine facilement que les marques d'autorité de Baba Yaga -- ses vêtements – sont de la même étoffe que sa constitution psychologique · solide et résistante. Faire sa lessive, c'est donc, métaphoriquement apprendre à reconnaître, examiner et intégrer cette association de qualités et apprendre comment trier, repriser et rénover la psyché instinctive par une *purificatio*, un lavage des fibres de l'être.

La tâche qui attend ensuite Vassilissa, c'est le balayage de la cabane et de la cour. Dans les contes des pays de l'Est, les balais sont souvent constitués de branches ou de branchages, parfois de racines ligneuses Le travail de Vassilissa va être de passer cet objet végétal sur le sol et dans la cour, afin de les débarrasser des débris. Toute femme sage fait le ménage de son environnement psychique, en gardant les idées claires et en veillant à la netteté du lieu où elle travaille, et réfléchit à ses projets [18].

Pour certaines femmes, cette tâche signifie qu'elles devront se réserver chaque jour un peu de temps pour la contemplation et garder propre un espace bien à elles, avec du papier, des crayons, de la peinture, des outils, des conversations, du temps, des libertés uniquement destinés à cet usage. Pour beaucoup, c'est la psychanalyse, la contemplation, la méditation, le choix de la solitude et autres expériences de descente et de transformation qui vont procurer le temps et l'espace particuliers nécessaires à cette tâche. Chaque femme a ses préférences, sa manière à elle.

Si cette tâche peut s'accomplir dans la cabane de Baba Yaga, tant mieux. Même si elle a lieu près de la cabane, ce n'est pas si mal. Quoi qu'il en soit, il faut régulièrement tenir en ordre notre vie sauvage. Il n'y a guère de sens à le faire une fois l'an, durant une journée ou même plusieurs. Mais c'est la cabane et la cour de Baba Yaga que balaie Vassilissa, et donc il s'agit également de tenir en ordre et de garder claires des idées inhabituelles – y compris des idées peu courantes, mystiques, bizarres ou du domaine de l'âme [19].

Balayer les prémisses, c'est non seulement reconnaître la valeur de la vie non superficielle mais se préoccuper de son ordre. Il arrive que des femmes ne sachent plus où elles en sont et négligent l'architecture du travail de l'âme jusqu'à ce que la forêt l'envahisse de nouveau et le change en une ruine archéologique cachée dans l'inconscient de la psyché. Un nettoyage cyclique et critique préviendra ce genre de chose. Quand les femmes ont fait de la place, la nature peut pousser librement.

Faire la cuisine à Baba Yaga... Comment diable nourrit-on la Baba Yaga de la psyché ? Que donne-t-on à manger à une déesse ? D'abord, il faut allumer un feu – une femme doit vouloir brûler, de passion, de désir, d'idées, de mots, pour ce qu'elle aime vraiment. C'est en fait cette passion qui permet de préparer la nourriture et ce sont les idées substantielles originales qu'on fait mijoter ainsi. Cuisiner pour Baba Yaga suppose qu'on ait impérativement un bon feu allumé sous sa vie créatrice.

Pour beaucoup d'entre nous, les choses iraient mieux si nous prenions plus l'habitude de surveiller le feu sous notre travail, si nous surveillions de plus près la cuisson de la nourriture du Soi sauvage. Il nous arrive trop souvent de nous détourner du four ou du fourneau, d'oublier d'ajouter du combustible ou de remuer le contenu de la casserole. Nous jugeons bien à tort que le feu et les aliments sont pareils à ces plantes qui peuvent vivre sans eau pendant huit mois avant de s'effondrer. Mais non, le feu a besoin d'être surveillé, la flamme peut s'éteindre facilement... Et la Yaga a besoin d'être nourrie, c'est l'enfer si elle a faim...

L'âme sauvage se nourrit donc, continuellement, de nouvelles choses, entièrement originales, de nouveaux engagements, de nouvelles orientations artistiques, du travail qui est en train de mijoter. De même nourrissent-ils la Vieille Mère Sauvage et lui fournissent-ils sa subsistance dans notre psyché. Sans feu, nos grandes idées, nos pensées originales, nos désirs, nos élans ne cuisent pas et tout le monde reste sur sa faim. En revanche, tout ce que nous faisons avec flamme va lui plaire et nous alimenter toutes.

Toutes ces notions de « tenue du foyer », cuisine, lessive, balayage, font référence, lorsqu'il est question de développement des femmes, à quelque chose qui dépasse l'ordinaire. Ces métaphores offrent toutes des sujets de réflexion, des façons d'évaluer, d'alimenter, de nourrir, ranger, nettoyer, mettre en ordre la vie de l'âme. Vassilissa y est initiée et son intuition l'aide à accomplir ces tâches. La nature intuitive a la capacité d'évaluer au premier regard, de nettoyer les débris qui encombrent une idée, de mettre un nom sur l'essence même de la chose, d'allumer sous elle le feu de la vitalité, d'accommoder des idées, de préparer le repas de la psyché. Par le biais de la poupée d'intuition, Vassilissa apprend à trier, comprendre, tenir en ordre, débarrasser et nettoyer les prémisses psychiques.

Elle apprend également qu'il faut beaucoup de nourriture à Baba Yaga pour faire son travail – ce n'est pas le genre à se satisfaire d'une feuille de laitue et d'une tasse de café. Pour se rapprocher d'elle, il faut prendre conscience qu'elle a de l'appétit pour certaines choses. Il faut beaucoup cuisiner pour établir un lien avec le féminin ancien.

A travers ces tâches domestiques, Baba Yaga délivre son enseignement et Vassilissa apprend. Elle apprend à ne pas reculer devant l'énorme, le puissant, le cyclique, l'imprévisible et l'inattendu, devant l'échelle immense qui est celle de la Nature, devant le curieux, l'étrange, l'inhabituel.

Les cycles féminins qui correspondent aux tâches de Vassilissa sont les suivants : Régulièrement, nettoyer sa façon de penser, remettre à neuf ses valeurs, débarrasser sa psyché des trivialités, balayer son soi, désencombrer sa façon de penser et de sentir. Allumer sous sa vie créatrice un feu qui ne s'éteigne pas, cuisiner systématiquement des idées signifie avant tout que l'on prépare de manière originale de la vie, de la vie inédite, afin de nourrir la relation entre soi et la nature sauvage.

Au cours des moments qu'elle passe auprès de la Yaga, Vassilissa va finir par intégrer un peu des façons et du style de la sorcière. Nous aussi : c'est notre travail, à notre manière humaine, forcément limitée, de nous conformer à son modèle. Nous apprenons à le faire, mais en même temps nous sommes emplies de crainte. N'y a-t-il pas, sur le territoire de Baba Yaga, des objets qui volent dans la nuit et s'élèvent de nouveau au point du jour sur les ordres de la nature sauvage instinctuelle ? N'y a-t-il pas des os qui parlent encore, des vents, des destins, des soleils, des lunes et le ciel qui, tous, vivent dans son grand coffre ? Mais Baba Yaga tient tout en ordre. Le jour succède à la nuit, les saisons se suivent. Rien n'est hasardeux chez elle. Elle est à la fois la Rime et la Raison.

Quand la Baba Yaga s'aperçoit que Vassilissa a accompli toutes les tâches qui lui avaient été assignées, elle est très satisfaite et en même temps un peu déçue de n'avoir pas de prise sur la jeune fille. Alors, juste pour s'assurer que Vassilissa ne croit pas que tout lui est dû, elle lui dit « Ce n'est pas parce que tu t'es débrouillée pour faire ce que je t'ai demandé une fois que tu peux recommencer. Voilà donc une autre journée de travail. Voyons comment tu vas t'y prendre, mon chou... sinon... »

Et de nouveau Vassilissa termine, guidée par l'intuition. Alors la Baba Yaga, bon gré mal gré, lui donne son approbation, le genre d'approbation que délivrent toutes les vieilles femmes qui ont beaucoup vécu, qui en ont beaucoup vu et en sont fières, même si certaines s'en seraient passées.

Sixième tâche – Séparer ceci de cela

Dans cette partie du conte, Baba Yaga exige de Vassilissa deux tâches particulièrement difficiles. Les tâches psychiques des femmes sont les suivantes : *Apprendre le discernement – savoir faire la part des choses de manière éclairée, savoir distinguer entre elles avec sagacité (séparer le bon grain du mauvais, extraire les graines de pavot d'un monticule de terre). Observer le pouvoir de l'inconscient et son fonctionnement même lorsque le moi n'en a pas conscience (les deux mains qui se matérialisent dans les airs) En apprendre plus sur la vie (le blé) et la mort (les graines de pavot).*

Vassilissa doit séparer quatre substances, le froment malade du bon grain et les graines de pavot de la terre. La poupée – l'intuition – effectue le tri. Parfois ce tri a lieu à un niveau si profond que nous n'en n'avons pas conscience, jusqu'à ce qu'un jour...

Le tri dont il est question ici intervient lorsque nous sommes face à un dilemme ou à un problème et que nous ne voyons pas ce qui pourrait nous aider. Mais il suffit de laisser les choses se faire seules et de revenir un peu plus tard, pour découvrir la réponse là où il n'y avait rien. « Va dormir, et voyons tes rêves [20] » : peut-être la femme âgée de deux millions d'années viendra-t-elle vous visiter dans votre sommeil. Peut-être apportera-t-elle la solution, ou vous révélera-t-elle que celle-ci se trouve sous votre lit, dans votre poche, dans un livre ou derrière votre oreille. On a constaté que si l'on pose une question au coucher, la réponse vient souvent au réveil, avec un peu de pratique. Il y a dans la psyché quelque chose de la poupée intuitive, quelque chose qui est sous, sur ou dans l'inconscient collectif et fait le tri des éléments pendant que nous dormons et rêvons [21]. Faire confiance à cet attribut fait aussi partie de la nature sauvage.

Le blé atteint de la rouille est doublement symbolique. La liqueur qu'on en tire peut être utilisée comme boisson et aussi comme remède. Il existe un champignon noir, le charbon du blé, qui a la réputation d'être hallucinogène.

Un certain nombre de scientifiques ont émis l'hypothèse qu'on utilisait des hallucinogènes extraits du blé, de l'orge, du pavot et du maïs lors des rites consacrés aux Déesses à Eleusis, dans la Grèce antique. On peut aussi remarquer que la séparation du bon grain du mauvais effectuée par Vassilissa est liée à la récolte des plantes médicinales par les *curanderas*, les vieilles guérisseuses qu'on peut encore voir à l'œuvre en Amérique centrale et en Amérique du Sud et du Nord. De même peut-on distinguer les vieux remèdes des guérisseuses dans les graines de pavot, qui sont un somnifère et un barbiturique, et dans la terre, qu'on utilise depuis les temps les plus reculés en cataplasme, emplâtres, dans les bains et qu'on prend même par la bouche dans certains cas [22].

C'est l'un des plus jolis passages du conte. La terre, le blé, le blé atteint de la rouille et les graines de pavot sont autant de résidus d'une très vieille pharmacopée. On utilise ces substances en baumes, en onguents, en infusions et en cataplasmes afin d'appliquer d'autres remèdes sur le corps et en tant que métaphores, elles sont autant de remèdes pour l'esprit : certaines nourrissent, d'autres permettent le repos, d'autres alanguissent, d'autres encore stimulent. Elles sont autant de facettes des cycles de la Vie/Mort/Vie. Baba Yaga ne se borne pas à demander à Vassilissa de séparer ceci de cela, afin qu'elle sache faire la différence entre éléments de la même catégorie – par exemple l'amour, le vrai et le faux – elle lui demande de savoir distinguer un remède d'un autre.

Comme les rêves, analysables sur un plan objectif mais encore porteurs de réalité subjective, ces éléments qui soignent et nourrissent en même temps jouent aussi pour nous le rôle de guides. A l'instar de Vassilissa, il nous faut faire encore et encore le tri dans les agents de guérison de notre psychisme, de façon à comprendre que ce qui nourrit la psyché est aussi un remède pour elle et que nous devons en extraire l'essence, la vérité, pour nous nourrir.

Pour Vassilissa, ces éléments sont riches d'enseignement sur la nature de la Vie/Mort/Vie, sur la façon de prendre soin de la nature sauvage. En ce qui me concerne, j'utilise parfois le jardinage pour rapprocher les femmes de cette nature-là. Occupez-vous d'un jardin, dis-je, d'un jardin psychique ou d'un jardin avec de la boue, de la terre et des plantes. Disons qu'il représentera la psyché sauvage. C'est un lien concret avec la vie et la mort. On peut même avancer qu'il y a une religion du jardin, car celui-ci donne de profondes leçons psychologiques et spirituelles. Ce qui peut arriver à un jardin peut concerner l'âme et la psyché – trop d'eau ou pas assez, des parasites, des orages, des inondations, un excès de chaleur, une invasion, des miracles, la mort, le renouveau, l'abondance, la cicatrisation, la floraison, la beauté.

Je leur demande de tenir un journal, où elles noteront les signes de la vie, vie donnée, vie ôtée durant l'existence de ce jardin. Un jardin nous entraîne à laisser vivre et à laisser mourir les pensées, les idées, les préférences, les désirs, les amours même. Nous plantons, nous arrachons, nous enterrons, nous faisons sécher des graines, nous arrosons, tuteurons, récoltons.

Le jardin permet la pratique de la méditation. Il apprend à voir quand vient le temps de la cueillette et celui du retour à la terre, à suivre les inspirs et les expirs de la grande Nature sauvage plutôt qu'à lutter contre.

Cette méditation nous enseigne que le cycle de Vie/Mort/Vie est un cycle naturel. La nature qui donne la vie, comme celle qui gère la mort, demandent à être accueillies et aimées à jamais. Au cours de ce processus, nous devenons semblables à ce cycle, nous devenons capables d'insuffler de l'énergie et de renforcer la vie et de laisser mourir ce qui doit disparaître.

Septième tâche – Interroger les Mystères

Ses tâches accomplies, Vassilissa pose quelques bonnes questions à Baba Yaga. Cette fois, les tâches sont les suivantes : *Poser les questions nécessaires pour essayer d'en savoir plus sur la manière dont fonctionne la nature de la Vie/Mort/Vie (Vassilissa pose des questions sur les cavaliers). Apprendre la vérité sur ce qu'implique la connaissance de tous les éléments de la nature sauvage (« En savoir trop peut faire vieillir prématurément* [23] *»).*

Nous commençons toutes par poser la question : « Que suis-je, au fond ? Que dois-je accomplir ici ? » La Yaga nous enseigne que nous sommes la Vie/Mort/Vie, que tel est notre cycle, telle est notre vision du féminin profond. Quand j'étais petite, une de mes tantes me raconta une légende familiale, celle des Dames des Eaux. Au bord de chaque lac, me dit-elle, vivait une jeune femme avec de vieilles mains. Sa première tâche était de mettre le *tüz* – que je ne peux décrire autrement que par le terme « âme », ou « feu de l'âme » – dans des dizaines de magnifiques canards en porcelaine. Sa deuxième tâche, de remonter les canards à l'aide de la clef en bois placée sur leur dos. Et lorsque s'immobilisaient les clefs et que les canards basculaient, elle devait agiter son tablier en direction des âmes libérées pour les faire s'élever dans le ciel. Sa quatrième tâche était de mettre le *tüz* dans d'autres beaux canards en porcelaine, de remonter les clefs et de les laisser vivre leur vie...

L'histoire du *tüz* illustre on ne peut plus clairement ce à quoi la Mère de la Vie/Mort/Vie passe son temps. Mère Nyx, Baba Yaga, les Dames des Eaux, *La Que Sabe* et la Femme Sauvage sont, au niveau psychique, autant d'illustrations, d'âges, de tendances et d'aspects du Dieu-Mère Sauvage. Notre tâche est d'infuser le *tüz* dans nos idées, dans nos vies et celles de notre entourage. Elle est de pousser les âmes à leur envol vers le ciel. Elle est de libérer une pluie d'étincelles pour emplir le jour et de créer une lumière afin que nous puissions trouver notre chemin dans la nuit.

Vassilissa pose des questions sur les hommes à cheval qu'elle a vus tandis qu'elle cherchait la cabane de Baba Yaga : le cavalier blanc sur un cheval blanc, le cavalier rouge sur un cheval rouge, le cavalier noir sur un cheval noir. Telle Déméter, la Baba Yaga est une ancienne Déesse-mère-cheval, associée au pouvoir de la jument et aussi à la fécondité. La cabane de Baba Yaga représente une étable pour les chevaux et leurs cavaliers. Ceux-ci font se lever et monter le soleil, puis, à la nuit, placent la couverture de l'obscurité sur le ciel.

Plus encore, les trois cavaliers symbolisent les couleurs qui connotaient dans les anciens temps la naissance, la vie et la mort. Ils sont aussi la représentation d'idées anciennes à propos de la descente, de la mort et de la renaissance – le noir pour la dissolution des anciennes valeurs, le rouge pour le sacrifice des précieuses illusions, le blanc pour la lumière nouvelle, la connaissance nouvelle qui naît des deux expériences précédentes.

Au Moyen Age, on utilisait les termes *la nigredo* pour le noir, *la rubedo* pour le rouge et *l'albedo* pour le blanc. Ils se rapportent à une alchimie [24] qui suit le schéma de la Femme Sauvage, le travail de la Mère de la Vie/Mort/Vie. Sans les symboles de la naissance du jour, du soleil ascendant et de l'obscurité mystérieuse, elle ne serait pas ce qu'elle est. Et nous, sans la montée de l'espoir dans nos cœurs, sans la lumière qui revient – que ce soit la flamme d'une bougie ou le soleil – pour nous aider à faire la part des choses dans nos vies, sans une nuit d'où tout peut sortir apaisé, d'où les choses peuvent naître, nous ne pourrions pas non plus bénéficier de notre nature sauvage.

Dans le conte, les couleurs jouent un rôle essentiel, car chacune possède sa nature de vie et sa nature de mort. Le noir, c'est la couleur de la boue, le matériau de base fertile dans lequel les idées sont plantées. C'est aussi la couleur de la mort, l'obscurcissement de la lumière. Le noir a même un troisième aspect. On l'associe également à ce monde entre les mondes sur lequel règne *La Loba* – car c'est la couleur de la descente. Le noir représente la promesse que vous allez bientôt apprendre quelque chose que vous ignorez.

Le rouge est la couleur du sacrifice, de la colère, du meurtre, la couleur qui signifie souffrir et être tué. Mais c'est aussi celle de la vie vibrante, des émotions dynamiques, de l'excitation, de l'Eros, du désir. On la considère comme un remède efficace au mal-être psychique, comme la couleur qui stimule les appétits. On retrouve dans le monde entier le personnage de la mère rouge [25]. Elle n'est pas aussi célèbre que la mère noire ou vierge noire, mais elle veille à ce que les choses voient le jour Elle est particulièrement vénérée par les femmes sur le point d'enfanter, car tous ceux qui quittent ce monde ou y viennent doivent franchir sa rivière rouge Le rouge est la promesse d'une ascension ou d'une naissance proches.

Le blanc, c'est la couleur de ce qui est nouveau, pur, intact. C'est également celle de l'âme libérée du corps, du spirituel non rattaché au physique. Celle de la nourriture essentielle, le lait maternel. Elle représente aussi la mort, les choses qui ont perdu leur roseur, leur afflux vital. Là où est le blanc, tout est pour le moment *tabula rasa*, rien n'est écrit. Le blanc est la promesse que les choses pourront recommencer car il y aura suffisamment de sève nourricière, que le vide sera comblé.

Outre les cavaliers Vassilissa et sa poupée sont également habillées en rouge, blanc et noir : elles sont les *anlagen* alchimiques. Toutes deux, elles font de Vassilissa une petite Mère de la Vie/Mort/Vie en devenir. Il y a dans cette histoire deux épiphanies. La vie de Vassilissa est revivifiée par la poupée et par sa rencontre avec Baba Yaga et en conséquence par toutes les tâches qu'elle mène à bien. Il y a aussi deux morts dans la famille : celle de la trop-bonne mère originelle et celle de la belle-famille, deux morts dont nous voyons qu'elles sont utiles et qu'elles vont au bout du compte conduire la jeune psyché vers une vie plus épanouie.

D'où l'importance cruciale de ce laisser-vivre, laisser-mourir. C'est le rythme de base, le rythme naturel que les femmes doivent comprendre et... suivre. Notre peur en sera d'autant réduite, car nous anticiperons l'avenir et avec lui ce qui sortira du ventre gonflé de la terre. La poupée et Baba Yaga sont les mères sauvages de toutes les femmes ; elles fournissent les dons de l'intuition, tant sur le plan personnel que sur le plan divin. Tels sont l'enseignement et le grand paradoxe de la nature instinctuelle. C'est une sorte de bouddhisme du loup. Ce qui est un, est les deux. Ce qui est deux fait trois. Ce qui vit mourra. Ce qui meurt vivra.

C'est ce que veut dire Baba Yaga lorsqu'elle affirme : « En savoir trop peut faire vieillir prématurément. » Il y a une dose de savoir pour chaque âge, chaque étape de l'existence. Dans le conte, c'est trop demander que de chercher à connaître la signification des mains qui apparaissent et viennent extraire l'huile du blé et des graines de pavot, l'un et les autres étant des remèdes liés au don de la vie et en relation avec la mort. Vassilissa pose des questions sur les cavaliers, pas sur les mains.

Dans ma jeunesse, j'ai interrogé sur Baba Yaga mon amie Bulgana Robnovich, une conteuse vénérable, originaire du Caucase, qui vivait dans une petite communauté agricole russe du Minnesota. Que pensait-elle de cette partie du conte dans laquelle Vassilissa « sait tout simplement » s'arrêter de poser des questions ? Elle me regarda de ses yeux de vieux chien dépourvus de cils. « Il y a des choses qu'on ne doit pas savoir », dit-elle avec son accent inimitable. Puis elle m'adressa un sourire ensorcelant, croisa ses bonnes grosses chevilles et se tut.

Essayer de comprendre le mystère de ces servantes qui apparaissent et disparaissent sous forme de mains désincarnées équivaut à vouloir percer le secret au cœur du numineux. En avertissant Vassilissa qu'elle ne doit pas le faire, la poupée et Baba Yaga la mettent en garde : il ne faut pas trop en appeler à la numinosité du monde souterrain. C'est parfaitement juste, car si nous nous rendons en ces lieux, nous ne souhaitons pas pour autant nous y laisser ensorceler et donc piéger.

C'est à d'autres cycles que Baba Yaga fait allusion ici, les cycles de la vie féminine. En les traversant, une femme comprend de mieux en mieux ces rythmes intérieurs et parmi eux ceux de la créativité, des enfants psychiques, ou peut-être aussi humains, auxquels on donne naissance – les rythmes de la solitude, du jeu, du repos, de la sexualité, de la chasse. Il ne faut pas forcer. La compréhension viendra en son temps. Il faut accepter que certaines choses soient hors de notre portée, même si elles agissent sur nous et nous enrichissent. Comme on dit dans ma famille : « Il y a des choses qui sont l'affaire de Dieu. »

Donc, lorsqu'on arrive vers la fin de ces tâches, « l'héritage des mères sauvages » est approfondi. Des pouvoirs intuitifs émanent des aspects de la psyché tant humains que propres à l'âme. Nous avons maintenant la poupée d'un côté, comme professeur, et Baba Yaga de l'autre.

Huitième tâche – Se tenir à quatre pattes

Repoussée par le don qu'a fait à Vassilissa sa mère sur son lit de mort, Baba Yaga lui donne la lumière – un crâne qui flamboie au bout d'un bâton – et lui enjoint de partir. Les tâches de cette partie du conte sont les suivantes : *Prendre possession de l'immense pouvoir de voir les autres et d'agir sur eux (recevoir le crâne). Examiner les situations de sa propre vie à cette lumière nouvelle (retrouver le chemin de la vieille belle-famille).*

On peut s'interroger : Baba Yaga est-elle repoussée parce que Vassilissa a reçu la bénédiction de sa mère ? Ne l'est-elle pas plutôt par ce qui est béni en général ? Ou ne peut-on aussi considérer, compte tenu de la superposition du thème monothéiste dans cette histoire, qu'on a modifié l'intrigue de façon que la Yaga semble effrayée par la bénédiction reçue par Vassilissa, et démonisé par là même cette très ancienne Mère Sauvage – peut-être même depuis le néolithique – dans l'intention de satisfaire ceux qui militaient en faveur de la religion nouvelle et de décourager les partisans de l'ancienne ?

Peut-être a-t-on changé le terme utilisé à l'origine dans l'histoire en *bénédiction* afin d'encourager les conversions, mais pour moi l'essentiel du sens original, archétypal, demeure. On peut interpréter la question de la bénédiction maternelle de la façon suivante : Baba Yaga n'est pas repoussée par la bénédiction elle-même, elle recule plutôt devant le fait que cette bénédiction est celle de la trop-bonne mère, la douce, gentille chérie de la psyché. Elle ne souhaite pas rester trop près du côté trop conformiste et trop réservé de la nature féminine.

Même si la Yaga peut insuffler la vie à un souriceau avec une infinie tendresse, elle sait rester sur son propre terrain, qui est le monde souterrain de la psyché. Le terrain de la trop-bonne mère est celui du monde du dessus. La douceur a beau pouvoir trouver sa place dans le sauvage, le sauvage ne peut trouver longtemps sa place dans la douceur.

Lorsque les femmes intègrent cet aspect de Baba Yaga, elles cessent d'accepter d'autorité tous les raseurs et autres sangsues qui croisent leur route. Il leur faut, pour prendre leurs distances avec la douce bénédiction de la trop-bonne mère, apprendre à ne pas se contenter de regarder, mais à avoir un œil de plus en plus perçant afin de ne plus se fatiguer avec les imbéciles.

En ayant servi Baba Yaga, Vassilissa a créé une nouvelle capacité en elle-même et elle reçoit une parcelle du pouvoir de la vieille Sorcière. Certaines femmes craignent que cette connaissance profonde par le biais de l'instinct et de l'intuition ne les pousse à se montrer imprudentes et irréfléchies, mais il n'y a aucune raison à cela.

Bien au contraire. L'absence d'intuition, l'absence de réceptivité aux cycles, le fait de ne pas s'écouter, conduisent à faire de mauvais choix. Plus souvent, cette forme « yagaienne » de connaissance offre aux femmes de petits bénéfices et les guide en leur montrant clairement ce que cachent les motifs, les idées, les actes et les paroles des autres.

Si la psyché instinctive crie : « Attention ! », alors il faut prendre garde. Si l'intuition profonde dit : « Fais ci, fais ça, va par là, avance, arrête-toi », la femme doit modifier ses plans selon ces données. L'intuition n'est pas destinée à être consultée une fois, puis laissée de côté. On ne la jette pas comme un mouchoir en papier. On doit la consulter au long des différentes étapes du chemin, qu'on se batte avec un démon intérieur ou qu'on accomplisse une tâche dans le monde extérieur. Que nos préoccupations, nos aspirations, soient d'ordre personnel ou général, ce qui compte avant tout, c'est de renforcer notre esprit pour agir.

Examinons maintenant le crâne à la lumière flamboyante. C'est un symbole associé à ce que certains archéologues à l'ancienne mode ont appelé « le culte des ancêtres »[26]. Dans des versions archéo-religieuses ultérieures de l'histoire, il est dit que les crânes au bout des bâtons sont ceux des humains que la Yaga a tués et dévorés. Mais au cours des rites religieux plus anciens de la « parenté avec les ancêtres », on considérait les os comme des agents pour évoquer les esprits, les crânes étant la partie la plus importante [27].

Dans la parenté avec les ancêtres, on croit que la connaissance immémoriale des anciens de la communauté continue à habiter leurs os après la mort. Le crâne est considéré comme le dôme qui abrite un reliquat considérable de l'âme du disparu et peut, si on le lui demande, faire revenir l'esprit du défunt le temps qu'on le consulte. On peut imaginer que l'âme-Soi habite la cathédrale osseuse du front, avec les yeux pour fenêtres, la bouche pour porte et les oreilles pour impostes.

Donc, lorsque Baba Yaga donne à Vassilissa un crâne éclairé, elle lui remet une icône de vieille femme, un « connaissant ancestral » qu'elle emportera toujours avec elle, elle l'initie à un héritage matrilinéaire qui, dans les cavernes et les canyons de la psyché, demeure entier et se développe.

Vassilissa s'en va dans la forêt obscure avec son crâne flamboyant. Elle a cherché son chemin lorsqu'il s'agissait d'aller vers Baba Yaga ; maintenant elle rentre chez elle avec assurance. C'est l'ascension après l'initiation à l'intuition profonde. On a planté en elle l'intuition, comme un joyau au centre d'une couronne. La femme qui est allée aussi loin a quitté la protection de sa trop-bonne mère intérieure, elle a appris à s'attendre à l'adversité dans le monde extérieur et à la traiter par la manière forte et non avec complicité. Elle a pris conscience de sa belle-mère et de ses filles qui, dans l'ombre, l'inhibent et préméditent de la détruire.

Elle a avancé dans l'obscurité, à l'écoute de sa voix intérieure, et elle a été capable de faire face à la Sorcière, qui est un aspect de sa propre nature, mais aussi la puissante nature de la nature sauvage. De la sorte, elle est capable de comprendre le pouvoir terrifiant, le pouvoir conscient qui est le sien et celui des autres. Il n'y aura plus jamais de « Mais j'ai peur de lui/d'elle/de ceci ou de cela ».

Elle a servi la Déesse Sorcière de la psyché, nourri leur relation, purifié les *personae*, gardé les idées claires. Elle a fait connaissance avec la force sauvage féminine et ses voies. Elle a appris à faire la différence entre penser et sentir. Elle a appris à reconnaître le grand pouvoir sauvage dans sa propre psyché.

Elle a beaucoup appris sur la Vie/Mort/Vie et le don qui est celui des femmes. Avec ces compétences récemment acquises auprès de la Yaga, elle ne manque plus, désormais, de confiance en elle ou de force. Elle a reçu l'héritage des mères – l'intuition issue du côté humain de sa nature et la connaissance sauvage issue du côté *La Que Sabe* de la psyché –, elle est bien dotée. Elle avance dans la vie, d'un pas sûr de femme. Elle a porté son pouvoir au point d'incandescence et considère désormais sa vie et le monde à cette lumière nouvelle. Voyons maintenant ce qui arrive lorsqu'une femme se comporte de la sorte.

Neuvième tâche – Reprojeter l'Ombre

Vassilissa rentre chez elle, portant le crâne ardent au bout d'un bâton. Elle manque le jeter, mais le crâne la rassure. Une fois chez elle, celui-ci observe la belle-mère et ses filles et les réduit en cendres. Et Vassilissa vivra heureuse et longtemps [28].

Les tâches psychiques de cette période sont celles-ci : *Utiliser sa vision perçante (les yeux ardents) pour reconnaître l'ombre négative dans sa propre psyché et/ou les aspects négatifs des êtres et des événements du monde extérieur et prendre les mesures nécessaires. Reprojeter les ombres négatives dans sa propre psyché grâce au feu de la sorcière (la méchante belle-famille qui a tourmenté Vassilissa est réduite en cendres).*

Vassilissa, marchant dans la forêt, porte le crâne ardent devant elle et sa poupée montre le chemin du retour. « Va par ici, va par là. » La douce créature est maintenant une femme qui marche avec son pouvoir devant elle.

Une lumière incandescente émane des yeux, des oreilles, du nez et de la bouche du crâne. C'est là une autre représentation des processus psychiques en rapport avec le tri. Elle est aussi liée à la « parenté avec les ancêtres » et par là même au souvenir. Si Baba Yaga avait donné à Vassilissa un fémur sur un bâton, cela aurait eu un autre sens symbolique. De même si elle lui avait donné un os du poignet, de la nuque ou tout autre os – mis à part, peut-être, l'os pubien [29].

Le crâne est donc une autre représentation de l'intuition – il ne blesse ni Baba Yaga ni Vassilissa – qui effectue son propre tri. Maintenant, Vassilissa porte la flamme de la connaissance : elle possède des sens aigus. Elle peut voir, entendre, sentir, goûter les choses avec eux et elle a son Soi propre. Elle a la poupée, la sensibilité de Yaga et elle a aussi le crâne ardent.

Ce pouvoir formidable l'effraie momentanément et il n'y a rien d'étonnant à ce que le moi pense que ce serait mieux, plus simple et plus prudent de se débarrasser de cette lumière ardente, car elle est d'une intensité extrême, comme Vassilissa elle-même. Mais une voix surnaturelle, venue du crâne, lui enjoint de n'en rien faire. Et cela, elle peut l'accepter.

Toutes les femmes qui se réapproprient leur intuition et les pouvoirs de Baba Yaga sont à un moment tentées de les rejeter. A quoi sert, en effet, de voir et de savoir tout cela ? La lumière du crâne ne pardonne rien. Les gens âgés apparaissent comme des vieillards, la beauté devient de la luxuriance, la sottise de l'imbécillité, l'ivresse de l'ivrognerie, l'infidélité de la trahison, les choses incroyables des miracles. La lumière du crâne est celle de l'éternité. Elle brille au front des femmes, comme une présence qui se porterait en tête et reviendrait leur dire ce qu'elle a vu. Elle est perpétuellement en reconnaissance.

Or, voir, sentir de la sorte oblige à agir sur ce que l'on découvre : une bonne intuition, un bon pouvoir, c'est du travail en perspective. Il est d'abord nécessaire de surveiller, de prendre en compte les forces négatives et les déséquilibres au détriment de l'intérieur comme de l'extérieur. Ensuite, on doit bander sa volonté pour agir par rapport à ce qu'on découvre, que ce soit pour améliorer, équilibrer ou permettre à quelque chose de vivre ou de mourir.

Je ne vais pas vous mentir, il est plus facile, c'est vrai, de jeter au loin la lumière et d'aller dormir. Avec la lumière devant nous, nous voyons parfaitement tous les aspects de nous-mêmes et des autres, du disgracié au divin en passant par tous les états intermédiaires.

C'est pourtant avec cette lumière que viennent à la conscience les miracles de la profonde beauté du monde et des êtres. Elle permet de dépasser la mauvaise action et de voir le cœur empli de bonté, de découvrir l'esprit délicat écrasé sous la haine, d'être compréhensive au lieu de ne pas comprendre. Elle peut faire la différence entre diverses couches de personnalité, d'intentions, de motivations chez les autres, entre conscience et inconscience, chez soi-même comme chez les autres. C'est la baguette magique de la connaissance, le miroir où l'on sent et où l'on voit toute chose. C'est la nature sauvage profonde.

Il y a néanmoins des moments où ce qu'elle nous dit est douloureux et quasiment insupportable, car le crâne ardent montre aussi les trahisons qui se préparent, le défaut de courage chez ceux qui jouent les bravaches, l'envie figée derrière un sourire chaleureux, les atours qui ne font que masquer le dégoût. Elle éclaire aussi crûment nos failles que nos trésors.

Cette connaissance-là est la plus difficile à affronter et c'est alors qu'on a envie de se débarrasser du crâne. Mais c'est alors aussi qu'on sent, si l'on veut bien ne pas l'ignorer, une force issue du Soi qui dit : « Ne me jette pas. Garde-moi. Tu vas voir. »

Pas de doute, tandis que Vassilissa avance dans la forêt, elle pense à la belle-famille qui l'a envoyée à la mort et si elle-même a le cœur tendre, ce n'est pas le cas du crâne. Lui, son rôle est d'être clairvoyant. Lorsqu'elle souhaite s'en débarrasser, c'est en pensant combien il est douloureux d'apprendre certaines choses sur soi, sur les autres, sur la nature du monde.

Elle arrive à la maison et sa belle-mère et ses filles lui disent qu'elles étaient sans feu, sans énergie depuis son départ et qu'elles ont eu beau faire, impossible d'en allumer un. C'est exactement ce qui se passe dans la psyché lorsqu'une femme est en possession de son pouvoir sauvage. Au cours de cette période, les éléments qui l'ont opprimée n'ont plus aucune libido, elle emporte celle-ci lors de son voyage bénéfique. Sans libido, les éléments les plus mesquins de la psyché, ceux qui exploitent la créativité d'une femme ou l'encouragent à gaspiller sa vie en des tâches sans intérêt, ressemblent à des gants sans mains dedans.

Le crâne ardent commence à observer la belle-mère et ses filles avec attention. Un aspect négatif de la psyché peut-il être réduit en cendres simplement en étant observé encore et encore ? Certes. Si on le maintient à la conscience, il se déshydrate. Il existe une version du conte où les membres de la famille sont réduits à une mince pellicule calcinée, une autre où ils deviennent trois petites escarbilles noires.

Cette dernière version est intéressante, parce qu'elle se réfère à une idée très ancienne. On retrouve souvent le petit *dit* – ou point – noir comme étant à l'origine de la vie. Dans l'Ancien Testament, lorsque Dieu créa l'Homme et la Femme, il les façonna avec de la terre ou de la boue, selon la traduction. Quelle quantité ? Ce n'est pas dit. Mais d'autres récits de la création montrent souvent le monde et ses habitants naissant du *dit*, d'un grain, d'un unique, minuscule point [30].

Sous cet angle, les trois petites escarbilles ne sont pas loin de la Mère de la Vie/Mort/Vie. Elles sont réduites à pratiquement rien dans la psyché et privées de la libido. Il peut alors se passer quelque chose de nouveau. Dans la plupart des cas, lorsqu'on prive de sève un élément psychique, il se dessèche et son énergie est libérée ou reconfigurée.

Cette privation de sève de la belle-famille destructrice a un autre aspect. Si l'on vit avec des êtres cruels, à l'intérieur ou à l'extérieur, on ne peut conserver la conscience acquise en rencontrant la Déesse Sorcière et en rapportant sa lumière ardente. Si vous êtes entourée de gens qui lèvent les yeux au ciel d'un air dégoûté dès que vous apparaissez, parlez ou agissez, alors vous êtes avec ceux qui éteignent les passions – les vôtres et probablement aussi les leurs. Ce ne sont pas des gens qui s'intéressent à vous, à votre travail, à votre vie.

Une femme doit choisir avec discernement ses amis et ses amants, car les uns et les autres peuvent devenir comme la mauvaise belle-mère et ses filles malveillantes. En ce qui concerne les amants, nous avons tendance à les investir du pouvoir d'un grand Mage – d'un grand magicien. C'est chose aisée, car nous devenons très intimes. Un amant peut créer et/ou détruire le lien avec nos propres cycles et idées. Il faut éviter l'amant destructeur et préférer celui qui est fait de muscles psychiques durs et de chair tendre – et pour la Femme Sauvage, c'est encore mieux si l'amant est aussi un peu « médium », s'il peut « voir au-dedans » de son cœur.

L'ami ou l'amant de la Femme Sauvage ne doit jamais lui dire, lorsqu'elle a une idée : « Oh, je ne sais pas... ça m'a l'air vraiment idiot (pompeux, irréalisable, onéreux, etc.). » L'ami véritable ne dira jamais une chose pareille, il dira plutôt : « Ecoute, je ne suis pas certain de bien comprendre. Dis-moi comment tu l'envisages. Dis-moi comment ça va marcher. »

L'amant/ami qui voit en vous une *criatura*, un être qui vit et se développe, comme poussent les arbres dehors, les plantes dans la maison, ou les roses dans le jardin... l'amant, les amis qui vous considèrent comme une entité qui respire, est humaine, mais est faite aussi de choses magiques, merveilleuses... l'amant, les amis qui soutiennent la *criatura* que vous êtes, ceux-là sont les gens que vous cherchez. Ils seront la vie durant les amis de votre âme. Il est d'une importance primordiale pour rester consciente, intuitive, porteuse de la lumière ardente qui voit et qui sait, de choisir avec discernement ses amis et ses amants, sans parler de ses professeurs.

Le meilleur moyen de rester en contact avec le sauvage est de se demander ce qu'on *veut*. On trie ainsi les graines et la terre. Il est nécessaire de faire la différence entre ce qui nous interpelle et l'appel qui vient du plus profond de notre âme.

Voici comment cela fonctionne : imaginez un grand buffet dressé devant vous, couvert de plats plus appétissants les uns que les autres, caviar, saumon fumé, crème fraîche, viandes froides, salades craquantes, légumes délicats, desserts exquis. Vous passez devant lentement et vous vous dites : « Oh, je mangerais bien un peu de ceci, et puis un peu de cela et encore un peu de cela aussi... »

Nombreux sont les hommes et les femmes qui prennent des décisions vitales de la sorte. Ils sont entourés d'un univers des plus tentants, qui vient s'insinuer dans leur vie et éveille leur appétit sans qu'ils aient faim. Lorsque nous faisons ce type de choix, nous décidons de nous offrir une chose parce qu'elle est sous notre nez à ce moment précis. Elle ne sera pas forcément ce dont nous avons besoin, mais elle nous intéresse et plus nous la contemplons, plus nous en avons envie.

Lorsque nous sommes en relation avec le Soi instinctuel, avec *l'âme* du féminin qui est naturelle et sauvage, au lieu de regarder ce qui s'offre à notre vue, nous nous disons : « De quoi ai-je faim ? » Sans jeter un œil à l'extérieur, nous nous aventurons à l'intérieur et nous demandons : « De quoi est-ce que je me languis ? Qu'est-ce que je souhaite aujourd'hui ? » Ou encore : « De quoi est-ce que je meurs d'envie ? De quoi ai-je le désir ? Qu'est-ce qui me manque ? » En général, la réponse est rapide : « Je crois que je veux... Tu sais ce qui serait vraiment bien, c'est... Oui, c'est ce que je veux vraiment. »

Y a-t-il cela sur le buffet à volonté ? Peut-être que oui, peut-être que non. Plutôt non, dans la plupart des cas. Il va nous falloir le chercher un peu – parfois longtemps. Mais nous finirons par le trouver et nous serons heureuses d'avoir cherché quels étaient nos désirs profonds.

Cette façon de faire le tri, apprise par Vassilissa, est souvent l'une des choses les plus difficiles à apprendre, car elle nécessite de faire appel à son courage, à sa volonté, à son « avoir-de-l'âme » et souvent, demande de la ténacité. Rien ne l'exprime plus clairement que les choix amoureux. Un amant ne peut se choisir comme sur un buffet à volonté. Le choix doit venir d'une faim de l'âme. Choisir quelque chose juste parce que cela vous fait saliver ne comblera jamais la faim de l'âme-Soi. C'est là qu'intervient l'intuition, messagère directe de l'âme.

Allons plus loin. Si l'on vous propose d'acheter une bicyclette, ou de faire un voyage en Egypte, il vous faut laisser de côté cette opportunité pour le moment et vous interroger : « De quoi ai-je faim ? De quoi ai-je vraiment envie ? Peut-être ai-je faim d'une moto et non d'une bicyclette. Peut-être ai-je faim de revoir ma grand-mère, qui vieillit au loin, la pauvre. » Les décisions ne seront pas toujours de cet ordre. Il s'agit parfois de choisir simplement entre faire une marche ou écrire un poème. Mais quelle que soit l'importance du choix, l'idée est de consulter le soi instinctuel à travers ses divers aspects dont vous disposez et qui sont symbolisés par la poupée, la vieille Baba Yaga et le crâne ardent.

Il est aussi possible de renforcer le lien avec l'intuition en refusant que qui que ce soit réprime vos énergies vivaces, autrement dit vos opinions, vos pensées, vos idées, vos valeurs, vos idéaux. L'opposition bien/mal, vrai/faux n'existe guère en ce monde. En revanche, il y a ce qui est utile et ce qui ne l'est pas. Il y a aussi ce qui peut se révéler destructeur et ce qui peut être constructif, ce qui est correctement intégré et ce qui ne l'est pas. Mais, comme vous le savez, il faut retourner la terre du jardin à l'automne pour préparer la venue du printemps. La floraison ne peut être permanente. Laissez vos cycles internes régir votre vie dans ses flux et ses reflux et non d'autres forces ou d'autres personnes extérieures à vous, ou des complexes négatifs internes.

Il existe des entropies et des actes créatifs constants qui font partie de nos cycles internes. Notre tâche est d'être synchrones avec eux. Comme les ventricules du cœur qui se remplissent et se vident, nous « apprenons à apprendre » le rythme de ce cycle de Vie/Mort/Vie, au lieu d'en être les victimes. Le rythme existe déjà. C'est comme de sauter à la corde : on attend d'avoir copié le rythme, puis l'on se lance. Ce n'est pas plus compliqué que ça.

En outre, l'intuition offre des options. Lorsqu'on est en contact avec le soi instinctuel, on a toujours au moins quatre possibilités : les deux extrêmes, le moyen terme et « l'après plus ample réflexion ». Dans le cas contraire, on reste avec l'impression d'avoir un seul choix et encore ne semble-t-il pas être le bon. On pense peut-être qu'il faut souffrir et se soumettre. Et se forcer. Il existe une autre possibilité, bien meilleure : être à l'écoute de notre oreille intérieure, notre regard intérieur, notre être intérieur. Et le suivre. Il connaît la suite.

Ce qu'il y a de remarquable, quand on se sert de l'intuition et de la nature instinctive, c'est qu'elle provoque l'émergence d'une spontanéité à la démarche sûre. Spontanéité ne veut pas dire tête folle. Ce n'est pas l'attribut qui pousse à agir sans réfléchir. Il faut connaître ses limites. Schéhérazade, par exemple, en avait d'excellentes. Elle s'est servie de son intelligence pour séduire, tout en se mettant en position d'être reconnue pour sa valeur. Etre authentique ne veut pas dire être irréfléchie. Cela signifie qu'on permet à la Voix Mythologique, *La Voz Mitológica*, de s'exprimer. Il faut pour cela faire taire le moi et laisser parler ce qui veut s'exprimer.

Dans la réalité consensuelle, nous rencontrons toutes des petites mères sauvages en chair et en os. Dès que nous les voyons, quelque chose en nous crie : « Maman ! » Au premier regard, nous savons que nous sommes leur progéniture, leur enfant, qu'elles sont notre mère, notre grand-mère. Et lorsqu'il s'agit d'un *hombre con pechos*, d'un homme avec des seins, au sens figuré, nous risquons de penser : « Oh, grand-père » ou « Oh, mon frère, mon ami ». Nous savons que cet homme est un être nourricier. (Paradoxalement, ces êtres-là sont à la fois terriblement féminins et terriblement masculins. Ils sont comme les marraines de contes de fées, comme des mentors, comme la mère que nous n'avons jamais eue, ou que nous n'avons pas eue assez longtemps ; c'est cela un *hombre con pechos* [31].)

Ces petites mères sauvages, chacune d'entre nous en a habituellement une, au minimum. Avec un peu de chance, on peut en avoir plusieurs au cours d'une vie. Quand on les rencontre, on est en général adulte, ou à la fin de l'adolescence. Elles n'ont rien à voir avec les trop-bonnes mères. Ces petites mères sauvages nous guident, sont pleines d'orgueil devant nos réussites et critiquent tout ce qui bloque, tout ce qui est source de malentendus dans notre vie créatrice, sensuelle, spirituelle et intellectuelle.

Elles ont pour but de nous aider, de se préoccuper de notre art, de nous reconnecter à nos instincts sauvages, de veiller au rétablissement de ce que nous sommes à l'origine, de ce que nous sommes de mieux. Elles sont enchantées quand nous prenons contact avec la poupée, fières quand nous trouvons Baba Yaga, heureuses quand elles nous voient revenir en portant le crâne ardent.

Nous avons vu combien il était dangereux d'être trop gentille. Mais peut-être n'êtes-vous pas convaincue ; peut-être pensez-vous : « Seigneur, qui veut ressembler à Vassilissa ? » Vous. C'est moi qui vous le dis. Vous voulez lui ressembler, vous voulez accomplir ce qu'elle a accompli, suivre ses traces, car c'est là le chemin pour conserver et développer votre âme. La Femme Sauvage est celle qui ose, celle qui crée, celle qui détruit. Elle est l'âme primitive, inventive, qui permet tous les actes créatifs, tous les arts. Elle crée une forêt autour de nous. Alors, nous commençons à pouvoir envisager la vie sous un angle neuf, original.

A la fin du processus de rétablissement de l'initiation dans la psyché féminine, nous avons donc une jeune femme riche d'une expérience extraordinaire, qui a appris à suivre son savoir. Elle a subi, à travers toutes les tâches, une initiation complète. Elle a désormais la couronne. Peut-être la reconnaissance de l'intuition est-elle la plus facile des tâches, mais il est beaucoup plus épuisant et par là même beaucoup plus satisfaisant d'avoir pour but de la conserver en toute conscience, de laisser vivre ce qui doit vivre et mourir ce qui doit mourir.

Baba Yaga est pareille à Mère Nyx, Mère Nuit, la mère de l'univers, une autre Déesse de la Vie/Mort/Vie. Toute Déesse de la Vie/Mort/Vie est aussi une Déesse créatrice. Elle fabrique, confectionne, insuffle la vie. Elle est là pour recevoir l'âme lorsque le souffle s'arrête. Sur ses traces, nous apprenons à laisser naître ce qui doit naître, que toutes les personnes adéquates soient présentes ou non. La nature ne demande pas la permission quand il s'agit de naître et de fleurir. Faites comme elle. En tant qu'adultes, nous avons moins besoin de permission que d'encourager encore les cycles sauvages, que d'en générer encore, que d'avoir une vision encore plus originale.

Laisser mourir : tel est le thème de la fin du conte. Vassilissa a bien appris la leçon. Est-ce qu'elle pique une crise de nerfs lorsque le crâne carbonise les méchantes ? Non. Ce qui doit mourir doit mourir.

Comment prendre une telle décision ? On sait, tout simplement. *La Que Sabe* sait. Demandez-lui son avis. Elle est la Mère des Ages. Rien ne la surprend. Elle a tout vu. Chez beaucoup de femmes, laisser mourir est contre leur éducation, mais pas contre leur nature. On peut inverser le mouvement. Nous savons toutes dans *los ovarios* quand le temps de la vie est venu, et quand est venu le temps de la mort. Nous pouvons toujours essayer de nous raconter des histoires : nous savons.

A la lumière du crâne ardent, nous savons.

4

LE COMPAGNON : L'UNION AVEC L'AUTRE

Un hymne à l'Homme Sauvage : Manawee

Si les femmes veulent que les hommes les comprennent, les comprennent vraiment, elles doivent leur transmettre un peu du savoir profond. Certaines répondront qu'elles ont déjà beaucoup donné et qu'elles en ont assez. Si je puis me permettre, je dirai qu'elles ont essayé d'apporter leur enseignement à un homme qui n'a pas envie d'apprendre. La plupart des hommes veulent savoir, veulent apprendre. Lorsqu'ils affichent un tel désir, le temps de la révélation est venu, tout simplement parce qu'un autre être le réclame. Vous verrez. Voici donc quelques éléments qui vont faire qu'un homme nous comprendra mieux, qu'il ira à la rencontre de la femme ; voici un langage, notre langage.

Aucun doute, dans les mythes, comme dans la vie, l'Homme Sauvage est à la recherche de sa fiancée de-dessous-la-terre. On trouve dans la mythologie celtique de ces célèbres couples de dieux sauvages qui s'aiment d'amour fou. Ils vivent souvent sous la surface d'un lac et sont les protecteurs de la vie et du monde souterrains. Dans la mythologie babylonienne, Inanna aux cuisses de cèdre appelle son amant, le « Taureau Sauvage » : « Viens me couvrir de ta sauvagerie », dit-elle. Aujourd'hui encore, dans le Midwest, on raconte que le Père et la Mère de Dieu s'ébattent dans leur lit, provoquant le tonnerre.

De même, une femme sauvage n'aime personne autant qu'un partenaire qui est son égal. Et pourtant, depuis l'origine des temps, ce compagnon n'est pas certain de saisir sa vraie nature. Que désire véritablement une femme ? C'est là une question éternelle, une énigme que pose la nature sauvage et mystérieuse de toutes les femmes. La sorcière de *La Bourgeoise de Bath*, de Chaucer, croassait une réponse à cette question : pour elle, les femmes veulent être maîtresses de leur propre vie. C'est là un fait indéniable, mais il existe une autre réponse, aussi profondément authentique, à cette question.

Le conte qui suit répond à la question ancestrale de la vraie nature des femmes. Ceux qui agiront comme il y est dit seront à tout jamais les amants et les compagnons des femmes sauvages. Je dois à Miss V.B. Washington la version originale d'une petite histoire afro-américaine, que j'ai ici développée et intitulée *Manawee.*

Manawee

IL était une fois un homme qui courtisait deux sœurs, deux jumelles. Mais leur père déclara : « Tu ne les auras pas en mariage tant que tu seras incapable de deviner leurs noms. » Manawee essaya encore et encore, mais il ne pouvait deviner les noms des sœurs. Et le père des jeunes femmes secouait la tête et renvoyait Manawee.

Un jour, Manawee vint faire une nouvelle tentative, accompagné de son petit chien. Le chien vit que l'une des sœurs était plus jolie que l'autre et que l'autre était plus douce. Aucune ne possédait toutes les qualités, mais le petit chien les aimait bien, car elles le gâtaient et étaient gentilles avec lui.

Manawee échoua à deviner leurs noms ce jour-là encore et il rentra chez lui, dépité. Mais le petit chien retourna à la case des jeunes femmes. Il glissa une oreille par en dessous et entendit les sœurs qui, en gloussant, vantaient la beauté et la virilité de Manawee. Tout en parlant, elles s'appelaient par leur nom et le petit chien les entendit. Il courut à toute vitesse le dire à son maître.

Mais en route, une bonne odeur lui parvint de la brousse. Un lion avait abandonné près du sentier un os énorme encore tout plein de viande. Sans hésiter, le petit chien se mit à faire un festin, jusqu'à ce qu'il ne reste plus la moindre parcelle de viande sur l'os. Soudain, il se rappela ce qu'il avait à faire, mais voilà qu'il avait oublié les noms des jeunes femmes.

Il revint donc auprès de la case des jumelles. Cette fois, la nuit était tombée. Les jeunes femmes s'enduisaient les bras et les jambes d'huile et se préparaient comme pour quelque cérémonie. De nouveau, le petit chien les entendit s'appeler par leur nom. Il bondit de joie et fila sur le chemin qui menait à la case de Manawee. Mais en route, une odeur de noix muscade fraîche vint à ses narines.

Le petit chien n'aimait rien autant que la noix muscade. Il quitta le sentier et fila jusqu'à un tronc d'arbre sur lequel une jolie tarte aux kumquats fumait encore. La tarte fut bientôt finie. Le petit chien reprit le chemin de chez lui avec une haleine parfumée à la noix muscade et un ventre bien rempli. Or, tandis qu'il essayait de se rappeler les noms des jeunes femmes, il s'aperçut qu'il les avait encore oubliés.

Il se rua de nouveau vers la case des jumelles et, cette fois, elles s'apprêtaient pour leurs noces. « Oh non ! pensa le petit chien, il n'y a plus de temps à perdre ! » Et lorsque les sœurs s'appelèrent par leur nom, le petit chien mit ces noms dans un coin de sa tête et fila, bien résolu cette fois à ce que rien ne l'arrête avant qu'il ait pu donner à Manawee les deux noms précieux.

Il aperçut bien sur le chemin du petit gibier fraîchement tué, mais il l'ignora. Il crut sentir fugitivement un fumet de noix muscade, mais il l'ignora. Il courait droit vers son maître. Il n'avait pas prévu, néanmoins, qu'un homme noir, un étranger, sortirait de la brousse, bondirait sur lui, le saisirait par la peau du cou et le secouerait à lui détacher la queue.

C'est pourtant ce qui se passa. L'étranger hurlait : « Dis-moi les noms ! Dis-moi quels sont les noms des jeunes femmes, que je puisse les obtenir ! »

Le petit chien crut s'évanouir, tant la poigne qui lui serrait le cou était ferme, mais il se battit vaillamment. Il grogna, griffa, rua et finit par mordre l'étranger entre les doigts, avec des dents qui piquaient comme des guêpes. L'étranger poussa un mugissement de buffle d'eau, mais le petit chien ne lâcha pas prise et l'étranger s'enfuit dans les broussailles, le petit chien pendu à sa main.

– Lâche-moi, petit chien, lâche-moi et je te lâcherai ! supplia l'étranger tout noir. Entre ses dents, le petit chien gronda : – Ne reviens jamais, ou tu ne verras plus la lumière du jour ! Alors, l'étranger s'enfuit dans la brousse en gémissant et en serrant contre lui sa main endolorie. Et mi-courant, mi-boitant, le petit chien reprit le chemin de chez lui.

Son pelage était ensanglanté et sa mâchoire lui faisait mal, mais il avait bien en tête les noms des jeunes femmes et il arriva radieux auprès de Manawee. Avec douceur, Manawee lava ses blessures. Le petit chien lui raconta toute l'histoire et lui donna les noms des deux jeunes femmes. Manawee se précipita au village des jeunes femmes, le petit chien fièrement posé sur son épaule, avec ses oreilles flottant au vent comme deux queues de cheval.

Lorsque Manawee arriva auprès du père des jeunes femmes et donna leurs noms, les jumelles le reçurent habillées pour voyager avec lui ; elles l'attendaient depuis tout ce temps. C'est ainsi que Manawee obtint deux des plus belles jeunes filles du pays de la rivière. Et tous les quatre, les sœurs, Manawee et le petit chien vécurent en paix très longtemps.

Krik, krak, kri, l'histoire est finie.

Krik, krak, kré, l'histoire est terminée [1].

La nature duale des femmes

Les contes populaires, comme les rêves, nous permettent de comprendre subjectivement leur contenu – tous les symboles qui représentent les aspects de la psyché d'une personne donnée – mais nous pouvons aussi les comprendre de manière objective, dans la mesure où ils ont un rapport avec le monde extérieur. Essayons d'examiner *Manawee* particulièrement sous l'angle de la relation entre une femme et son partenaire, en gardant à l'esprit que, bien souvent, « comme ça se passe à l'extérieur, ça se passe à l'intérieur ».

Cette histoire dévoile un très vieux secret à propos des femmes, secret que voici : pour gagner le cœur sauvage d'une femme, l'homme doit comprendre sa dualité naturelle. Même si, sous l'angle ethnologique, nous pouvons considérer les deux femmes du conte comme de futures épouses au sein d'une société polygame, si nous nous plaçons dans une perspective archétypale, nous voyons là le mystère de deux forces féminines puissantes à l'intérieur d'une seule femme.

Manawee comporte tous les éléments qui sont essentiels pour être proche de la femme sauvage. Par l'intermédiaire de son chien fidèle, Manawee devine les deux noms, les deux natures du féminin. Il ne peut gagner tant qu'il n'a pu résoudre le mystère. Et il lui faut utiliser son soi instinctuel – symbolisé par le chien – pour y parvenir.

Etre proche d'une femme sauvage, c'est se trouver en présence de deux femmes : l'être extérieur et la *criatura* intérieure, l'une qui vit dans le monde du dessus, l'autre qui vit dans le monde qui ne se laisse pas facilement voir. La créature extérieure vit au grand jour. On peut l'observer facilement. Elle est souvent pragmatique, acculturée, très humaine. La *criatura*, elle, émerge souvent à la surface après un long voyage, apparaissant et disparaissant tout aussi vite, mais laissant toujours derrière elle le sentiment de quelque chose qui surprend, qui est original, qui sait.

Dans leur tentative pour comprendre cette nature duale, il arrive que les hommes et parfois les femmes elles-mêmes ne sachent à quels saints se vouer. La nature jumelle des femmes a ceci de paradoxal que lorsqu'un côté est, sur le plan des sentiments, plutôt cool, l'autre a la fièvre. Quand un côté a des relations enrichissantes, l'autre peut être de glace. Un côté peut être plus heureux, plus souple et l'autre se languir d'un « je ne sais quoi ». L'un peut être ensoleillé, l'autre pensif et aigre-doux. Ces « deux femmes-qui-n'en-font-qu'une » sont des éléments séparés mais conjoints qui offrent des centaines de combinaisons dans la psyché.

Le pouvoir du Deux

Même si les deux aspects de la nature féminine représentent chacun une entité séparée avec des fonctions différentes et un savoir particulier, ils doivent, comme le cerveau et son corps calleux, se connaître, ou se traduire l'un l'autre et fonctionner en conséquence comme un tout. Lorsqu'une femme dissimule un aspect ou le favorise, elle mène une existence déséquilibrée, sans avoir accès à la totalité de son pouvoir. C'est là une mauvaise chose. Elle doit développer les deux aspects.

Le symbole des jumeaux est riche d'enseignement sur la force du Deux. De tous temps, dans le monde entier, on a attribué des pouvoirs surnaturels aux jumeaux. Dans certaines cultures, il existe une discipline entièrement consacrée à équilibrer la nature des jumeaux, qu'on considère comme une seule âme partagée en deux entités. On continue, même après leur mort, à leur parler, à les nourrir, à leur offrir des dons et des sacrifices.

Dans certaines communautés d'Afrique et des Caraïbes, le symbole des jumelles est censé être en possession de l'énergie mystique de l'âme, ou *juju*. Il faut donc prendre parfaitement soin d'elles, sinon un mauvais sort pourrait être jeté à la communauté tout entière. La religion du vaudou, en Haïti, stipule qu'on nourrisse les jumeaux en quantités exactement semblables, de façon à prévenir toute jalousie entre eux et plus encore, de façon à prévenir tout dépérissement de l'un des deux, car si l'un meurt, l'autre mourra aussi et le surplus d'âme qu'ils apportent à la communauté sera perdu.

De même, lorsque les aspects qui constituent la dualité de la psyché sont consciemment reconnus et maintenus en tant qu'unité, elle jouit de pouvoirs immenses. Le pouvoir du Deux est phénoménal et il ne faut pas négliger l'un des aspects de la dualité. Il faut au contraire nourrir chacun de la même manière, parce qu'ensemble ils confèrent un pouvoir fantastique à l'individu.

Un vieil Afro-Américain me raconta un jour une histoire. Il surgit tandis que je me reposais dans un jardin public d'une ville du sud des Etats-Unis. C'était le genre d'homme que certains tiennent pour fou, car il parlait à tout le monde et à personne, l'index levé, comme s'il essayait de savoir d'où venait le vent. Pour les *cuentistas*, un tel être est béni des dieux. Dans notre tradition, on l'appelle *El Bulto*, le ballot, car il est porteur d'un certain type de marchandise et la montre à qui a les yeux pour la voir et la recevoir.

Celui-ci, particulièrement affable, me raconta donc cette histoire qu'il appelait « Un bâton, deux bâtons » et qui traite d'un certain type de transmission ancestrale. « Voici la tradition des vieux rois africains », me chuchota-t-il.

C'est l'histoire d'un vieil homme en train de mourir. Il fait venir ses proches auprès de lui. A chacun des membres de sa nombreuse famille, rejetons, femmes et parents, il remet un bâton, court et solide. « Cassez-le », leur dit-il. Non sans quelques difficultés, ils parviennent à le couper en deux.

« Ainsi en va-t-il de l'âme qui est seule, sans personne. On peut la briser facilement. »

Le vieil homme donne à chacun des siens un autre bâton et dit : « C'est ainsi que je voudrais que vous viviez quand je ne serai plus là. Réunissez vos bâtons en fagots de deux ou trois. Maintenant, essayez de les casser en deux. »

Une fois les bâtons réunis par deux ou par trois, impossible de les rompre. Le vieil homme sourit : « Lorsque nous sommes avec un autre être, nous avons de la force. Personne ne peut nous briser lorsque nous sommes plusieurs. »

Ainsi des deux aspects de la nature duale, qui, lorsqu'ils sont maintenus ensemble dans la conscience, ont un pouvoir immense et ne peuvent être brisés. C'est là la nature de la dualité psychique, de la gémellité, les deux aspects de la personnalité d'une femme. Seul, le soi qui est le plus civilisé se porte bien, mais il est un peu esseulé. Seul, le soi sauvage se porte bien, mais il a envie d'une relation avec l'autre. Lorsqu'on sépare ces deux natures et qu'on prétend que l'une ou l'autre n'existe plus, il en résulte une perte des pouvoirs psychologiques, émotionnels, spirituels de la femme.

On peut voir dans *Manawee* le thème de la dualité masculine comme celui de la dualité féminine. Manawee a sa propre nature duale : une nature humaine et une nature instinctive symbolisée par le chien. Sa nature humaine, bien que douce et affectueuse, ne parvient pas à lui faire obtenir la main des jeunes filles. C'est son chien, symbole de sa nature instinctuelle, qui a la capacité de se glisser jusqu'aux femmes sauvages et d'entendre leurs noms grâce à son ouïe fine. C'est le chien qui apprend à surmonter les séductions superficielles et à retenir les connaissances les plus importantes. C'est le chien de Manawee, qui possède une ouïe fine et de la ténacité, qui a l'instinct de chercher, pourchasser et rapporter les idées précieuses.

Comme dans d'autres contes, les forces masculines peuvent posséder une énergie meurtrière du type Barbe-Bleue et en conséquence essayer de détruire la nature duale des femmes. Ce genre de soupirant ne supporte pas la dualité. Il est à la recherche de la perfection, de l'unique vérité, de l'immuable *feminina substancia*, la perfection faite femme. Si vous en rencontrez un, fuyez à toutes jambes ! Mieux vaut avoir un amoureux de type Manawee, tant au-dedans qu'au-dehors : c'est un bien meilleur soupirant, car il est totalement gagné à la cause du Deux. Et le pouvoir du Deux agit comme une entité intégrale.

Manawee souhaite donc avoir accès à cette combinaison d'âme féminine omniprésente mais mystérieuse, et il a sa souveraineté propre. Dans la mesure où il est lui-même un homme sauvage, naturel, il a le goût de la femme sauvage, il est sur la même longueur d'onde qu'elle.

Parmi cette tribu de figures masculines qu'on trouve dans la psyché féminine et que les jungiens appellent *animus*, il y a aussi un comportement à la Manawee, qui découvre et réclame la dualité d'une femme [2], car il la trouve digne de valeur, digne d'être courtisée, au lieu de la juger diabolique, laide, à rejeter. Que ce soit en tant que figure intérieure ou extérieure, Manawee représente l'amant novice mais empli de foi, dont le désir principal est de nommer et de comprendre la double part mystérieuse de la nature féminine.

Le pouvoir du nom

Le fait de nommer une force, un animal, une personne ou une chose, présente plusieurs connotations. Dans les cultures où l'on choisit soigneusement les noms pour leur sens magique ou favorable, connaître le vrai nom de quelqu'un revient à connaître le chemin de vie et les attributs de l'âme de cette personne. Et si l'on conserve ce nom secret, c'est pour protéger son possesseur et lui permettre de grandir dans son pouvoir. C'est aussi pour mettre ce nom à l'abri, de façon à le soustraire à tout dénigrement ou détournement et à veiller à ce que l'autorité spirituelle de la personne puisse se développer comme elle le doit.

On rencontre d'autres aspects encore du nom dans les contes de fées et les contes populaires. Il existe certes des contes dans lesquels l'un des protagonistes cherche à connaître le nom d'une force mauvaise afin de la tenir en son pouvoir, mais, le plus souvent, la quête du nom a pour but d'évoquer cette force ou cette personne, de la faire s'approcher et d'avoir une relation avec elle.

C'est ce deuxième cas de figure qu'on trouve dans *Manawee*, dont le héros essaie sincèrement d'amener à lui le pouvoir « du Deux ». Il cherche à nommer les jumelles, *non* pour s'emparer de leur pouvoir, mais pour se procurer un pouvoir *égal* au leur. Connaître leur nom, c'est obtenir et conserver la conscience de la nature duale. Il ne suffit pas de le souhaiter, il ne suffit pas de le vouloir : on ne peut avoir une relation profonde si l'on ne connaît les noms.

Deviner les noms de la nature duale, des deux sœurs, est initialement une tâche aussi ardue pour les femmes que pour les hommes. Mais inutile de s'angoisser, si nous avons le désir de trouver les noms, nous sommes déjà sur la bonne voie.

Quels sont donc les noms exacts de ces deux sœurs symboliques dans la psyché d'une femme ? Le nom des dualités varie bien sûr d'une personne à l'autre, mais elles tendent à être, d'une façon ou d'une autre, des contraires. Comme c'est souvent le cas dans la nature, elles peuvent au premier abord paraître si vastes qu'on n'y discerne pas de schéma ou de répétition. Mais si l'on observe attentivement la nature duale, si on l'interroge et si l'on écoute ses réponses, un schéma global finit par se révéler, un schéma certes immense mais stable, tout compte fait, comme le flux et le reflux des vagues ; on peut prévoir ses marées hautes et ses marées basses et dresser la carte de ses courants profonds.

Dans ce genre de quête, prononcer le nom d'une personne équivaut à faire un souhait ou à la bénir chaque fois. Nous nommons en nous-mêmes ces dualités afin de marier le moi et l'esprit. Par ce geste, nous découvrons des significations cachées, personnelles, et la beauté sauvage de la féminitude, quelles que soient les personnalités opposées. En termes humains, on appelle cette façon de nommer et d'épouser l'amour de soi. Quand cela a lieu entre deux personnes, on parle d'aimer l'autre.

Manawee cherche encore et encore, mais sa nature ordinaire ne lui permet pas de trouver les noms des jumelles. Le chien, en tant qu'il représente l'intuitif, agit pour le compte de Manawee. Souvent, les femmes appellent de leurs vœux le compagnon qui cherchera à comprendre leur nature profonde avec ce genre d'endurance et d'intelligence. Et lorsqu'elles l'ont trouvé, elles lui offrent leur amour et leur fidélité la vie durant.

Dans le conte, le père des jumelles joue le rôle du gardien du couple mystique. Il est le symbole d'un trait de caractère intrapsychique qui veille à ce que les choses restent ensemble et ne soient pas séparées. C'est lui qui met à l'épreuve la droiture et la valeur du prétendant. Il est bon que les femmes aient un garde semblable.

En ce sens, on peut affirmer qu'une psyché saine met à l'épreuve les éléments nouveaux qui demandent à être intégrés, qu'elle a une intégrité propre, un processus de sélection. La psyché saine qui inclut un gardien paternel ne laisse pas pénétrer les pensées, les attitudes, les personnes au seul motif qu'elles lui sont familières. Elles doivent montrer qu'elles sont sensibles ou cherchent à le devenir.

Le père des deux sœurs déclare : « Un instant. Tant que tu ne m'as pas convaincu que tu cherches vraiment à connaître la véritable essence – le vrai nom – tu n'auras pas mes filles. » C'est-à-dire : Tu ne peux comprendre le mystère féminin en te bornant à interroger. Il te faut d'abord effectuer le travail, te montrer endurant à la tâche. Tu dois pressentir avec plus de justesse encore la vérité de ce puzzle de l'âme féminine et cet effort est à la fois une descente et une énigme.

La tenace nature canine

Le petit chien de l'histoire nous montre exactement comment fonctionne la ténacité psychique. Les chiens sont les magiciens de l'univers. Par leur simple présence, ils transforment les grincheux en personnes souriantes et redonnent un peu de gaieté aux gens tristes. Ils créent des liens entre les êtres. Comme dans l'épopée babylonienne de Gilgamesh, où

Enkidu, l'homme/animal velu, contrebalance Gilgamesh, le roi trop rationnel, le chien représente un côté entier de la dualité de l'homme. Il est la nature des bois, celui qui sait chasser à la trace et sentir les choses.

Le chien aime les sœurs parce qu'elles lui donnent à manger et lui sourient. Le féminin mystique comprend et accepte facilement la nature instinctuelle du chien. Les chiens représentent, entre autres, celui (ou celle) qui aime du fond du cœur, facilement et pour longtemps, qui pardonne sans effort, peut courir une longue distance et, le cas échéant, se battre jusqu'à la mort. La nature canine [3] donne des indications concrètes sur la façon dont le partenaire peut gagner le cœur des deux sœurs... et de la femme sauvage – la plus importante étant : « Retournes-y encore et encore. »

Ayant échoué à deviner les noms une fois encore, Manawee rentre tristement chez lui. Mais le petit chien retourne à fond de train vers la case des jeunes femmes et écoute jusqu'à ce qu'il entende leur nom. Dans l'univers des archétypes, la nature canine est à la fois psychopompe – elle est la messagère entre le monde du dessus et le monde de l'obscurité – et chthonienne – elle appartient aux régions les plus sombres ou les plus reculées de la psyché, appelées le monde souterrain depuis une éternité. C'est cette sensibilité que le partenaire atteint pour comprendre la dualité.

Le chien ressemble au loup, en un peu plus civilisé, quoique pas tant que ça, comme nous le verrons plus loin. En tant que psychopompe, le petit chien représente la psyché instinctive. Il entend et voit différemment d'un humain. Il va jusqu'à des niveaux que le moi n'imaginerait pas tout seul, il entend des mots, des instructions que le moi ne peut entendre et il suit ce qu'il a entendu.

Un jour, dans un musée des sciences de San Francisco, j'ai pénétré dans une salle emplie de microphones et de haut-parleurs destinés à simuler l'ouïe d'un chien. Des feuilles de palmier bruissant dans le vent déclenchaient une apocalypse ; des pas s'approchant au loin semblaient des millions de cornflakes écrasés contre mon oreille. Le monde du chien est empli de sons cataclysmiques, que nous, humains, n'enregistrons même pas. Le chien, si.

L'ouïe du canidé va au-delà de ce qu'entend l'oreille humaine. Cet aspect médiumnique – comme l'on dirait « médial » – de la psyché instinctuelle entend intuitivement le travail en profondeur, la musique profonde, les mystères profonds de la psyché féminine. C'est cette nature qui est capable de connaître la nature sauvage des femmes.

L'appétit qui séduit et handicape

Ce n'est pas un hasard si, tout en luttant pour découvrir des aspects plus profonds de leur nature, les hommes et les femmes se laissent distraire par toutes sortes de choses, généralement des plaisirs divers. Certains finissent par ne plus pouvoir s'en passer, s'enlisent et ne poursuivent plus leur tâche.

Au début, le petit chien aussi est distrait par ses appétits. Ce sont souvent de charmants petits *forajidos* – voleurs – qui se consacrent au vol du temps et de la libido. Les vôtres. Jung faisait remarquer qu'on doit exercer quelque contrôle sur les appétits humains. Dans le cas contraire, vous verrez, on s'arrête devant chaque os à moelle sur le chemin, chaque tarte sur un tronc d'arbre.

Les partenaires qui cherchent à nommer les dualités peuvent, comme le chien, perdre leurs bonnes résolutions en route, devant les tentations, particulièrement s'ils sont eux-mêmes des êtres affamés ou à l'état sauvage. Ils peuvent également perdre le souvenir de ce qu'ils étaient sur le point de faire. Ils peuvent enfin être tentés/attaqués par un élément issu de leur propre inconscient, qui souhaite s'imposer aux femmes pour les exploiter, ou les séduire pour son propre plaisir ou afin d'éviter la solitude du chasseur.

Sur le chemin qui le ramène vers son maître, le chien est distrait par un os appétissant et il en oublie les noms des jeunes femmes. Cet épisode illustre ce qui se passe fréquemment au cours du travail psychique : les distractions créées par les appétits viennent interférer avec le processus primitif. Il ne se passe pas de mois sans que j'entende une analysante me dire : « Alors voilà, j'ai été distraite de mon travail en profondeur parce que j'ai connu une phase d'excitation sexuelle et qu'il m'a fallu plusieurs jours pour éteindre l'incendie », ou bien : « Parce que j'ai décidé que cette semaine était le moment idéal pour nettoyer mes trois cent trente-six plantes vertes », ou encore : « Parce que je me suis lancée dans une demi-douzaine d'entreprises créatrices, toutes passionnantes, mais que j'ai fini par laisser tomber dans la mesure où je ne voyais pas où cela allait me mener ».

Vous voyez donc que l'os sur le chemin nous attend toutes. Il a l'odeur alléchante qu'aucun chien digne de ce nom ne saurait traiter par le mépris. Au pire, c'est comme une sorte d'addiction qui nous a déjà beaucoup coûté. Mais même si nous avons échoué maintes fois, il faut persévérer, jusqu'à ce que nous puissions passer à côté et nous consacrer à notre tâche primitive.

Le travail en profondeur, une fois lancé, peut se comparer à l'excitation sexuelle en ceci qu'il part de zéro, monte par paliers, devient intense. Si l'on s'interrompt brutalement entre les paliers (imaginez par exemple un bruit soudain), tout est à recommencer. Le travail sur la couche archétypale de la psyché n'est pas sans évoquer cette tension. Il faut quasiment tout reprendre à zéro à la moindre interruption. Il y a nombre d'os délicieux, appétissants, follement attrayants sur le chemin. Parfois, ils nous poussent à l'amnésie et nous font oublier non seulement où nous en sommes dans le processus, mais la nature même du travail.

Sagement, le Coran dit que nous serons appelés à rendre compte de tous les plaisirs autorisés de l'existence dont nous n'aurons pas joui sur terre. Il n'en reste pas moins qu'un excès de bonnes choses, ou même une petite dose au mauvais moment, peuvent conduire à une importante perte de conscience. Alors, au lieu de connaître un soudain afflux de sagesse, on va marmonnant, comme un professeur distrait : « Voyons, où en étais-je ? » Cela prend des semaines, parfois des mois, avant de se remettre de ce genre de distraction.

Dans *Manawee,* le chien retourne à toute vitesse à la case des sœurs, entend de nouveau leurs noms et repart. Ce canidé a l'instinct qu'il faut : il essaie encore et encore. Mais voilà qu'une tarte aux kumquats vient le distraire et il oublie les noms une fois de plus. Il subit l'assaut d'une autre forme d'appétit, qui revient le détourner de sa tâche, et même si son ventre est plein, l'âme n'a pas satisfaction.

Nous commençons à comprendre qu'avoir la conscience toujours en éveil et, particulièrement, ne pas céder aux appétits venus nous distraire durant le travail de recherche des connexions psychiques, est un processus de longue haleine, auquel il est difficile de se tenir. Nous suivons les efforts du petit chien, mais la route est longue qui va de l'inconscient archétypal profond à l'esprit conscient, des noms à la surface. Il est difficile de maintenir la connaissance dans la conscience quand le chemin est semé de pièges.

La tarte et l'os représentent autant de séductions qui sont en elles-mêmes délicieuses... En d'autres termes, il y a dans notre psyché des éléments qui induisent en erreur, sont tortueux et s'avèrent par ailleurs fameux. Ces éléments s'opposent à la conscience : ils prospèrent en gardant les choses obscures et excitantes. Nous avons parfois du mal à nous rappeler que c'est l'excitation de la lumière que nous exigeons.

Dans cette histoire, le chien est celui qui apporte la lumière. Il essaye de mettre au jour la connexion consciente avec la nature mystique jumelle. Régulièrement, « quelque chose » essaie d'empêcher cela, quelque chose qu'on ne voit pas, mais qui est indubitablement le poseur d'os et le confectionneur de tartes. Aucun doute, c'est l'étranger noir, une autre version du prédateur naturel de la psyché qui s'oppose à la conscience. Parce que cet opposant intervient naturellement dans la psyché de toutes les personnes, la psyché la plus saine est susceptible de perdre sa place. C'est le fait de nous souvenir de la tâche véritable, de nous la remettre en tête à la manière d'un mantra, en quelque sorte, qui va nous ramener à la conscience.

Parvenir à la férocité

Une fois de plus, le petit chien entend les noms des jeunes femmes et se précipite vers son maître. Il ignore le festin sur le chemin, l'odeur alléchante dans la brousse. C'est la montée de la conscience dans la psyché. La psyché instinctive a appris à se dominer, à établir des priorités, à se concentrer. Elle refuse d'être distraite.

Mais voilà qu'une chose noire, surgie de nulle part, tombe sur le petit chien. L'étranger secoue l'animal en hurlant : « Dis-moi leurs noms ! Dis-moi quels sont les noms des jeunes femmes, que je puisse les obtenir ! » Il se moque bien de la dualité, ou des éléments délicats de la psyché. Le féminin est pour lui une possession qu'on obtient, rien de plus.

Une personne en chair et en os peut incarner l'étranger noir, ou bien ce peut être un complexe négatif. Cela n'a guère d'importance. L'effet est dévastateur dans un cas comme dans l'autre. Cette fois, le chien se lance dans une lutte acharnée. Que nous soyons homme ou femme, il y a toujours dans la vie quotidienne un incident, un lapsus, un élément un peu étrange, qui surgit pour nous faire oublier qui nous sommes. Il y a toujours dans la psyché quelque chose qui essaye de nous voler les noms. De même dans le monde extérieur.

Dans le conte, le petit chien se bat pour sauver sa vie. Parfois, il faut l'arrivée brutale d'un étranger pour que nous nous accrochions à notre connaissance profonde. Et là, nous sommes obligés de lutter pour ce qui nous est cher – de lutter pour faire sérieusement les choses, pour dépasser nos motifs spirituels superficiels, ce que Robert Bly appelle « le désir de se sentir formidable » [4], pour ne pas lâcher la connaissance profonde, pour terminer ce que nous avons commencé.

Le petit chien se bat pour garder les noms et par là même il triomphe des chutes répétitives dans l'inconscience. Une fois la bataille achevée, il n'a pas oublié les noms, car c'est le motif même de la lutte, la connaissance du féminin sauvage. Celui qui la possède jouit d'un pouvoir égal à celui de la femme. Le chien s'est battu pour donner ce pouvoir à l'homme qui le méritait, Manawee. Il s'est battu pour ne pas permettre à un aspect de la nature humaine ancienne de le posséder et de s'en servir à de mauvaises fins. Il est aussi important de mettre le pouvoir en de bonnes mains que de trouver les noms.

Le chien héroïque transmet les noms à Manawee, qui les donne au père des jeunes femmes. Celles-ci sont prêtes à partir avec Manawee. Elles attendaient depuis le début que Manawee découvre et conserve la connaissance consciente de leur nature intrinsèque.

Nous voyons donc que deux éléments empêchent d'avancer : les distractions créées par les appétits de chacun et l'étranger noir – ce dernier étant quelquefois l'oppresseur inné de la psyché et quelquefois une personne du monde extérieur. Quoi qu'il en soit, chaque voyageur sait de façon innée comment venir à bout de ces maraudeurs. Il faut conserver les noms, car les noms sont tout.

La femme intérieure

Il arrive qu'en attendant que leur compagnon veuille bien les comprendre, les femmes se lassent et s'irritent. « Pourquoi ne sait-il pas ce que je pense, ce que je veux ? » se demandent-elles. Elles en ont parfois assez de se poser la question. Il existe néanmoins une solution au problème, utile et efficace.

Si elle veut que son compagnon réagisse dans ce sens, la femme doit lui révéler le secret de la dualité féminine. Elle doit lui parler de la femme intérieure, celle qui vient s'ajouter à elle. Deux questions toutes bêtes suffiront, deux questions qu'elle va apprendre à son partenaire à lui poser pour se sentir comprise.

La première est celle-ci : « Que veux-tu ? » Tout le monde, pratiquement, pose ce type de question, sans même y penser. Il y en a une autre, plus essentielle : « Que désire ton être profond ? »

Celui qui ne tient pas compte de la dualité féminine se prépare une belle surprise, car lorsque la nature sauvage de la femme monte des profondeurs et commence à s'affirmer, celle-ci se met à manifester des intérêts, des sentiments, des idées tout à fait différents de ce qu'ils étaient auparavant.

Afin de nouer une relation solide, la femme doit également poser les mêmes questions à propos de son partenaire. En tant que femmes, nous apprenons à tenir compte des deux aspects de notre nature et de celle des autres. D'après les informations que nous recevons des deux côtés, nous pouvons déterminer clairement les désirs profonds et décider comment y répondre de manière satisfaisante.

Lorsque la femme consulte sa propre dualité, elle entame le processus qui consiste à observer, vérifier, sonder le matériel qui se trouve au-delà de la conscience et donc se révèle souvent d'un contenu stupéfiant, la plupart du temps très riche.

Pour aimer une femme, son compagnon doit aussi aimer sa nature non domestiquée. Si tel n'est pas le cas, la femme va s'en trouver déséquilibrée et bancale.

C'est pourquoi les hommes, comme les femmes, doivent nommer leur nature duale. Le plus précieux des amants, des parents, des amis, des hommes sauvages est celui qui veut apprendre. Ceux qui n'y voient aucun intérêt, ceux qu'on ne peut entraîner vers des idées et des expériences nouvelles, ne peuvent aller de l'avant. Si quelque chose alimente les sources de la douleur, c'est bien de refuser d'aller plus loin dans l'apprentissage.

Nous savons que l'Homme Sauvage cherche sa femme terrestre. Qu'on soit ou non effrayé, se laisser éveiller à la nature sauvage de l'autre est une preuve d'amour profond. En un monde où les êtres humains craignent avant tout de « perdre », on a édifié trop de murs qui empêchent de se dissoudre dans la numinosité d'une autre âme.

Le meilleur compagnon pour la femme sauvage est celui qui manifeste ténacité et endurance, qui envoie sa propre nature instinctuelle jeter un œil sous la tente de la vie de l'âme de la femme et prend en compte ce qu'il voit et entend là, celui qui, sans se laisser décourager ni distraire par ce qu'il trouve sur sa route, y retourne sans cesse afin d'essayer de comprendre.

La tâche sauvage de l'homme est donc de découvrir les vrais noms de la femme et de ne pas se servir de ce qu'il apprend pour la tenir en son pouvoir, mais plutôt d'appréhender et de saisir sa substance numineuse, de s'y laver, de la laisser l'étonner, le choquer, le hanter, même. Et de chanter ces noms. Pour faire briller ses yeux à elle. Et ses yeux à lui.

Il existe pourtant une autre façon de nommer les dualités, encore plus effrayante, mais essentielle à tous les amants. Si l'on peut donner à l'une des faces de la nature duale de la femme le nom de « Vie », la sœur jumelle de cette force s'appelle « Mort ». La force qu'on appelle Mort est l'un des deux pôles magnétiques de la nature sauvage. Si l'on apprend à nommer les dualités, on risque de buter sur le crâne osseux de la nature Mort. Seuls les héros peuvent le supporter, paraît-il. L'homme sauvage aussi peut le supporter, assurément. Et la femme sauvage le peut – c'est une absolue certitude. En fait, cela les transforme fondamentalement.

Allons donc maintenant à la rencontre de la Femme Squelette.

5

LA CHASSE : QUAND LE CŒUR EST UN CHASSEUR SOLITAIRE

La Femme Squelette : affronter la nature de Vie/Mort/Vie de l'amour

Les loups savent ce qu'être ensemble veut dire. Tous ceux qui les ont observés peuvent témoigner de la profondeur de leurs liens. Les couples se forment souvent pour la vie. Malgré les inévitables querelles, ils restent unis de printemps généreux en hivers rudes, de vieux prédateurs en nouvelles portées, de longues promenades en danses tribales et en chant choral. Les besoins relationnels des humains ne sont en rien différents.

Tandis que la vie instinctuelle des loups inclut la loyauté, et des liens de confiance et de dévotion à l'autre qui ne s'éteignent qu'avec eux, les êtres humains ne s'en sortent pas toujours aussi bien. S'il fallait parler de ces liens qui unissent les loups en termes archétypaux, nous pourrions avancer que l'intégrité de leur relation provient de leur soumission à l'ancestrale nature de Vie/Mort/Vie.

La nature de Vie/Mort/Vie est un cycle d'animation, de développement, de déclin, de mort, toujours suivi de réanimation. Il affecte la vie physique et la vie psychique sous tous ses aspects. Tout – le soleil, les novas, la lune, comme les affaires des hommes et des créatures les plus minuscules, tels les cellules et les atomes – y est soumis.

Au contraire des humains, les loups ne sont pas surpris par les hauts et les bas de l'existence, de l'énergie, de la nourriture, des opportunités, pas plus qu'ils ne les considèrent comme des punitions. Ils les prennent comme ils viennent et s'en accommodent du mieux qu'ils peuvent. La nature instinctuelle a une capacité miraculeuse : elle passe à travers le positif et le négatif sans pour autant altérer la relation à soi et aux autres.

Les loups font face aux cycles de Vie/Mort/Vie de la nature et du destin avec grâce, intelligence et avec le désir durable de rester unis, de vivre bien et longtemps. En revanche, pour que les humains puissent aussi se comporter de cette manière, la plus sage, celle qui préserve au mieux, il leur faut se prêter à ce que chacun craint le plus. Impossible d'y échapper, comme nous le verrons. Il faut dormir avec Dame Mort.

Dans les contes de sagesse, l'amour est rarement un rendez-vous romantique entre deux amants. Par exemple, certaines histoires venues des régions circumpolaires décrivent l'amour comme l'union de deux êtres dont les forces conjointes permettent à l'un des deux, ou à tous les deux, d'entrer en communication avec le monde de l'âme et de participer au destin en tant que danse avec la vie et la mort.

Celle que je vais vous raconter est une histoire de chasse qui a l'amour pour sujet. Elle vient du Grand Nord. Pour la comprendre, il faut tenir compte du fait que, dans un environnement parmi les plus rudes du globe, avec une culture de la chasse fortement ancrée, l'amour n'est pas un flirt, ni une poursuite pour le pur plaisir de l'ego, mais un lien visible, constitué par le nerf psychique de l'endurance, une union qui perdure de périodes d'abondance en temps d'austérité, de nuits limpides en jours difficiles. L'union de deux êtres est considérée comme de la magie *angakok*, comme une relation qui fait connaître à l'un et à l'autre « les pouvoirs qui sont ».

Ce genre d'union a cependant certaines exigences. Pour créer cet amour durable, on invite un troisième partenaire : la Femme Squelette, dite également Dame Mort. En tant que telle, elle représente la nature de Vie/Mort/Vie sous l'un de ses nombreux déguisements. Sous cette forme, Dame Mort n'est pas un mal, mais une déité.

Dans une relation amoureuse, elle joue le rôle de l'oracle qui sait quand est venu le temps pour les cycles de commencer et de finir [1]. En tant que telle, elle est le côté sauvage de la relation, celui qui terrifie le plus les hommes et quelquefois aussi les femmes, car lorsqu'on n'a plus foi dans la transformation, on craint par la même occasion les cycles naturels d'accroissement et d'usure.

Il est nécessaire, pour créer un amour durable, que les deux amants admettent la Femme Squelette au sein de leur relation et l'enlacent. Dans cette histoire ancestrale qu'on raconte chez les Inuit – les Eskimos – et que je dois à Mary Uukalat, sont décrites les étapes psychiques pour y réussir. Contemplons les images qui montent de la fumée de ce conte.

La Femme Squelette

ELLE avait fait quelque chose que son père désapprouvait, mais dont personne ne se souvenait. Toujours est-il que son père l'avait traînée jusqu'à la falaise et précipitée dans la mer. Les poissons avaient mangé sa chair, dévoré ses yeux. Et elle gisait sous les eaux, son squelette ballotté par les courants.

Un jour, arriva un pêcheur. En fait, ils étaient plus d'un à pêcher à cet endroit, autrefois, mais celui-ci avait été entraîné bien loin de chez lui et il ignorait que les pêcheurs des environs se tenaient à l'écart de cette crique, disant qu'elle était hantée.

Or, voilà que l'hameçon du pêcheur vint à se prendre dans les os de la cage thoracique de la Femme Squelette. « Oh, pensa le pêcheur, je tiens là une grosse prise ! » Il imaginait déjà le nombre de personnes que ce magnifique poisson allait nourrir, combien de temps il durerait, combien de temps il lui permettrait de ne plus retourner pêcher. Alors, tandis qu'il se bagarrait avec ce poids énorme, la mer se mit à bouillonner, secouant son kayak comme un fétu de paille, car celle qui était sous la surface se débattait pour essayer de se libérer. Et plus elle luttait, plus elle s'emmêlait dans la ligne. Elle avait beau faire, elle était inexorablement tirée vers le haut, accrochée par les côtes.

Le chasseur s'était retourné pour rassembler son filet. Il ne vit donc pas son crâne chauve apparaître au-dessus des vagues. Il ne vit pas non plus les petites créatures coralliennes qui scintillaient dans ses orbites, ni les crustacés sur ses vieilles dents d'ivoire. Quand il se retourna avec son filet, le corps tout entier avait émergé et était suspendu à l'extrémité de son kayak par ses longues dents de devant.

« Aaaah ! » hurla l'homme. De terreur, son cœur fit un bond terrible et ses yeux allèrent se réfugier à l'arrière de sa tête, tandis que ses oreilles devenaient cramoisies. « Aaaah ! » Il lui assena un coup de pagaie et se mit à pagayer comme un fou vers le rivage. Il ne s'était pas rendu compte qu'elle était entortillée dans sa ligne. Aussi semblait-elle le pourchasser, debout sur ses pieds. Il était de plus en plus terrifié. Il avait beau faire des zigzags, elle suivait, et son haleine dégageait des nuages de vapeur au-dessus de l'eau et ses bras se tendaient, comme pour se saisir de lui et l'entraîner dans les profondeurs.

« Aaaaaaaaah ! » gémit-il en touchant terre. Il ne fit qu'un bond hors de son kayak et se mit à courir, sa canne à pêche serrée contre lui, traînant derrière lui, avec sa ligne, le cadavre de corail blanc de la Femme Squelette, toujours emberlificoté dedans. Il escalada les rochers. Elle suivit. Il se mit à courir sur la toundra gelée. Elle suivit. Il courut sur le poisson qu'on avait mis à sécher dehors, le réduisant en pièces sous ses *mukluks*.

Elle suivait tout du long. En vérité, elle s'empara au passage d'un peu de poisson séché et se mit à le manger, car il y avait bien longtemps qu'elle ne s'était nourrie. Enfin, l'homme atteignit son igloo, plongea dans le tunnel et rentra à l'intérieur à quatre pattes. Hors d'haleine, il resta là, à hoqueter dans l'obscurité, le cœur battant la chamade. Enfin en sécurité, oh oui, oui, grâce aux dieux, Corbeau, oui, merci Corbeau, et Sedna la toute-bienfaisante, en sécurité enfin...

Et voilà que lorsqu'il alluma sa lampe à huile de baleine, c'était là, elle était là, recroquevillée sur le sol de neige, un talon par-dessus l'épaule, un genou contre la cage thoracique, un pied sur le coude. Plus tard, il serait incapable de dire ce qui le poussa – peut-être la lueur du feu adoucit-elle ses traits, ou bien c'était le fait qu'il était un homme seul. Toujours est-il que la respiration du pêcheur se fit plus attentive, que, doucement, il tendit ses mains rudes et, avec les mots d'une mère à son enfant, il se mit à la désenchevêtrer de la ligne.

« Na, na... » Il commença par désentortiller la ligne de ses doigts de pied, puis de ses chevilles. « Na, na... » Il travailla jusqu'à la nuit, jusqu'à ce qu'il la vête de fourrures pour lui tenir chaud. Et les os de la Femme Squelette étaient dans l'ordre qui convenait.

Il fouilla dans ses parements de cuir, prit son silex et se servit de quelques-uns de ses cheveux pour faire un supplément de feu. Tout en huilant le bois précieux de sa canne à pêche et en moulinant la ligne, il la regardait. Elle, dans ses fourrures, ne disait mot – elle n'osait pas – de peur qu'il ne s'empare d'elle, la jette sur les rochers et la mette en pièces.

L'homme commença à somnoler. Il se glissa sous les peaux et bientôt se mit à rêver. Or parfois, dans le sommeil des humains, une larme vient à perler à leur paupière ; nous ignorons quelle sorte de rêve en est la cause, mais ce doit être un rêve triste, ou bien un rêve où s'exprime un désir. C'est ce qui se passa pour cet homme.

La Femme Squelette vit la larme briller à la lueur du feu et soudain elle eut terriblement soif. Elle déplia ses os et se glissa vers l'homme endormi, puis posa sa bouche sur la larme. Cette unique larme fut une rivière à ses lèvres assoiffées. Elle but encore et encore, jusqu'à étancher la soif qui la brûlait depuis si longtemps.

Pendant qu'elle était allongée auprès de lui, elle plongea la main en l'homme endormi et mit au jour son cœur, ce puissant tambour. Elle s'assit et tapa sur les deux côtés du cœur : Boum, boum ! Boum, boum !

Tandis qu'elle jouait ainsi, elle se mit à chantonner : « De la chair, de la chair, de la chair ! » Et plus elle chantait, plus son corps se couvrait de chair. Elle chanta pour une chevelure, elle chanta pour des yeux, elle chanta pour des mains potelées. Elle chanta pour une fente entre ses jambes, pour des seins longs, assez profonds pour tenir chaud, et tout ce dont une femme a besoin.

Et quand ce fut terminé, elle chanta pour ôter les vêtements de l'homme endormi et se glissa avec lui dans le lit, peau contre peau. Elle rendit à son corps le tambour magnifique, son cœur, et c'est ainsi qu'ils se réveillèrent, l'un et l'autre emmêlés d'une façon différente, maintenant, après la nuit passée, de bonne et durable façon.

Les gens qui ont oublié ce qui avait causé son malheur, au départ, racontent qu'elle s'en alla avec le pêcheur et qu'ils furent largement nourris par les créatures de la mer qu'elle avait connues durant son séjour sous l'eau. Cette histoire, disent-ils, est vraie, et ils n'ont rien à ajouter.

La mort dans la maison de l'amour

C'est l'incapacité à affronter la Femme Squelette et à la désenchevêtrer qui provoque l'échec de bien des histoires d'amour. Pour aimer, il faut se montrer fort et sage. La force vient de l'esprit, la sagesse de l'expérience avec la Femme Squelette.

Dans le conte, nous voyons que pour être nourri à vie, il faut admettre de créer un lien avec la nature de Vie/Mort/Vie. Une fois celui-ci établi, nous cessons de voguer à la poursuite de nos fantasmes pour faire face avec sagesse aux morts nécessaires et aux naissances stupéfiantes qui créent les vrais rapports amoureux. Devant la Femme Squelette, nous apprenons que la passion n'est pas quelque chose sur quoi nous « tombons », mais qui suit des cycles et nous est donné. La Femme Squelette nous démontre qu'une existence partagée, au fil des flux et des reflux, des commencements et des fins, est ce qui crée un inégalable amour, tout de dévotion.

Cette histoire représente une parfaite métaphore du problème de l'amour aujourd'hui, de cette peur de la nature de Vie/Mort/Vie, de son aspect de mort, surtout. La culture occidentale dans sa grande majorité a recouvert sous divers dogmes et doctrines le caractère original de la nature de la Mort, jusqu'à la séparer de son autre moitié, la Vie. On nous a appris à tort à accepter une forme mutilée de l'un des aspects les plus profonds, les plus essentiels de la nature sauvage. On nous a dit que la mort était toujours suivie de plus de mort. Il n'en est pas ainsi. La mort est toujours en train d'incuber une nouvelle vie, même lorsque l'existence d'un être est réduite à des os.

Plutôt que de considérer les archétypes de la Vie et de la Mort comme des opposés, il faut les maintenir ensemble, comme le côté gauche et le côté droit d'une même pensée. Il est vrai que, dans une même histoire d'amour, plusieurs fins interviennent. Et pourtant, d'une certaine façon, quelque part dans les strates délicates de l'être que créent deux personnes en s'aimant, il existe un cœur, il existe un souffle. Lorsqu'un côté du cœur se vide, l'autre se remplit. Lorsqu'un souffle s'épuise, un autre commence.

Bien sûr, si l'on croit que la force de la Vie/Mort/Vie ne perdure pas au-delà de la mort, il n'est guère étonnant d'avoir peur de s'engager dans une relation. La perspective d'une fin aux choses fait peur. On ne supporte pas de quitter la véranda pour pénétrer à l'intérieur de la maison de l'amour. On est terrifié, car on devine que, dans la salle à manger, Dame Mort est assise, impatiente. Devant elle se trouve une liste des tâches à accomplir, avec inscrit d'un côté ce qui vit, de l'autre ce qui meurt. Elle a l'intention d'aller au bout, d'équilibrer les choses.

La plupart des cultures modernes font erreur sur l'archétype de la force de Vie/Mort/Vie. Certaines ne comprennent pas que Dame Mort est aimante, que la vie va être renouvelée par ses soins. Dans de nombreux folklores, on la montre sous un angle spectaculaire : munie d'une faux, elle moissonne ceux qu'elle prend par surprise ; elle embrasse ses victimes et laisse derrière elle leurs cadavres éparpillés ; elle les noie, puis gémit longuement dans la nuit.

Au sein d'autres cultures, comme la culture de l'Insulinde ou celle des Mayas, qui veillent plus à enseigner ce qu'il en est de la roue de la vie *et* de la mort, Dame Mort vient envelopper les mourants, apaisant leurs souffrances et les réconfortant. Elle tourne le bébé dans la matrice, dit-on, et le place la tête la première afin qu'il puisse naître. Elle guide les mains de la sage-femme, ouvre les canaux du lait maternel dans les seins, réconforte celui qui pleure tout seul dans son coin. Plutôt que d'en faire un personnage négatif, ceux qui connaissent son cycle entier respectent ses largesses et ses leçons.

Sur le plan archétypal, la nature de Vie/Mort/Vie est une composante essentielle de la nature instinctive. Dans le monde entier, on la retrouve à travers les mythes et le folklore sous la forme de la *Dama del Muerte*, Dame Mort ; de Coatlicue ; Hel ; Berchta ; Ku'an Yin ; Baba Yaga ; de la Dame en Blanc ; de L'Ombre nocturne compatissante ; et des Grées, les dames grises de la Grèce antique. De Banshee, la Dame blanche, dans son carrosse fait de nuages nocturnes à La Llorona, la femme qui pleure au bord de la rivière, de l'ange noir qui effleure les humains de son aile, les plongeant dans l'extase, au feu de Saint-Elme qui apparaît lorsque la mort est imminente, les histoires sont pleines de ces survivances des incarnations de la vieille Déesse de la création [2].

Notre peur de la mort contamine une grande partie de notre connaissance de la nature de Vie/Mort/Vie. En conséquence, nous n'avons qu'une capacité réduite à évoluer selon ses cycles. Ces forces ne nous « font » pas quelque chose. Elles ne viennent pas nous voler ce que nous chérissons. Elles ne se comportent pas comme un chauffard qui écraserait ce à quoi nous tenons avant de prendre la fuite.

Non, les forces de Vie/Mort/Vie font partie de notre nature. C'est une autorité que nous portons en nous et qui connaît les pas de la danse de Vie et de Mort. Elle est composée des parties de nous-mêmes qui savent quand quelque chose peut, devrait ou doit venir au monde et quand cela doit mourir. C'est un professeur précieux, pour peu qu'on soit capable de suivre son tempo. La Mexicaine Rosario Castellanos, poétesse mystique de l'extase, parle de cette reddition aux forces qui gouvernent la vie et la mort :

... *dame la muerte que me falta...*
... donne-moi la mort dont j'ai besoin...

Les poètes, eux, savent que rien n'a de valeur sans la mort. Sans la mort, point de leçons, sans la mort point d'obscurité pour y faire briller le diamant. Tandis que les personnes initiées n'ont pas peur de Dame Mort, notre culture nous encourage souvent à jeter la Femme Squelette du haut de la falaise, car non seulement elle fait peur, mais il faut beaucoup trop de temps pour apprendre comment elle agit. Dans un monde sans âme, il faut aller vite, toujours plus vite, à la recherche de ce filament qui va brûler dès maintenant et pour l'éternité. Or, le miracle que nous recherchons prend du temps : du temps pour le trouver, du temps pour lui donner vie.

La quête contemporaine d'une machine animée d'un mouvement perpétuel rivalise avec la quête d'une machine à aimer perpétuelle. Il n'est pas étonnant que les gens qui tentent d'aimer soient tourmentés et en pleine confusion. Comme dans le conte de Hans Christian Andersen, *Les Souliers rouges*, ils se livrent à une danse éperdue, incapables de mettre un terme à leur frénésie, passant en tourbillonnant à côté de ce qu'au fond de leur cœur ils chérissent le plus.

Il y a pourtant une autre manière, plus rapide, de tenir compte des points faibles, des peurs et des bizarreries de la nature humaine. Et, comme cela arrive souvent lors des cycles de l'individuation, la plupart d'entre nous trébuchent dessus.

Les premières phases de l'amour

Découverte accidentelle d'un trésor

Tous les contes comportent un matériel susceptible d'être interprété comme le miroir qui réflète le mal-être ou le bien-être de la vie intérieure. On y découvre également des thèmes mythiques qu'on peut interpréter comme décrivant les stades de la recherche de l'équilibre, extérieur et intérieur, et donnant les indications pour y parvenir.

On pourrait considérer que *La Femme Squelette* représente les mouvements à l'intérieur d'une seule psyché, mais je préfère pour ma part voir dans ce conte une suite de sept tâches destinées à apprendre à une âme comment aimer profondément une autre. C'est là une interprétation plus enrichissante à mes yeux.

Ces tâches se déroulent comme suit. Il faut d'abord découvrir l'autre comme une sorte de trésor spirituel, même si l'on n'en prend pas conscience sur-le-champ. Viennent ensuite, dans la plupart des rapports amoureux, la poursuite et l'esquive, période d'espoir et de crainte pour tous les deux. Puis il s'agit de désenchevêtrer et de comprendre les aspects de Vie/Mort/Vie des rapports amoureux et de s'attacher à ce travail. C'est alors le moment où s'installe la confiance, où l'on est détendu, capable de se reposer en présence de l'autre et de sa bonne volonté. Suit une période de partage des rêves futurs et des peurs passées, ce qui correspond au début de la guérison des blessures archaïques en matière d'amour. Enfin, le cœur est utilisé pour faire naître une nouvelle vie par le chant et les corps et les âmes se mêlent.

La première tâche, la découverte du trésor, se retrouve dans quantité de contes à travers le monde, qui décrivent la capture d'une créature marine. Quand une telle scène se déroule dans le cours du récit, c'est l'annonce d'une lutte acharnée entre ce qui vit dans le monde du dessus et ce qui vit, ou a été refoulé, dans le monde du dessous. Dans ce conte-ci, la trouvaille du pêcheur dépasse tout ce à quoi il avait pu s'attendre. « Oh, je tiens là une grosse prise ! » pense-t-il en se tournant pour ramener son filet.

Il ne se rend pas compte qu'il va remonter la créature la plus terrifiante qu'il ait jamais imaginée et se trouver complètement dépassé sur le moment. Il ignore qu'il lui faudra s'en arranger, que tous ses pouvoirs sont sur le point d'être mis à l'épreuve. Pire, il ne sait pas qu'il ne sait pas. C'est dans cet état que se trouvent tous les amants au début : ils sont aveugles.

Les êtres humains dépourvus de sens commun ont tendance à approcher l'amour comme le pêcheur du conte approche sa pratique : « Ah, j'espère que je vais en prendre un très gros, un qui va me nourrir pendant longtemps, qui va apporter de l'excitation dans ma vie et me la rendre plus facile, un dont je vais pouvoir me vanter auprès des autres chasseurs de retour à la maison. »

C'est là une progression naturelle pour le chasseur affamé ou naïf. Les êtres très jeunes, les non-initiés, les affamés, les blessés, tous ont des valeurs qui tournent autour de la découverte et de la prise de trophées. Les très jeunes ne savent réellement pas encore ce qu'ils cherchent, les affamés cherchent leur subsistance, les blessés cherchent à se faire consoler de malheurs antérieurs. Pourtant, tous vont « tomber » sur un trésor.

Pour peu qu'il soit naïf, l'être qui se retrouve en compagnie des formidables pouvoirs de la psyché, en l'occurrence la femme de la Vie/Mort/Vie, est sûr de trouver beaucoup plus que ce qu'il est venu pêcher. Aussi cédons-nous souvent au fantasme d'être nourris par la nature profonde, par le biais d'une histoire d'amour, d'un travail, d'une somme d'argent et nous espérons que cette nourriture va durer longtemps. Nous n'avons aucune envie d'accomplir une tâche supplémentaire. Pour tout dire, il y a même des moments où nous aimerions être nourris sans travailler du tout. Nous savons parfaitement que rien de valable n'arrive de cette manière, mais nous le souhaitons quand même.

Il est facile de rester à ne rien faire en rêvant d'un amour idéal. On pourrait même ne jamais sortir de cet état de torpeur si l'on ne butait sur quelque chose de précieux, sans pour autant en avoir conscience. C'est là, pour les êtres naïfs, les êtres blessés, le miracle de la psyché : même sans enthousiasme, même sans y croire, même sans être prêt, même en s'en jugeant incapable, on tombe par accident sur un trésor. Notre âme fait son travail, qui est de ne pas négliger cette trouvaille, de reconnaître un trésor où qu'il se trouve et quelle que soit sa forme, avant de réfléchir soigneusement à la suite à donner à notre découverte.

Le thème du pêcheur participe d'un symbolisme archétypal commun avec celui du chasseur. Tous deux représentent, entre autres, les éléments psychologiques de personnes humaines qui cherchent à savoir, qui s'efforcent de nourrir le soi en se fondant à la nature instinctuelle. Dans les histoires comme dans la vie, le pêcheur et le chasseur entament leur quête soit par la voie sacrée, soit avec un mauvais esprit, soit avec maladresse. Le pêcheur de *La Femme Squelette* est plutôt du côté de la maladresse. S'il n'a pas mauvais esprit, il n'est pas non plus animé d'intentions sacrées.

Il arrive que des amants connaissent ce genre de commencements. Au début de leur histoire, ils cherchent juste un peu d'excitation ou un antidote à la déprime, dans le genre « aide-moi à passer la nuit ». Sans en prendre conscience, ils pénètrent dans une partie de leur psyché et de celle de l'autre personne où réside la Femme Squelette. Leur moi peut certes chercher à s'amuser, mais cet espace psychologique est sacré pour la Femme Squelette. Si nous nous aventurons dans ces eaux-là, nous pouvons être sûrs de la prendre à l'hameçon.

Le pêcheur est persuadé de rechercher simplement de quoi se nourrir, alors qu'en fait il ramène au jour la totalité de la nature féminine élémentale, la nature de Vie/Mort/Vie qui a été négligée. Impossible de ne pas en tenir compte, car partout où une nouvelle vie commence, la Reine de la Mort apparaît et les gens, fascinés et apeurés, y prêtent attention, du moins sur le moment.

Dans le motif d'ouverture du conte – celui d'une femme gisant sous l'océan – la Femme Squelette est semblable à Sedna [3], une figure de Vie/Mort/Vie de la mythologie inuit. Sedna la mutilée est la grande Déesse de la Création qui habite le monde souterrain des Inuit. Son père la jeta par-dessus le bord de son kayak, car, à l'encontre d'autres filles de sa tribu conscientes de leur devoir, elle s'était enfuie avec un homme-chien. Et, comme le père du conte de fées *La Jeune Fille sans Mains*, il lui trancha les mains. Ses doigts et ses membres coulèrent au fond de la mer, où ils devinrent des poissons, des phoques et autres créatures vivantes qui nourrirent les Inuit par la suite.

Ce qui restait de Sedna coula aussi. Là, au fond de la mer, elle ne fut bientôt plus que des os et une longue, très longue chevelure. Dans le rite inuit, les chamans nagent à sa rencontre, apportant de la nourriture pour apaiser son mari-chien qui monte la garde. Les chamans peignent sa longue, très longue chevelure tout en chantant pour elle. Ils lui demandent de guérir l'âme ou le corps d'une personne à la surface, car elle est la grande *angakok*, magicienne. Elle est la grande porte qui, au nord, ouvre sur la Vie et la Mort.

La Femme Squelette, qui passa une éternité sous l'eau, peut être aussi vue comme la force de Vie/Mort/Vie abusée, négligée d'une femme. Lorsqu'elle ressuscite, elle gouverne l'intuition et l'émotion qui permettent d'aller au bout des cycles vitaux des naissances et des fins, des deuils et des célébrations. Elle est celle qui observe les choses et peut dire quand est venu le temps de mourir pour un lieu, une chose, un acte, un groupe ou une histoire d'amour. Ce don, cette sensibilité psychologique, attend ceux qui veulent bien la ramener à la surface par le fait même de s'aimer l'un l'autre.

Il y a chez chaque femme et chaque homme une partie d'eux-mêmes qui se refuse à admettre que, dans toute histoire d'amour, la Mort doit prendre sa part. Nous prétendons pouvoir aimer sans que meurent nos illusions sur l'amour, nous prétendons pouvoir aller de l'avant sans que meurent nos attentes superficielles, nous prétendons pouvoir progresser sans que meurent jamais nos élans et nos impulsions. Mais en amour, psychologiquement parlant, tout vient à être séparé. Tout. Le moi ne veut pas en entendre parler. Pourtant, c'est ainsi que cela doit être et la personne qui fait preuve d'une nature profonde, sauvage, est indéniablement attirée vers cette tâche.

Qu'est-ce qui meurt ? Les illusions, les attentes, le désir de tout posséder, de n'avoir que la beauté des choses. Tout ceci meurt. Parce que l'amour provoque toujours une descente dans la nature de Mort, nous comprenons pourquoi s'engager de la sorte nécessite un soi puissant et un « avoir-de-l'âme » fort. Lorsqu'on s'engage dans l'amour, on s'engage à revivifier la Femme Squelette et tous ses enseignements.

Dans le conte, le pêcheur met du temps avant de comprendre quelle est la nature de sa prise. C'est le cas pour tout le monde, au début, car, lorsqu'on va à la pêche dans l'inconscient, il est difficile de s'apercevoir de ce qu'on ramène. Si l'on n'a aucune expérience, on ignore que la nature de Mort y vit. Et lorsqu'on découvre à quoi l'on a affaire, le premier mouvement est de le rejeter, comme le père qui jette sa fille pardessus bord.

Nous savons que les relations affectives vacillent lorsqu'elles passent du stade de l'anticipation à l'étape où il faut affronter ce qui est vraiment accroché à l'hameçon. C'est aussi vrai du lien entre la mère et son bébé de dix-huit mois qu'entre des parents et leur enfant adolescent, entre amis, entre amants de fraîche ou de longue date. Tout commence avec la meilleure volonté du monde, puis devient incertain et quelquefois trébuche à la fin de la période rose. On passe alors à un type de relation plus sérieux, où l'on doit faire appel à tous ses talents, à toute sa sagesse.

La Femme Squelette qui gît sous les eaux est une forme inerte de vie instinctuelle profonde. Elle connaît par cœur ce qui crée la Vie, ce qui crée la Mort. Si des amants s'obstinent à mener une vie de gaieté artificielle et de plaisirs permanents, s'ils s'obstinent dans les orages de la passion, dans un *Donner und Blitz* sexuel, et s'adonnent aux délices sans faire aucun effort dans la vie, voilà qui jette la nature de Vie/Mort/Vie du haut de la falaise et la noie de nouveau dans la mer.

Quand on refuse d'intégrer tous les cycles de la Vie/Mort/Vie dans une histoire d'amour, la nature de la Femme Squelette est arrachée à sa demeure psychique et noyée. Pour que perdurent les rapports amoureux, il faut alors jouer sur le registre forcé du « toujours gais, jamais tristes ensemble ». L'âme de cette relation s'enfonce alors sous les eaux, où elle va dériver, inconsciente et inutile.

La Femme Squelette choit toujours du haut de la falaise quand l'un des amants, ou les deux, ne peuvent la supporter ou la comprendre, quand nous négligeons le rôle des cycles de transformation – le moment où les choses doivent mourir pour être remplacées par d'autres. Si les amants ne peuvent supporter ces processus de Vie/Mort/Vie, ils ne peuvent dépasser le stade où seules les hormones s'expriment.

Lorsqu'on jette la nature de Vie/Mort/Vie du haut de la falaise, la femme amoureuse et « l'avoir-de-l'âme » de l'homme deviennent un squelette, privé de nourriture, d'un amour authentique. Dans la mesure où la femme est la gardienne des cycles, les cycles de la Vie/Mort/Vie sont au centre de ses préoccupations. Et comme il ne saurait guère y avoir de vie nouvelle sans déclin de ce qui a précédé, les amants qui persistent à tenter de maintenir les choses à un sommet éblouissant passeront le reste de leur existence dans une relation chaque jour plus ossifiée.

C'est le besoin de forcer l'amour à se perpétuer uniquement dans sa forme la plus positive qui finit par provoquer la mort de l'amour.

Le pêcheur se trouve face à un défi : affronter Dame Mort, son étreinte et ses cycles de vie et de mort. Dans certains contes, on voit le pêcheur prendre puis relâcher une créature aquatique, et obtenir en remerciement la réalisation d'un vœu. Dame Mort, au contraire, fait surface, que cela plaise ou non, car sans elle il ne peut y avoir de véritable connaissance de la vie et sans cette connaissance il ne saurait y avoir de loyauté, de véritable amour, de dévotion à l'autre. L'amour a un prix. Celui du courage. Car la route est longue, comme nous allons le voir.

Il m'arrive fréquemment de constater le même phénomène chez les amants, hommes et femmes. Le schéma est à peu près celui-ci : deux personnes ont entamé une danse, pour voir si elles sont prêtes à s'aimer et soudain, la Femme Squelette mord par accident à l'hameçon. Quelque chose alors, dans leurs rapports, commence à perdre son intensité et risque de se dégrader. Parfois, c'est le plaisir douloureux de l'excitation sexuelle qui décroît, ou bien on commence à voir les faiblesses de l'autre, ou encore celui-ci n'est plus considéré comme constituant un trophée. Alors jaillit à la surface le crâne osseux et les dents jaunes de cette bonne vieille créature.

Si macabre que cela paraisse, c'est en fait la première fois que l'occasion de faire preuve de bravoure et de connaître l'amour se présente. Aimer, cela veut dire rester avec. Celà veut dire émerger d'un monde de fantasmes pour entrer dans un univers où un amour durable est possible, face contre face, os contre os, un amour tout de dévotion. Aimer, c'est rester lorsque votre corps vous crie « fuis ».

Quand les amants sont capables de supporter la nature de Vie/Mort/Vie, de la comprendre en tant que continuum – une nuit entre deux jours – et en tant que *la* force qui persiste une vie durant, ils sont capables d'affronter la Femme Squelette dans leurs rapports. Ils y gagnent l'un et l'autre de la vigueur et sont appelés à avoir une meilleure compréhension des deux mondes dans lesquels ils vivent, le monde terrestre et le monde de l'esprit.

Au cours de mes vingt et quelques années de pratique, j'ai vu des hommes et des femmes se lover sur mon divan et déclarer, avec un bonheur mêlé de terreur : « J'ai rencontré quelqu'un. Je ne l'ai pas cherché, je m'occupais de mes petites affaires, rien d'autre et soudain, j'ai rencontré l'autre avec un grand " A ". Et maintenant, que vais-je faire ? » Au fur et à mesure qu'ils nourrissent ces nouveaux rapports, ils commencent à se faire tout petits. Ils se recroquevillent, ils se rongent. Est-ce une anxiété amoureuse ? Pas du tout. Ils ont peur parce qu'ils commencent à apercevoir le crâne nu qui surgit des vagues de leur passion. Aïe ! Que faire ?

Je leur dis que c'est une période magique. Cela ne les calme pas vraiment. Je leur dis qu'il va se passer quelque chose de merveilleux. Ils n'y croient guère. Je leur dis de s'accrocher et cela, ils en sont capables, mais tout juste. Sans que j'aie eu le temps d'en prendre conscience, du point de vue analytique, le frêle esquif de leur histoire d'amour file à grands coups de pagaies vers le rivage et avant qu'on ait pu dire « ouf », ils mettent pied à terre et sauve qui peut ! Moi, en tant qu'analyste, je cours à leurs côtés, en essayant de placer un mot, tandis que devinez qui suit derrière.

La plupart du temps, le premier mouvement, quand on se trouve face à la Femme Squelette, c'est de prendre ses jambes à son cou et de filer aussi loin que possible. Courir fait partie du processus. C'est humain, après tout, mais il ne faut pas que cela dure.

Etre pourchassé et se cacher

La nature de Mort a la fâcheuse habitude de faire surface dans les histoires d'amour au moment où l'on a l'impression d'avoir à soi l'être aimé, d'avoir ferré un « gros poisson ». C'est alors que l'émergence de la nature de Vie/Mort/Vie effraie les deux partenaires, qu'ils commencent à penser aux raisons pour lesquelles l'amour ne peut, ne saurait, ne devrait pas « marcher » entre eux. C'est alors la plongée dans la tanière. Il s'agit d'un effort pour devenir invisible. Invisible à l'autre ? Non. A la Femme Squelette. C'est elle qu'on fuit, à elle qu'on se dissimule. A ceci près qu'il n'y a nulle part où se cacher.

La psyché rationnelle pêche quelque chose de profond, et non seulement elle le ramène à terre, mais elle est intolérablement bouleversée. Les amants sentent bien que quelque chose les pourchasse. Parfois, ils croient qu'il s'agit de l'autre. En réalité, c'est la Femme Squelette. Au début, lorsque nous apprenons à aimer vraiment, il y a certaines choses que nous comprenons de travers. Nous pensons que la Femme Squelette nous poursuit, alors que c'est en fait notre intention de tisser un lien particulier avec une personne qui la prend à l'hameçon, de sorte qu'elle ne peut nous échapper. Partout où naît l'amour, la force de Vie/Mort/Vie fait surface. Toujours.

Voilà donc le pêcheur et la Femme Squelette tout emmêlés. Tandis que la Femme Squelette est traînée sur la terre ferme derrière le pêcheur terrifié, elle commence à participer de manière primitive à la vie : elle a faim et mange du poisson séché. Et plus tard, quand elle va s'éveiller encore plus à la vie, elle étanchera sa soif avec la larme du pêcheur.

Ce phénomène bizarre a lieu dans toutes les histoires d'amour : plus l'amant court vite, plus la Femme Squelette prend de la vitesse. Quand l'un des deux amants tente d'échapper à son histoire, celle-ci, paradoxalement, prend vie de plus en plus. Et plus il se crée de vie, plus le pêcheur est effrayé, et plus il court, plus il se crée de vie. C'est là une des tragicomédies centrales de l'existence.

Une personne qui se trouvait dans cette situation rêva qu'elle tombait amoureuse d'une femme dont le corps s'ouvrait comme une armoire et, dans cette cavité, il y avait des embryons étincelants et tout palpitants, des épées dégoulinantes de sang posées sur des étagères et des sacs débordant de la première verdure du printemps. C'était là un rêve sur la nature de Vie/Mort/Vie, une pause importante offerte à son auteur.

Ces aperçus de l'intérieur de la Femme Squelette poussent les apprentis amants à empoigner leur canne à pêche et à prendre leurs jambes à leur cou pour essayer de mettre un maximum de distance entre eux et elle. La Femme Squelette est grande, elle est mystérieuse, elle est, de façon éblouissante, numineuse. Psychiquement parlant, elle s'étend d'un horizon à l'autre, de l'enfer au paradis. Elle est immense et pourtant, il n'est pas étonnant que les gens se précipitent pour l'enlacer. Car ce que l'on craint peut guérir et donner de la force.

Pendant la phase de la poursuite, les amants tentent de rationaliser leur peur des cycles de Vie/Mort/Vie de l'amour. « Ce serait mieux avec quelqu'un d'autre », disent-ils, ou bien « Je ne veux pas renoncer à... », ou encore « Je ne veux pas affronter mes blessures ni celles d'un autre... », ou « Je ne suis pas encore prêt », ou enfin « Je ne veux pas être transformé sans savoir exactement ce à quoi je vais/ça va ressembler après. »

C'est la période au cours de laquelle toutes les pensées s'emmêlent, où l'on tente désespérément de se mettre à l'abri, où le cœur bat follement, moins du fait d'aimer et d'être aimé que sous le coup de la terreur. Terrible d'être pris au piège par Dame Mort ! Encore plus terrible de rencontrer face à face la force de Vie/Mort/Vie !

Certains font l'erreur de croire qu'ils fuient la relation avec l'autre. En fait, ils fuient l'amour, ou la pression de leur histoire d'amour. Ils essaient de semer la mystérieuse force de Vie/Mort/Vie. En psychologie, on appelle cela « peur de l'intimité, peur de s'engager ». Ce ne sont toutefois que des symptômes. Ce qui est en jeu, c'est la question de la confiance. Ceux qui s'enfuient définitivement ont peur de vivre en accord avec les cycles de la nature sauvage.

Dame Mort poursuit l'homme sur l'eau et sur la terre ferme, elle franchit la frontière entre l'inconscient et la masse solide, consciente, de l'esprit. La psyché consciente se rend compte de ce qu'elle a pêché et tente désespérément de le semer. Nous faisons cela sans arrêt dans notre vie. Quelque chose de terrifiant commence à émerger. Nous n'y prêtons pas attention et nous continuons à mouliner, pensant qu'il s'agit d'une prise. C'est un trésor, certes, pas du type que nous avions imaginé, mais plutôt du genre qu'on nous a malheureusement appris à craindre. Nous essayons alors de nous enfuir ou de le rejeter, ou de l'embellir, en faisant comme s'il s'agissait d'autre chose. Mais cela ne fonctionne pas. A un moment ou à un autre, nous devrons tous embrasser la sorcière.

Le processus est le même en amour. Nous recherchons la seule beauté et nous nous retrouvons avec la bête. Nous repoussons la Femme Squelette, mais elle ne cède pas. Nous fuyons, elle suit. Elle est le grand professeur que nous avons réclamé et nous crions : « Non, non, pas ce professeur-là ! » Nous en voulons un autre. Rien à faire : c'est le professeur dont tout le monde hérite.

On dit que le professeur arrive lorsque l'élève est prêt. Cela signifie que le professeur apparaît quand l'âme, et non le moi, est prête. Dieu merci, d'ailleurs, car le moi n'est jamais tout à fait prêt. Si cela ne dépendait que de lui, nous resterions la vie entière sans professeur. Nous avons de la chance, car l'âme continue à transmettre son désir, quelles que soient les opinions toujours changeantes de notre moi.

Les gens ont peur que la fin d'une histoire d'amour ne soit proche lorsque tout commence à être emmêlé, effrayant. Ce n'est pas le cas. Nous avons là affaire à l'archétype et dans la mesure où la Femme Squelette fait le travail du destin, le héros *est censé* prendre la fuite, Dame Mort *est censée* suivre derrière, l'apprenti amant *est censé* plonger dans sa tanière, hors d'haleine et espérant être sauvé. Et la Femme Squelette *est censée* le suivre jusque dans son havre de sûreté, il *est censé* la désenchevêtrer de la ligne et ainsi de suite.

Aux yeux de la plupart des amants, aujourd'hui, l'idée de « prendre ses distances » tient du petit igloo du pêcheur, où il croit être en sécurité. Quelquefois, cette peur d'affronter la nature de Mort prend la forme d'un refus suppliant, une façon de ne retenir que les aspects agréables du rapport amoureux sans pour autant avoir affaire à la Femme Squelette. Cela ne fonctionnera jamais.

Les amants qui, eux, n'essaient pas de prendre leurs distances sont en proie à une anxiété intense, car ils ont le désir de rencontrer la Femme Squelette. Ils s'y sont préparés, ils se sont fortifiés, ils tentent de contenir leurs terreurs. Et voilà qu'au moment où ils sont prêts à débrouiller le mystère, où l'un ou l'autre va tambouriner sur le cœur et faire naître une vie par le chant, l'un des deux amants s'écrie : « Pas encore, pas encore ! » ou « Non, jamais ! »

Il existe une différence fondamentale entre le fait de désirer la solitude pour s'y régénérer et le besoin de « prendre ses distances » pour éviter l'étreinte inévitable avec la Femme Squelette. Mais cette étreinte, qui signifie un échange avec la nature de Vie/Mort/Vie et son acceptation, *est* de fait l'étape suivante nécessaire pour renforcer les capacités d'amour des amants. Ceux qui nouent un rapport avec elle vont acquérir de durables compétences en amour. Ceux-là seuls. Les autres, non [4].

On peut parfaitement admettre les excuses du genre « Je ne suis pas prêt » ou « J'ai besoin de temps ». A condition que cela ne dure pas. Car en vérité, on n'est jamais totalement prêt, pas plus qu'il n'existe un moment adéquat. Comme pour toutes les descentes dans l'inconscient, il y a un moment où chacun doit fermer les yeux et se jeter dans l'abîme. Si tel n'était pas le cas, les mots comme *héroïne*, *héros* ou *courage* n'existeraient pas.

Le travail d'apprentissage de la nature de Vie/Mort/Vie doit s'accomplir. Si nous la repoussons, la Femme Squelette s'enfonce sous les eaux, mais elle émergera encore et encore et nous poursuivra sans relâche. C'est son travail. Le nôtre, c'est d'apprendre. Si l'on souhaite aimer, il n'y a pas moyen de faire autrement. L'étreindre représente une *tâche*. Sans une tâche qui nous met au défi, toute transformation est impossible. Sans tâche, pas de satisfaction digne de ce nom. Aimer le plaisir n'exige pas grand-chose. Aimer vraiment demande que l'on soit un héros, capable de gérer sa propre peur.

Nombreux sont ceux qui parviennent à ce stade de la poursuite et de la fuite vers l'abri. Certains, malheureusement, y parviennent à maintes reprises. L'entrée de la tanière en porte les traces. Mais ceux qui se préoccupent d'aimer imitent le pêcheur. Ils font l'effort d'allumer le feu et d'affronter la nature de Vie/Mort/Vie. Ils contemplent ce qu'ils craignent et, paradoxalement, réagissent à la fois avec conviction et émerveillement.

Désenchevêtrer le squelette

On trouve dans *La Femme Squelette* le thème de la « mise à l'épreuve du soupirant ». Par cette mise à l'épreuve, les amoureux doivent prouver leurs bonnes intentions et leur pouvoir, généralement en montrant qu'ils ont les *cojónes* ou les *ovarios* pour affronter une numinosité puissante et terrifiante, que nous appellerons ici la nature de Vie/Mort/Vie et que d'autres nomment un aspect du Soi, l'esprit de l'Amour, Dieu, *Gracia*, une énergie, entre maintes appellations.

Le pêcheur fait la preuve de ses bonnes intentions, de son pouvoir et de son implication croissante envers la Femme Squelette en la dégageant de la ligne dans laquelle elle est emberlificotée. Il la regarde, toute tordue qu'elle est, et il voit briller en elle quelque chose dont il ignore la nature. Il a fui devant elle, pantelant, hors d'haleine et voilà qu'il songe à la toucher. C'est lui qui est touché, au fond de son cœur, rien que par sa présence. Lorsque nous saisissons la solitude de la nature de Vie/Mort/Vie, qui, à son corps défendant, est sans cesse rejetée, nous aussi pouvons être touchés.

Dans l'amour, et malgré notre crainte, notre appréhension, nous avons envie de désenchevêtrer les os de la nature de Mort. Nous avons envie de voir comment tout cela se met en place, de toucher le pas-beau [5] en l'autre et en nous-même. Derrière ce défi, il y a, de la part du Soi, une mise à l'épreuve. C'est encore plus évident dans les contes où le beau apparaît comme laid, afin de mettre le caractère de quelqu'un à l'épreuve.

Dans le conte *Diamants, rubis et perles*, la gentille belle-fille d'une méchante marâtre tire de l'eau pour une riche étrangère et reçoit pour récompense le don d'avoir des diamants, des rubis et des perles qui lui sortent de la bouche lorsqu'elle parle. La marâtre ordonne à ses propres filles, des paresseuses, de se tenir auprès du même puits et d'attendre que la riche étrangère se montre. Mais cette fois, c'est une étrangère en haillons qui arrive. Lorsqu'elle mendie un peu d'eau, les méchantes filles refusent dédaigneusement. L'étrangère les récompense en faisant sortir des serpents, des crapauds et des lézards chaque fois qu'elles ouvrent la bouche par la suite.

La justice des contes de fées, comme celle de la psyché profonde, récompense la bonté à l'égard de ce qui semble inférieur et punit le refus de faire du bien à qui n'est pas beau. Il en va de même dans les grands sentiments, tel l'amour. Quand nous nous ouvrons et touchons le pas-beau, nous sommes récompensés. Lorsque nous le refusons, nous sommes coupés de la vie et laissés dans le froid.

Pour certains, il est plus facile d'avoir de belles pensées élevées, et de toucher les choses qui nous transcendent littéralement, que de toucher ce qui n'est guère positif et lui apporter aide et assistance. Il est encore plus facile, comme le montre le conte, de rejeter le pas-beau et de se sentir à tort dans son bon droit. C'est le problème qui se pose avec la Femme Squelette.

Qu'est-ce que le pas-beau ? Notre propre faim d'amour secrète est le pas-beau. Notre mauvais usage de l'amour est le pas-beau. Nos écarts en matière de loyauté et de dévotion ne sont pas jolis, notre sens de la séparation de l'âme est ingrat, nos verrues psychologiques, nos insuffisances, malentendus, fantasmes infantiles sont le pas-beau. En outre, nos cultures considèrent que le pas-beau, c'est la nature de Vie/Mort/Vie, qui donne naissance, détruit, incube et donne à nouveau naissance.

Désenchevêtrer la Femme Squelette, c'est comprendre cette erreur conceptuelle et la réparer. Comprendre que l'amour n'est pas un lit de roses. Trouver du réconfort, plutôt qu'avoir peur, dans l'obscurité régénératrice. C'est mettre du baume sur les vieilles plaies. C'est changer notre façon de voir et d'être, afin de refléter l'épanouissement plutôt que le dépérissement de l'âme.

Pour aimer, il faut toucher la femme fondamentale, toute en os et pas-vraiment-belle, en dégageant pour nous-même le sens de la nature de Vie/Mort/Vie, en la remettant en place, en lui permettant de vivre de nouveau. Il ne suffit pas d'amener l'inconscient à la surface, ni même de le traîner par accident jusqu'à la maison. Le craindre ou le mépriser pendant longtemps arrête la progression de l'amour.

Désenchevêtrer la Femme Squelette, c'est commencer à rompre le charme – autrement dit la crainte d'être consumé, anéanti à jamais. Sur le plan archétypal, désenchevêtrer quelque chose, c'est effectuer une descente, avancer dans un labyrinthe, descendre dans le monde souterrain ou dans le lieu où les choses vont être révélées d'une manière entièrement nouvelle. Il faut suivre ce qui, au premier abord, semble être un processus méandreux, mais est en réalité le schéma d'un profond renouveau. Dans les contes, dénouer une ceinture, défaire un nœud, détacher, désenchevêtrer signifie qu'on commence à comprendre quelque chose, ses applications, son usage, à devenir un mage, une âme sachante.

Quand le pêcheur désenchevêtre la Femme Squelette, il commence à connaître « sur le bout des doigts » les articulations de la Vie et de la Mort. Le squelette est une parfaite illustration de la nature de Vie/Mort/Vie. En tant qu'image psychique, il est composé de centaines de petits bâtons et de nœuds harmonieusement liés ensemble. Lorsqu'un os tourne, l'ensemble en fait autant, si imperceptible que soit ce mouvement. C'est la même chose pour les cycles de Vie/Mort/Vie. Quand la Vie bouge, les os de la Mort en font autant, par sympathie. Quand c'est la Mort qui bouge, les os de la Vie commencent à tourner aussi.

Parallèlement, lorsqu'un minuscule os est déboîté, luxé, abîmé, l'intégrité de l'ensemble s'en trouve entamée. Il en va de même quand on supprime la nature de Vie/Mort/Vie en soi-même ou dans le cadre de rapports amoureux. On traîne une existence lamentable, boiteuse, précautionneuse. Quand ces structures et ces cycles sont endommagés, ils entraînent toujours une rupture de la libido. L'amour, alors, n'est plus possible. Nous gisons sous la surface, tas d'os voguant entre deux eaux.

Désenchevêtrer la nature de Vie/Mort/Vie signifie apprendre ses voies, apprendre les cycles de vie et de mort, les mémoriser et voir comment ils s'articulent, comment ils forment un organisme unique, tout comme le squelette est un organisme unique.

La peur ne saurait constituer une excuse valable pour ne pas accomplir ce travail. Tout le monde a peur. Rien de bien nouveau là-dedans. Qui vit, a peur. Chez les Inuit, le Fripon, c'est Corbeau. Sous son aspect primitif, c'est une créature d'appétits. Il n'aime que les plaisirs, tente d'éviter toute incertitude et la peur qu'entraîne cette incertitude. Il est à la fois très prudent et très avide. Il fond sur tout ce qui semble devoir lui apporter une satisfaction immédiate. Le contraire l'effraie.

Il raffole des brillantes coquilles d'abalone, des perles d'argent, des ragots et des siestes confortables au-dessus du chaud conduit de fumée. Le futur amant risque de ressembler à Corbeau, qui veut « quelque chose de sûr ». Le moi a peur que la passion ne se termine. Il a peur que le repas, le feu, que la journée et le plaisir ne viennent à finir et il essaie de l'éviter. Corbeau, comme le moi, devient roublard, à son détriment, car lorsqu'il oublie son âme, il perd son pouvoir.

Le moi craint que si nous admettons la nature de Vie/Mort/Vie dans notre vie, nous ne soyons plus jamais heureux. Avons-nous jamais été parfaitement heureux auparavant ? Non. Mais le moi qui ne s'est pas développé est très simple, comme un enfant qui n'est pas encore socialisé, un enfant d'une nature pas particulièrement heureuse, qui plus est. Il ressemblerait plutôt à un enfant qui cherche toujours à savoir quelle tranche de gâteau est la plus grosse, quel lit est le plus moelleux, quel amant le plus séduisant.

Trois éléments font la différence entre vivre de par l'âme et vivre seulement de par le moi : la capacité de sentir et s'initier à de nouveaux modes, une ténacité suffisante pour avancer sur une voie difficile, la patience d'apprendre, avec le temps, à aimer profondément. Le moi, toutefois, a tendance à éviter d'apprendre. La patience n'est pas son fort, la persistance dans les rapports n'est pas le fort de Corbeau. Ce n'est donc pas avec le moi versatile que nous aimons, c'est plutôt avec l'âme sauvage.

« Une sauvage patience », comme l'a formulé la poétesse Adrienne Rich [6], est nécessaire pour désenchevêtrer les os, pour apprendre la signification de Dame Mort, pour avoir suffisamment de ténacité et rester avec elle. Ce serait une erreur de croire que seul un héros musculeux peut accomplir cela. Il faut en vérité un cœur animé de la volonté de mourir et de naître, de mourir à nouveau et de renaître encore et encore.

Désenchevêtrer la Femme Squelette nous permet de voir qu'elle vient des temps au-delà du temps. C'est elle qui mesure l'énergie face à la distance, qui pondère le temps face à la libido, qui soupèse l'esprit face à la survie. Elle médite tout cela, l'étudie, le considère, avant de l'investir avec une petite étincelle ou un soudain embrasement, ou de l'étouffer quelque peu, ou de l'éteindre complètement. Elle sait ce qui est nécessaire. Elle sait quand le temps est venu.

En désenchevêtrant la Femme Squelette, nous acquérons la capacité de sentir ce qui va arriver ensuite, de mieux envisager la façon dont tous les aspects de la psyché de la nature sont liés et la manière dont nous pouvons participer. Nous en venons, dans ce processus, à mieux nous comprendre et à mieux comprendre l'autre, à renforcer notre capacité à suivre les étapes, les projets, les périodes d'incubation ou de naissance, les transformations, et ce paisiblement, avec un maximum de grâce.

En ce sens, un amant qui n'avait rien d'un orfèvre de l'amour devient bien meilleur après avoir observé la Femme Squelette et fait l'inventaire de ses os. Au fur et à mesure qu'on assume les cycles de Vie/Mort/Vie, on peut anticiper les cycles des rapports amoureux sous l'angle de l'alternance : la croissance suit la déflation, la pénurie succède à l'abondance.

Celui qui a désenchevêtré la Femme Squelette sait ce qu'est la patience, il sait attendre. La maigreur d'une récolte ne l'effraie pas, pas plus qu'il n'est submergé par une production généreuse. Son besoin d'« avoir tout, tout de suite » se change en un art beaucoup plus subtil : il découvre toutes les facettes d'une relation, observe l'articulation de ses cycles. Il ne redoute pas de nouer des liens avec la beauté de la férocité, la beauté de l'inconnu, la beauté du pas-beau. Et par là même, il devient l'amant sauvage quintessentiel.

Comment un homme apprend-il ces choses ? Comment tout un chacun peut-il les apprendre ? En engageant le dialogue en direct avec la nature de Vie/Mort/Vie, grâce à l'écoute de cette voix intérieure qui n'est pas celle du moi. En posant à la nature de Vie/Mort/Vie des questions franches sur l'amour, sur la façon d'aimer et en écoutant ses réponses. De la sorte, nous apprenons à ne pas nous laisser induire en erreur par la petite voix moqueuse, qui, dans un coin de notre tête, nous murmure : « C'est stupide, tu es en train de t'inventer des histoires... » Nous apprenons à fermer nos oreilles à cette voix et à les ouvrir à autre chose de plus profond, à suivre ses indications, qui nous rapprochent d'une conscience aiguë des choses, de la dévotion, d'une vision claire de l'âme.

Il est bon de se livrer quotidiennement à la tâche méditative qui consiste à désenchevêtrer la nature de Vie/Mort/Vie. Pour se donner du cœur à l'ouvrage, le pêcheur chante une petite chanson. Elle est destinée à l'aider à prendre conscience des choses. Nous ignorons ce qu'il chante. Nous ne pouvons que le deviner. Ce serait bien de faire comme lui, de chanter dans ces circonstances quelque chose comme : « Que dois-je faire mourir un peu plus aujourd'hui, de façon à créer un peu plus de vie ? Qu'est-ce que je sais devoir mourir, mais que j'hésite à laisser mourir ? Qu'est-ce qui doit mourir en moi pour que je puisse aimer ? Qu'est-ce que je crains qui n'est pas-beau ? En quoi le pouvoir du pas-beau peut-il m'être utile aujourd'hui ? Qu'est-ce qui doit mourir aujourd'hui ? Qui doit vivre ? A quelle vie ai-je peur de donner naissance ? Et si ce n'est pas pour aujourd'hui, pour quand est-ce ? »

Si nous chantons le chant de la conscience jusqu'à sentir la brûlure de la vérité, nous enflammons l'obscurité de la psyché, de façon à voir ce que nous sommes en train de faire – de faire vraiment, et non pas ce que nous voudrions croire être en train de faire. C'est cela, désenchevêtrer nos sentiments, c'est cela commencer à comprendre pourquoi il faut vivre l'amour et vivre la vie au plus profond des os.

Pour affronter la Femme Squelette, point n'est besoin de jouer le rôle du héros magnifique, ni de livrer bataille, ni de risquer sa vie dans la brousse. Il suffit de la désenchevêtrer. Le pouvoir donné par la connaissance de la nature de Vie/Mort/Vie s'offre aux amants qui vont au-delà de leur désir de fuite, de leur besoin de sécurité.

Les Anciens qui cherchaient à avoir cette connaissance de la vie et de la mort l'appelaient Perle de grand Prix, Trésor incomparable. Tenir les fils de ces mystères et les désenchevêtrer procure une connaissance précieuse du Destin et du Temps, un temps pour toute chose et chaque chose en son temps. Rien ne préserve plus, ne nourrit, ne renforce mieux l'amour que cela.

C'est ce qui attend l'amant qui va s'asseoir auprès de la Femme Squelette au coin du feu, la contemple et se laisse envahir par ses sentiments à son égard. C'est ce qui attend ceux qui vont toucher sa non-beauté et désenchevêtrer tendrement sa nature de Vie/Mort/Vie.

Le sommeil de la confiance

A ce stade des rapports amoureux, l'amant retourne à un état d'innocence dans lequel les éléments émotionnels continuent à le remplir de crainte, et les souhaits, les espoirs et les rêves à l'envahir. Il ne faut pas confondre innocence et naïveté. Un vieil adage dit : « L'ignorance, c'est quand on ne connaît rien et qu'on est attiré par le bien. L'innocence, c'est quand on sait tout et qu'on est toujours attiré par le bien. »

Maintenant, faisons le point. Le pêcheur-chasseur a ramené la nature de Vie/Mort/Vie à la surface. Il a été, malgré lui, « poursuivi » par elle. Mais il s'est aussi arrangé pour lui faire face ; il a ressenti de la compassion envers elle, qui était enchevêtrée dans la ligne, et il l'a touchée. Tout cela le conduit à participer totalement à ce qui la concerne et le mène à la transformation, à l'amour.

La métaphore du sommeil peut dénoter une inconscience psychique, mais ici, elle signifie la création, le renouveau. Le sommeil est un symbole de renaissance. Dans les mythes de la création, les âmes s'endorment cependant qu'une transformation d'une certaine durée a lieu, car nous sommes re-créés, renouvelés dans le sommeil.

> ... Le sommeil qui démêle l'écheveau embrouillé du souci, [le sommeil] bain du labeur douloureux, baume des âmes blessées, second service de la grande nature, aliment suprême du banquet de la vie !
>
> SHAKESPEARE, *Macbeth*, acte II, scène II *

---

* Traduction François-Victor Hugo, pour l'édition Garnier-Flammarion.

Si vous pouviez porter vos regards sur l'être le plus endurci, le plus cruel, le plus impitoyable pendant son sommeil et au moment où il s'éveille, vous verriez en lui, durant quelques instants, l'innocence même de l'enfance. Dans notre sommeil, nous revenons à l'état de douceur pure. Nous sommes refaits à neuf, reconstitués, dans la fraîcheur de l'innocence.

On parvient à cet état de sagesse innocente en abandonnant tout cynisme, toute autoprotection et en retrouvant l'émerveillement qui est celui de la plupart des êtres humains dans leur très jeune ou très grand âge. Il faut porter sur le monde le regard d'un esprit empli d'amour, d'un esprit connaissant, et non celui d'un chien battu, d'un être pourchassé, d'un humain blessé et furieux. L'innocence se régénère dans notre sommeil. Malheureusement, la plupart des gens la rejettent en se levant le matin, en même temps que la couverture. Il vaudrait mieux la garder avec nous, pour qu'elle nous tienne chaud.

Certes, revenir à cet état peut nécessiter qu'on se dégage d'une gangue d'opinions forgées au fil des ans, d'un rempart édifié au fil des décennies, mais une fois ce retour effectué, il n'y aura plus désormais à gratter et à creuser pour le retrouver. Revenir à une innocence vigilante n'est pas du domaine de l'effort. Il ne s'agit pas de déplacer des briques d'un endroit à un autre, mais de rester bien tranquille, pour que l'esprit vous trouve. Il est dit que tout ce que vous cherchez vous cherche aussi, depuis longtemps, et vous trouvera si vous restez tranquille. Quand ce sera fait, ne bougez plus. Attendez calmement de voir ce qui va arriver.

C'est ainsi qu'il faut approcher la nature de Mort, sans ruse ni rouerie, mais avec la confiance de l'esprit. On utilise souvent le terme « innocent » pour qualifier celui qui ne sait rien, ou un simple. Mais d'après sa racine, il signifie être exempt de toute blessure, physique ou morale. En espagnol, le mot *inocente* désigne une personne qui essaie de ne pas faire du mal aux autres, mais est *aussi* capable de guérir le mal qu'on a pu lui faire. *La inocente* est également le nom qu'on donne souvent à une guérisseuse, une *curandera,* celle qui soigne. Etre innocent, c'est se révéler capable de voir exactement ce qui ne va pas et d'y remédier. Etre innocent, c'est éviter de faire du mal aux autres, tout en ayant la capacité de soigner les autres et soi-même.

Par le biais de cette métaphore du sommeil innocent, le pêcheur fait suffisamment confiance à la nature de Vie/Mort/Vie pour se reposer et se régénérer en sa présence. Il accomplit ainsi une transition vers une compréhension plus profonde, vers un stade de maturité plus avancé. Lorsque des amants parviennent à cet état, ils s'abandonnent aux forces qu'ils ont en eux et qui possèdent la foi, la confiance, le pouvoir de l'innocence. Au cours de ce sommeil spirituel, l'amant a confiance, il sait que les tâches de son âme vont être accomplies en lui, que tout sera comme il se doit. Il dort sans méfiance, du sommeil du sage.

Il existe une juste méfiance, qui naît de l'approche du danger et une méfiance injustifiée, car consécutive à des blessures antérieures. Cette dernière conduit les hommes à agir avec indifférence et susceptibilité, alors qu'ils voudraient se montrer concernés et chaleureux. Ceux qui craignent d'être « menés en bateau » ou « pris au piège » – ou qui réclament à grands cris « leur liberté » – laissent l'or leur filer entre les doigts.

J'ai souvent entendu des hommes me dire qu'ils étaient amoureux d'« une femme très bien », également amoureuse d'eux, mais ils ne pouvaient suffisamment « lâcher prise » pour examiner le fond de leurs sentiments à son égard. Tout change le jour où ils s'autorisent à « aimer même si... », même si leur cœur fait des bonds, même s'ils sont nerveux, même s'ils ont déjà souffert, même s'ils ont peur de l'inconnu.

Parfois, les mots sont impuissants à vous donner courage. Il faut sauter le pas. Dans la vie d'un homme vient toujours le moment où il devra avoir confiance et suivre l'amour là où il le conduit, où il craindra plus d'être prisonnier dans le lit desséché de la psyché que de s'engager en territoire inconnu mais luxuriant. Quand un contrôle excessif s'exerce sur la vie, il y a de moins en moins de vie à contrôler.

Dans cet état d'innocence, le pêcheur redevient une jeune âme. En dormant, ses cicatrices sont effacées, aucun souvenir de ce qu'il était hier ne demeure.

Il existe au sein de la psyché masculine un homme intact qui croit au bien, n'a aucun doute sur la vie, est empli de sagesse et n'a aucune peur de la mort. Certains verront là un soi guerrier. Or il s'agit d'un soi-esprit, et de surcroît d'un esprit jeune, qui continue à aimer sans se préoccuper des tourments, des blessures, parce qu'il s'autoguérit, s'autorépare à sa façon.

Des femmes sont là pour attester de la présence de cette créature chez un homme, alors que lui-même n'en a pas conscience. Cette capacité du jeune esprit à appliquer à sa propre psyché le pouvoir de guérison est stupéfiante. Il a confiance. Cette confiance n'a rien à voir avec la volonté de l'être aimé de ne pas le blesser ; elle vient de l'assurance que tout le mal qui lui sera infligé peut guérir, qu'à toute ancienne vie succède une nouvelle. Il est sûr que chaque événement de l'existence, si anodin soit-il, a un sens profond et peut se transformer en énergie vitale.

Il faut dire aussi que parfois, au fur et à mesure qu'un homme devient plus libre et se rapproche de la Femme Squelette, celle qu'il aime éprouve de plus en plus de crainte et doit à son tour accomplir les tâches qui consistent à désenchevêtrer, observer la nature de Vie/Mort/Vie, apprendre à lui faire confiance. Lorsque l'un et l'autre sont bien initiés, ils ont ensemble le pouvoir qui permet de mettre un baume sur toutes les blessures, de survivre à toutes les douleurs.

Il arrive que certains aient peur de « s'endormir » en présence de l'autre, peur de retourner à l'état d'innocence psychique ou peur que l'autre ne prenne l'avantage sur eux. Ils font en réalité une projection sur l'autre, à qui ils prêtent toutes sortes d'intentions et refusent tout simplement de se faire confiance à eux-mêmes. Ce n'est pas qu'ils manquent de confiance en l'être aimé, en fait, mais ils n'ont pas eu encore affaire à la nature de Vie/Mort/Vie. C'est à la nature de Mort qu'ils doivent faire confiance. Comme dans le sommeil, la nature de Vie/Mort/Vie sous sa forme la plus sauvage a la simplicité de l'expir (la fin) et de l'inspir (le commencement). Il suffit d'admettre que toute fin s'accompagne d'un autre commencement.

Pour cela, avec un peu de chance, l'épuisement va faire que l'on s'abandonne à cette confiance. Sinon, il faut s'obliger à se mettre mentalement dans un état de confiance, à rejeter toutes les conditions posées, tous les « si ». Toutefois, il ne sert habituellement à rien d'attendre de se sentir suffisamment fort pour faire confiance, parce que ce jour ne viendra jamais. Il faut donc prendre le risque que notre instinct soit juste et que tout ce qu'on nous a appris à croire sur la nature de Vie/Mort/Vie soit faux.

Pour que l'amour s'épanouisse, le partenaire doit être certain que ce qui va arriver sera porteur de transformation. Il doit se laisser aller à cet état de sommeil qui restitue à chacun sa sagesse innocente, qui crée et recrée la spirale de l'expérience de Vie/Mort/Vie.

Verser un pleur

Dans son sommeil, le pêcheur verse une larme qui perle à sa paupière close. Assoiffée, la Femme Squelette s'en aperçoit et, maladroitement, rampe vers lui pour étancher sa soif à la coupe de son œil. Et nous nous interrogeons : quel rêve a-t-il pu faire pour donner naissance à une larme ?

Les larmes ont pouvoir de création. Dans les mythes, elles sont source de création intense et de réunion sincère. La médecine des plantes les utilise comme un liant et considère qu'elles fixent les éléments, unissent les idées, joignent les âmes. Dans les contes de fées, les pleurs versés effraient les voleurs, font déborder les rivières. En aspersion, ils font venir les esprits. Répandues sur le corps, les larmes guérissent les lacérations, rendent la vue. Les toucher permet de concevoir.

Pour celui qui s'est aventuré aussi loin dans sa relation avec la nature de Vie/Mort/Vie, le pleur versé est celui de la passion et de la compassion intimement mêlées. C'est la larme la plus difficile à verser, surtout pour les hommes et certaines femmes « endurcies ».

Cette larme de passion et de compassion coule souvent après la découverte accidentelle du trésor, après la poursuite terrifiante, après que la Femme Squelette a été désenchevêtrée – car c'est le mélange de tous ces éléments qui provoque l'épuisement, la désorganisation des défenses, le face-à-face avec soi-même, la mise à nu jusqu'à l'os, le désir d'en savoir plus et d'être soulagé en même temps. L'âme, alors, a un aperçu de ce qu'elle veut vraiment.

Aussi sûrement que la Femme Squelette est arrivée à la surface, il en va de même pour cette larme, cette émotion en l'homme qui émerge maintenant. C'est une injonction à aimer à la fois l'autre et soi-même. Dépouillé de tous les fils et hameçons du monde extérieur, l'homme attire vers lui la

Femme Squelette et elle va pouvoir étancher sa soif à son sentiment le plus profond. Sous sa forme nouvelle, il est ainsi capable de nourrir l'autre.

C'est cette larme qui appelle l'esprit de la Femme Squelette – les idées, les pouvoirs du plus profond de l'univers psychique se trouvent réunis par la chaleur de ce pleur. Le symbole de l'eau créatrice, de l'eau comme voie de passage, a une longue histoire, aussi variée que possible. Une pluie de larmes apporte le printemps. Le passage vers le monde inférieur s'effectue sous une cascade de pleurs. Chaque pleur entendu par des gens de cœur est compris comme un appel, un désir de rapprochement. Ainsi pleure le pêcheur et ainsi la Femme Squelette s'approche-t-elle. S'il n'y avait cette larme, elle demeurerait une créature d'os. Et lui ne s'éveillerait jamais à l'amour.

La larme du rêveur naît lorsque l'amant potentiel s'autorise à ressentir sa douleur et à panser ses plaies, lorsqu'il s'autorise à voir quel rôle autodestructeur a joué sa perte de confiance en la bonté du soi et qu'il se sent coupé du cycle nourricier et rénovateur de la nature de Vie/Mort/Vie. Alors verse-t-il un pleur sur sa solitude, sur le mal du pays qu'il éprouve envers ce territoire psychique qu'est la connaissance sauvage.

Cet homme est en train de guérir, de comprendre de mieux en mieux. Il entreprend de se soigner lui-même et de nourrir « l'autre effacé ». Par le biais de ses larmes, il accède à la création.

Il ne suffit pas d'aimer. Il ne suffit pas non plus de ne pas être un empêchement » pour l'autre, ni de le « soutenir », d'« être là » et ainsi de suite. Il faut viser la *compréhension* de ce que sont la vie et la mort, en général et en particulier. Et la meilleure école, pour un homme, ce sont les os de la Femme Squelette. Elle attend le signe par lequel il va reconnaître qu'il est blessé, cette larme qui exprime son émotion profonde.

En admettant sa blessure, il nourrit la nature de Vie/Mort/Vie, initie le lien et entame le processus de la véritable connaissance. Nous avons tous commis l'erreur de penser que nous pouvions être guéris par quelqu'un d'autre. Il se passe beaucoup de temps avant que nous en prenions conscience, dans la mesure où nous plaçons cette blessure à l'extérieur de nous-mêmes au lieu de reconnaître son intériorité.

Ce qu'une femme attend avant tout d'un homme, probablement, c'est de le voir affronter sa propre blessure, car alors sa larme naît spontanément et il sait désormais avec certitude à quoi il doit être fidèle, vis-à-vis de lui-même comme vis-à-vis de l'extérieur. Il cesse de se languir du Soi profond. Il devient son propre guérisseur, sans attendre dorénavant que la femme joue pour lui le rôle d'un analgésique.

Une histoire l'illustre parfaitement. Dans la mythologie grecque, Philoctète, qui avait hérité de l'arc et des flèches magiques d'Héraclès, fut blessé au pied lors de la traversée vers Troie. Sa blessure ne parvint pas à guérir et elle dégagea bientôt une odeur si nauséabonde, le malheureux poussa de tels cris, que ses compagnons l'abandonnèrent à son sort sur l'île de Lemnos.

Grâce à l'arc infaillible d'Héraclès, Philoctète parvint à survivre en tuant du petit gibier. Mais la puanteur de sa blessure, qui suppurait de plus en plus, était telle que tous les marins passaient au large. Toutefois, des hommes durent braver leur répulsion, car ils avaient pour mission de lui reprendre ses armes magiques.

Alors... Alors ils tirèrent au sort et la tâche échut au plus jeune [7]. Les autres lui conseillèrent de faire voile au plus tôt vers l'île, en profitant du couvert de la nuit. Le jeune homme s'en alla donc. Mais, dominant l'odeur marine, une autre odeur lui parvint, apportée par le vent, si épouvantable qu'il dut s'envelopper le visage dans un tissu mouillé d'eau de mer pour respirer. Rien, toutefois, ne put empêcher les cris terribles de Philoctète de venir à ses oreilles.

Des nuages cachaient la lune. Parfait, songea-t-il en accostant. Il se glissa auprès du malheureux. Soudain, au moment où il allait s'emparer de l'arc et des flèches, la lune éclaira le visage déformé par la douleur du vieil homme à l'agonie. Et quelque chose – il ignorait quoi – émut le jeune homme jusqu'aux larmes. Une vague de compassion et de pitié le submergea.

Aussi, au lieu de voler l'arc et les flèches, il nettoya et pansa la plaie de Philoctète. Et il resta auprès du vieil homme, le nourrit, le lava, alluma le feu et prit soin de lui jusqu'à ce qu'il pût le ramener à Troie, où Asclépios, le demi-dieu médecin, pourrait le guérir. Ainsi se termine l'histoire.

La larme de compassion apparaît lorsqu'on prend conscience de la blessure malodorante, dont l'origine et la forme diffèrent selon les personnes. Chez les unes, il peut s'agir d'une longue et pénible ascension effectuée jour après jour – jusqu'au moment où elles s'aperçoivent qu'elles ont escaladé la mauvaise montagne. Chez les autres, ce sont des abus subis dans l'enfance et laissés sans traitement d'aucune sorte. Ou bien ce peut être une perte cruelle. Un jeune homme avait souffert de la perte de son premier amour sans que personne vînt le soutenir ou l'aider à en guérir. Pendant des années, il erra, brisé mais niant complètement être blessé. Un autre venait d'être recruté dans une équipe professionnelle de basket-ball, lorsqu'il se blessa accidentellement à la jambe. Handicapé à vie, il vit son rêve de toujours s'effondrer du jour au lendemain. Ce fut une tragédie. Non seulement il était atteint dans sa chair, mais pendant vingt ans, le baume qu'il versa sur sa plaie prit la forme de l'amertume, des abus de substances psycho-actives et des excès en tous genres. Cette blessure malodorante se sent de loin chez les hommes. Et aucune femme, nul amour, nulle attention ne parviennent à la guérir. C'est le rôle de l'autocompassion.

L'homme qui verse un pleur a mis le doigt sur sa douleur. Il voit qu'il s'est protégé, au cours de son existence, à cause de sa blessure. Il voit ce qu'elle lui a fait manquer dans la vie. Il voit qu'il muselle son amour de la vie, des autres, de lui-même.

Dans les contes de fées, les larmes changent les êtres. Elles leur rappellent ce qui est important et sauvent leur âme. Seule la sécheresse du cœur inhibe les larmes et l'union. Chez les soufis, un proverbe, en fait une prière que j'ai traduite il y a longtemps, demande à Dieu : « Pulvérise mon cœur, afin de faire de la place pour un Amour sans Limites. »

Le sentiment de tendresse qui pousse le pêcheur à désenchevêtrer la Femme Squelette l'autorise aussi à ressentir des désirs oubliés depuis longtemps, à faire revivre son autocompassion. Parce qu'il se trouve dans un état d'innocence – autrement dit, il pense que tout est possible – il ne craint pas d'exprimer les désirs de son âme. Il n'a pas peur d'émettre des souhaits, parce qu'il croit qu'ils vont être satisfaits. Croire à l'accomplissement des vœux de son âme est pour lui un grand soulagement. Lorsqu'en pleurant il exprime son véritable sentiment, il avance le moment de sa réunion avec la nature de Vie/Mort/Vie.

Sa larme rapproche de lui la Femme Squelette, qui alors a soif et éprouve le besoin d'approfondir sa relation avec lui. Dans les contes, les pleurs appellent à nous les choses, les corrigent, fournissent la partie ou la pièce manquante. Le conte africain *La Cascade d'or* nous montre un magicien qui abrite une jeune esclave en fuite en pleurant tant et tant de larmes qu'il crée une cascade sous laquelle elle trouve refuge. Dans un autre conte africain, *Cliquetis d'os*, les âmes des guérisseurs défunts sont évoquées par des larmes d'enfants répandues sur le sol. Les larmes ont un pouvoir et chacune recèle en elle-même des images fortes qui nous guident. Elles ne font pas que représenter une émotion, elles forment aussi une lentille qui nous offre une vision autre.

Le pêcheur laisse son cœur s'ouvrir. Ce qu'il veut, ce n'est pas l'amour de *la teta*, du sein maternel, ni l'amour du lucre, pas plus que celui du pouvoir, de la gloire ou du sexe, c'est un amour qui l'envahisse, un amour qu'il a toujours porté en lui sans jamais le reconnaître.

Avec cette relation, l'âme de l'homme s'établit sur une base plus profonde, plus précise. La larme coule. Elle la boit. Quelque chose alors va renaître en lui, quelque chose qu'il va pouvoir lui offrir : un cœur immense, océanique.

Les ultimes phases de l'amour

Le cœur en guise de tambour et le chant

On dit que la peau ou la caisse d'un tambour peut appeler à la vie un être ou un élément donné. On dit également que certains sont des tambours itinérants qui vont transporter l'instrumentiste et ses auditeurs (appelés aussi, dans certaines traditions, « passagers ») en des lieux divers où brille le soleil. Et l'on attribue aussi d'autres pouvoirs à d'autres types de tambours.

On dit aussi que les tambours constitués d'os humains font venir les morts. Ceux qui sont faits avec la peau de certains animaux peuvent évoquer les esprits animaux. Les tambours qui sont particulièrement beaux évoquent la Beauté, ceux qui portent des clochettes évoquent les enfants-esprits et les éléments du climat. Les tambours au son grave évoquent les esprits susceptibles d'entendre ce genre de son ; de même pour ceux qui rendent un son aigu, et ainsi de suite.

Le tambour fait avec un cœur va appeler les esprits concernés par le cœur humain. Le cœur, c'est le symbole de l'essence. Il est l'un des organes essentiels nécessaires à la vie, pour les humains comme pour les animaux. Un être humain peut vivre avec un seul rein. On peut lui ôter les jambes, la vessie, un poumon, un bras, la vésicule biliaire : il vivra sans, plus ou moins bien, mais il vivra. Il vit même une fois qu'on lui a ôté certaines fonctions cérébrales. Qu'on lui ôte le cœur et c'est la fin, instantanément.

Le cœur, c'est le centre psychologique et physiologique de l'être. Dans les *Tantras* hindous, qui sont des instructions données aux humains par les dieux, le cœur est l'*Anãhata chakra*, le centre nerveux qui renferme les sentiments à l'égard d'un autre humain, vis-à-vis de soi, de la terre et de Dieu. C'est le cœur qui nous permet d'aimer à la manière d'un enfant, pleinement, sans réserve d'aucune sorte, sans nuance de sarcasme ou de mépris.

Lorsque la Femme Squelette se sert du cœur du pêcheur, elle utilise en fait le moteur de la psyché tout entière, la seule chose qui compte vraiment et soit capable de donner naissance à un sentiment pur et innocent. On dit que c'est l'esprit qui pense et crée. Cette histoire dit autre chose : que le cœur pense et qu'il fait venir les molécules, les atomes, les sentiments, les désirs là où il faut pour produire la matière nécessaire à la création de la Femme Squelette.

On trouve dans cette histoire la promesse suivante : si vous permettez à la Femme Squelette de devenir plus palpable dans votre vie, elle vous fera en retour une vie plus riche. Si vous la sortez de l'état d'enchevêtrement et d'incompréhension dans lequel elle se trouve, et prenez conscience de son double rôle de professeur et d'amante, elle deviendra votre alliée et votre partenaire.

Quand on donne son cœur pour une création et une vie nouvelles, pour les forces de la Vie/Mort/Vie, on effectue une descente au royaume des sentiments. Ce peut être difficile pour nous, tout particulièrement si nous avons connu la peine et les déceptions. Mais ce cœur est destiné à servir de tambour, afin d'appeler à la vie la Femme Squelette et de se rapprocher de celle qui a toujours été proche de nous.

L'homme qui donne son cœur se change en une force stupéfiante – il devient une « inspiratrice », rôle dévolu uniquement aux femmes par le passé. Quand la Femme Squelette couche avec lui, il devient fertile : les pouvoirs féminins investissent un milieu masculin. Il porte en lui les graines de la vie nouvelle et des morts nécessaires. Il inspire de nouvelles œuvres en lui, ainsi que dans son entourage.

Cela, je l'ai vu, au fil des ans, chez les autres et je l'ai moi-même expérimenté. Créer de belles choses parce qu'un amant croit en vous, parce qu'il a confiance, du fond du cœur, en ce que vous faites, ce que vous projetez, ce que vous êtes, est une expérience d'une grande intensité, un phénomène stupéfiant. Et ce phénomène n'est d'ailleurs pas nécessairement limité à un amant, il peut se produire avec tous ceux ou celles qui vous donnent vraiment leur cœur.

Le lien entre l'homme et la nature de Vie/Mort/Vie va par la suite lui donner des idées en quantité, des projets pour sa vie, et lui fournir des situations, des images, des sons, des couleurs inégalés – car la nature de Vie/Mort/Vie, l'archétype de la Femme Sauvage dispose de tout ce qui a été et de tout ce qui sera. Lorsqu'elle crée, lorsqu'elle se donne chair par le chant, l'être dont elle utilise le cœur le sent ; il déborde lui-même de créativité.

Ce conte est aussi l'illustration d'un double pouvoir qui provient de la psyché par l'intermédiaire symbolique du tambour et du chant. Dans les mythes, le chant guérit les blessures et il attire le gibier. En chantant leur nom, on fait venir les êtres. En chantant, on soulage la douleur, on restaure la santé, on évoque les morts, on les ressuscite.

On raconte que toute création est accompagnée par un son, par une parole, prononcés à haute voix, murmurés ou chuchotés. Celui qui les émet ne comprend pas toujours leur signification. On considère que le chant provient d'une source mystérieuse qui touche l'ensemble de la création, humains, animaux, arbres, plantes et tous ceux qui l'entendent. Dans la tradition du conte, on dit que tout ce qui a de la « sève » chante.

L'hymne de création provoque des modifications psychiques. C'est une tradition très répandue : en Islande, comme chez les Indiens Wichita et Micmac, il existe des chants pour faire naître l'amour. En Irlande, c'est un chant magique qui donne des pouvoirs magiques. Un conte islandais raconte l'histoire de quelqu'un qui tombe sur une arête de glace et se sectionne un membre, mais celui-ci repousse grâce à un chant.

Dans presque toutes les cultures, les dieux donnent aux humains un chant lors de la création. Ils leur expliquent qu'ils pourront grâce à lui les faire revenir à tout moment, obtenir ce dont ils ont besoin et transformer ou bannir ce dont ils ne veulent pas. Le don du chant se révèle ainsi comme un acte de compassion qui permet aux hommes de faire venir les dieux et les grands pouvoirs dans leurs cercles humains. Le chant est une forme particulière de langage, capable d'accomplir ce que la seule parole ne peut faire.

Comme le tambour, le chant fait entrer dans un état de conscience non ordinaire, un état de transe, un état de prière. Tous les humains, et nombre d'animaux, sont susceptibles d'avoir leur conscience modifée par le son. Certains sons peuvent nous rendre anxieux, voire furieux, comme un robinet qui coule ou le klaxon d'une voiture. D'autres, tels la rumeur de l'océan ou le bruit du vent dans les arbres, peuvent nous faire du bien. Pour un serpent, c'est un bruit étouffé, comme des pas, qui crée une tension, mais il peut danser au son d'un chant qu'on lui murmure doucement.

Le terme *pneuma*, qui signifie « souffle », et le mot *psyché* partagent la même origine : ils sont considérés tous deux comme désignant l'âme. Aussi, lorsque dans un conte ou dans un récit mythologique, le chant intervient, on sait qu'on appelle les dieux, afin qu'ils insufflent leur sagesse et leur pouvoir au thème traité.

Chanter et se servir du cœur comme d'un tambour constituent donc l'un et l'autre un acte mystique qui met en œuvre des couches de la psyché habituellement peu utilisées. Le *pneuma* qui souffle sur nous libère certaines ouvertures, certaines facultés par ailleurs inaccessibles. Celles-ci diffèrent selon les êtres. Mais ce qui est ainsi mis en jeu va se révéler stupéfiant, numineux.

La danse du corps et de l'âme

Par l'intermédiaire de leur corps, les femmes vivent au plus près de la nature de Vie/Mort/Vie. Quand elles se trouvent dans l'esprit instinctuel adéquat, leurs idées, leurs envies d'aimer, de créer, de croire et de désirer, naissent, font leur temps, puis s'affaiblissent et meurent avant de renaître. On pourrait dire qu'à chaque cycle lunaire de leur vie, elles font preuve de ce savoir conscient ou inconscient. Pour certaines, cette lune qui indique leurs cycles se trouve dans le ciel, pour d'autres, c'est une Femme Squelette qui vit dans leur propre psyché.

De par sa chair, son sang, de par les cycles qui emplissent et vident régulièrement le vase rouge dans son ventre, la femme comprend de manière physique, émotionnelle, spirituelle, que les zéniths diminuent et expirent, que ce qui reste revit de façon inattendue, pour finalement retourner au néant avant d'être à nouveau conçu dans toute sa gloire. Comme vous pouvez le voir, les cycles de la Femme Squelette parcourent la femme. Il ne peut en être autrement.

Parfois, les hommes qui fuient encore la nature de Vie/Mort/Vie ont peur de cette femme, car ils sentent qu'elle est une alliée naturelle de la Femme Squelette. Mais il n'en a pas toujours été ainsi. Le symbole de la Femme Squelette est un vestige du temps où l'on considérait la mort comme génératrice de transformation spirituelle, où Dame Mort était accueillie comme une personne proche, une sœur, un frère, un père, une mère, un amant. Dans l'imagerie féminine, on voyait toujours dans la femme Mort, la mère Mort ou la jeune fille Mort, la messagère du destin, la faiseuse, la jeune moissonneuse, la mère, celle qui fait passer la rivière, celle qui recrée, et tout cela selon des cycles.

La personne qui fuit la nature de Vie/Mort/Vie s'obstine parfois à considérer l'amour comme une fête de l'abondance et pourtant l'amour, même sous la forme la plus riche, est une série de morts et de renaissances. On sort d'une phase de l'amour pour entrer dans une autre. La passion meurt, revient. La douleur, chassée, s'enfuit et refait surface. Aimer, c'est étreindre, tout en supportant maintes fins et maints commencements dans la même relation amoureuse.

Le fait que notre culture, civilisée à l'excès, ait du mal à tolérer ce qui est transformatif vient encore compliquer les choses. Mais il existe d'autres moyens, bien meilleurs, d'étreindre la nature de Vie/Mort/Vie. Dans le monde entier, sous des appellations différentes, on considère souvent qu'il s'agit là d'un *baile con la Muerte*, une danse avec la Mort. La mort danse avec la vie comme cavalière.

Dans la région des Grands Lacs, où j'ai grandi, on trouvait encore des gens qui parlaient comme dans la Bible. Dans mon enfance, j'avais une amie, Mme Arle Scheffeler, qui utilisait encore cette prose archaïque. Elle avait perdu son fils unique lors de la Seconde Guerre mondiale. Un soir d'été, j'osai lui demander si son fils lui manquait toujours et elle m'expliqua gentiment, en des termes qu'un enfant comprendrait, comment elle concevait la vie et la mort. Son histoire, qu'elle intitula « Dead Bolt » [8], disait en partie à peu près ceci : Une vieille femme accueille un voyageur du nom de Mort et l'invite à se chauffer auprès de sa cheminée sans aucune crainte. Elle semble considérer que Mort donne aussi bien la vie que la mort et fait naître aussi bien le rire que les larmes.

Elle dit à Mort qu'il est le bienvenu auprès de son feu, qu'elle l'a aimé « lorsque mes récoltes abondaient, lorsque mes champs se dénudaient, lorsque mes enfants sont venus au monde et lorsqu'ils l'ont quitté ». Elle le connaît, ajoute-t-elle, il est son ami. « Vous avez causé mes larmes les plus amères, Mort, et m'avez fait danser de joie. Reprenons donc la danse. Je connais les pas ! »

Pour aimer, si nous devons aimer, *bailamos con la Muerte*, nous dansons avec la Mort. Apprenons les pas et dansons : Aimer, c'est cela.

L'énergie, l'émotion, le sentiment de proximité, la solitude, le désir, l'ennui, tout cela se suit selon des cycles relativement proches. On a envie de se rapprocher de quelqu'un, puis de se séparer et ainsi de suite. Non seulement la nature de Vie/Mort/Vie nous apprend à effectuer ces figures de danse, mais elle nous enseigne qu'il faut chercher la solution au malaise dans son contraire. A l'ennui le remède d'une action nouvelle, à la solitude le remède du rapprochement avec l'autre, à l'impression d'être étouffé le remède de la solitude.

Si l'on ne connaît pas cette danse-là, on a tendance, en période de calme, à manifester son besoin d'action et de nouveauté en dépensant trop d'argent, en affrontant le danger, en effectuant des choix périlleux, en se lançant dans une nouvelle liaison. C'est l'attitude qu'adoptent ceux qui ne savent pas.

Au début, nous pensons tous êtres capables de passer outre à l'aspect « mort » de la nature de Vie/Mort/Vie. Or le fait est que nous ne le pouvons pas. Il nous suit, avec son bruit d'os, jusque dans nos maisons, jusque dans nos consciences. A défaut d'apprendre autrement, nous le découvrons quand nous admettons que le monde est dominé par les cycles de la Vie/Mort/Vie et n'a rien d'un lit de roses. Et cependant, ni nous prenons la vie comme nous respirons, inspir puis expir, les choses ne peuvent aller de travers.

Cette histoire nous montre une double transformation . celle du chasseur, celle de la Femme Squelette. Transposée en termes contemporains, la transformation du chasseur pourrait s'exprimer ainsi : d'abord, l'homme est inconscient – « Bonjour, c'est moi, je suis venu pêcher, je m'occupe de mes petites affaires. » Puis il est effrayé et s'enfuit. « Comment ? Tu me veux ? Excuse-moi, je dois partir. » Il reconsidère alors la question, commence à désenchevêtrer ses sentiments, et découvre une façon d'entrer en contact avec elle. « Mon âme est attirée vers la tienne. Qui es-tu vraiment ? Comment es-tu constituée ? »

A la suite de quoi, il s'endort. « Je te fais confiance. Je m'autorise à te montrer mon innocence. » La larme de son sentiment profond est révélée. Elle nourrit la Femme Squelette. « Il y a si longtemps que je t'attends. » Son cœur va permettre de créer totalement la Femme Squelette. « Tiens, prend mon cœur et viens à la vie dans ma vie. » Ansi le chasseur-pêcheur est-il aimé en retour. C'est là une transformation typique d'une personne qui apprend à aimer.

Les transformations de la Femme Squelette suivent une trajectoire légèrement différente. D'abord, en tant que nature de la Vie/Mort/Vie, elle a l'habitude que ses relations avec les humains se terminent dès qu'elle a été prise à l'hameçon : ils rejettent l'appât et filent vers le rivage. Il n'est donc pas étonnant qu'elle accorde autant de bénédictions à ceux qui font le chemin avec elle.

Elle a été jetée du haut de la falaise. Puis quelqu'un la capture accidentellement et a peur d'elle. Elle commence à revenir à la vie ; elle mange, boit à la source de celui qui l'a tirée de l'eau et se transforme grâce à la force de son cœur à lui, à la force dont il fait preuve en l'affrontant. Elle passe de l'état de squelette à celui d'être humain. Elle est aimée de lui et elle l'aime. Elle lui donne du pouvoir et il fait de même. Et elle, la grande roue de l'existence, et lui, l'être humain, vivent maintenant tous les deux en harmonie.

Nous voyons là ce que la force de Mort requiert de l'amour, sa larme – son sentiment – et son cœur. Elle requiert qu'il lui soit fait l'amour. La nature de Vie/Mort/Vie requiert des amants qu'ils affrontent franchement cette nature, sans l'esquiver ni faillir, qu'ils s'engagent l'un envers l'autre bien au-delà du « vivre ensemble », que leur amour se fonde sur ce qu'ils apprennent et sur la force qu'ils manifestent en rencontrant, en aimant cette nature et en dansant avec elle, ensemble.

La Femme Squelette se donne en chantant un corps voluptueux, un corps qui fonctionne parfaitement. Il n'a rien à voir avec les parties éparses du corps féminin de la femme telles qu'elles sont idolâtrées dans certaines cultures. C'est plutôt le corps d'une femme dans son intégrité, un corps qui nourrit les bébés, fait l'amour, danse, chante, donne naissance et saigne sans mourir pour autant.

On retrouve fréquemment dans la culture populaire ce thème de la chair qu'on se donne par la grâce du chant. Dans la culture africaine, papoue, hispanique, juive, chez les Inuit, des histoires racontent comment des os se transforment en une personne. Coatlicue la mexicaine tire des os des morts du monde souterrain des êtres humains en pleine maturité. Un chaman Tlingit ôte par le chant les vêtements de la femme qu'il aime. Partout de par le monde, dans les histoires, le chant provoque la magie.

Et dans le monde entier, des fées, des nymphes, des géantes, ont des seins si longs qu'elles peuvent les lancer par-dessus leur épaule. En Scandinavie, chez les Celtes, dans les régions du cercle polaire, on raconte des histoires sur des femmes qui peuvent créer leur corps à volonté.

La Femme Squelette nous montre que donner son corps est l'une des phases ultimes de l'amour. Il est bon, effectivement, de maîtriser les premières étapes de la rencontre avec la nature de Vie/Mort/Vie, avant d'en venir au corps à corps proprement dit. Je mets en garde les femmes contre les hommes qui veulent passer d'une « prise » accidentelle au corps donné. Il faut insister pour franchir toutes les étapes. La dernière, la phase de l'union des corps, viendra en son temps.

Quand l'union a commencé par la phase charnelle, il est toujours possible d'effectuer plus tard la rencontre avec la nature de Vie/Mort/Vie... mais cela nécessite une résolution plus forte. La tâche est plus difficile. En effet, il faut écarter le moi-plaisir de son centre d'intérêt charnel afin d'effectuer le travail de fondation. Le petit chien de l'histoire de Manawee nous montre combien il est difficile de rester dans le droit chemin lorsque les délices viennent nous titiller les nerfs.

Faire l'amour, c'est mêler le souffle et la chair, l'esprit et la matière ; l'un et l'autre s'ajustent. Ce conte nous montre l'union du mortel et de l'immortel, ce que l'on retrouve également dans une histoire d'amour qui dure. Il existe là une connexion immortelle d'âme à âme, difficile à décrire ou même à décider, mais dont nous faisons l'expérience profonde. En Inde, on raconte un conte merveilleux où l'on voit un mortel jouer du tambour pour permettre aux fées de danser devant la déesse Indra. En échange de ce service, l'homme reçoit la promesse d'une épouse choisie parmi les fées. Il y a de ça dans les rapports amoureux : l'homme qui initiera une relation de coopération avec le royaume de la psyché féminine, mystérieux à ses yeux, sera récompensé.

A la fin du conte, le pêcheur est souffle contre souffle, peau contre peau, avec la nature de Vie/Mort/Vie. Cela n'a pas la même signification pour chaque homme, de même qu'est unique la manière dont il va approfondir cette relation. Nous savons seulement que pour aimer, nous devons embrasser la sorcière ; plus, nous devons faire l'amour avec elle.

Mais le conte nous montre également comment avoir une relation des plus enrichissantes avec ce qui nous fait peur. Quand l'homme se mélange à la Femme Squelette, il s'approche d'elle autant que faire se peut et par là même il se rapproche au maximum de son amante. Pour découvrir cette éminente conseillère en matière de vie et d'amour, il suffit d'arrêter de courir, de désenchevêtrer un peu ce qui en a besoin, de regarder en face et avec compassion sa propre blessure, ses propres envies profondes et d'y mettre tout son cœur.

Ainsi, à la fin, par le fait de se donner chair, la Femme Squelette met en jeu le processus de la création dans son intégralité. Toutefois, plutôt que de commencer au stade du bébé, comme on nous a appris, à nous Occidentaux, à envisager la vie et la mort, elle part des os et donne chair à sa vie. Elle apprend à l'homme à créer de la vie. Elle lui montre que le chemin du cœur est celui de la création, et que la création est une série de naissances et de morts. Elle lui apprend que se protéger ne conduit à aucune création, pas plus que l'égoïsme ne permet de créer, ni le fait de s'arc-bouter et de pousser des hurlements. Seul le cœur, lorsqu'il est donné, seul ce grand tambour, ce grand instrument de la nature sauvage peut créer.

C'est ainsi que doit fonctionner la relation amoureuse, chaque partenaire transformant l'autre. La force et le pouvoir de chacun sont désenchevêtrés, partagés. Il lui donne un tambour, elle lui offre la connaissance des rythmes et des émotions les plus complexes. Qui sait ce qu'ils vont chasser ensemble ? Ce que nous savons, en revanche, c'est qu'ils seront nourris jusqu'à la fin de leurs jours.

6

DÉCOUVRIR SA VRAIE BANDE : LES BIENFAITS DE L'APPARTENANCE

Le vilain petit canard

Parfois, la vie commence mal pour les femmes sauvages. Nombreuses sont les femmes dont les parents se sont demandé, tout au long de leur enfance, comment cette petite étrangère s'était arrangée pour entrer dans la famille. D'autres parents ont passé leur temps à lever les yeux au ciel, ignorant la petite fille ou la regardant d'un œil glacial, quand ils ne lui causaient pas de préjudice.

Vous qui avez connu cette expérience, reprenez courage. Vous vous êtes vengée, quoique bien involontairement, en vous montrant difficile à élever et en étant une éternelle épine dans le pied de vos géniteurs. Peut-être même aujourd'hui encore tremblent-ils lorsque vous débarquez chez eux.

Il est temps de cesser de vous préoccuper de ce qu'ils ne vous ont pas donné et de vous consacrer plutôt à découvrir votre véritable famille. Vous n'appartenez peut-être pas à celle dans laquelle vous êtes née. Peut-être en faites-vous partie sur le plan génétique, mais appartenez-vous à une autre sur le plan du tempérament. Ou bien êtes-vous intégrée en surface, alors que votre âme a sauté la barrière et se trouve à des kilomètres de là, à partager d'autres nourritures spirituelles.

Hans Christian Andersen [1] a écrit quantité d'histoires sur des enfants orphelins. Il fut le premier avocat des enfants perdus, des enfants laissés à l'abandon et se battit pour que chacun cherche et découvre sa véritable appartenance.

Sa version de *Le Vilain Petit Canard* fut publiée pour la première fois en 1845. Elle se fonde sur l'ancien motif de l'inhabituel et du dépossédé. C'est l'une des rares histoires à avoir encouragé des générations successives d'« *outsiders* * » à tenir bon jusqu'à ce qu'ils trouvent leurs semblables.

Ce conte fait partie de ce que j'appellerai des récits fondamentaux, sur le plan psychologique et spirituel, en ce sens qu'il contient une vérité si essentielle au développement de l'être humain que celui-ci ne peut ni progresser, ni s'épanouir véritablement tant qu'il ne l'a pas intégrée. Voici donc *Le Vilain Petit Canard*, d'après la version originale en langue magyare des *falusias mesélök*, les conteurs paysans de notre famille [2].

Le Vilain Petit Canard

Le temps de la moisson était proche. Les vieilles femmes faisaient des poupées avec des gerbes de blé, les hommes âgés raccommodaient les couvertures. Les filles brodaient des fleurs rouges sur leurs robes blanches, les garçons chantaient en chargeant le foin doré. Les femmes tricotaient des chandails rugueux pour l'hiver, les hommes aidaient à ramasser, couper et cueillir les fruits que donnaient les champs. Le vent commençait tout juste à desserrer le lien de la feuille et de l'arbre, chaque jour un peu plus, un tout petit peu plus. Et en bas, au bord de la rivière, une mère cane couvait ses œufs.

Tout se passait selon l'ordre des choses pour cette mère cane. A la fin, ses œufs se mirent à trembler un par un, jusqu'à ce que les coquilles se craquellent et que ses canetons sortent en titubant. Mais il resta un œuf. Un très gros œuf, qui demeurait immobile comme une pierre.

Une vieille cane s'approcha et la mère cane lui montra fièrement ses petits : « N'est-ce pas qu'ils sont beaux ? » demanda-t-elle avec orgueil. Mais la vieille cane remarqua l'œuf qui n'avait pas éclos. Elle tenta de dissuader la mère cane de le couver plus longtemps.

– C'est un œuf de dinde ! s'exclama-t-elle. Pas du tout le genre d'œuf qu'il faut. On ne peut mettre à l'eau une dinde, vous savez. Et elle savait de quoi elle parlait, car elle avait essayé.

Mais la mère cane avait couvé si longtemps que ça ne la gênait pas de continuer encore un peu.

– Je ne me fais pas de souci pour ça, dit-elle. Mais savez-vous que le père des canetons, ce voyou, n'est pas venu me voir une seule fois ?

Un peu plus tard, le gros œuf finit par frémir et par rouler, avant de s'ouvrir. Un être gauche et de grande taille en sortit. Sous sa peau, on

---

* Au sens d'« étranger », de « personne qui se trouve en dehors ». *(N.d.T.)*

voyait courir ses veines rouges et bleues. Ses pieds étaient mauves, ses yeux d'un rose transparent.

La mère cane tendit le cou pour le dévisager et elle ne put s'empêcher de le trouver laid. Elle s'inquiéta : « Peut-être est-ce une dinde, au fond. » Mais quand le vilain petit canard se mit à l'eau avec le reste de ses petits, la mère cane vit qu'il nageait parfaitement. « Oui, il est bien à moi, même si son aspect est très particulier. D'ailleurs, en fait, si on le regarde sous le bon angle... il est presque beau. »

Elle le présenta donc aux autres créatures de la basse-cour, mais avant qu'elle ait pu dire « ouf », un autre canard traversa la cour à toute vitesse et se jeta sur le vilain petit canard qu'il mordit au cou. – Arrête ! cria la mère cane, mais l'assaillant cracha : – Il a l'air si bizarre, il est si laid, qu'il a besoin d'une bonne leçon !

Et la reine, la cane qui portait un chiffon rouge à la patte, déclara :

– Oh, une nouvelle couvée... Comme si nous n'avions pas assez de bouches à nourrir ! Quant à celui-là, le vilain gros, c'est sûrement une erreur !

– Ce n'est pas une erreur, dit la mère cane. Il sera très fort. C'est juste qu'il est resté un peu trop longtemps dans l'œuf et qu'il a gardé une forme un peu bizarre, mais ça va s'arranger. Vous allez voir.

Et elle lissa les plumes et les épis du vilain petit canard.

Mais les autres firent tout pour persécuter le vilain petit canard. Ils se jetèrent sur lui en sifflant et criant, le mordirent, lui donnèrent des coups de bec. Et tout ne fit que s'aggraver avec le temps. Il se cacha, esquiva, zigzagua à droite et à gauche, mais il ne put leur échapper. Il était malheureux comme les pierres.

Au début, sa mère le défendit, mais elle finit par se lasser et s'exclama, exaspérée : – Si seulement tu pouvais t'en aller ! Alors, le vilain petit canard partit. Les plumes hérissées, tout crotté, il courut encore et encore, jusqu'à arriver dans un marais. Là, il s'arrêta au bord de l'eau, tendit le cou et but.

Deux jars l'observaient parmi les joncs. Ils étaient jeunes et imbus d'eux-mêmes. – Dis donc, vilain machin, raillèrent-ils, tu veux venir avec nous dans le pays voisin ? Il y a là un troupeau de jeunes oies à marier...

Soudain, des coups de feu retentirent. Les jars s'effondrèrent avec un bruit sourd et leur sang teinta l'eau de rouge. Le vilain petit canard plongea pour s'abriter sous la surface. Autour de lui, ce n'était que coups de feu, fumée et aboiements de chiens.

Enfin, le calme revint sur le marais. Le vilain petit canard s'enfuit aussi vite qu'il le pouvait. Vers le crépuscule, il parvint à une misérable cahute. Une ficelle tenait la porte et les murs n'étaient que fissures béantes. Là, vivait une vieille en haillons, en compagnie d'un chat hirsute et d'une poule qui louchait. En échange du gîte et du couvert, le chat attrapait les souris et la poule pondait.

La vieille femme fut heureuse d'avoir trouvé un canard. Peut-être cette bête va-t-elle pondre, pensa-t-elle, et sinon, on peut toujours le tuer et le manger. Le canard resta donc. Mais le chat et la poule le tourmentaient, en disant : – A quoi sers-tu, si tu ne peux ni pondre ni rien attraper ?

– Ce que je préfère, soupira le canard, c'est être « en dessous », que ce soit sous la voûte bleue du ciel ou sous l'eau, si bleue, si fraîche.

Le chat, qui n'imaginait pas un seul instant être sous l'eau, critiquait les rêves stupides du petit canard. La poule, qui n'imaginait pas non plus mouiller ses plumes, se moquait aussi de lui. Il fut bientôt évident que le petit canard ne trouverait jamais la paix dans cet endroit. Alors, il s'en alla, pour voir si la vie serait plus agréable un peu plus loin.

Il arriva à une mare. Tandis qu'il nageait, il se mit à faire de plus en plus froid. Au-dessus de lui, passa un vol de grands oiseaux, les plus beaux qu'il ait jamais vus. Ils crièrent en se tournant vers lui et en les entendant, il sentit son cœur bondir et se briser en même temps. Il cria en retour et le son qu'il émit lui était inconnu. Il n'avait jamais vu plus magnifiques créatures et il ne s'était jamais senti si affligé.

Il tourna encore et encore sur l'eau pour les suivre des yeux jusqu'à ce qu'elles aient disparu, puis il plongea vers le fond du lac et s'y pelotonna, tout tremblant. Il ne s'appartenait plus, car il éprouvait un amour désespéré pour ces grands oiseaux blancs, un amour qu'il ne pouvait comprendre.

Le vent se fit plus froid et plus violent de jour en jour et après le gel vint la neige. Les vieux cassaient la glace dans les seaux de lait, les vieilles femmes filaient tard dans la nuit. Les mères nourrissaient trois bouches à la fois à la lueur des chandelles et les hommes partaient à la recherche des moutons à minuit, sous un ciel blanc. Les jeunes gens avaient de la neige jusqu'à la taille en allant traire les vaches et les jeunes filles croyaient voir le visage de beaux jeunes gens dans les flammes en préparant à manger. Et en bas, dans la mare, le petit canard devait nager en cercles de plus en plus rapides pour se garder un espace libre dans la glace.

Un matin, il se trouva pris dans la glace. C'est alors qu'il crut mourir. Deux malards vinrent se poser sur la surface gelée. Ils le regardèrent, puis jetèrent : – Tu es laid. C'est bien triste. On ne peut rien pour quelqu'un comme toi. Et ils s'envolèrent.

Heureusement pour lui, un fermier passait par là. Il le libéra en cassant la glace avec son bâton. Puis il le mit sous son manteau et rentra chez lui. Dans sa maison, ses enfants tendirent les mains vers le petit canard, qui prit peur et gagna les combles d'un coup d'aile, faisant tomber toute la poussière dans le beurre. De là, il plongea droit dans le pot à lait. Il en sortit tout mouillé et tout étourdi, pour retomber dans le sac de farine. La femme du fermier le chassa à coup de balai pendant que les enfants hurlaient de rire.

Le petit canard battit des ailes et parvint à s'échapper par la chatière. Une fois dehors, enfin, il resta à moitié mort dans la neige. Mais il finit par repartir et gagna un autre étang, une autre maison et encore un autre étang et une autre maison. Ainsi passa-t-il l'hiver, entre la vie et la mort, la mort et la vie.

Malgré tout, le souffle tiède du printemps revint. Les vieilles femmes secouèrent les lits de plume, les vieux rangèrent leurs sous-vêtements longs. Des nouveau-nés vinrent au monde dans la nuit, tandis que le père faisait les cent pas dans la cour sous les étoiles. Dans la journée, les jeunes filles se mettaient des jonquilles dans les cheveux et les jeunes gens étudiaient les chevilles des jeunes filles. Et dans un étang proche, l'eau tiédit et le vilain petit canard, qui flottait là, déploya ses ailes.

Qu'elles étaient grandes et puissantes, ses ailes ! Elles le soulevèrent et l'emportèrent très haut au-dessus de la terre. De là-haut, il voyait les vergers en robe blanche, les fermiers qui labouraient, les petits de tous les animaux de la nature qui éclosaient, culbutaient, bourdonnaient, nageaient. Et sur l'étang glissaient trois cygnes, ces mêmes créatures magnifiques qu'il avait vues l'automne précédent, lui laissant une douleur au cœur. Quelque chose le poussait vers eux.

– Et s'ils font mine de m'accueillir, puis s'envolent en riant au moment où je vais les rejoindre ? se demanda le petit canard. Mais il descendit d'un vol glissant et se posa sur l'étang, le cœur battant.

Dès qu'ils le virent, les cygnes nagèrent à sa rencontre. Cette fois, c'est la fin, pensa le petit canard, mais si je dois mourir, que ce soit sous les coups de ces magnifiques créatures plutôt que du fait des chasseurs, des femmes de fermiers ou des rigueurs de l'hiver. Et il courba la tête dans l'attente des coups.

Or, voilà que l'image réflétée par l'eau était celle d'un cygne à la superbe parure : plumage de neige, œil sombre, et tout. Au début, le vilain petit canard ne se reconnut pas, car il ressemblait aux magnifiques étrangers, ceux qu'il avait admirés de loin.

Il se révéla qu'il était bien l'un des leurs. Son œuf avait roulé accidentellement au milieu d'une famille de canards. Il était un cygne, un cygne majestueux. Pour la première fois de sa vie, les siens l'approchaient, le touchaient gentiment, affectueusement, du bout de leurs ailes. Ils lissaient ses plumes avec leurs becs et nageaient autour de lui en signe de bienvenue.

Les enfants qui venaient donner du pain à manger aux cygnes s'exclamèrent : « Il y en a un nouveau ! » Et comme tous les enfants du monde, ils allèrent le raconter partout. Et les vieilles femmes vinrent au bord de l'eau et dénouèrent leurs longues tresses d'argent. Et les jeunes gens mirent leurs mains en coupe, prirent un peu d'eau d'un vert profond et en aspergèrent les jeunes filles, qui rougirent comme des pétales. Les hommes échappèrent quelque temps à la traite juste pour respirer l'air. Les femmes échappèrent quelque temps au raccommodage juste pour rire avec leurs compagnons. Et les vieux racontèrent des histoires sur la guerre qui est trop longue et la vie trop courte.

Et un par un, parce que la vie passe, et le temps et la passion, tous s'en allèrent en dansant; les jeunes gens, les jeunes femmes, tous s'en allèrent en dansant. Et les anciens, les époux, les épouses, tous s'en allèrent en dansant. Les enfants et les cygnes s'en allèrent tous en dansant... en nous laissant, nous... et le printemps... et, en bas près de la rivière, une autre cane commence à couver ses œufs.

La question de l'exilé est primordiale. De nombreux contes de fées, de nombreux mythes, tournent autour du thème du proscrit. La figure centrale est torturée par des événements extérieurs à elle, dus souvent à une poignante omission. Dans *La Belle au Bois Dormant*, la treizième fée, négligée, n'est pas invitée au baptême et l'enfant se retrouve victime d'un mauvais sort, ce qui en fin de compte exile tout le monde d'une manière ou d'une autre. Parfois l'exil est infligé par pure méchanceté, comme lorsque la marâtre de Vassilissa l'envoie dans les bois obscurs.

L'exil est parfois la conséquence d'une erreur naïve. Héphaïstos, le dieu grec, prit le parti de sa mère, Héra, qui se disputait avec Zeus, son époux. Furieux, Zeus précipita Héphaïstos du haut de l'Olympe, le bannissant et le mutilant.

Parfois aussi, l'exil naît d'un marché dont on ne comprend pas les termes, comme dans ce conte où un homme accepte d'être une bête errante pendant un certain nombre d'années pour gagner un peu d'or et découvre plus tard qu'il a alors donné son âme au diable, dissimulé sous un déguisement.

Il existe d'autres versions du conte *Le Vilain Petit Canard*. Toutes ont le même thème central, mais chacune est entourée de variations et de broderies qui reflètent le contexte culturel de l'histoire comme la poésie de chaque conteur.

L'aspect fondamental qui nous intéresse est celui-ci : le petit canard du conte symbolise la nature sauvage, laquelle, placée dans un contexte pauvrement nourricier, se bat pour continuer quoi qu'il arrive. Instinctivement, la nature sauvage s'accroche, quelquefois avec panache, quelquefois sans grâce, mais elle tient bon. Dieu merci. La femme sauvage tient bon, c'est là sa force.

Il faut aussi considérer un autre aspect important de ce conte : lorsqu'un individu voit que l'on reconnaît et que l'on accepte, sur le plan psychique, « l'avoir-de-l'âme » qui lui est propre – c'est-à-dire une identité à la fois spirituelle et instinctuelle –, il se sent empli d'un pouvoir et d'une vie inconnus jusqu'alors. Le fait d'affirmer sa famille psychique donne à une personne de la vitalité et un sentiment d'appartenance.

L'exil de l'enfant dissemblable

Dans le conte, les différents animaux du village viennent regarder le « vilain » petit canard et, d'une manière ou d'une autre, le déclarent inacceptable. En vérité, il n'est pas laid, il ne ressemble simplement pas aux autres. Il est différent, comme le serait un haricot rouge parmi des petits pois. Au début, la mère cane essaie de défendre ce petit qu'elle croit être le sien. Mais en fin de compte, elle est profondément divisée et renonce à s'occuper de cet enfant étranger.

Les autres petits de la couvée et les membres de sa communauté volent dans les plumes de l'étranger et le tourmentent. Ils ont l'intention de le chasser. Et le vilain petit canard a le cœur brisé d'être ainsi rejeté par les siens. C'est là quelque chose d'épouvantable, surtout dans la mesure où il n'a rien fait pour le justifier, si ce n'est avoir une apparence différente et agir de manière un peu différente. A vrai dire, nous avons ici un canard qui, encore tout petit, a un complexe psychologique monumental.

Les petites filles qui manifestent une forte nature instinctive souffrent souvent de bonne heure. Depuis qu'elles sont dans les langes, on leur dit qu'elles ne font pas ce qu'il faut, on les tient en laisse, on les muselle. Or, leur nature sauvage se révèle de bonne heure. Elles se montrent curieuses, inventives et se livrent à diverses excentricités bégnines qui, si on les laisse se développer, constitueront la base de leur créativité pour leur vie entière. Si l'on considère que la vie créatrice est la nourriture et la boisson de l'âme, on se rend compte du rôle critique que joue un tel développement.

En règle générale, elles connaissent un exil précoce sans en être responsable et les autres, par méchanceté, incompréhension ou ignorance, ne font qu'aggraver celui-ci. Dès lors, le soi fondamental de la psyché en souffre. Lorsque cela se produit, la petite fille commence à penser que l'image négative d'elle-même que lui renvoient sa famille et son entourage culturel est non seulement exacte, mais objective. Elle se considère comme faible, laide, inacceptable et cela va continuer, même si elle essaie de penser le contraire.

Une enfant va se voir bannie pour les raisons mêmes qu'illustre *Le Vilain Petit Canard*. Au sein de nombreuses cultures, on attend de la petite fille qu'elle devienne un certain type de personne, agisse d'une certaine manière traditionnelle, ait une échelle de valeurs bien précise, sinon identique à celle de la famille, du moins fondée sur elle et censée ne pas faire tanguer le navire. Ces attentes sont extrêmement précises lorsque l'un des parents, ou les deux, souffrent d'un désir d'« enfant angélique », c'est-à-dire d'un enfant parfaitement conforme.

Dans leur fantasme, certains parents ont un enfant parfait, reflet de leur conception de l'existence. La petite fille, si elle se révèle sauvage, peut alors malheureusement être soumise aux tentatives répétées de chirurgie psychique de ses parents, car ils tentent de la refaire et par là même de modifier ce que son âme exige d'elle. Son âme a beau exiger de voir, son environnement culturel requiert l'aveuglement. Son âme a beau exiger de pouvoir dire sa vérité, on fait pression sur elle pour qu'elle garde le silence.

Ni l'âme de la petite fille, ni sa psyché ne peuvent s'en accommoder. Si l'on fait pression pour qu'elle soit « adéquate » – quelle que soit la définition que l'autorité donne à ce terme –, l'enfant peut être conduite à s'enfuir, ou à se réfugier dans le monde souterrain, ou bien encore à se lancer dans une errance, à la recherche d'une terre nourricière, d'un lieu de paix.

Quand la société définit étroitement les normes du succès ou de la perfection dans tous les domaines – l'apparence, la taille, la force, la forme, l'économie, la virilité, la féminité, les bons enfants, la bonne conduite, les croyances religieuses – il se produit dans la psyché de tous ses membres une intériorisation de ces critères, par introjection. Aussi existe-t-il généralement deux volets à la question de la femme sauvage en exil : un volet intérieur et personnel, et un volet extérieur et culturel.

Examinons ici l'aspect intérieur, car si vous arrivez à avoir la force nécessaire – il suffit d'une force mesurée – pour être vous-même et découvrir quelle est votre appartenance, vous pourrez influencer la collectivité et la conscience culturelle d'une manière magistrale. Qu'est-ce qu'une force mesurée ? C'est lorsque la mère intérieure qui vous materne n'est pas sûre à cent pour cent de ce qu'il faut faire ensuite. Un pourcentage de soixante-dix pour cent conviendra parfaitement. Souvenez-vous, nous utilisons le mot « fleurir » pour une fleur, qu'elle soit à la moitié, aux trois quarts ou à la totalité de sa floraison.

Différentes sortes de mères

Dans le conte, nous pouvons interpréter la mère comme étant le symbole de la mère extérieure, mais la plupart d'entre nous ont reçu en héritage de leur vraie mère une mère intérieure. C'est un aspect de la psyché qui, dans sa façon d'agir et de réagir, reproduit ce que nous avons expérimenté dans notre enfance avec notre propre mère. Plus encore, cette mère interne est constituée non seulement par l'expérience de la mère personnelle, mais aussi par d'autres figures maternelles de notre existence et par les images culturelles de la bonne et de la mauvaise mère à l'époque de notre enfance [3].

La psychologie des profondeurs appelle cet enchevêtrement *le complexe maternel*. C'est l'un des aspects centraux de la psyché féminine. Il est très important de faire le point sur son état et de renforcer certains côtés, d'en réajuster d'autres, d'en démanteler certains et de recommencer autant de fois que nécessaire.

La mère cane de l'histoire fait preuve de plusieurs qualités que nous examinerons une par une. Elle représente tout à la fois une mère ambivalente, une mère effondrée, une mère non maternée. En étudiant ces structures maternantes, nous pouvons découvrir si notre propre complexe maternel interne apporte un soutien suffisamment solide à notre originalité ou s'il aurait dû être depuis longtemps réexaminé.

La mère ambivalente

Dans le conte, la mère cane est coupée de force de ses instincts. Elle est accablée de sarcasmes parce que son enfant est différent. Sur le plan émotionnel, elle est divisée et finit par s'effondrer et par ne plus s'occuper de cet enfant étranger. Même si elle essaie de résister au début, l'« altérité » du petit canard commence à la mettre en danger au sein de sa propre communauté. Alors, elle plonge.

Qui n'a déjà vu une mère forcée de prendre une telle décision, sinon au sens strict, du moins partiellement, de se conformer aux désirs de son village plutôt que de s'aligner sur son enfant ? Aujourd'hui encore, des mères agissent sous la pression de craintes que les femmes ont éprouvées, non sans raison, des siècles avant elles, car être mise à l'écart de sa communauté, c'est au mieux être ignorée et considérée avec suspicion, au pire être persécutée et détruite. Dans un tel environnement, la mère va souvent tenter de façonner sa fille de façon à ce qu'elle se comporte « correctement » dans le monde extérieur. Elle espère ainsi éviter que l'une et l'autre soient l'objet d'attaques.

Ainsi, la mère comme l'enfant sont divisés. Dans *Le Vilain Petit Canard*, la mère cane se trouve psychiquement divisée, ce qui la conduit à être écartelée, tirée de plusieurs côtés à la fois, en pleine ambivalence. Toutes les mères qui ont connu cette situation se reconnaîtront en elle. D'un côté, il y a son désir d'être acceptée par son village, d'un autre celui de se protéger, d'un autre côté encore celui de réagir à la crainte qu'elle et son enfant soient punis, persécutés ou tués par le village – une réaction normale à une menace anormale de violence physique ou psychique et enfin, il y a l'amour instinctuel de la mère pour son enfant et le désir de le protéger.

Il n'est pas inhabituel, dans les cultures punitives, que les femmes soient déchirées entre le fait d'être acceptées par la classe dirigeante (le village) et l'amour pour leur enfant – que ce soit un enfant symbolique, un enfant de la création ou un enfant biologique. C'est là une vieille, très vieille histoire. Pour avoir tenté de protéger cet enfant non reconnu – leur art, leur amant, leurs convictions, leur âme ou la chair de leur chair – des femmes ont été mises à mort sur le plan psychique et spirituel. A l'extrême, certaines ont été pendues, brûlées, assassinées pour avoir défié le village et protégé cet enfant.

La mère dont l'enfant est différent doit avoir l'endurance d'un Sisyphe, la témérité d'un Cyclope et le cuir d'un Caliban[4] pour aller contre une culture à l'esprit étroit. Il n'y a de contexte culturel plus destructeur pour une femme que celui qui met l'accent sur l'obéissance sans interroger les âmes, celui dont tout rituel de pardon dans l'amour est absent, celui qui force la femme à choisir entre l'âme et la société, celui où un système de castes ou des structures économiques ont muré toute compassion à l'égard des autres, où le corps est considéré comme quelque chose qu'il faut « purifier » ou comme une châsse, où tout ce qui est nouveau, inhabituel, différent ne suscite pas l'émerveillement, où la curiosité et la créativité sont punies et dénigrées au lieu d'être récompensées, ou alors récompensées si l'on n'est pas une femme, où l'on se livre sur le corps à des actes douloureux, mais pour des motifs dits sacrés, où l'on punit une femme injustement, mais, comme le dit Alice Miller, « pour son bien [5] », où l'on ne reconnaît pas à l'âme le droit d'exister pour elle-même.

Quand une femme a dans sa propre psyché ce genre de structure maternelle ambivalente, elle peut céder trop facilement, elle peut avoir peur de prendre position, d'exiger le respect, d'affirmer son droit à le vivre à sa manière.

Que ces problèmes proviennent de l'environnement culturel ou d'une structure interne, la femme va devoir faire preuve, afin que sa fonction maternante puisse supporter de telles pressions, de qualités considérées comme masculines dans de nombreuses cultures. Il est triste de constater que pendant des générations, les mères qui voulaient être estimées, elles et leur progéniture, avaient besoin de manifester les qualités mêmes qui leur étaient expressément interdites : véhémence, intrépidité, capacité d'inspirer de la crainte.

La mère désireuse d'élever sans problème un enfant qui, à des degrés divers, se révèle différent des autres et de la culture dominante sur le plan de l'âme et de la psyché, doit elle-même faire preuve de quelques qualités héroïques. Si ces qualités ne sont pas de celles que la société autorise, elle devra, comme les héroïnes des mythes, partir en quête de celles-ci, puis les dissimuler et les manifester au moment voulu. Elle devra tenir ses positions, rester elle-même, défendre ses convictions. Il n'y a pratiquement aucun moyen de se préparer à cela, sauf de prendre son courage à deux mains et d'y aller. Depuis l'origine des temps, il n'existe de meilleur remède à l'ambivalence et à son action invalidante qu'un acte d'héroïsme reconnu comme tel.

La mère effondrée

A la fin, la mère cane ne peut plus supporter le harcèlement dont est victime l'enfant qu'elle a aidé à venir au monde. Plus encore, elle ne peut tolérer plus longtemps les tourments qu'elle doit endurer de la part de sa communauté en tentant de protéger son enfant « étranger ». C'est pourquoi elle s'effondre. « Si seulement tu pouvais t'en aller » s'écrie-t-elle à l'adresse du petit canard, qui, déchiré, s'enfuit.

La mère qui s'effondre est en fait complètement égarée. Il peut s'agir soit d'une mère d'un narcissisme pathologique qui prétend être elle-même une enfant, soit, plus vraisemblablement, d'une femme qui a été coupée du Soi sauvage et a subi de réelles menaces, psychiques ou physiques.

Habituellement, lorsqu'on s'effondre, on a l'impression d'être dans un embrouillamini (on ne sait plus où l'on en est), dans un bourbier (on pense que personne ne comprend ce par quoi l'on passe), ou dans une fosse (une vieille blessure se rouvre, souvent une injustice dont on a été victime dans l'enfance).

Le plus sûr moyen pour faire s'effondrer une mère, c'est de la diviser, émotionnellement parlant, de la forcer à faire un choix entre l'amour qu'elle porte à son enfant et la crainte des représailles du village sur elle-même et son enfant si elle n'accepte pas les règles. Dans le roman *Le Choix de Sophie*, de William Styron, l'héroïne, prisonnière dans un camp d'extermination nazi, est forcée par le commandant du camp à choisir lequel de ses deux enfants, qu'elle tient dans ses bras, va vivre et lequel va mourir, sinon ce sont les deux enfants qui vont être tués.

Un pareil choix est inimaginable, mais, sur le plan psychique, des mères ont été forcées de le faire depuis une éternité. Obéissez aux règles et anéantissez vos enfants, ou bien... Et cela continue. Quand une culture oblige une mère à choisir entre l'enfant et elle, quand elle a besoin de nuire à l'âme de quelqu'un pour faire respecter ses proscriptions, il y a en elle quelque chose de cruel et de malsain, c'est une culture malade. Cette culture peut être celle qui entoure la femme, mais aussi – et c'est pire – il peut s'agir de la culture que celle-ci a intériorisée.

Le monde est plein d'exemples [6] de ce genre de choses. Certains parmi les plus haineux se rencontrent en Amérique, où il a été traditionnel de forcer les femmes à se séparer des êtres et des choses qui leur étaient chers. Il y a eu la longue et affreuse histoire des familles brisées et contraintes à l'esclavage aux XVIIIe, XIXe et XXe siècles [7]. Sans parler des mères qui doivent au fil des siècles céder leurs fils à la nation pour faire la guerre et en être heureuses. Et il y a, aujourd'hui encore, les gens qu'on renvoie dans leur pays.

Et dans le monde entier, à différentes époques, les femmes se sont vu interdire d'aimer qui elles veulent et de la façon dont elles le veulent.

L'oppression dont on parle moins, peut-être, est celle qui concerne l'âme des millions de mères célibataires dans le monde, y compris aux Etats-Unis. Rien qu'au XXe siècle, des pressions culturelles ont été exercées sur elles pour qu'elles dissimulent leur condition ou leurs enfants, ou qu'elles tuent ou abandonnent leur progéniture, ou vivent à moitié, sous des identités d'emprunt, en tant que citoyennes humiliées et privées de leurs droits civiques [8].

Des générations de femmes ont accepté de légitimer des êtres humains en se mariant, reconnaissant ainsi qu'il fallait un homme pour faire accepter ceux-ci par la société. Sans cette protection « masculine », la mère est vulnérable. Ironie du sort, dans *Le Vilain Petit Canard*, le père n'est mentionné qu'une fois, quand la mère cane se lamente : « Ce voyou n'est pas venu me voir une seule fois. » Dans notre culture et pendant longtemps, le père – malheureusement et pour des raisons diverses [9] – n'a pu ou n'a voulu « être là » pour personne, y compris lui-même. On peut affirmer que pour beaucoup de petites filles sauvages, le père était un homme effondré, une ombre qui se mettait au placard avec son manteau en rentrant chaque soir.

Quand une femme a dans sa psyché et/ou dans son environnement culturel une structure de mère en train de s'effondrer, elle n'a aucune certitude quant à sa propre valeur. Elle peut être conduite à penser que les choix qu'elle doit effectuer entre les exigences de l'extérieur et celles de l'âme sont des questions de vie ou de mort. Elle peut avoir l'impression d'être un *outsider* torturé, sans appartenance, ce qui est normal chez un être exilé, mais elle peut aussi rester là à se lamenter sans rien faire, ce qui est beaucoup moins normal. On est censé, dans ce cas-là, bondir sur ses pieds et se mettre en quête de sa famille spirituelle. C'est toujours l'étape suivante pour l'exilé. Elle se révèle absolument essentielle pour la femme qui a intériorisé une mère en train de s'effondrer, car elle doit absolument refuser de jouer ce rôle vis-à-vis d'elle-même.

La mère-enfant ou la mère non maternée

L'image que représente ici la mère cane est simple et naïve. Le type le plus courant de la mère fragile est de loin la mère non maternée. Dans le conte, elle finit par se détourner de son enfant alors que, visiblement, avoir des petits lui tient à cœur. Il y a plusieurs raisons à ce comportement chez la mère physique et/ou psychique. Peut-être est-elle elle-même une mère non maternée. Peut-être est-elle l'une de ces mères fragiles, encore très jeunes et très naïves, psychiquement parlant.

Peut-être son psychisme est-il tellement délabré qu'elle considère que personne, pas même un bébé, ne peut l'aimer. Sa famille et sa culture lui ont causé de tels tourments qu'elle pense ne pas arriver à la cheville de l'archétype de la « mère radieuse » qui accompagne la première maternité. Voyez-vous, il n'y a pas deux façons de le dire : une mère doit être maternée quand elle materne. Quoiqu'une femme ait un lien spirituel et physique inaliénable avec sa progéniture, dans le monde de la Femme Sauvage instinctuelle, elle ne devient pas toute seule une mère temporelle au plein sens du terme.

Autrefois, les bienfaits de la nature sauvage étaient usuellement transmis grâce aux paroles et aux gestes des femmes qui s'occupaient des jeunes mères. Les femmes dont c'est le premier enfant, surtout, ont en elles-mêmes non pas une matrone expérimentée, mais une mère-enfant. Cette mère-enfant peut tout aussi bien avoir dix-huit ans que quarante. Chaque femme qui est mère pour la première fois passe par là. La mère-enfant a l'instinct qu'il faut, l'âge qu'il faut pour avoir un enfant, mais elle a besoin d'être maternée par des femmes plus âgées qui vont la soutenir dans son propre maternage.

Pendant des lustres, ce rôle a été dévolu aux femmes plus âgées du village ou de la tribu. Ces « Déesses-Mères » humaines, que les institutions religieuses ont par la suite reléguées au rôle de « marraines », constituaient un système nourricier de femme à femme particulièrement destiné aux jeunes mères, à qui elles apprenaient comment nourrir en retour la psyché et l'âme de leurs enfants. Lorsque le rôle de la Déesse-Mère est devenu plus intellectuel, la « marraine » a fini par être celle qui veillait à ce que l'enfant ne s'écarte pas du droit chemin de l'Eglise. On a beaucoup perdu au changement.

Les femmes plus âgées, dépositaires d'un savoir instinctuel, pouvaient le transmettre aux jeunes mères – par des mots, mais aussi par d'autres moyens. Il suffit d'un regard, d'une pression de la main, d'un murmure, d'une étreinte affectueuse pour transmettre un message complexe.

Le soi instinctuel prodigue toujours son aide et ses bienfaits aux nouvelles générations. Il en va ainsi chez les animaux et les êtres humains sains. La mère-enfant est introduite de cette manière dans le cercle des mères accomplies, qui l'accueillent avec des plaisanteries, des présents et des histoires.

Ce cercle de femmes, ouvert à toutes, fut à une époque le domaine de la Femme Sauvage. Aujourd'hui, nous n'en avons qu'un vague résidu avec la *baby shower* *, cette petite réception au cours de laquelle la mère reçoit en deux ou trois heures plus de dons et écoute plus d'histoires de couches qu'au cours de toute sa vie future.

De nos jours, dans la plupart des pays industrialisés, la jeune mère est seule pour attendre, mettre au monde sa progéniture et tenter d'en prendre soin. C'est là une immense tragédie. Parce que nombre de femmes ont eu une mère fragile, une mère-enfant, une mère-enfant non maternée, il est possible qu'elles possèdent elles-mêmes un « automaternage » interne de même type.

La femme qui a une structure de mère-enfant ou de mère-enfant non maternée dans sa psyché, ou qui la voit glorifiée dans son contexte culturel et maintenue dans son travail et sa famille, est susceptible de souffrir de naïveté, d'immaturité et particulièrement d'un affaiblissement de sa capacité instinctuelle à imaginer le futur, immédiat ou plus lointain.

Lorsqu'une femme a à l'intérieur d'elle-même une mère-enfant, elle est semblable à l'enfant qui joue à la maman. Elle va souvent manifester une tendance à outrer son rôle maternel. Incapable de guider et de soutenir sa progéniture, elle va finir, comme les enfants du fermier dans le conte, tout excités d'avoir un petit animal mais qui ignorent comment en prendre soin, par la torturer en l'accablant d'attentions destructrices ou, parfois, en la privant des attentions nécessaires.

Il arrive que la mère-enfant fragile soit elle-même un cygne élevé par des

---

* Petite fête organisée par la future maman, à laquelle les invités offrent alors des cadeaux pour le bébé à naître. *(N.d.T.)*

canards. Elle n'a pu trouver sa véritable identité à temps pour prendre soin de sa progéniture. Alors, quand à l'adolescence sa fille approche le grand mystère de la nature sauvage de la féminité, la mère éprouve elle aussi de grands élans vers les cygnes. Il arrive même que la quête d'identité de la fille inaugure le voyage de « jeune fille » de la mère enfin en quête de son soi perdu. Il y a donc dans cette maisonnée deux esprits sauvages qui attendent, main dans la main, de pouvoir quitter le sous-sol où ils sont relégués.

Voilà ce qui se passe quand la mère-enfant est coupée de sa propre nature instinctive, mais il existe un remède à tout cela.

A mère forte, enfant fort

Ce remède consiste à faire en sorte que la jeune mère intérieure de chacune soit maternée par des femmes en chair et en os, plus sages, plus âgées et de préférence passées à l'épreuve du feu et solides comme le roc. Après ce qu'elles ont enduré, elles ont des yeux qui *voient*, des oreilles qui *entendent*, des langues qui *parlent*, quel qu'en soit le coût désormais. Et elles sont emplies de gentillesse.

Même si vous avez eu la mère la plus merveilleuse du monde, il n'est pas impossible que vous en ayez d'autres. J'ai souvent dit à mes filles : « Une mère vous a donné le jour, mais avec un peu de chance, vous en aurez d'autres et vous trouverez en elles tout ce dont vous avez besoin ou presque. » Vos relations avec *todas las madres*, les nombreuses mères, seront vraisemblablement des liens durables, car on a toujours besoin d'être guidée et conseillée et il doit d'ailleurs en être ainsi, du point de vue de la vie créatrice des femmes [10].

Ces liens entre femmes, qu'ils soient liens du sang ou affinités psychiques, rapports entre analysante et analyste, relation de professeur à élève, sont d'une importance capitale.

Même si certains psychologues contemporains recommandent de quitter entièrement la matrice maternelle, sauf à être marqué à tout jamais, si d'autres prétendent qu'il est bon pour la santé mentale de chacun de dénigrer sa mère, on ne peut et on ne doit jamais abandonner la structure et le concept de la mère sauvage. Ce serait l'abandon par la femme de sa propre nature profonde, celle qui possède toute la connaissance, toutes les petites graines, toutes les aiguilles pour raccommoder ; tous les remèdes pour travailler, se reposer, aimer, espérer.

Plutôt que de nous désengager de la mère, nous cherchons une mère sauvage, une mère emplie de sagesse dont nous ne pouvons et ne devons pas nous séparer. Notre relation avec elle est destinée à changer et à se modifier, et ce n'est pas le moindre paradoxe. Cette mère est une école qui nous a vues naître, une école où nous étudions et où nous enseignons, tout cela en même temps et pour le reste de notre existence. Que nous ayons ou non des enfants, que nous enrichissions la terre du jardin, le domaine scientifique ou le monde de la poésie, nous trouvons toujours la mère sauvage sur notre passage lorsque nous allons ailleurs. Et il doit en être ainsi

Que dire, toutefois, de la femme qui a vraiment vécu une expérience destructrice avec sa mère dans son enfance ? Il est bien sûr impossible d'effacer cette période, de l'adoucir, mais on peut y remédier un peu, la reconstruire solidement. Beaucoup sont effrayées – moins, d'ailleurs, à l'idée de reconstruire la mère intérieure, que devant le risque que soit mort à l'époque quelque chose d'essentiel, d'impossible à faire revivre, de jamais nourri, car sur le plan psychique, leur propre mère était elle-même morte. A celles-ci, je dis : « Tranquillisez-vous, vous n'êtes pas mortes, vous n'êtes pas mortellement blessées. »

Comme dans la nature, l'âme et l'esprit font preuve de ressources stupéfiantes. A l'instar des loups et d'autres animaux, l'un et l'autre sont capables de se nourrir de peu et même de rien, quelquefois pendant longtemps. J'y vois un vrai miracle. Un jour, j'étais en train de transplanter une haie de lilas. L'un des lilas était mort, pour une cause inconnue, alors que le reste croulait sous les grappes fleuries. J'eus toutes les peines du monde à le déterrer et je m'aperçus que ses racines étaient attachées à celles des autres lilas pleins de vie, tout au long de la clôture.

Plus étonnant encore : le lilas mort était le lilas « mère ». Ses racines étaient les plus vieilles, les plus grosses. Alors que l'arbre était *botas arribas*, les bottes en l'air, littéralement, ses grands enfants éclataient de vie. Les lilas se produisent selon le système des surgeons, ce qui fait que chaque arbre est un rejeton des racines du parent et que la progéniture survit même si la mère dépérit. C'est là le schéma psychique promis à celles qui n'ont pas été maternées, ou peu, comme à celles qui l'ont été de manière tortueuse. Même si la mère échoue, même si elle n'a rien à offrir, sa progéniture va croître indépendamment d'elle.

En mauvaise compagnie

Le vilain petit canard erre à la recherche d'un endroit où se poser enfin. Même si l'on ne sait pas toujours instinctivement de façon précise où aller, l'instinct de chercher jusqu'à ce qu'on ait trouvé demeure intact. Il y a pourtant une forme de pathologie dans le syndrome du vilain petit canard. On continue à frapper à tort aux mêmes portes. Comment, d'ailleurs, savoir quelles portes sont les bonnes si l'on n'a jamais découvert de bonne porte ? On peut dire de toute façon avec certitude que les mauvaises portes sont celles qui vous font vous sentir à nouveau en exil.

C'est là une réaction à l'exil du type « recherche de l'amour partout où il ne le faut pas ». La femme qui, pour adoucir son exil, adopte une conduite compulsive répétitive – reproduisant sans cesse un comportement qui ne lui apporte aucune satisfaction et l'affaiblit – cause des dommages beaucoup plus grands encore, car en agissant ainsi, elle laisse béante sa blessure originelle et l'aggrave à chaque tentative.

C'est à peu près comme si vous vous mettiez de la pommade sur le nez alors que vous souffrez de la jambe. Toutes les femmes n'ont pas le même type de « mauvais remède ». Certaines choisissent celui qu'il ne faut absolument pas utiliser – mauvaise compagnie, excès divers qui les remontent sur le moment et les font plonger dans le trente-sixième dessous ensuite.

Il existe plusieurs solutions à ces mauvais choix. Si ces femmes prenaient le temps de s'interroger, elles verraient qu'elles éprouvent au fond d'elles-mêmes le besoin de voir leurs talents, leurs dons, leurs limites reconnus et acceptés. Inutile donc qu'elles continuent à se leurrer en appliquant le mauvais remède. Qu'elles regardent leur blessure en face : elles connaîtront par là même le bon remède. Ce n'est pas celui qui se trouve à portée de main, celui qui remplit le vide. C'est celui qui rend plus forte. Il se reconnaît à cela.

Avoir l'air différent

Comme le vilain petit canard, l'*outsider* tend à éviter de se trouver dans les situations où l'on est capable d'agir correctement tout en n'ayant néanmoins toujours pas le look ad hoc. Le petit canard, par exemple, nage bien, mais n'a pas l'apparence adéquate. Inversement, une femme peut avoir l'allure qu'il faut, mais être incapable d'agir comme il faut. Les expressions populaires ne manquent pas sur le thème des personnes qui ne peuvent cacher ce qu'elles sont, comme la formule espagnole : « C'était une femme avec une plume noire sous sa jupe [11]. »

Dans le conte, le petit canard se comporte comme un balourd [12], celui qui fait tout de travers : il envoie de la poussière dans le beurre, tombe dans la farine, non sans être tombé auparavant dans le pot à lait. Cela nous arrive à tous, à un moment ou à un autre. On fait tout de travers et plus on essaie, pire c'est. Le petit canard n'avait rien à faire dans cette maison, mais voilà ce que ça donne quand on est désespéré. On cherche la mauvaise chose au mauvais endroit. Comme le disait un de mes chers collègues, aujourd'hui disparu : « On ne trouve pas de lait dans la maison du bélier [13]. »

Alors qu'il est utile de jeter des ponts, même avec les groupes auxquels on n'appartient pas – et il est important d'essayer de se montrer gentilles – il est aussi impératif de ne pas faire des efforts démesurés, de ne pas se persuader que si l'on agit comme il faut, si l'on parvient à museler la *criatura* sauvage, on pourra passer pour une dame exquise, discrète et effacée. Ce genre d'attitude, ce désir du moi d'avoir à tout prix une appartenance, annule la communication avec la Femme Sauvage dans la psyché. Résultat : une femme à laquelle on a rogné les griffes, au lieu d'une femme pleine d'élan vital. Une femme bien élevée, bien intentionnée, qui s'essouffle à vouloir être parfaite. Non, il est meilleur pour l'âme de rester ce que nous sommes et de laisser les autres être ce qu'ils sont.

Emotions gelées, créativité gelée

Il y a d'autres façons d'affronter l'exil. Certaines femmes, comme le petit canard pris par la glace sur l'étang, deviennent elles aussi de glace. C'est la pire des choses qui puisse arriver à quelqu'un. Ce froid, c'est le baiser de la mort donné à la créativité, aux liens affectifs, à la vie elle-même. Devenir de glace n'est pas, au contraire de ce que semblent penser certaines, une réussite. C'est un acte de colère défensive.

En psychologie archétypale, être froid, c'est être dénué d'émotions. Il existe des histoires qui parlent de l'enfant gelé, de l'enfant qui ne peut rien ressentir, de cadavres pris dans la glace, là où le temps ne passe plus, où rien ne devient plus, ou rien ne naît plus. L'humain devenu de glace décide de ne plus rien éprouver, ni à l'égard de lui-même, ni aussi, parfois, à l'égard des autres. Même s'il s'agit d'un mécanisme d'autodéfense, il est nuisible à l'âme-psyché, car la psyché ne réagit pas à ce qui est glacé, elle préfère la chaleur. Une attitude glacée va éteindre la flamme de la créativité chez la femme, inhiber sa fonction créatrice.

C'est un problème grave. Le conte nous donne une idée pour le résoudre : il faut briser la glace et libérer l'âme de son carcan de gel.

La femme écrivain dont l'inspiration se tarit sait que la seule solution, c'est d'écrire pour contrer cette sécheresse. Mais si elle est prise dans la glace, elle ne peut écrire. Il existe des peintres qui meurent d'envie de peindre mais se disent : « Laisse tomber. Ton œuvre est moche et franchement bizarre. » Il existe des artistes, encore incertaines ou déjà chevronnées, qui, chaque fois qu'elles prennent la plume ou le pinceau, chaque fois qu'elles enfilent leur justaucorps de danse ou lisent un scénario, entendent : « Tu ne fais que des choses marginales ou inacceptables, parce que tu es toi-même marginale et inacceptable. »

La solution ? Imiter le petit canard. Aller de l'avant, se battre. Prendre la plume, la poser sur le papier et cesser de gémir. Ecrire. Prendre le pinceau et se mettre à peindre. Mettre son justaucorps, attacher ses cheveux et laisser aller son corps. Danser. Artistes de toutes disciplines, théâtre, musique, poésie et autres, cessez de parler, enfermez-vous et pratiquez votre art. Ce qui bouge ne peut en général geler. Alors, bougez.

L'étranger de passage

Même si, dans le conte, le fermier qui passe ressemble plus à un artifice littéraire destiné à faire avancer l'histoire qu'un leitmotiv archétypal de l'exil, il y a là une idée qui me paraît intéressante. La personne susceptible de nous sortir de la glace, de nous arracher à notre absence d'émotions n'est pas forcément quelqu'un dont nous partageons l'appartenance. Il peut s'agir, comme dans le conte, d'un de ces événements magiques mais fugaces qui surviennent au moment où nous nous y attendons le moins, d'un acte de gentillesse de la part d'un étranger de passage.

C'est là un autre exemple de ce qui vient nourrir la psyché lorsque nous sommes au bout du rouleau. Quelque chose, alors, surgit du néant et vient nous aider, puis disparaît dans la nuit, nous laissant à notre perplexité. Est-ce une personne, un esprit ? Peut-être un soudain coup de chance, comme porté par le vent jusqu'à chez nous, pour nous donner ce dont nous avions un besoin urgent. Ou bien, tout simplement, un moment de répit, un relâchement de la pression, un peu d'espace pour se reposer.

Nous ne parlons plus du conte de fées, maintenant, mais de la réalité. C'est le moment où, d'une façon ou d'une autre, l'esprit va nous nourrir, nous tirer dehors, nous montrer la cachette, le passage secret, le chemin de l'évasion. Et parce que cela nous arrive quand nous touchons le fond, nous sommes poussées vers une nouvelle étape dans les leçons de force de l'exil.

Le bénéfice de l'exil

Si vous avez tenté, en vain, de vous couler dans un moule, réjouissez-vous plutôt. Vous êtes peut-être une exilée, mais du moins vous avez mis votre âme à l'abri. Lorsqu'on échoue à se conformer à quelque chose, il se produit un étrange phénomène. L'exilée que l'on chasse tombe sur ce qui forme sa véritable appartenance psychique, que ce soit des études, une forme d'art ou un groupe de gens. Rester auprès de ceux avec qui l'on n'a aucune affinité est pire que d'errer pendant quelque temps à la recherche des affinités d'âme et d'esprit dont on a besoin. On n'a jamais tort de chercher ce dont on a besoin, jamais.

A quelque chose, malheur est bon. Le petit canard sort affermi de son exil. Bien sûr, on ne peut souhaiter à personne de vivre pareille situation, mais celle-ci est comparable à la pression qui s'exerce sur le carbone naturel et produit des diamants – elle finit par conduire à une profondeur, une clarté magnifiques de la psyché. Les coups reçus ôtent toute faiblesse, toute geignardise. L'intuition s'accroît, la perspicacité grandit, la vision s'affine et s'élargit.

La psyché sauvage peut supporter l'exil, malgré ses aspects négatifs. L'exil nous fait désirer la libération de notre véritable nature et l'environnement culturel qui va de pair. Et ce désir même nous fait avancer. Si nous ne pouvons découvrir le contexte culturel qui va nous encourager, alors nous décidons de l'édifier. C'est une excellente chose, car si nous l'édifions, d'autres un jour frapperont mystérieusement à notre porte, disant qu'ils cherchaient cela depuis toujours.

Les chats hirsutes et les poules qui louchent

Le chat hirsute et la poule qui louche jugent les aspirations du petit canard stupides et absurdes, ce qui nous donne un aperçu de la susceptibilité et des valeurs de ceux qui dénigrent les êtres différents d'eux. Qui attendrait d'un chat qu'il aime l'eau, d'une poule qu'elle aille nager ? Personne, bien sûr. Trop souvent, pourtant, quand des gens sont différents, c'est l'exilé qui est considéré comme inférieur, et les limites et/ou les motivations de l'autre ne sont pas évaluées comme il le faudrait.

Essayons de ne pas décider qui a plus de valeur que l'autre et, pour faire avancer la discussion, disons qu'ici le petit canard partage l'expérience de milliers de femmes exilées – celle d'une incompatibilité fondamentale avec d'autres êtres différents, ce qui n'est la faute de personne, bien qu'elles aient tendance à juger que c'est la leur.

Lorsque tel est le cas, nous voyons des femmes qui sont prêtes à s'excuser de la place qu'elles occupent. Nous voyons des femmes qui craignent de dire « Non, merci », et de quitter les lieux. Nous voyons des femmes qui écoutent des gens leur répéter qu'elles ne se comportent pas comme il faut, sans avoir compris que les chats ne nagent pas et que les poules ne font pas de la nage sous-marine.

Dans ma pratique, je l'avoue, je trouve parfois utile d'établir certaines typologies et de classer les personnes en chats, poules, canards, cygnes et autres. Et si on m'y autorise, il m'arrive de demander à ma patiente de faire un moment comme si elle était un cygne qui s'ignore, comme si elle avait été élevée par des canards, ou si elle était entourée par des canards.

Ce n'est pas qu'il faille reprocher quelque chose aux canards, ou aux cygnes, dis-je, mais les canards sont des canards et les cygnes des cygnes. Parfois, je dois utiliser d'autres métaphores animales. Que se passerait-il si vous étiez élevée par des souris ? Et si vous étiez, voyons, un cygne ? Les cygnes et les souris détestent la nourriture de l'autre, ils trouvent que l'autre a une drôle d'odeur, ils n'ont aucune envie de passer du temps ensemble et si tel était le cas, ils ne cesseraient de se chamailler.

Et si vous, cygne, étiez obligé de prétendre être une souris ? Une boule de fourrure grise, minuscule, avec une longue queue maigre ? Si vous essayiez de filer à ras du sol et qu'au lieu de ça vous vous dandiniez ? Ne seriez-vous pas l'animal le plus malheureux du monde ?

Si, sans aucun doute. Pourquoi alors, si les choses sont ainsi, les femmes tentent-elles de se plier pour prendre une forme qui n'est pas la leur ? Je crois pouvoir affirmer, après des années d'observation clinique de la question, que ce n'est pas, la plupart du temps, par un masochisme profondément ancré ou une quelconque tendance à l'autodestruction. Le plus souvent, c'est parce que la femme n'a pas d'autre idée. Elle n'est pas maternée.

On dit : *Tu puedes saber muchas cosas*, tu peux savoir beaucoup de choses, mais ce n'est pas pareil que d'avoir le sens des choses, *el sentido*. Le canard est dans ce cas, parce qu'il n'est pas materné, qu'on ne lui a rien appris, fondamentalement. C'est la mère qui apprend à sa progéniture ce qu'elle doit savoir en développant les talents innés de celle-ci. Quand elle apprend à ses petits à chasser, elle ne leur enseigne pas le b-a ba qu'ils ont dans leurs gènes ; elle leur montre ce à quoi il faut faire attention et qu'ils ignorent, accroissant par là même leur savoir et leur sagesse innée.

C'est pareil pour la femme en exil. Si elle est comme le vilain petit canard, non maternée, son instinct n'a pas été aiguisé. Au lieu de quoi, elle apprend en essayant et en se trompant. Souvent, généralement. Mais elle n'abandonne jamais et continue jusqu'à ce qu'elle ait trouvé la trace, la piste, et qu'elle soit chez elle.

Les loups ne sont jamais aussi drôles que lorsqu'ils ont perdu la trace et tentent de la retrouver : ils bondissent en l'air, tournent en rond, fouillent la terre de leur museau, grattent le sol, vont, viennent, se figent. On les croirait pris de folie. En réalité, ils sont en train de réunir tous les indices possibles. Ils les happent dans l'air, emplissent leurs poumons de l'odeur au niveau du sol, dressent leurs oreilles comme des antennes. Et une fois tous ces indices en place, ils savent comment procéder ensuite.

Même si une femme a l'air désemparé lorsqu'elle a perdu le contact avec la vie à laquelle elle tient le plus et si elle court un peu partout pour la retrouver, elle est généralement en train de réunir des éléments d'information. Dès qu'elle aura interprété ces informations à partir des indices réunis, elle repartira et cette fois, son désir de faire partie du club des chats hirsutes et des poules qui louchent sera bientôt réduit à néant.

Mémoire garder et continuer, envers et contre tout

Nous éprouvons toutes la nostalgie de notre véritable espèce, de notre nature sauvage. Le petit canard, nous l'avons vu, s'enfuit après avoir subi mille tourments. Il doit ensuite affronter les jars, échappe aux fusils des chasseurs, est chassé de la basse-cour, puis de la maison du fermier, avant d'arriver, épuisé, frissonnant, au bord du lac. Il n'est pas une femme parmi nous qui ne connaisse ce sentiment. C'est pourtant cette nostalgie qui nous conduit à tenir le coup, à aller de l'avant, portées par l'espoir.

Telle est la promesse que nous fait à toutes la psyché sauvage. Car ce merveilleux monde sauvage qui fut un temps le nôtre, même si nous n'avons fait qu'en entendre parler, en rêver ou l'apercevoir, même si nous ne l'avons pas encore effleuré, ou à peine, même si nous ne pensons pas lui appartenir, son souvenir est comme un phare qui nous guide vers notre terre et pour le restant de nos jours. Quand le vilain petit canard voit les cygnes traverser le ciel, quelque chose de familier s'éveille en lui et le souvenir de cette vision le soutiendra tout du long.

Une de mes patientes avait atteint le fond et songeait au suicide, quand elle découvrit sous son porche une araignée qui tissait sa toile. Qu'est-ce qui, dans le spectacle de ce minuscule insecte, vint alors briser la glace autour de son âme et la libéra ? Nous ne le saurons jamais vraiment, mais je suis convaincue, en tant que psychanalyste comme en tant que *cantadora*, que les choses de la nature sont souvent les plus à même de soigner, surtout les plus simples et les plus accessibles. Les remèdes de la nature sont efficaces et sans détours : une coccinelle sur l'écorce verte d'un melon d'eau, un pinson avec un brin de paille, une fleur épanouie, une étoile filante et même le prisme de la lumière dans une vitrine des rues de la ville. Continuer nous coûte une immense énergie et pourtant il suffit parfois de contempler une eau tranquille pendant cinq minutes pour recharger nos batteries pour un mois.

Il est intéressant de noter que les loups, même malades, même acculés, même seuls ou effrayés, vont de l'avant. Avec une patte cassée, ils marcheront vers leur bande pour chercher leur protection. Ils donneront toutes leurs forces pour se traîner si nécessaire d'un endroit à l'autre, jusqu'à ce qu'ils aient trouvé un bon endroit pour guérir et pour revivre.

La nature sauvage va de l'avant. Elle persévère. Ce n'est pas quelque chose que nous faisons, c'est quelque chose que nous sommes, de manière innée. Quand il nous est impossible de nous développer, nous persistons jusqu'à ce que ce soit possible. Nous avons beau être coupées de notre vie créatrice, ou rejetées par une culture ou une religion, ou exilées par notre famille, un groupe, ou sanctionnées pour nos actes, nos pensées, nos sentiments, notre vie intérieure sauvage continue, et nous avec elle. La nature sauvage n'est pas le propre d'un groupe ethnique particulier. C'est la nature des femmes du Bénin, du Cameroun, comme de celles des Pays-Bas, de la Nouvelle-Guinée, de la Polynésie, de la Sierra Leone, du Guatemala, d'Haïti ou de la Lettonie. Quels que soient leur pays, leur race, leur religion, leur tribu, leur ville, leur village, leur hameau perdu, toutes les femmes ont en commun la Femme Sauvage, l'âme sauvage.

Les femmes peindront s'il le faut un ciel bleu sur les murs des prisons, dessineront des portes qui n'existent pas, les ouvriront et les franchiront, vers d'autres mœurs, d'autres vies.

Après avoir frôlé la mort, le petit canard ignore ce qu'il va advenir de lui et c'est là le moment le plus important de l'histoire : le printemps arrive, une vie nouvelle s'éveille, l'existence peut prendre un autre tour. Il faut tenir bon, envers et contre tout, pour votre vie créatrice et pour votre vraie vie, car telle est la promesse de la nature sauvage : après l'hiver *vient toujours le printemps*.

De l'amour pour l'âme

Accrochez-vous. Vous trouverez ce que vous cherchez. A la fin du conte, les cygnes reconnaissent avant lui le petit canard comme un des leurs. On rencontre souvent cela chez les femmes exilées. Après une dure errance, elles finissent par franchir la frontière du pays qui est le leur sans toujours se rendre compte que le regard des gens a changé, qu'il ne les déprécie plus, mais est souvent devenu neutre, voire flatteur.

On pourrait penser qu'une fois sur leur territoire psychique, elles vont exploser de joie. Pas du tout. Au moins pendant un certain temps, elles n'y croient pas. Suis-je vraiment en sécurité ici ? Ne vais-je pas être chassée ? Puis-je dormir en paix ? Puis-je vraiment agir comme... un cygne ? Il faut un certain temps avant qu'elles soient en confiance et entrent dans la phase du retour à soi : celle de l'acceptation de notre beauté unique, autrement dit de l'âme sauvage dont nous sommes faites.

Pour savoir de manière fiable si une femme a eu, à un moment donné ou durant toute sa vie, le statut de vilain petit canard, il suffit d'observer si elle est incapable d'accepter un compliment sincère. Ce pourrait être bien sûr affaire de modestie, ou de timidité – quoiqu'on classe trop souvent sous le label « simple timidité » de nombreuses blessures graves [14]– mais souvent, ce compliment est reçu avec embarras par la femme parce qu'il provoque automatiquement un dialogue déplaisant dans son esprit.

Si vous lui dites qu'elle est jolie, ou que ce qu'elle crée est beau, ou la complimentez sur une réalisation que son âme a inspirée ou imprégnée, quelque chose dans son esprit va lui dire qu'elle ne le mérite pas et que vous êtes stupide de penser ainsi. Plutôt que de comprendre que la beauté de son âme transparaît quand elle est elle-même, la femme va changer de sujet et priver de nourriture l'âme-soi, qui se développe lorsqu'on la reconnaît, lorsqu'on la voit.

L'ultime tâche de l'exilée qui a retrouvé les siens va donc être non seulement d'accepter son individualité propre, son identité spécifique, mais d'accepter sa beauté... la forme de son âme et le fait que la vie auprès de cette créature sauvage nous transforme, ainsi que tout ce qu'elle touche.

Quand nous acceptons notre propre beauté sauvage, nous la mettons en perspective ; nous ne sommes donc plus douloureusement conscientes de son existence, mais nous ne devons pas pour autant la délaisser ou la rejeter. Le loup sait-il combien il est beau lorsqu'il bondit ? Le félin connaît-il l'élégance de ses attitudes ? L'oiseau a-t-il peur du bruit que font ses ailes en s'ouvrant ? Il faut nous inspirer d'eux et agir à notre manière, authentiquement, sans reculer devant notre beauté naturelle, ni la cacher. Comme les animaux, nous sommes, un point c'est tout, et c'est bien ainsi.

Pour les femmes, cette quête est fondée sur la passion mystérieuse qu'elles éprouvent à l'égard de ce qui est sauvage et qu'elles portent en elles. Nous avons appelé « La Femme Sauvage » l'objet de cette nostalgie, mais même si les femmes ignorent son nom, même si elles ignorent où elle réside, elles sont attirées par elle et l'aiment du fond du cœur. Elles en ont la nostalgie, et cette nostalgie les pousse, au propre comme au figuré, à la chercher, les pousse à la trouver. Et ce n'est pas aussi pénible que nous pourrions le penser, car la Femme Sauvage nous cherche aussi. Nous sommes ses petits.

Le Zygote Interverti

Au fil des ans, je me suis aperçue dans ma pratique qu'il est quelquefois nécessaire de prendre un peu plus à la légère cette question de l'appartenance, parce que la légèreté peut être un soulagement à la douleur. J'ai commencé à raconter à mes patientes une histoire de mon invention, baptisée « Le Zygote Interverti » pour les aider à aborder leur caractère d'étrangère par le biais d'une métaphore. Cette histoire, la voici.

Vous êtes-vous jamais demandé comment vous avez pu échouer dans une famille aussi bizarre que la vôtre ? Si votre vie est celle d'un *outsider*, d'une personne à part, différente, seule, en dehors du courant dominant, vous avez certainement souffert. Pourtant, vient le moment de sauter dans un bateau et de quitter la rive pour ramer vers la terre qui est la vôtre.

Là, vos souffrances seront terminées. Vous n'aurez plus à chercher ce qui ne va pas chez vous. Vous cesserez à tout jamais de vous demander pourquoi vous êtes née dans cette famille-là.

Pendant des années, des femmes qui ont en elles la vie mythique de l'archétype de Femme Sauvage se sont silencieusement interrogées : « Pourquoi suis-je si différente ? Pourquoi suis-je née au sein d'une famille aussi étrange (aussi ceci ou cela) ? » A chaque fois que leur existence voulait s'épanouir, il y avait quelqu'un pour répandre du sel sur le sol afin de le rendre stérile. Toutes les proscriptions à l'encontre de leurs désirs naturels les tourmentaient. Filles de la nature, on les gardait dans les maisons. Scientifiques dans l'âme, on leur apprenait le métier de mère. Si elles voulaient être mères, on leur disait qu'elles avaient intérêt à se couler complètement dans le moule, si elles voulaient inventer, on leur disait d'être des manuelles, si elles voulaient créer, on leur disait qu'on n'en a jamais fini avec les tâches ménagères.

Parfois, elles essayaient de satisfaire à ces critères et ne s'apercevaient que plus tard de leurs souhaits véritables. Il leur fallait alors, pour mener leur vie, connaître l'épreuve mutilante de la famille que l'on quitte, du mariage rompu avant que « la mort nous sépare » et des jobs abandonnés avant qu'ils puissent se révéler les marchepieds promis vers un avenir rémunérateur. Leur route était jonchée de rêves brisés.

Souvent, ces femmes étaient des artistes qui tentaient de se montrer raisonnables en consacrant 80 % de leur temps à des tâches qui tuaient dans l'œuf, jour après jour, leur créativité. Les scénarios sont légion, mais on retrouve une constante : on leur a fait remarquer très précocement qu'elles étaient « différentes », avec une connotation péjorative. En fait, elles étaient passionnées, curieuses, particulières et dans le droit-fil de leurs instincts.

Aux questions : « Pourquoi moi, Pourquoi cette famille, Pourquoi suis-je si différente ? » la seule réponse est qu'il n'y a pas de réponse. Si l'on considère pourtant qu'il faut donner un petit os à ronger au moi avant qu'il ne lâche prise, j'en propose néanmoins trois. (L'analysante choisit celle qu'elle veut, mais elle doit en choisir au moins une – pour la plupart, c'est la dernière.) Les voici.

Nous sommes nées comme ça, et au sein des étranges familles qui sont les nôtres :

1. parce que c'est ainsi (personne ou presque n'y croit),
2. parce que le Soi a un plan, que notre cerveau gros comme un petit pois ne peut saisir,
3. à cause du syndrome du Zygote Interverti (euh... oui, peut-être, mais qu'est-ce que c'est ?).

Pour votre famille, vous venez d'une autre planète. Vous avez des plumes, ils ont des écailles. Votre bonheur, ce sont les forêts, les étendues sauvages, la vie intérieure, la majesté de la nature. Le leur, c'est de plier, ranger, trier. Si tel est votre cas, vous êtes victime du syndrome du Zygote Interverti.

Les membres de votre famille sont lourds et lents, vous filez comme le vent. Ils sont bruyants, vous aimez le calme, ou bien vous chantez et ils sont silencieux. Quand vous savez quelque chose, vous savez, un point c'est tout ; eux ont besoin de trois cent trente-trois pages de preuves. Aucun doute : c'est le syndrome du Zygote Interverti.

Jamais entendu parler ? Eh bien, voilà... Un jour, la fée Zygote traversait le ciel au-dessus de votre ville natale, portant dans son panier un tas de petits zygotes tout excités. Et parmi ces zygotes, il y avait vous, destinée à des parents qui sauraient vous comprendre. Or, voilà que la fée Zygote rencontre une zone de turbulence. Vous passez accidentellement par-dessus le bord du panier et, cul par-dessus tête, vous entrez dans une famille absolument pas faite pour vous. Votre « vraie » famille se trouve à cinq kilomètres de là.

C'est pourquoi vous êtes tombée amoureuse d'une famille qui n'était pas la vôtre et qui vivait à cinq kilomètres de chez vous. Vous auriez aimé que monsieur et madame X soient vos parents. Il y a des chances qu'ils auraient dû l'être.

Et c'est pourquoi vos parents ne vous voient pas arriver sans crainte. « Que va-t-elle encore nous faire ? » se lamentent-ils.

Tout ce que vous voulez, c'est qu'on vous aime. Tout ce qu'ils veulent, c'est avoir la paix.

Pour des raisons qui leur sont propres (de par leurs goûts, leur constitution, leur innocence, leurs handicaps, leurs problèmes psychiques, leur ignorance soigneusement entretenue), les membres de votre famille ne sont pas à l'aise avec l'inconscient et votre arrivée appelle l'archétype du Fripon, celui qui remue les choses. Et vous n'êtes pas encore passée à table que déjà il meurt d'envie de mettre un cheveu dans la soupière.

Lorsque des parents sont sans cesse offensés et que des enfants ont l'impression de tout faire de travers, c'est le signe de la présence de zygotes sauvages dans la famille.

La famille non sauvage ne veut qu'une chose, mais mademoiselle Zygote Interverti est incapable de savoir quoi, et même si elle le pouvait, cela la plongerait dans un abîme de perplexité.

Je vais vous confier ce grand secret. Ce qu'ils veulent de vous, c'est la cohérence. Ils veulent que vous soyez demain comme hier et comme aujourd'hui. Ils ne veulent pas que vous changiez, ils vous veulent pareille au jour du big bang.

Demandez-leur s'ils recherchent la cohérence et ils répondront par l'affirmative. En tout ? Non, seulement pour ce qui est important. Or, ce qui est important, dans leur système de valeurs, exclut la nature sauvage des femmes, sur laquelle ils jettent trop souvent l'anathème. Malheureusement, « ce qui est important » à leurs yeux n'est pas cohérent avec « ce qui est important » aux yeux de l'enfant sauvage.

La Femme Sauvage ne peut absolument pas faire preuve de cohérence, car elle tient sa force de ses capacités d'adaptation au changement, de ses dons d'innovation, de sa façon de danser, gronder et hurler comme une louve, de sa vie instinctuelle profonde, de sa flamme créatrice. Si cohérence il y a, c'est non pas dans l'uniformité, mais dans sa vie créatrice, la permanence de sa perception, de sa souplesse, de son regard vif, de son adresse.

Si nous devions résumer la Femme Sauvage, nous parlerions de sa façon de réagir, de répondre à la vie. Répondre, au sens latin de *respondere*, signifie qu'on « s'engage en retour », qu'on « promet ». Et c'est bien ce qu'elle fait, vis-à-vis des forces créatrices, que ce soit *El Duende*, l'esprit qui anime la passion, ou la Beauté, l'Art, la Danse, ou la Vie. Elle nous promet, si nous ne la contrarions pas, de nous faire vivre pleinement.

De sorte que ce n'est pas envers sa famille que mademoiselle Zygote Interverti est loyale, mais envers son soi intérieur, d'où son déchirement. On dirait que sa mère louve la tient par la queue, tandis que son autre famille lui tient les bras. La fillette ne tarde pas à pleurer de douleur, à gronder et à mordre et elle-même et les autres. Puis c'est un silence de mort. Elle a *los ojos del cielo*, les yeux du ciel, le regard de ceux qui ne sont plus parmi nous.

Si la socialisation est une étape cruciale pour l'enfant, tuer la *criatura* intérieure, c'est tuer l'enfant. En Afrique de l'Ouest, on dit que si l'on est dur avec un enfant, on fait partir l'âme de son corps, parfois à quelques mètres, parfois à plusieurs jours de marche.

On doit certes mettre dans la balance les besoins de l'âme de l'enfant et son besoin de sécurité, de soins, ainsi que des notions soigneusement examinées de « conduite civilisée ». Mais je m'inquiète toujours pour ceux qui sont trop bien élevés ; on voit souvent ce regard d'une « âme faible » dans leurs yeux. Quelque chose ne va pas. Une âme en bonne santé doit briller, la plupart du temps, à travers la *persona*, et flamboyer les autres jours. Quand la blessure est grave, l'âme s'enfuit.

Parfois, elle part si loin qu'il faut beaucoup d'habileté pour la faire revenir. Il peut se passer une très longue période avant que cette âme ait suffisamment confiance pour cela, mais ce n'est pas impossible si l'on utilise un certain nombre d'ingrédients : une franche honnêteté, de l'enthousiasme, de la tendresse, de la douceur, une colère mesurée, de l'humour. Leur mélange va créer un chant qui va rappeler l'âme à sa demeure.

Quels sont les besoins de l'âme ? Ils appartiennent au domaine de la nature et à celui de la créativité, là où vit *Na'ashjé'ii Asdzáá*, la Femme Araignée, déesse de la création du Diné, le peuple navajo, qu'elle protège. Elle a pour tâche, entre autres, d'apprendre à l'âme l'amour de la beauté.

Les besoins de l'âme se trouvent dans l'antre des trois vieilles (ou jeunes, cela dépend du moment) sœurs – Clotho, Lachésis et Atropos – qui tissent le fil rouge, c'est-à-dire la passion, de la vie d'une femme. Pour chacune, elles tissent les âges de la vie et font un nœud quand l'un s'achève et qu'un autre commence. On les rencontre dans les bois des esprits de la chasse, Diane et Artémis, l'une et l'autre étant des femmes louves qui représentent le don de chasser, traquer et ramener divers aspects de la psyché.

Coatlicue, déesse aztèque de l'autosuffisance féminine, qui donne naissance accroupie, gouverne les besoins de l'âme. Ses enseignements portent sur la vie de la femme seule. Elle représente un potentiel de vie nouvelle, car elle fait les bébés, mais c'est aussi une Mère Mort dont la jupe est semée de crânes, qui sonnent quand elle marche, comme le ferait un serpent à sonnettes. Et ce bruit, semblable aussi à celui de la pluie, apporte par résonance la pluie sur la terre. Elle est la protectrice de toutes les femmes seules et de celles qui sont si *mágia*, si emplies de pensées et d'idées fortes, qu'elles doivent vivre en marge de façon à ne pas trop stupéfier le village. Coatlicue est la protectrice toute particulière des femmes qui sont des *outsiders*.

Quelle est la nourriture de base de l'âme ? Cela dépend des êtres, mais voici quelques combinaisons. Appelons cela une macrobiotique psychique. Pour certaines femmes, l'air, la nuit, la lumière du soleil et les arbres sont essentiels. Pour d'autres, ce sont les mots, le papier, les livres, pour d'autres encore, les couleurs, les formes, les ombres, la glaise. Certaines ont besoin de sauter, de courir, de s'arquer, car leur âme a un besoin ardent de danser, tandis que d'autres ont juste besoin d'un arbre pour s'y appuyer et vivre en paix.

Il faut aborder un autre point, toutefois. Les Zygotes Intervertis apprennent à survivre. Il est dur de passer des années auprès de ceux qui ne peuvent vous aider à vous épanouir. Dire que l'on est une survivante est déjà énorme. Pour beaucoup, le pouvoir est dans le terme même. Et pourtant vient le moment, au cours du processus d'individuation, où la menace, le traumatisme appartiennent au passé. Alors, il est temps de franchir l'étape qui suit la survie : celle où l'on guérit, où l'on *prend vigueur*.

Si nous ne dépassons pas l'étape de la survie, nous nous limitons, nous n'utilisons que la moitié de notre énergie, de notre pouvoir sur le monde. Notre fierté d'être des survivantes peut constituer un obstacle à notre développement créatif, car nous nous contentons de ce statut, de cette marque distinctive.

Il est souhaitable de ne pas considérer la survie comme la pièce maîtresse d'une existence. C'est une médaille durement gagnée, certes, mais une médaille parmi d'autres. Les êtres humains méritent d'avoir des récompenses et de beaux souvenirs, pour avoir réussi à vivre leur vraie vie, à triompher. Une fois la menace écartée, néanmoins, le fait de nous qualifier avec des termes appartenant aux périodes les plus terribles de notre vie est un piège qu'il faut éviter. Cela peut créer un état d'esprit limité. Il est mauvais de fonder l'identité de l'âme sur les seuls hauts faits, défaites et victoires des mauvais jours. Avoir survécu peut endurcir une femme, mais, à un moment, le fait de s'y attacher de manière exclusive finit par inhiber toute nouvelle évolution.

Quand nous voyons une femme mettre l'accent sur son identité de survivante, même si elle lui est désormais inutile, la tâche qui nous attend est claire : il faut lui faire relâcher son étreinte sur l'archétype du survivant, ou rien d'autre ne pourra pousser sur ses branches.

Je la compare à une petite plante coriace qui, en dépit de tout, est arrivée, sans eau, sans engrais, sans soleil, à faire une courageuse, une jolie feuille. Mais si elle veut prendre de la vigueur, maintenant qu'elle a laissé derrière elle les mauvais moments, il lui faut se mettre en position de recevoir de l'humidité, des nutriments, de la lumière, pour pouvoir être florissante, couverte de feuilles et de fleurs. Mieux vaut nous donner des noms qui vont nous pousser à nous développer comme des créatures libres. C'est cela, prendre de la vigueur.

Les êtres humains mettent leur existence en perspective par le biais, entre autres, des rites, que ce soit Pourim, l'Avent ou les phases de la lune. Les rites évoquent et réunissent les ombres, les spectres de la vie des gens, les trient, les mettent au repos. On trouve dans les célébrations d'*El Dia de los Muertos*, le Jour des Morts, une formule qui peut aider les femmes à passer de la phase de survie à celle de la prise de vigueur. Elle est fondée sur le rite des *ofrendas*, qui sont des autels pour les défunts. Les *ofrendas* sont des tributs, des mémorials, l'expression de l'affection à l'égard de ceux qui ont quitté cette terre. Je me rends compte que le fait de dresser une *ofrenda* à la petite fille qu'elles furent aide beaucoup de femmes, un peu comme un signe de reconnaissance à cette enfant héroïque.

Certaines choisissent des objets, des écrits, des vêtements, des jouets et autres symboles de l'enfance destinée à être évoquée. Elles arrangent l'*ofrenda* à leur manière, racontent ou non l'histoire qui va avec et laissent l'autel dressé aussi longtemps qu'elles le souhaitent. L'*ofrenda* témoigne de leurs peines passées, de leur valeur, de leur triomphe contre l'adversité [15].

Cette façon de considérer le passé a plusieurs conséquences : elle met les choses en perspective, recompose avec compassion une époque révolue en exposant une expérience vécue, ce que l'on en a fait, ce qui est digne d'admiration. C'est le fait d'admirer, plutôt que la création de l'objet, qui libère la personne.

Quand on continue abusivement à être l'enfant qui survit, on fait une suridentification à l'archétype du survivant. C'est en prenant conscience de la blessure et en la mettant en mémoire, qu'on commence à prendre de la vigueur. Nous autres, femmes, sommes destinées à être florissantes sur cette terre, non pas seulement à survivre. C'est un droit de naissance.

Ne vous recroquevillez pas, ne vous faites pas toute petite si l'on vous qualifie de mouton noir ou de louve solitaire. Ceux qui ont une vision des choses étriquée disent que les non-conformistes sont comme des cloques sur l'arbre de la société. Mais au fil des siècles, le temps a fait la preuve qu'être différente et rester en marge est la garantie d'une contribution originale, superbe et utile à la culture de chacune [16].

Lorsque vous avez besoin de conseils, n'écoutez pas les timides de cœur. Soyez gentille, soyez bonne avec eux, mais fuyez leurs avis.

On vous a qualifiée d'insolente, d'incorrigible, d'insurgée, d'effrontée, de rebelle, de sans foi ni loi ? Vous êtes sur la bonne voie. La Femme Sauvage n'est pas loin.

Ce n'est pas le cas ? Il n'est pas trop tard. Pratiquez votre Femme Sauvage. Et *Ándele* !

7

LE CORPS JOYEUX : LA CHAIR SAUVAGE

J'ai été frappée par la façon qu'ont les loups de ne pas se désunir lorsqu'ils jouent ou courent, chacun à sa façon, qu'ils soient vieux, jeunes, maigres, gros, hauts sur pattes ou complètement tordus à la suite d'une fracture mal guérie. Tous ont leur beauté propre, cette force et cette configuration du corps qui n'appartient qu'à eux. Ils vivent et jouent en fonction de ce qu'ils sont, de qui ils sont, de l'état dans lequel ils sont. Ils n'essaient pas d'être ce qu'ils ne sont pas.

Une fois, dans le nord des Etats-Unis, j'ai observé une louve qui n'avait plus que trois pattes. C'était la seule à pouvoir s'introduire dans une crevasse couverte de myrtilles. Une autre fois, j'ai vu un loup gris bondir avec une telle rapidité qu'il laissa dans l'air, pendant quelques secondes, la trace d'un arc d'argent. Je me souviens d'une jeune mère, toute fine, le ventre encore arrondi, progressant dans une tourbière avec la grâce d'une ballerine.

Et pourtant, malgré leur beauté et leur capacité à rester forts, on raconte que les loups ont de trop grandes faims, des dents trop acérées, des appétits trop intéressés. C'est quelquefois pareil avec les femmes : on parle d'elles comme si un seul type de tempérament et des appétits modérés étaient acceptables. Trop souvent, on attribue à la femme une moralité en fonction de la manière dont sa taille, son poids, son allure sont ou non en conformité avec un idéal unique ou exclusif. Quand on les relègue à un état d'esprit, à un maniérisme, à un profil conformes à un idéal unique de beauté et de comportement, les femmes ne sont plus libres : elles sont prisonnières par l'âme et par le corps.

Dans la psyché instinctive, on considère le corps comme un réseau d'informations, un messager comportant un très grand nombre de systèmes de communication – cardiovasculaire, respiratoire, osseux, autonome, sans parler des émotions et des intuitions. Dans le monde de l'imaginaire, c'est un formidable véhicule, un esprit qui vit avec nous, un hymne à la vie en soi. Dans les contes de fées, le corps, personnifié par des objets magiques jouissant de qualités et de capacités surhumaines, est censé avoir deux paires d'oreilles, l'une pour entendre dans le monde extérieur, l'autre pour être à l'écoute de l'âme ; deux paires d'yeux, l'une pour la vision normale, l'autre pour la clairvoyance ; deux types de force, la force musculaire et la force invincible de l'âme. Et la liste n'est pas close.

Dans les systèmes de travail sur le corps comme la méthode Feldenkrais *, l'Ayurveda et autres, on considère en général que le corps n'a pas cinq sens, mais six. Il se sert de sa peau, de ses aponévroses. Comme la pierre de Rosette **, il communique à ceux qui savent le déchiffrer un enregistrement de la vie donnée, de la vie ôtée, de la vie espérée, de la vie guérie. On lui reconnaît la capacité d'enregistrer les réactions immédiates, de ressentir au niveau le plus profond, de sentir en anticipation.

Le corps parle plusieurs langues. Il s'exprime par sa couleur, sa température, le rouge aux joues de la reconnaissance, le halo de l'amour, la teinte cendreuse de la douleur, la chaleur de l'excitation, la froideur du manque de conviction. Il s'exprime par sa danse légère et permanente, ses balancements, ses tremblements, les bonds du cœur, les hauts et les bas de l'humeur, et la montée de l'espoir.

Le corps se souvient, les os, les articulations, se souviennent et même le petit doigt. La mémoire habite les images et les sentiments au sein des cellules elles-mêmes. Comme une éponge saturée d'eau, partout où l'on presse, essore, ou même effleure simplement la chair, un souvenir peut en jaillir.

Confiner la beauté, la valeur du corps dans autre chose que cette magnificence, l'y réduire, c'est forcer le corps à vivre sans l'esprit, la forme, l'exultation auxquels il a droit. Considérer quelqu'un comme laid ou inacceptable parce qu'il a une beauté en dehors des critères en vogue, c'est attenter gravement à la joie naturelle qui appartient à la nature sauvage.

Les femmes ont de bonnes raisons de réfuter les critères physiques et psychologiques qui se révèlent injurieux envers l'esprit et coupent le lien avec l'âme sauvage. Il est clair que la nature instinctive des femmes préfère juger le corps et l'esprit selon leur vitalité et leur capacité à répondre plutôt que selon leur apparence. Elles ne cherchent pas en cela à rejeter ce qui est culturellement considéré comme beau, mais plutôt à tracer un cercle plus vaste, qui puisse embrasser toutes les formes de beauté, de forme et de fonctions.

---

* La méthode de Moshe Feldenkrais est une méthode d'auto-éducation du corps par la conscience. *(N.d.T.)*

** Pierre couverte de hiéroglyphes trouvée à Rosette (Rachid) en Egypte et déchiffrée par Champollion. *(N.d.T.)*

Le langage du corps

Avec une amie, Opalanga, griotte afro-américaine, nous avions mis au point une narration en duo, intitulée « Le Langage du Corps », sur le thème de la découverte des vertus ancestrales de notre parenté. Opalanga est droite comme un if, et aussi grande et svelte. Moi, je suis *una Mexicana,* de constitution solide et de conformation généreuse. Quand Opalanga était petite, non seulement sa haute taille suscitait les railleries, mais on lui disait que ses dents de devant écartées étaient le signe qu'on était un menteur. Moi, on me disait que ma forme et mes formes étaient le signe des gens inférieurs, incapables de se contrôler.

Au cours de cette performance conjointe, nous évoquions les flèches qu'on nous avait décochées, notre vie durant, parce qu'« On » avait décidé que notre corps était trop comme ci et pas assez comme ça. Nous chantions un chant funèbre pour les corps dont on ne nous permettait pas de jouir. Nous nous balancions, nous dansions, nous nous regardions mutuellement. Chacune trouvait à l'autre une forme mystérieuse de beauté et se demandait comment les gens pouvaient penser autrement.

Quel ne fut pas mon étonnement en apprenant que, devenue adulte, Opalanga était allée en Gambie, en Afrique de l'Ouest, où elle avait retrouvé certains des membres de la tribu de ses ancêtres, dont beaucoup, ô surprise ! étaient aussi grands et sveltes que des ifs et avaient les dents de devant écartées. Cette fente entre ses dents, lui expliquèrent-ils, était appelée *Sayaka Yallah*, « ouverture de Dieu », et considérée comme un signe de sagesse...

Quelle ne fut pas sa stupeur quand je lui racontai que moi aussi, parvenue à l'âge adulte, j'étais partie pour l'isthme de Tehuantepec, au Mexique, où j'avais retrouvé certains des membres de la tribu de mes ancêtres qui, ô surprise ! était une tribu avec des femmes monumentales, solides, coquettes et majestueuses. Elles m'avaient tapotée [1], tâtée, en déclarant que je n'étais pas tout à fait assez grosse. Est-ce que je mangeais suffisamment ? Avais-je été malade ? Il fallait que j'essaie encore, expliquèrent-elles, car les femmes sont faites comme *La Tierra*, rondes comme elle, qui porte tant de choses dans ses flancs [2].

C'est pourquoi, lors de cette performance, de même que dans la vie, nos histoires personnelles, qui commencèrent dans l'oppression et la dépression, se terminent dans la joie et avec un sens de notre identité très fort. Opalanga a compris que sa haute taille fait sa beauté, que son sourire est celui de la sagesse et que la voix de Dieu n'est jamais loin de ses lèvres. J'ai compris que mon corps est uni à la terre, que j'ai des pieds faits pour tenir bon et que mon corps est un vaisseau capable de beaucoup porter et transporter. Nous avons appris l'une et l'autre auprès de personnalités importantes extérieures à notre culture américaine, à revaloriser le corps, à réfuter les idées et le langage qui ont pour but d'injurier le corps mystérieux et de refuser de considérer le corps féminin comme un instrument de connaissance [3].

Prendre plaisir à un monde où l'on trouve diverses formes de beauté est une joie à laquelle toutes les femmes ont droit. Promouvoir un type unique de beauté montre qu'on n'a guère observé la nature. Il ne peut y avoir une seule sorte de chant d'oiseau, une seule sorte de pin, ni de loup. Il ne peut y avoir des bébés, des hommes, des femmes d'un seul type, ni des seins, une taille, une peau d'un seul type.

L'expérience que j'ai eue avec ces Mexicaines imposantes m'a conduite à remettre en question l'ensemble des prémisses psychanalytiques sur les différentes tailles et formes des femmes et tout particulièrement sur la question du poids. Une vieille prémisse psychologique, en particulier, me parut particulièrement grotesque : c'est l'idée que les femmes corpulentes ont faim de quelque chose et qu'« il y a en elle une personne mince qui hurle qu'elle veut sortir ». Quand j'ai évoqué cette métaphore de « la femme mince qui hurle » devant l'une des femmes majestueuses de la tribu Tehuana, elle m'a regardée avec inquiétude. Parlais-je de « possession par un esprit du mal [4] ? » Et qui, interrogea-t-elle, aurait placé une chose aussi mauvaise dans le corps d'une femme ? Elle ne parvenait pas à comprendre que des « guérisseurs » ou n'importe qui d'autre puissent considérer que parce qu'une femme était naturellement forte, il y en avait en elle une autre femme en train de hurler.

Certes, il existe des troubles alimentaires compulsifs et destructeurs qui déforment le corps et c'est dramatique, mais ils ne sont évidemment pas la norme chez les femmes. Si des femmes sont grosses ou menues, larges ou étroites, grandes ou petites, c'est vraisemblablement parce qu'elles ont hérité des formes de leurs parents, grands-parents ou arrière-grands-parents. Juger des caractères physiques hérités d'une femme ou en dire du mal équivaut à créer des générations de femmes anxieuses et névrosées. En portant un jugement à caractère destructeur sur la conformation héréditaire d'une femme, en l'excluant, on lui vole des trésors psychologiques et spirituels, on la dépouille de l'orgueil du type physique qui lui a été transmis par ses ancêtres, on rompt brutalement le lien d'identité féminine qu'elle avait avec le reste de sa famille.

Si on lui dit de haïr son propre corps, comment pourra-t-elle aimer celui de sa mère, qui a la même forme que le sien [5] ? – celui de sa grand-mère, celui de ses filles ? Comment pourra-t-elle aimer les corps d'autres femmes (et hommes) proches qui ont hérité des formes et de la configuration corporelles de leurs ancêtres ? Une telle attaque anéantit le légitime orgueil qu'elle éprouve à avoir une affiliation et détruit l'harmonie qu'elle éprouve avec son corps, quels que soient sa taille, son poids, ses formes. Elle touche aussi les femmes qui l'ont précédée et celles qui viendront après elle [6].

Ces jugements tranchés sur ce qu'on peut accepter, ou non, en matière de conformation créent une nation de grandes filles complètement voûtées, de femmes petites montées sur échasses, de femmes corpulentes vêtues comme des veuves, de femmes très minces essayant de paraître rembourrées et autres malheureuses tentant de se dissimuler. Détruire le lien instinctif de la femme avec son corps naturel, c'est lui ôter toute confiance et l'inciter à donner plus de valeur à son apparence qu'à son identité réelle. C'est lui faire dépenser son énergie à calculer ce qu'elle mange, l'œil fixé sur l'aiguille de la balance. C'est l'en rendre obsédée, dans ses faits et gestes et ses projets. Il est impensable, dans le monde instinctif, qu'une femme puisse vivre en étant obnubilée par son apparence.

Rester en bonne santé et donner à son corps la nourriture dont il a besoin semble aller de soi [7]. Pourtant, je reconnais qu'il y a en beaucoup de femmes une femme « affamée ». Mais elles ont moins faim d'avoir une certaine taille, un certain poids, une certaine forme ou d'être conformes au stéréotype, que de recevoir l'estime fondamentale de la culture environnante. « L'affamée » qui se trouve en elles meurt d'envie d'être traitée avec respect, d'être acceptée [8] et, en dernière analyse, d'être considérée en dehors des stéréotypes. Si une femme « qui hurle pour sortir » existe vraiment, alors elle hurle pour que cessent les projections irrespectueuses que les autres font sur son corps, son visage, son âge.

Maints théoriciens de la psychologie ont souscrit à ce parti pris qui donne un caractère pathologique aux différences corporelles des femmes et parmi eux Freud, très certainement. Dans le livre qu'il a écrit sur son père, par exemple, Martin Freud rapporte que la famille tout entière détestait et ridiculisait les gens corpulents [9]. Les motivations de Freud sortent du cadre de cet ouvrage ; on ne peut toutefois s'empêcher de penser qu'une telle attitude pouvait difficilement contribuer à un point de vue équilibré sur le corps féminin.

Il suffit de dire que divers praticiens de la psychologie continuent à maintenir ce parti pris contre le corps naturel, en encourageant les femmes à surveiller constamment leur corps et en les privant, par voie de conséquence, des bonnes relations qu'elles pourraient avoir avec leur forme originelle. L'angoisse à l'égard du corps prive en grande partie la femme de sa vie créatrice et détourne son attention d'autres choses.

Cet encouragement à tailler dans son corps ressemble étrangement à la façon dont on taille dans la chair de la terre elle-même, dont on la brûle et on l'écorche, mettant ses os à nu. La blessure de la psyché et du corps des femmes a son pendant au sein de la culture et en fin de compte au sein de la Nature elle-même. Une véritable psychologie holistique considère que tous les mondes ne constituent pas des entités séparées, mais sont interdépendants. Il n'est pas étonnant que, dans notre contexte culturel, le problème soit le même pour la femme, le paysage et la culture, dans laquelle on taille au nom de ce qui est à la mode. Les femmes ne pourront certes pas empêcher du jour au lendemain la dissection de la culture et des terres, mais elles peuvent cesser de le faire sur leur propre corps.

La nature sauvage ne cautionnera jamais la torture du corps, de la culture ou de la terre. Elle n'acceptera jamais qu'on martyrise la forme pour prouver qu'on vaut quelque chose, qu'on « maîtrise » les choses, qu'on a du caractère, qu'on est plus agréable à regarder, qu'on a une valeur financière accrue.

Les femmes ne pourront faire prendre conscience de tout cela à leur environnement culturel en lui disant simplement : « Change. » Mais elles peuvent changer leur attitude à l'égard d'elles-mêmes, ce qui désamorcera les projections destinées à les dévaluer. Pour cela, il leur faut se réapproprier leur corps. En ne renonçant pas à la joie de leur corps naturel, en ne souscrivant pas à l'illusion courante que le bonheur ne vient qu'à celles qui ont un âge donné et une conformation donnée, en n'attendant pas avant d'accomplir ce qui doit être fait, en se réappropriant leur vraie vie et en la vivant à plein et sans frein. C'est cette façon de s'accepter, cette estime de soi qui commencent à faire changer les attitudes au sein de la culture.

Le corps dans les contes de fées

Il existe de nombreux récits mythologiques et contes de fées qui décrivent les faiblesses et la nature sauvage du corps. Il y a chez les Grecs Héphaïstos, le boiteux habile au travail des métaux précieux, chez les Mexicains *Hartar* au corps double, il y a aussi Vénus née de l'onde, le petit tailleur dont la laideur ne l'empêchait pas de pouvoir créer la vie, les femmes de la Montagne des Géants, courtisées pour leur force, Poucette, qui peut voyager de manière magique, et tant d'autres.

Dans les contes de fées, certains objets magiques ont la vertu de se déplacer et font preuve de capacités sensorielles qui sont autant de métaphores pour le corps : feuille, tapis magique, nuage. Ce peut être un manteau, des chaussures, un bouclier, une coiffe, un casque ou autre, qui communiquent l'invisibilité, une force supérieure, la clairvoyance... Sur le plan archétypal, ils sont de la même famille, et permettent au corps physique de voler, ou d'avoir une meilleure perception, ou une ouïe plus fine, ou de bénéficier d'une protection pour l'âme et la psyché.

Avant l'invention des diverses voitures à chevaux, avant la domestication des animaux de trait et de monte, l'objet magique était le motif qui représentait le corps sacré. Des vêtements, des amulettes, des talismans et autres objets faisaient franchir la rivière à la personne ou la transportaient dans le monde, à condition qu'elle soit entrée en relation avec eux d'une certaine manière.

Le tapis magique est un excellent symbole de la valeur sensorielle et psychique du corps naturel et sauvage. Les contes de fées dans lesquels apparaît le motif du tapis volant reproduisent l'attitude de notre propre culture à l'égard du corps. Au début, le tapis magique est considéré comme un objet ordinaire, sans grande valeur, mais lorsque quelqu'un s'installe dessus et lui enjoint de partir, le tapis se met à trembler, s'élève quelque peu, reste un instant sur place, puis file soudain, emportant son passager vers un lieu, un centre, un point de vue, une connaissance différents [10]. Le corps, par le biais d'une excitation, d'une ouverture de la conscience ou d'une expérience sensorielle – comme écouter de la musique, entendre la voix d'un être cher ou sentir un certain parfum –, a la capacité de nous transporter ailleurs.

Dans les contes de fées comme dans les récits mythologiques, le tapis représente une forme de locomotion, mais pas n'importe laquelle – celle qui nous permet d'avoir une vision du monde et de la vie souterraine. Dans les contes du Moyen-Orient, il est le véhicule qui transporte l'esprit des chamans. Le corps n'est pas un objet obtus dont nous cherchons à nous libérer ; mis dans la perspective adéquate, c'est un vaisseau spatial, une série de carrefours atomiques, un entrelacs d'ombilics neurologiques conduisant à d'autres mondes et d'autres expériences.

Les tapis magiques ne sont pas les seuls symboles du corps. Il y en a d'autres. Voici un conte que m'a raconté Fahtah Kelly. Il s'appelle simplement *Conte du Tapis magique* [11]. On y voit un sultan envoyer trois frères à la recherche de « l'objet le plus merveilleux du monde ». Celui des frères qui trouvera ce trésor sera récompensé par un royaume. Le premier s'en revient avec une baguette d'ivoire qui permet d'avoir la vision de son choix. Le second rapporte une pomme dont le parfum peut soigner toute affliction et le troisième un tapis magique, capable de transporter par la pensée une personne partout où elle le souhaite.

– Alors, qu'est-ce qui a la plus grande valeur, demande le sultan, la capacité de voir loin ? La capacité de guérir ? Ou la capacité de voyager par l'esprit ?

Les frères, chacun à son tour, vantent les mérites de l'objet qu'ils ont rapporté. A la fin, le sultan lève la main et proclame : « Aucun d'eux n'a plus de valeur que les autres, car sans l'un, les autres seraient inutiles. » Et il partage le royaume équitablement entre les trois frères.

Ce conte est riche d'images qui nous permettent d'imaginer ce qu'est vraiment un corps plein de vie. Il décrit, comme d'autres histoires similaires, les pouvoirs fabuleux que recèle le corps, ceux de l'intuition, de la pénétration, de la guérison sensorielle et de l'extase [12]. Nous avons tendance à considérer notre corps comme cet « autre » qui fait en quelque sorte sa petite affaire sans nous et qui, à condition d'être correctement « traité », nous permettra de nous « sentir bien ». Beaucoup de gens traitent leur corps comme s'il s'agissait d'un esclave, ou le traitent bien mais lui demandent néanmoins de suivre leurs caprices comme s'il était un esclave.

On dit que l'âme informe le corps. Pourquoi ne pas imaginer un moment que le corps informe l'âme, qu'il l'aide à s'adapter à la vie du monde extérieur, fait pour elle l'analyse grammaticale et la traduction, lui donne la feuille de papier, l'encre et la plume pour que l'âme puisse écrire sur notre vie ? Supposons que le corps soit un dieu, un maître, un mentor, un guide. Serait-il sage, dans ce cas, de châtier ce maître qui a tant à donner, tant à enseigner ? Avons-nous envie de laisser les autres, notre vie durant, juger et dénigrer notre corps ? Avons-nous la force de les renvoyer dans leurs buts et d'être à l'écoute du corps en tant qu'être fort, qu'être sacré [13] ?

L'idée que se fait notre culture du corps en tant que sculpture et rien d'autre est fausse. Le corps n'est pas de marbre. Son but est de protéger, de contenir, de soutenir, d'enflammer l'esprit et l'âme qu'il renferme, d'être un reposoir pour la mémoire, de nous remplir de sensations – c'est la plus haute forme de nourriture psychique. Il est là pour nous élever, nous propulser, nous prouver que nous existons, que nous avons un poids et le sol sous nos pieds. On se trompe en le considérant comme un lieu qu'il faut abandonner pour s'élever vers l'esprit. Sans le corps, on n'aurait pas l'impression de franchir des seuils, de s'élever, d'être délivré de la pesanteur. C'est lui qui nous le fait ressentir. Le corps est la fusée de lancement et dans le nez de cette fusée l'âme, éblouie, contemple par le hublot la nuit constellée d'étoiles.

Le pouvoir dans les flancs

Qu'est-ce qui, dans le monde instinctuel, constitue le corps sain ? Au niveau le plus fondamental – poitrine, ventre, tout ce qui est couvert par la peau, tout ce qui a des neurones pour transmettre les sensations – la question n'est pas de savoir quelle forme, quelle taille, quelle couleur, quel âge, mais s'il ressent, s'il fonctionne comme il le devrait, si nous pouvons réagir, si nous ressentons une gamme de sensations. A-t-il peur ? Est-il paralysé par la douleur, anesthésié par un vieux traumatisme ou a-t-il sa musique propre ? Ecoute-t-il avec son ventre, comme la déesse Baubo ? Voit-il avec ses multiples façons de voir ?

Quand j'avais une vingtaine d'années, j'ai eu deux expériences essentielles, qui, l'une comme l'autre, allaient à l'encontre de tout ce qu'on m'avait appris du corps jusque-là. La première fois, je participais à un rassemblement de femmes. Le soir, nous étions réunies autour du feu près des sources chaudes, et j'ai vu une femme d'environ trente-cinq ans. Elle était nue et les grossesses avaient comme vidé ses seins de leur contenu, tandis que son ventre était couvert de vergetures. Je me souviens d'avoir eu de la peine pour les outrages qu'avait subis cette peau fine et claire. Quelqu'un jouait du tambour et des maracas et elle s'est alors mise à danser. Elle a commencé à bouger avec une grâce incroyablement émouvante. Elle était superbe, c'était la vie même. Et j'ai compris alors ce qu'était le pouvoir de ses flancs, le pouvoir qu'on m'avait appris à ignorer, celui du corps féminin lorsqu'il est animé de l'intérieur. Presque trente ans après, je la vois encore danser dans la nuit et je suis toujours frappée par le pouvoir du corps.

C'est une femme beaucoup plus âgée qui fut ma seconde révélation. Ses hanches en forme de poire ne correspondaient nullement aux canons de beauté habituels. Par rapport, sa poitrine était menue. Elle avait une taille épaisse et ses cuisses étaient couvertes d'un réseau de veinules violacées, tandis qu'une cicatrice, résultat d'une grave opération, courait de sa cage thoracique à sa colonne vertébrale.

Pourquoi, alors, les hommes lui tournaient-ils autour comme si elle était un rayon de miel ? Peut-être voulaient-ils mordre dans le fruit mûr de ces cuisses, lécher cette cicatrice, étreindre cette poitrine, poser leur joue sur la toile d'araignée de ses veines. Elle avait un sourire éblouissant, une démarche magnifique et ses yeux allaient au fond des êtres et des choses. Là encore, je pus voir ce pouvoir qui se trouve *dans* le corps. Le pouvoir culturel *du* corps, c'est sa beauté, mais le pouvoir qui est *dans* le corps est rare, car la plupart l'ont chassé par les tortures infligées à leur chair ou la gêne que celle-ci leur causait.

C'est dans ce sens que la femme sauvage peut faire des recherches sur le caractère numineux de son corps et comprendre que le corps n'est pas un poids qu'il nous faut traîner toute la vie, ni une bête de trait qui nous traîne à vie, mais une série de portes, de rêves, de poèmes grâce auxquels nous pourrons apprendre et connaître une infinité de choses. Dans la psyché sauvage, le corps est considéré comme un être propre, qui nous aime et nous fait confiance, à qui parfois nous servons de mère et qui parfois est une mère pour nous.

La Mariposa, la Femme Papillon

Pour parler différemment du pouvoir du corps, je vais vous raconter une histoire, une longue histoire, une histoire vraie.

Depuis des années, les touristes sillonnent le grand désert américain et parcourent à toute allure le « circuit spirituel » : Monument Valley, Chaco Canyon, Mesa Verde, Kayenta, Keams Canyon, Painted Desert et Canyon de Chelly. Ils lèvent les yeux vers le pubis de Mère Grand Canyon, hochent la tête, haussent les épaules et se hâtent de rentrer chez eux pour revenir l'été suivant au pas de charge et regarder, regarder encore.

Ce qui sous-tend leur démarche, c'est cette même faim d'une expérience numineuse qu'éprouvent les êtres humains depuis l'origine des temps, faim exacerbée, parfois, car beaucoup ont perdu leurs ancêtres [14]. Ils ignorent souvent le nom de ceux qui viennent avant leurs grands-parents. Ils ne savent plus rien de l'histoire de leur famille. Une telle situation est, sur le plan spirituel, cause de chagrin... et de faim. C'est pourquoi ils sont nombreux à vouloir recréer quelque chose d'important pour le salut de l'âme.

Cela fait aussi des années que les touristes se rendent à Puyé, une grande mesa poussiéreuse située au milieu de « nulle part », au Nouveau-Mexique. Ici, les *Anasazi*, ancêtres des Indiens, s'interpellaient autrefois d'un bout à l'autre des mesas. On dit qu'une mer préhistorique sculpta dans les parois rocheuses les milliers de bouches et d'yeux tristes ou gais que l'on y voit.

Toutes les tribus du désert y viennent ensemble, les Navajos (Diné), Jicarilla Apaches, Utes du sud, Hopis, Zunis, Santa Clara, Santa Domingo, Laguna, Picuris, Tesuque. C'est là que par la danse les Indiens se font pins, cerfs, aigles et *Katchinas*, leurs puissants esprits.

C'est ici également que viennent des visiteurs, dont certains sont affamés de géno-mythes, détachés du placenta spirituel. Ils ont aussi oublié leurs dieux anciens. Ils viennent voir ceux qui n'ont *pas* oublié.

La route qui mène à Puyé a été construite pour des sabots de cheval et des mocassins. Avec le temps, les automobiles se sont faites plus puissantes et maintenant visiteurs et gens du cru se déplacent dans toutes sortes de voitures, camions, décapotables et vans, qui gémissent et fument tout au long de la route en une longue procession poussiéreuse.

On se gare *trochimochi*, à la va-comme-je-te-pousse, sur les buttes caillouteuses. Sur le coup de midi, la bordure de la mesa ressemble à un gigantesque carambolage. Le soleil est comme une fournaise. Les pieds brûlants dans leurs chaussures, les gens sont encombrés de parapluies au cas où il pleuvrait (il pleuvra), de chaises pliantes en aluminium au cas où ils seraient fatigués (ils le seront), et si ce sont des visiteurs, d'appareils-photo (s'ils sont autorisés), des rouleaux de pellicule pendus à leur cou comme des tresses d'ail.

Que leur attente soit de l'ordre du sacré ou du profane, les visiteurs sont venus voir une chose hors du commun, sauvage entre toutes, un *numen* vivant, *La Mariposa*, la Femme Papillon.

La dernière manifestation de la journée, c'est la Danse du Papillon, que chacun attend avec impatience. C'est une femme, seule, qui l'effectue et pas n'importe quelle femme.

Quand le soleil commence à décliner, arrive un vieil homme, resplendissant dans une tenue qui pèse bien ses vingt kilos de turquoise. Tandis que les haut-parleurs émettent des bruits rauques, semblables aux cris d'un poulet ayant aperçu un faucon, il murmure dans un micro chromé, datant des années trente : « Et notre prochaine danse est la Danse du Papillon ! » Puis il s'éloigne en boitant, l'ourlet de ses jeans traînant par terre.

Au contraire des spectacles de danse où, une fois le ballet annoncé, le rideau s'ouvre et les danseurs entrent en scène, ici, à Puyé, comme d'ailleurs lors d'autres danses tribales, il peut se passer entre vingt minutes et une éternité avant que le danseur ou la danseuse ne fasse son apparition. Peut-être ces derniers se livrent-ils à un ajustement de dernière minute.

Comme la température dépasse fréquemment les 38°, il n'est pas rare qu'on doive faire une retouche à des peintures corporelles maltraitées par la sueur. Si une ceinture de danse, ayant appartenu au grand-père du danseur, se détache avant que ce dernier ne soit arrivé dans l'arène, la danse n'a pas lieu du tout, car cela signifie que l'esprit de la ceinture a besoin de se reposer. De même un danseur peut-il prendre du retard tout simplement parce que la radio passe une bonne chanson.

Ou bien il arrive que le danseur n'entende pas le haut-parleur et qu'on doive aller le chercher. Et puis il y a aussi, bien sûr, les proches qu'il rencontre en chemin, les jeunes neveux et nièces qui viennent admirer, bouche bée, un *Katchina* * qui ressemble étrangement à Oncle Tomás. Il n'est pas exclu non plus que le danseur ou la danseuse soit encore à des kilomètres de là, sur la route, juché sur un *pick-up* ** brinquebalant dont le pot d'échappement crache une fumée noire.

Tout en attendant avec impatience la Danse du Papillon, chacun bavarde, évoquant les jeunes filles-papillons et la beauté des Indiennes Zuni qui ont dansé en habits traditionnels rouges et noirs, une épaule dénudée, des cercles rose vif peints sur les joues, et louant les jeunes danseurs-cerfs qui portent des branches de pin attachées aux bras et aux jambes.

Le temps passe et l'ennui s'installe. Et soudain, alors qu'on ne s'y attend plus, les tambours se mettent à marquer le rythme sacré du papillon, les voix à psalmodier leurs incantations aux dieux.

Aux yeux des visiteurs, un papillon est tout de délicatesse, un rêve de fragile beauté. Aussi ne peuvent-ils qu'être secoués quand se présente Maria Lujan [15]. Car elle est énorme, comme la Vénus de Willendorf, comme la Mère des Jours, comme la femme héroïque représentée par Diego Rivera, celle qui construisit Mexico d'un seul tour de poignet.

Maria Lujan est énorme et Maria Lujan est vieille, très vieille. Vieille comme si elle renaissait de ses cendres. Vieille comme une vieille rivière, comme un vieux pin. Elle a une épaule dénudée. Sa *manta* rouge et noire, la tunique taillée dans une couverture, accompagne ses petits bonds. Avec son corps épais et ses jambes grêles, elle ressemble à une araignée enveloppée dans une galette de maïs.

Elle saute sur un pied, puis sur l'autre, agite son éventail de plumes dans un sens, puis dans l'autre. Elle est le Papillon venu redonner force aux faibles. Elle est ce que la plupart estiment être sans force : le papillon, l'âge avancé, le féminin.

Les cheveux de la Jeune Fille Papillon tombent jusqu'au sol, épais comme dix épis de maïs, gris comme la pierre. Elle porte des ailes du genre de celles qu'ont les petits enfants quand ils jouent le rôle des anges à

---

* Les *Katchinas*, ces esprits que des danseurs masqués représentent lors des fêtes religieuses, viennent se mêler à la population des villages. Les enfants ont souvent des poupées à l'image des *Katchinas*. *(N.d.T.)*

** Sorte de camionnette à plate-forme courante dans ces régions. *(N.d.T.)*

l'école. Ses hanches semblent deux larges paniers et deux enfants tiendraient à l'aise sur le repli de chair qui surplombe sa croupe.

Elle bondit, bondit, mais pas comme un lièvre : elle fait des pas qui laissent un écho.

Je suis ici, ici, ici...
Je suis ici, ici, ici...
Réveillez-vous, vous, vous !

Elle agite son éventail de plumes, transmettant à la terre et au peuple de la terre le pollen de l'esprit du papillon. Ses bracelets de coquillages sonnent comme des serpents, les clochettes de ses jarretières tintent comme la pluie. Son ombre, avec son gros ventre et ses petites jambes, évolue d'un côté à l'autre du cercle de danse. Sous ses pieds naissent de petits nuages de poussière.

Les tribus, respectueuses, ne la quittent pas des yeux. Mais il y a toujours quelques visiteurs pour se regarder et demander : « Quoi, c'est *ça*, la Jeune Fille Papillon ? » Ils sont interloqués, certains, déçus, même. Ils ne semblent pas se souvenir que dans le monde de l'esprit, les louves sont des femmes, les ours des maris, les vieilles femmes aux formes généreuses des papillons.

Oui, il est parfaitement convenable que la Femme Sauvage/Femme Papillon soit vieille et bien en chair, car elle porte le monde du tonnerre dans un sein et le monde souterrain dans l'autre. Son dos est la courbure de la planète Terre avec toutes ses récoltes, ses nourritures, ses animaux. Sa nuque porte le lever et le coucher du soleil. Dans sa cuisse gauche sont tous les mâts de loge, dans sa cuisse droite toutes les louves du monde et dans son ventre tous les bébés à naître.

La Jeune Fille Papillon est la force fertilisante femelle. Elle emporte le pollen d'un endroit à l'autre et fertilise, exactement comme l'âme fertilise l'esprit par les rêves nocturnes, comme les archétypes fertilisent le monde extérieur. Elle est le centre. Elle réunit les opposés en prenant un peu ici et en le remettant là. Tel est son enseignement. Ce n'est pas plus compliqué que ça, la transformation. Ainsi fait le papillon. Ainsi fait l'âme.

La Femme Papillon permet de constater combien est erronée l'idée que la transformation ne s'applique qu'aux personnes torturées, exceptionnellement fortes ou quasi saintes. Car le Soi n'a pas besoin de soulever des montagnes pour transformer. Il lui suffit de peu. Et ce peu-là fait de l'usage et du chemin.

La Jeune Fille Papillon pollinise les âmes de la terre. Elle pollinise ceux qui la regardent, les *natives* américains, les visiteurs, les petits enfants, tout le monde. Son vieux corps tout entier est une bénédiction. Elle est celle qui remet en vigueur les idées d'antan, la traductrice de l'instinctuel, la force fertilisante et réparatrice. C'est la femme dans sa relation à la nature sauvage. Elle est *La voz mitológica*, l'incarnation de la Femme Sauvage.

La danseuse papillon doit être vieille, car elle représente l'âme. Ses cheveux gris sont l'assurance qu'elle n'a plus besoin d'observer les tabous qui empêchent de toucher les autres. Elle a le droit de toucher tout le monde, les petits garçons, les bébés, les hommes, les femmes, les petites filles, les vieillards, les malades, les morts. Son corps est celui de *La Mariposa*, le papillon.

Le corps est semblable à la terre. Il est un territoire en soi. Comme tout paysage, il court le risque d'être envahi de constructions, découpé en parcelles et ruiné de mille manières. Pour la femme sauvage, la forme importe peu.

Quelle que soit sa forme, un sein est fait pour nourrir et ressentir. S'il fait l'un et l'autre, c'est un bon sein. Quant aux hanches, il y a une raison pour qu'elles soient larges : elles renferment un berceau soyeux pour une nouvelle vie. Elles sont un portail, des poignées d'amour, un coussin moelleux, un abri pour les enfants à naître. Les jambes sont faites pour nous porter, quelquefois pour nous propulser; elles sont les poulies qui nous aident à nous soulever, l'anneau, l'*anillo* dans lequel nous encerclons notre amant.

On ne peut dire du corps qu'il est censé être comme ci ou comme ça. Ce qui compte, c'est de savoir si ce corps éprouve du bonheur, de la joie, du plaisir, s'il est bien en contact direct avec le cœur, avec l'âme, avec le sauvage. S'il bouge et danse à sa façon. C'est cela et rien d'autre.

Quand j'étais petite, on m'a emmenée visiter le Muséum d'Histoire naturelle de Chicago. Là, j'ai pu voir les sculptures de Malvina Hoffman, des nus en bronze grandeur nature. Chaque détail révélait son amour du corps : des seins longs de mère, des bourses de vieillard pendant à mi-cuisse, des oreilles en chou-fleur ou en forme de pacanes, les cheveux, les poils, sculptés un à un, frisés ou raides comme des brins d'herbe. Cette artiste avait une vision authentiquement sauvage, un amour sauvage *du* corps. Elle comprenait le pouvoir qu'il y a *dans* le corps.

On trouve dans la pièce de Ntozake Shange *for coloured girls who have considered suicide/when the rainbow is enuf* [16] une phrase qui l'illustre bien. Après avoir bataillé pour affronter les aspects physiques et psychiques d'elle-même que la culture ignore ou avilit, une femme résume ce qu'elle est en quelques mots, emplis de sagesse et de paix :

> *voilà ce que j'ai...*
>
> *des poèmes*
>
> *des grosses cuisses*
>
> *des p'tits seins*
>
> *et*
>
> *de l'amour en quantité*

C'est cela, le pouvoir du corps, notre pouvoir, celui de la femme sauvage. Dans les mythes et les contes de fées, les déités et les grands esprits mettent le cœur des humains à l'épreuve en se montrant à eux sous différentes formes qui dissimulent leur divinité, vieille femme, frêle enfant, homme muet ou animal qui parle, personnage vêtu d'oripeaux ou d'une ceinture d'argent. Ils veulent voir si les humains sont capables de reconnaître la grandeur d'âme sous ses différents visages.

La Femme Sauvage apparaît sous maintes formes, tailles, couleurs et conditions. Restez en éveil, de façon à reconnaître l'âme sauvage sous ses nombreux déguisements.

8

L'INSTINCT DE CONSERVATION : IDENTIFIER LES PIÈGES, CAGES ET APPÂTS EMPOISONNÉS

La femme redevenue sauvage

Comme on dit d'un animal qu'il « retourne à l'état sauvage », la femme redevenue sauvage a connu un état psychique naturel, c'est-à-dire sauvage, puis, suite à un événement quelconque, s'est retrouvée captive et a été domestiquée, perdant par là même ses instincts propres, et a ensuite l'occasion de retourner à cet état sauvage originel. Lorsque cette opportunité se présente à elle, elle tombe alors avec une désarmante facilité dans tous les pièges tendus sur sa route. Ses cycles, son système de protection ont été altérés et, en conséquence, ce qui a été son état sauvage naturel devient pour elle un facteur de risque. Elle a cessé d'être sur ses gardes et constitue une proie facile.

La perte de l'instinct s'effectue selon un schéma particulier, qu'il est important d'étudier et d'avoir bien à l'esprit afin de veiller sur les trésors de notre nature fondamentale et de celle de nos filles. Les forêts du psychisme sont semées de pièges de fer rouillé sous le sol verdoyant. Psychologiquement parlant, cela vaut pour le monde qui nous entoure. De nombreux leurres sont là pour nous tenter, dans le domaine des sentiments, des êtres, des aventures diverses, qui cachent sous une apparence attrayante une pointe acérée capable de tuer notre esprit dès que nous y aurons touché.

Les femmes de tout âge redevenues sauvages, mais particulièrement les jeunes, éprouvent un besoin très vif de compenser leur longue période de famine et d'exil. Elles sont attirées de manière irréfléchie par des gens, par des objectifs qui ne sont en rien nourriciers ou capables de tenir la distance. Où qu'elles vivent, à quelque époque que ce soit, des cages les attendent, des vies étriquées vers lesquelles elles risquent d'être fallacieusement attirées ou poussées.

Si vous avez été capturée, si vous avez souffert d'*hambre del alma*, de faim de l'âme, si vous avez été prise au piège et tout particulièrement si vous avez un besoin de création, alors vraisemblablement vous avez été ou vous êtes une femme redevenue sauvage. La femme redevenue sauvage est habituellement affamée de ce qui nourrit l'âme. Elle est capable de se jeter sur tous les appâts empoisonnés qu'on lui tendra, en les prenant pour ce dont son âme a faim.

Certaines se détournent du piège au dernier moment et s'en tirent sans grand dommage. D'autres, plus nombreuses, tombent dedans sans réfléchir et perdent momentanément les sens, d'autres encore sont broyées, d'autres, enfin, parviennent à se dégager et à se traîner jusqu'à une grotte pour soigner leurs blessures.

On peut éviter ce genre de choses en anticipant les pièges et en passant à côté d'eux. Pour cela, il faut développer de nouveau sa perspicacité, accroître sa méfiance, apprendre à manœuvrer avec adresse. Savoir quelle manœuvre est la bonne implique de voir quelle est la mauvaise.

Ce que je crois être les résidus d'un ancien conte de vieille femme, riche d'enseignements, illustre les malheurs de la femme redevenue sauvage et affamée. On le connaît sous plusieurs titres : *Les Chaussures de danse du Diable, Les Souliers brûlants du Diable, Les Souliers rouges*... Hans Christian Andersen en rédigea une version à laquelle il donna ce dernier titre et qu'en véritable conteur, il orna d'emprunts à sa sensibilité ethnique propre.

Voici une version germano-magyare de *Les Souliers rouges*, que ma tante Tereza nous racontait quand nous étions enfants et que j'utilise ici avec sa bénédiction. Avec son art du conte, elle commençait toujours par cette phrase : « Regardez vos souliers et soyez reconnaissants qu'ils soient ordinaires, car gare à ceux dont les souliers sont trop rouges... »

Les Souliers rouges

Il était une fois une pauvre orpheline qui n'avait pas de chaussures. Malgré tout, en ramassant ici et là des petits bouts de tissu, elle parvint, avec le temps, à se coudre une paire de souliers rouges. Ils étaient grossiers, mais elle les aimait. Avec eux, elle se sentait riche, même si elle passait ses journées à chercher de quoi se nourrir dans les bois épineux jusqu'à la nuit tombée.

Un jour, alors qu'elle marchait d'un pas las sur la route, en haillons, ses souliers rouges aux pieds, un carrosse doré vint se ranger près d'elle. A l'intérieur, se trouvait une vieille femme, qui lui déclara qu'elle allait l'emmener chez elle et la traiter comme sa propre fille. Et les voilà parties vers la demeure de la vieille dame. Là, on lava et on peigna la chevelure de l'enfant et on la vêtit de sous-vêtements d'un blanc pur, d'une robe de laine fine, de bas blancs et de chaussures vernies noires. Quand elle réclama ses vieux habits et tout particulièrement ses souliers rouges, la vieille dame répondit que les vêtements étaient si pourris, les souliers si ridicules, qu'elle les avait jetés au feu. Il n'en restait plus que des cendres.

L'enfant en fut très triste, car malgré les richesses qui l'entouraient, c'étaient les pauvres souliers faits de ses mains qui lui avaient donné le plus de plaisir. Désormais, on lui demandait de rester tranquille, de marcher sagement, de parler seulement si on lui adressait la parole. Son cœur se mit à brûler d'une ardeur secrète et ses souliers rouges lui manquaient plus que jamais.

Comme elle avait l'âge de recevoir la confirmation, lors de la Fête des Innocents, la vieille femme la conduisit auprès d'un vieux cordonnier infirme, afin qu'il lui fabrique une paire de souliers spéciaux pour cette occasion. Or, dans la boutique, il y avait une paire de souliers rouges. Ils étaient faits du cuir le plus fin, si fin qu'on aurait dit qu'ils rougeoyaient. Alors, l'enfant n'écouta que son cœur affamé et choisit les souliers rouges, même s'il était choquant de porter pareille couleur à ses pieds à l'église. La vieille dame avait de si mauvais yeux qu'elle ne put voir la couleur des souliers et elle paya. Avec un petit clin d'œil en direction de l'enfant, le vieux cordonnier enveloppa les chaussures.

Le lendemain, à l'église, tout le monde eut les yeux fixés sur les souliers aux pieds de l'enfant. Ils brillaient comme des pommes, comme des cœurs, comme des prunes carminées. Tous les regards étaient désapprobateurs, même ceux des icônes, même ceux des statues. Elle ne les en aima que plus. Aussi, quand l'officiant entonna les hymnes, quand le chœur lui répondit et que l'orgue résonna, l'enfant jugea qu'il n'y avait rien de plus beau que ses souliers.

A la fin de la journée, la vieille dame était au courant des souliers rouges. – Je t'interdis de les porter désormais ! tonna-t-elle, menaçante. Mais le dimanche suivant, l'enfant ne put s'empêcher de les préférer aux chaussures noires et elle accompagna comme d'habitude la vieille dame à l'église.

A la porte de l'église, se tenait un vieux soldat. Il avait un bras en écharpe, une petite vareuse, une barbe rouge. Il s'inclina et demanda la permission d'ôter la poussière des souliers de l'enfant. Celle-ci tendit le pied et il tapota les semelles de ses souliers en fredonnant un petit air qui donna à l'enfant des fourmis dans la plante des pieds. – N'oublie pas de rester pour la danse ! dit-il en souriant et en lui adressant un clin d'œil.

A nouveau, chacun regarda les pieds de l'enfant d'un air soupçonneux, mais elle aimait tellement ses souliers cramoisis, ses souliers rouges comme des framboises, rouges comme une grenade, qu'elle ne parvenait pas à penser à autre chose et participa à peine à l'office. Elle était tellement occupée à tourner ses pieds dans un sens, puis dans l'autre, qu'elle en oublia de chanter.

Lorsque la vieille dame et elle quittèrent l'église, le soldat blessé s'écria : – Quels magnifiques souliers de bal ! A ces mots, l'enfant esquissa sur-le-champ quelques petits pas. Mais voilà qu'une fois lancés, ses pieds ne voulaient plus s'arrêter et, toujours dansant, elle traversa les parterres de fleurs, puis disparut derrière l'église comme si elle ne pouvait plus se retenir. Elle enchaîna gavotte et csárdás, puis traversa la route et s'éloigna en valsant par les prés et par les champs.

Le cocher de la vieille dame bondit de son siège et se lança à sa poursuite. Il la rattrapa et la ramena au carrosse, mais les pieds chaussés de rouge de l'enfant dansaient en l'air comme s'ils étaient toujours posés sur le sol. La vieille dame et son cocher tirèrent et poussèrent pour ôter les souliers. Ce fut une belle échauffourée ; néanmoins les pieds de l'enfant finirent par se calmer.

De retour chez elle, la vieille dame jeta les souliers tout en haut d'une étagère et prévint l'enfant de ne plus jamais y toucher. Mais celle-ci ne pouvait s'empêcher de les regarder et de mourir d'envie de les porter. A ses yeux, les souliers étaient encore la plus belle chose au monde.

Peu de temps après, le destin voulut que la vieille femme s'alitât. Dès que les médecins furent partis, l'enfant se glissa dans la pièce où l'on gardait les souliers rouges. Elle jeta un coup d'œil tout en haut de l'étagère, puis son regard s'y attarda et se chargea bientôt d'un désir si intense qu'elle prit les souliers et les chaussa, n'y voyant pas de mal. Mais dès qu'ils furent en contact avec ses orteils et ses talons, un besoin irrépressible de danser la submergea.

Aussitôt, elle quitta la pièce en dansant, descendit les escaliers en enchaînant gavotte et csárdás, puis se lança dans une valse. Tout à son bonheur, elle ne se rendit compte de rien, jusqu'au moment où elle voulut en dansant aller à gauche et où les souliers persistèrent à vouloir aller à droite. Elle voulut tourner sur elle-même, les souliers voulurent aller droit devant. Et ils la conduisirent, toujours dansant, vers la route, à travers les champs boueux, vers la sinistre et obscure forêt.

Là, adossé à un arbre, se tenait le vieux soldat à la barbe rouge, avec son bras en écharpe et sa petite vareuse. – Oh, les beaux souliers de bal ! dit-il. Affolée, elle tenta de les ôter, mais en vain. Elle sautilla sur un pied, puis sur l'autre, essayant de les enlever, mais le pied resté au sol continuait à danser et celui qu'elle tenait faisait de même.

Elle dansa donc, encore et encore. Elle dansa jusqu'au sommet des plus hautes collines et jusqu'au fond des vallées, elle dansa sous la pluie, elle dansa sous le soleil, elle dansa dans la neige. C'était une danse épouvantable, une danse sans plaisir et sans repos.

Elle arriva ainsi dans le cimetière d'une église. Là, un esprit menaçant lui interdit d'entrer. Il proféra ces paroles : – Tu danseras dans tes souliers rouges jusqu'à ce que tu deviennes telle une apparition, tel un fantôme, jusqu'à ce que ta chair tombe de tes os, jusqu'à ce que tu ne sois plus que des entrailles en train de danser. Tu iras en dansant d'un village à l'autre et tu frapperas à chaque porte par trois fois et quand on t'ouvrira, les gens en te voyant craindront de subir le même sort que toi. Dansez, rouges souliers, danse, tu vas danser.

L'enfant demanda grâce, mais ses souliers l'entraînèrent. Elle dansa sur la bruyère, en dansant elle franchit ruisseaux et haies, en dansant elle continua sa route jusqu'à ce qu'elle arrivât à son ancienne demeure. On y pleurait la vieille dame qui l'avait recueillie et qui venait de mourir. Même alors, même là, elle dansa. Elle continua de danser, car danser elle devait.

Epuisée, horrifiée, elle pénétra en dansant dans la forêt où vivait le bourreau de la ville, dont la hache frémit sur le mur à son approche. – Par pitié, supplia-t-elle le bourreau en arrivant en dansant à sa porte, coupez-moi les pieds, afin de me délivrer de ce sort affreux !

Le bourreau coupa les lacets des souliers rouges avec sa hache, mais les souliers restèrent aux pieds de l'enfant qui, en larmes, lui dit que sa vie n'avait plus aucun sens et qu'il devait lui couper les pieds. Alors, il lui coupa les pieds. Et les souliers rouges, avec les pieds dedans, s'en furent en dansant, ils traversèrent la forêt et franchirent la colline, puis disparurent aux regards.

L'enfant était désormais une pauvre infirme, qui devait faire son chemin dans le monde en servant de domestique aux autres. Et jamais, plus jamais, elle ne souhaita avoir des souliers rouges.

La perte brutale dans les contes de fées

On peut raisonnablement se demander pourquoi l'on trouve dans les contes de fées des épisodes aussi brutaux. Le phénomène est mondialement répandu dans le folklore et la mythologie. L'horrible conclusion de celui-ci est typique de la fin des contes de fées dont le protagoniste spirituel ne parvient pas à accomplir la transformation qu'il a entamée.

Sur le plan psychologique, cet épisode brutal transmet une vérité psychique impérative. Cette vérité est d'une telle urgence – tout en se révélant facile à ignorer d'un « Oh oui, je comprends », pendant que nous filons néanmoins vers notre destin – que nous pourrions ne pas en tenir compte si elle nous était présentée de manière plus nuancée.

Dans notre univers technologique contemporain, ce sont les spots publicitaires à la télévision qui ont remplacé les épisodes brutaux des contes de fées. Par exemple, pour exposer les risques de l'alcool au volant, on montre une photo de famille barrée d'une trace de sang, tandis que l'un des membres a été effacé du cliché, ou bien un œuf qui frit dans une poêle est censé représenter le cerveau de celui qui s'adonne aux drogues. La brutalité est une méthode ancienne pour faire en sorte que l'on prête attention à un message vraiment très important.

Dans *Les Souliers rouges*, la vérité psychologique du message est celle-ci : si la femme ne conserve pas ou ne récupère pas sa joie fondamentale et sa valeur sauvage, elle court le risque que sa vie porteuse de sens soit l'objet d'une curiosité malsaine, de menaces, d'un vol, ou lui soit enlevée par la séduction. Le conte attire notre attention sur les pièges et les nourritures empoisonnées dont nous sommes les victimes faciles lorsque notre âme sauvage est affamée. Si elle ne participe pas à la nature sauvage, la femme meurt de faim et se lance jusqu'à l'obsession dans une suite de « je me sens mieux », « laissez-moi seule » et « aimez-moi, s'il vous plaît ».

La femme affamée va prendre tous les substituts qui se présentent, y compris ceux aussi inefficaces que des placebos, ou représentant une véritable menace pour sa vie, soit sur le plan physique, soit sur le plan de ses dons. Cette famine de l'âme va la pousser à choisir ce qui va la faire danser de manière irrépressible – jusqu'à se rapprocher dangereusement de la porte du bourreau.

Pour mieux comprendre ce conte, il nous faut examiner comment une femme peut perdre son chemin de manière aussi radicale en perdant sa vie sauvage et instinctuelle. C'est en voyant quelles erreurs peut faire la femme piégée à ce point que nous apprendrons à conserver ce que nous avons et découvrirons la façon de retrouver le chemin du féminin sauvage.

Comme nous le verrons, la perte des souliers rouges cousus main représente celle de la vitalité passionnée d'une femme, de la vie qu'elle s'est faite, au profit d'une existence par trop domestiquée. Au bout du compte, cela conduit à une perte de perception, avec comme conséquence des excès, conduisant eux-mêmes à la perte des pieds, cette plate-forme sur laquelle nous reposons, cette base qui fait partie de notre nature instinctuelle et soutient notre liberté.

Les Souliers rouges nous montre comment commence la détérioration et ce qui nous attend si nous n'intervenons pas au nom de notre part sauvage. Ne nous y trompons pas : quand une femme fait des efforts pour combattre son démon, elle mène l'une des batailles les plus importantes qui soient, tant sur le plan archétypal que sur le plan de la réalité consensuelle. Même si, comme dans le conte, elle doit, suite à la famine, à la capture, à des choix destructeurs et autres, tomber dans le trente-sixième dessous, c'est là, souvenez-vous, dans ce trente-sixième dessous, que se trouvent les racines vives de la psyché. C'est là que se trouve le sol sauvage, le plus fertile, d'où naîtra le renouveau. En ce sens, toucher le fond est aussi parvenir au sol fertile, même si cela fait très mal.

Nous ne souhaiterions certes à personne de connaître l'épisode empoisonné des souliers rouges. Pourtant, il recèle, au cœur de sa destruction, quelque chose qui vient transmuter la violence en sagesse chez la femme qui a dansé la danse maudite, s'est perdue et a perdu sa vie créatrice, s'est elle-même menée en enfer et, pourtant, s'est accrochée à un mot, une pensée, une idée, jusqu'au moment où elle a pu échapper à son démon et vivre pour le raconter.

Cette femme qui a perdu la maîtrise de ses pas, n'a plus de pieds et comprend à la fin du conte le sens de cette perte, se retrouve avec une précieuse sagesse. Elle est pareille au saguaro, ce cactus magnifique qui pousse dans le désert. Même percé de trous, renversé, tailladé, le saguaro vit toujours et stocke l'eau qui donne la vie, pour plus tard repousser et retrouver sa nature vivace.

Les contes de fées se terminent au bout de dix pages. Pas notre vie. Après un épisode où tout s'est effondré, un autre nous attend, et un autre encore. Nous avons toujours la possibilité de redresser le cours de notre vie, d'en faire ce qu'elle doit être. Ne perdons pas de temps à pleurer sur un échec. L'échec est bien meilleur professeur que le succès. Tirons-en les leçons et allons de l'avant. Ecoutons celles de ce conte. Apprenons quels sont les schémas de détérioration, afin d'aller de l'avant avec la force de celle qui sent les pièges, les cages et les appâts avant d'arriver sur eux.

Commençons par démêler le sens de ce conte d'une importance capitale, en comprenant ce qui se passe quand la vie à laquelle nous tenons le plus, intimement, perd toute sa valeur et n'est plus que cendres.

Les souliers rouges cousus main

Dans le conte, l'enfant perd les souliers rouges qu'elle s'est fabriqués, ceux qui, à leur manière, l'ont fait se sentir riche. Elle était pauvre, mais inventive ; elle était en train de trouver sa voie. Elle avait commencé par ne pas avoir de chaussures du tout, puis avait eu des chaussures qui lui donnaient un sens de l'âme, malgré les difficultés de sa vie quotidienne. Les souliers faits main marquent son passage d'une existence psychique étriquée à une vie passionnée faite par elle-même à ses mesures. Ils sont un pas immense, au sens propre comme au figuré, vers l'intégration de sa nature féminine pleine de ressources à la vie de tous les jours. Qu'importe si sa vie est loin d'être parfaite. L'enfant a sa joie propre, elle évoluera.

Ce personnage, typiquement pauvre mais inventif, constitue dans les contes de fées un motif psychologique représentant quelqu'un qui est d'une grande richesse sur le plan spirituel et, au bout d'une longue période, devient lentement plus conscient et plus fort. On pourrait dire qu'il nous représente toutes, car toutes nous progressons lentement, mais sûrement.

Au niveau social, les souliers émettent un signal. Ils permettent de distinguer un type de personne des autres. Un artiste ne portera en général pas le même genre de chaussures que, disons, un ingénieur. Les chaussures nous révèlent. Elles révèlent même ce que nous aspirons à être.

Le symbolisme archétypal de la chaussure remonte très loin dans le temps, à l'époque où porter des souliers était une preuve d'autorité : les maîtres en avaient, pas les esclaves. Même aujourd'hui, une grande partie du monde moderne a été éduquée à déterminer l'intelligence et les capacités d'une personne selon qu'elle porte des chaussures ou non.

Cette version du conte vient du fait que nous avons vécu dans des régions froides, où les chaussures sont considérées comme un instrument de la survie. Dans le froid mordant et l'humidité, elles gardent les gens en vie en leur permettant d'avoir les pieds au sec et au chaud. Ma tante me disait, je m'en souviens, que voler l'unique paire de souliers d'une personne en hiver équivalait à un meurtre. Le risque est le même, pour la vie créatrice et la nature passionnée d'une femme, si elle ne peut conserver ses sources de développement et de joie. Elles sont sa protection, sa chaleur.

On peut voir dans le symbole des souliers une métaphore psychologique : ils protègent et défendent ce sur quoi nous nous tenons – nos pieds. En symbolisme archétypal, ils représentent la liberté, la mobilité. En ce sens, posséder des chaussures pour couvrir nos pieds, c'est avoir la certitude de nos convictions et les moyens de les mettre en œuvre. Sans ses souliers psychiques, une femme est incapable d'évoluer dans un environnement interne ou externe qui nécessite des sens aiguisés, de la méfiance, une certaine rudesse.

La vie et le sacrifice vont de pair. Le rouge est à la fois la couleur de la vie et celle du sacrifice. Pour mener une vie riche, il faut consentir divers sacrifices. Si l'on veut aller à l'université, il faut sacrifier du temps et de l'argent et s'y consacrer intensément. Si l'on veut créer, il faut sacrifier tout ce qui est superficiel, une partie de sa sécurité et souvent le désir de plaire, afin de faire émerger l'intuition la plus aiguë, les visions les plus profondes.

Les problèmes surgissent quand aucune vie ne naît des sacrifices. Dans ce cas, le rouge est la couleur du sang qu'on a perdu, plutôt que celle du sang vital. C'est exactement ce qui se passe dans le conte. Le rouge bien-aimé, le rouge vibrant des souliers que l'enfant a cousus, est perdu lorsqu'ils sont jetés au feu. Naît alors un désir obsessionnel – qui va se changer en addiction – d'un autre rouge, celui du frisson à bon marché et du sexe sans âme, celui qui mène à une vie dénuée de sens.

Ainsi, si l'on considère les différents aspects du conte de fées comme autant de composantes de la psyché d'une seule femme, il est visible que la réalisation des souliers rouges par l'enfant est un acte d'une importance cruciale : elle prend vie en passant du statut d'esclave/sans chaussures – marchant sans lever le nez, ni regarder autour d'elle – à une conscience qui va s'arrêter un moment pour créer, une conscience qui remarque la beauté, éprouve de la joie, de la passion, connaît l'assouvissement et tout ce qui constitue cette nature intégrale que nous appelons sauvage.

La couleur rouge des chaussures indique que le processus va être celui d'une vie palpitante, où le sacrifice est inclus. Il doit en être ainsi. Ces chaussures sont faites à la main, à partir de bouts de tissus, ce qui signifie que l'enfant, orpheline pour une raison ignorée, est le symbole de l'esprit créateur qui a pu les réaliser en suivant son instinct, sans que personne le lui ait appris.

Si rien ne venait entraver le cours des événements, tout irait pour le mieux pour cet esprit créateur. L'enfant est enchantée de son travail, de l'œuvre qu'elle est parvenue à accomplir. Qu'importe si la réalisation en est grossière. Les dieux de la création, au sein de diverses cultures, n'ont pas toujours atteint la perfection dès le début. Le premier essai mérite généralement d'être amélioré, comme d'ailleurs le deuxième, le troisième et le quatrième. Cela n'a rien à voir avec la qualité ou les dons de la personne. C'est la vie, tout simplement, c'est l'évolution.

Laissée à elle-même, l'enfant aurait confectionné une autre paire et une autre encore, jusqu'à ce que les souliers soient réussis. Mais au-delà de cette merveilleuse manifestation d'ingénuité et de vitalité en des circonstances difficiles, ce sont ces souliers qui lui procurent une joie immense. Et la joie, c'est pour elle tout à la fois le sang de la vie, la nourriture de l'esprit et la vie de l'âme.

La joie, c'est ce qu'éprouve la femme qui écrit ou joue d'un instrument lorsqu'elle réussit la première fois, la femme qui tombe enceinte alors qu'elle le souhaite, la femme qui a réalisé quelque chose en prenant des risques, en se dépassant, avec plus ou moins de bonheur, mais qu'importe, elle y est arrivée, elle a créé – un objet, un être, une œuvre, une bataille, un moment ; sa vie. C'est une façon d'être naturelle et instinctive pour les femmes. De cette joie-là émane la Femme Sauvage.

Dans le conte, toutefois, le destin s'en mêle et, un jour, un carrosse doré entre dans la vie de l'enfant et vient rivaliser avec les chaussures rouges en tissu, avec la joie simple.

Les pièges

Piège n° 1 – Le carrosse doré, la vie dévaluée

En symbolisme archétypal, le carrosse est une image littérale, un moyen de transport pour aller d'un lieu à un autre. Il a globalement été remplacé aujourd'hui, dans les rêves et le folklore contemporain, par l'automobile. En psychologie classique, on considère que ce moyen de transport représente l'humeur centrale de la psyché qui nous conduit d'un lieu psychique à un autre, d'une idée à l'autre, d'une pensée à l'autre.

A quelque chose près, on peut assimiler le fait de monter dans le carrosse doré à l'entrée dans une cage dorée. Les deux sont censés offrir une vie plus confortable, moins stressée, alors qu'il s'agit d'une prison. L'or éblouit ; c'est pourquoi on ne s'aperçoit pas tout de suite du piège. Imaginons-nous donc en train de cheminer sur la route de notre existence, dans nos chaussures faites main, tandis que nous vient une humeur du genre : « Peut-être y a-t-il quelque chose de moins difficile, quelque chose qui prendrait moins de temps et d'énergie. »

Nous rencontrons fréquemment, parfois même quotidiennement, ce genre de tentation. Nous sommes en train de faire de notre mieux pour avancer dans la vie, et voilà que débouche un carrosse doré. La portière s'ouvre, le marchepied est déplié et nous montons. Nous avons été séduites...

Ainsi faisons-nous un mauvais mariage parce que cela améliore notre situation sociale et abandonnons-nous un poème à sa troisième version au lieu d'entamer la quatrième, qui aurait été la bonne.

La joie simple des souliers rouges est submergée par le scénario du carrosse doré. On pourrait bien sûr voir là la quête d'un confort matériel, mais il s'agit le plus souvent de l'expression du désir psychologique de ne plus avoir à lutter autant pour arriver à créer. Le piège n'est pas dans ce désir, car il est naturel au moi. Il est dans le prix à payer. Le piège se referme lorsque l'enfant s'en va vivre avec la riche vieille femme. Il lui faut alors rester tranquille, ne pas manifester d'envie et plus précisément ne pas satisfaire cette envie. L'esprit créatif commence alors à souffrir d'une grande faim de l'âme.

La psychologie jungienne classique met l'accent sur le fait que la perte d'âme intervient surtout à la maturité, autour de trente-cinq ans et plus. Mais dans la culture contemporaine, ce danger est présent chaque jour pour les femmes, qu'elles aient dix-huit ou quatre-vingts ans, qu'elles soient mariées ou non, et indépendamment de leur origine, de leur éducation, de leur situation sociale.

Chez les gens « éduqués », il est d'usage de sourire en entendant l'interminable liste des événements qui, pour les « primitifs », risquent de voler leur âme – de la vue d'un ours au mauvais moment de l'année à l'entrée dans une maison qui n'a pas été bénie depuis que quelqu'un y est mort. La vie au sein de la culture moderne est par de nombreux aspects merveilleuse, mais il n'en reste pas moins que les occasions de perte d'âme y sont plus nombreuses qu'en des lieux reculés. Nous devons veiller à conserver notre lien avec le sens, la passion, la nature profonde, c'est essentiel pour notre psychisme. De nombreux éléments essaient de nous enlever nos souliers rouges, des choses aussi simples que de se dire : « Plus tard, je ferai ceci ou cela, je danserai, planterai, embrasserai, trouverai, apprendrai, nettoierai, plus tard... » Ils sont autant de pièges.

Piège nº 2 – La vieille femme sèche, la force sénescente

Dans l'interprétation des rêves et des contes de fées, on considère le possesseur du « vecteur d'attitudes », le carrosse doré, comme représentant la valeur principale qui fait pression sur la psyché, la pousse à aller dans la direction qu'elle souhaite. Ici, les valeurs de la vieille femme commencent à conduire la psyché.

La psychologie jungienne classique appelle parfois *senex* la figure de la personne âgée. En latin, *senex* signifie « vieil homme ». De façon mieux appropriée et indépendamment du genre, on peut considérer le symbole de la personne âgée comme une *force sénescente*, c'est-à-dire qui agit à la manière particulière des gens âgés [1].

Dans les contes de fées, on rencontre cette force sous la forme d'une vieille personne qui voit souvent les choses sous un seul angle, ce qui indique que son développement psychique s'effectue dans ce sens. Dans l'idéal, la vieille femme symbolise la dignité, la sagesse, le mentor, la connaissance de soi, la tradition, les limites bien tracées, l'expérience, avec aussi, pour faire bon poids, une certaine dose d'insolence et de maussaderie.

Mais quand, dans un conte de fées, une vieille femme se sert négativement de ces attributs comme dans *Les Souliers rouges*, nous sommes prévenus que les aspects de la psyché qui devraient rester tièdes sont en train de geler. Quand l'enfant monte dans le carrosse doré et pénètre ainsi dans la maisonnée de la vieille femme, elle est aussi sûrement capturée que si elle avait posé la patte sur un piège à double détente.

Nous voyons dans le conte que la vieille femme, en prenant l'enfant avec elle, permet à l'attitude sénescente de détruire la nouveauté, l'innovation, au lieu de lui donner force. Elle va calcifier sa pupille au lieu de lui servir de mentor. Elle ne fait pas preuve de sagesse et use répétitivement d'une seule valeur.

Les scènes qui se passent à l'église nous montrent que cette valeur unique se fonde avant tout sur le respect de l'opinion collective, ce qui va étouffer les besoins de l'âme sauvage individuelle. On considère souvent que le collectif est la culture [2] qui entoure un individu. C'est certes exact, mais Jung l'a défini comme étant « le nombre par rapport à l'un ». Nous sommes influencés par le collectif, que ce soit les groupes auxquels nous appartenons ou les autres. Que les collectivités qui nous entourent soient d'ordre universitaire, spirituel, financier, professionnel, familial ou autre, elles distribuent des récompenses et des punitions à leurs membres comme aux autres. Elles jouent sur l'influence et contrôlent tout – depuis nos pensées jusqu'au choix de nos amants ou de l'œuvre de notre vie – et peuvent fort bien minorer ou décourager les efforts qui ne sont pas en accord avec leurs préférences.

Dans ce conte, la vieille femme représente la gardienne rigide de la tradition collective. Elle renforce un statu quo jamais remis en question, qui peut se traduire par « Tiens-toi bien, ne fais pas de vagues, ne te fatigue pas trop à penser, n'aie surtout pas trop d'idées, garde un profil bas, sois une copie conforme, sois gentille, dis “ oui ” même si tu n'en n'as pas envie », et ainsi de suite.

Se plier à un pareil système de valeurs provoque une perte du lien avec l'âme. Quelles que soient nos affiliations avec la collectivité ou les influences qu'elle nous fait subir, nous devons, au nom de l'âme sauvage et de l'esprit créateur, éviter de nous fondre dans aucun groupe et au contraire nous distinguer de ceux qui nous entourent, quitte à établir par la suite des ponts avec les groupes qui proposeront le soutien le plus effectif à l'âme et à la vie créatrice.

Prenons une femme qui travaille dans un certain cadre professionnel. Elle se trouve dans une collectivité. Elle devra prendre ses distances avec ce groupe et les valeurs qu'il met en avant, et en revanche lui apporter son grain de sel. Sauf si elle a réussi à introduire dans sa vie des éléments forts qui vont contrebalancer ces idées, elle ne peut se permettre, en tant que créature intégrale, de n'avoir qu'une seule vision des choses, métro-boulot-dodo... Si elle essaie d'appartenir à une organisation, une association, une famille qui néglige de voir ce qu'elle est vraiment et ne tente nullement de l'encourager, de la faire avancer, sa vitalité et ses capacités créatrices vont s'affaiblir.

Pour une femme, il est de la plus grande importance de mettre sa vie et son esprit à l'écart de l'uniformisation de la pensée collective et de développer les talents qui lui sont propres, car ainsi elle va éviter que son âme et sa psyché ne glissent vers la servitude. Une culture qui promeut un authentique développement de l'individu n'aura jamais en son sein une classe d'esclaves, de quelque groupe ou de quelque sexe que ce soit.

Dans le conte, toutefois, l'enfant accepte les valeurs de la vieille femme dans toute leur sécheresse. Elle passe alors de l'état de nature à l'état de captive. Bientôt, ses souliers rouges diaboliques aux pieds, elle redeviendra sauvage sans en avoir les instincts et s'avérera incapable de percevoir le danger.

Si nous quittons notre existence authentique et passionnée pour monter dans le carrosse doré de la vieille femme sèche, nous adoptons par la même occasion la *persona* et les ambitions arides de cette perfectionniste. Alors, comme toutes les créatures captives, nous tombons dans un état de tristesse qui nous conduit à éprouver un désir obsessionnel d'autre chose et nous sommes prêtes à saisir la première occasion qui nous promettra de nous redonner vie.

Il est important de garder les yeux ouverts et d'évaluer soigneusement toute proposition d'une vie plus facile, libre de tout souci, surtout si l'on nous demande en échange de laisser notre joie créatrice périr dans les flammes au lieu d'allumer notre propre feu.

Piège n° 3 – Brûler le trésor : Hambre del Alma, *la faim de l'âme*

Il y a des feux de joie et des feux destructeurs, il y a la flamme de la transformation et celle de l'anéantissement. C'est la flamme de la transformation que nous voulons. Nombreuses sont les femmes, pourtant, qui abandonnent les souliers rouges au feu destructeur et acceptent de se plier à la vision du monde d'une autre personne. Elles consentent à cette destruction lorsqu'elles absorbent les valeurs, la propagande, les philosophies d'un seul tenant, lorsqu'elles peignent, agissent, écrivent, existent de telle sorte que leur vie s'en trouve diminuée, leur vision affaiblie, leur esprit brisé.

Alors leur existence se décolore, pâlit, car elles souffrent de *Hambre del*

Alma, leur âme meurt de faim. Elles n'ont qu'une envie : reprendre le cours de leur vie sauvage, retrouver leurs souliers rouges, consumés par le silence qu'elles se sont imposé à elles-mêmes, par un mauvais usage ou par une dévaluation de leur œuvre propre.

En outre, trop de femmes ont fait un terrible vœu, des années auparavant. Etant jeunes, elles ont été privées d'encouragement et de soutien et, tristes et résignées, ont donc posé leur stylo, abandonné leurs pinceaux, cessé de chanter en jurant de ne plus y toucher. Celles qui ont agi ainsi se sont réduites en cendres, sans le savoir, avec leur vie cousue main.

Les complexes peuvent faire très mal et réussir, temporairement du moins, à ce que la femme ne parvienne pas totalement à accomplir l'œuvre ou à mener la vie souhaitée, et à l'anéantir dans les flammes de sa haine à l'égard d'elle-même. Ainsi de nombreuses années vont-elles se passer à *ne pas* bouger, *ne pas* apprendre, *ne pas* obtenir, *ne pas* trouver, *ne pas* engager, *ne pas* devenir.

Parfois, c'est la jalousie ou la volonté de destruction d'une autre personne à son encontre qui va détruire la vie qu'envisage cette femme. La famille, les professeurs, les mentors ne sont pas censés se montrer destructeurs s'il leur arrive d'éprouver de l'envie et pourtant cela se produit, avec plus ou moins de subtilité. Aucune femme ne peut se permettre de laisser sa vie créatrice suspendue à un fil au cours de sa relation avec un amant, un parent, un professeur, un ou une amie.

Quand sa vie créatrice est ainsi réduite en cendres, la femme perd son trésor vital et commence à se comporter de manière aussi infertile que la Mort. Mais dans son inconscient, le désir des souliers rouges, de la joie sauvage, est toujours là ; il croît, même, avant d'émerger, avec un appétit féroce.

Quand on est dans un état de *Hambre del Alma,* quand on est une âme privée de nourriture, la faim est omniprésente. La femme est affamée de tout ce qui va lui permettre de se sentir de nouveau vivante. Après avoir été capturée, elle va prendre tout ce qui lui *paraît ressembler* au trésor originel, que ce soit ou non bon pour elle. Même si en apparence elle est parfaitement lisse, à l'intérieur, elle n'est que mains qui se tendent et bouche affamée.

Elle va donc prendre toutes les nourritures qui se présentent, car elle tente de compenser des manques du passé. Même si c'est là une situation catastrophique, le Soi sauvage tente sans fin de nous sauver. Il chuchote, gémit dans nos rêves nocturnes jusqu'à ce que nous ayons conscience de notre condition et prenions les premières mesures pour récupérer le trésor.

On peut comprendre plus facilement la femme qui se noie dans les excès – les plus courants étant l'alcool, les drogues, les aventures sans lendemain – et qui, poussée par sa faim de l'âme, en vient à observer le comportement des animaux affamés. De même que l'âme privée de nourriture, le loup a été considéré comme un animal vicieux, glouton, s'attaquant à l'innocent, tuant pour le plaisir de tuer et ne sachant pas s'arrêter. Dans la vie réelle et dans les contes de fées, il a mauvaise réputation. En fait, c'est un animal très social. La bande est instinctivement organisée de manière telle que les loups en bonne santé tuent uniquement dans la mesure où c'est nécessaire à la survie et ce schéma se modifie seulement si un animal ou la bande elle-même subissent une atteinte.

Il y a deux cas de figure dans lesquels le loup tue au-delà de ses besoins. Quand il a la rage ou est enragé, ou bien après une période de famine. Cette idée que la famine peut modifier le comportement des animaux est intéressante, parce que, neuf fois sur dix, la femme dont les problèmes spirituels/psychologiques la poussent à tomber dans les pièges et à s'y blesser cruellement souffre ou a souffert par le passé de faim de l'âme.

La famine touche les loups l'hiver, lorsque la neige est épaisse et le gibier inaccessible. Elle touche la femme à tout moment et peut prendre son origine partout, y compris dans sa propre culture. Pour les loups, elle se termine habituellement au printemps, à la fonte des neiges et là, la bande peut se livrer à des tueries. Ils tueront beaucoup plus que nécessaire [3] et laisseront les restes.

C'est un peu la même chose pour la femme qui a été capturée et affamée. Soudain libre de ses actes et de ses mouvements, elle risque de faire une orgie qu'elle juge méritée. Dans le conte, l'enfant aussi estime être en droit de se procurer à tout prix les souliers rouges empoisonnés. Il y a dans la famine quelque chose qui aveugle le jugement.

Ainsi, la femme qui ne s'est pas autorisée à faire de la sculpture peut brusquement s'y consacrer nuit et jour, perdant le sommeil, se privant de nourriture et mettant sa santé en danger. Car elle ignore combien de temps elle va rester en liberté.

Hambre del alma, c'est la privation des attributs de l'âme : la créativité, la conscience sensorielle et autres dons instinctuels. Si une femme a été élevée dans l'abomination des gros mots, si elle n'a été autorisée à boire que du lait, alors gare, lorsqu'elle est libérée ! Elle est capable de se noyer dans les gin-fizz et de ne plus parler qu'un langage ordurier. La crainte d'être de nouveau captive succède à la famine et elle profite au maximum des choses tant que c'est possible [4].

C'est la faim d'une vie porteuse de sens qui jette les femmes dans de tels comportements excessifs – l'alcool ou les drogues, mais aussi bien la spiritualité, la colère, l'oppression des autres, la promiscuité, les grossesses, les études, la création, l'ordre, le fitness, les sucreries, pour n'en citer que quelques-uns. Elles compensent ainsi la perte des cycles réguliers d'expression de leur personnalité et de la satiété de l'âme.

La femme affamée subit une famine après l'autre. Elle peut fort bien envisager de fuir, tout en jugeant que le prix à payer serait trop élevé en libido et en énergie. Elle peut aussi ne pas être prête sur le plan moral, économique ou au niveau de l'éducation. Malheureusement, la perte du trésor et le souvenir vivace de la famine peuvent lui laisser envisager les excès sous un angle favorable. Et c'est, bien sûr, un immense soulagement, un immense plaisir d'être enfin capable d'éprouver le bonheur d'une sensation... n'importe quelle sensation.

Elle a envie, pour changer, de profiter de la vie. Mais, au contraire, la perception atténuée qu'elle a des limites financières, émotionnelles, rationnelles, physiques et spirituelles nécessaires à la survie va la mettre en danger. Une paire de souliers rouges empoisonnés l'attend. Elle va les prendre là où ils se trouveront. C'est le problème, avec la famine. Si quelque chose paraît devoir satisfaire le désir qu'elle éprouve, la femme s'en emparera sans poser de questions.

Piège n° 4 – Endommagement de l'instinct fondamental, conséquence de la capture

Il est difficile de définir l'instinct. Il n'a aucune configuration visible, et même si l'on pense qu'il participe de la nature humaine depuis l'origine des temps, personne ne sait exactement quelle est sa localisation neurologique ou la manière précise dont il agit sur nous. Sur le plan psychologique, Jung pensait que les instincts dérivent de l'inconscient psychoïde, cette couche de la psyché où se rejoindraient esprit et biologie. Je partage cette opinion et irai même un peu plus loin en avançant que l'instinct créateur en particulier est tout autant que la symbologie des rêves le langage lyrique du Soi.

Etymologiquement, le terme instinct vient du latin *instinctus*, qui signifie « impulsion ». On peut considérer que l'instinct est quelque chose d'intérieur qui, une fois mêlé à la prévoyance et à la conscience, guide les êtres humains vers un comportement intégral. La femme naît avec la totalité de l'instinct intacte.

On pourrait bien sûr dire que, dans le conte, l'enfant se retrouve dans un nouvel environnement qui lui rend la vie plus douce, mais en fait son individuation s'arrête, elle-même cesse de se développer. Et quand la vieille femme, présence invalidante, brûle les souliers rouges, considérant le travail de l'esprit créateur comme quelque chose qu'il faut détruire et non comme une richesse, l'enfant devient triste. Pire, l'instinct qui devrait la pousser à fuir est réduit à néant. C'est comme si elle était immobilisée sur place. Or, ne pas fuir lorsque c'est nécessaire conduit à la dépression. Un piège de plus.

On peut définir l'âme comme on veut – mariage avec le sauvage, espoir du futur, énergie, passion de créer, façon propre à chacun, Bien-Aimé, fiancé sauvage, « plume dans le souffle de Dieu [5] »... Qu'importe. Au-delà des mots et des images, c'est cela qui a été capturé et c'est pourquoi l'esprit créatif de la psyché est dans un tel manque.

L'étude d'animaux sauvages en captivité montre que quels que soient les soins et l'amour qu'on leur apporte dans les zoos, ils se révèlent incapables de se reproduire, leur appétit et leur besoin de repos se dérèglent, ils sombrent dans la léthargie, la morosité, ou une agressivité sans objet. Les zoologistes appellent cela la « dépression animale ». Chaque fois qu'on met en cage un animal, ses cycles naturels de sommeil, de reproduction et autres se détériorent. Il s'ensuit un vide, non pas au sens positif du concept bouddhiste, mis au sens de l'enfermement dans une boîte hermétiquement close.

Aussi, quand une femme vient à faire partie de la maisonnée d'une vieille femme sèche, elle fait l'expérience d'une absence de détermination, d'un ennui, d'une dépression et d'états d'anxiété soudains sembables à ceux manifestés par l'animal capturé et traumatisé. En acceptant d'être trop « bien élevée », elle laisse ses instincts – l'instinct de jouer, de se lier, de faire face, de vagabonder et autres – plonger au plus profond de l'inconscient, hors de sa portée. Ses instincts sont endommagés. Ce qui devrait lui venir naturellement ne lui vient pas du tout ou alors après un combat avec elle-même.

Quand j'applique le terme de « capture » à l'excès de domestication, je ne fais pas allusion à la socialisation, qui est le processus par lequel les enfants apprennent à se comporter d'une façon plus ou moins civilisée. Le développement social est d'une extrême importance et la femme qui en serait privée ne pourrait faire son chemin dans le monde.

Mais trop domestiquer équivaut à interdire à l'essence de la vie de danser. Dans son état naturel, le soi sauvage n'est ni docile ni vide. Il est alerte, il réagit à tout et à tout moment. En aucun cas, il n'est enfermé dans un schéma répétitif. Il a le choix, au contraire de la femme dont les instincts sont endommagés, qui, elle, est bloquée.

Il y a plusieurs façons d'être bloquée. En général, la femme dont les instincts sont endommagés a du mal à demander de l'aide et à reconnaître ses propres besoins. Elle n'a plus guère l'instinct de fuir et chez elle la sensation de satiété, la méfiance, le soupçon, le désir d'aimer librement, totalement, sont inhibés ou exagérés.

Comme dans le conte, l'une des attaques les plus insidieuses auxquelles le soi sauvage doit faire face est d'être poussé à agir correctement, avec une récompense à la clef (qui viendra ou ne viendra pas). Cette méthode peut – je dis bien « peut » – inciter une petite fille à ranger sa chambre (« Tu ne joueras pas tant que ton lit n'est pas fait [6] »), mais jamais, au grand jamais, elle ne pourra fonctionner quand il s'agit de la vie fondamentale d'une femme. Même s'il faut de la cohérence, du suivi, de l'organisation dans la vie créatrice, l'injonction de la vieille femme à bien se tenir tue dans l'œuf toutes les possibilités de développement.

C'est le fait de jouer et non le fait de bien se tenir qui est le cœur, l'artère principale de la vie créatrice. Le besoin de jouer est un instinct. Sans jeu, il n'existe pas de vie créatrice. Pas de vie créatrice si l'on est sage, si l'on se tient tranquille. Tous les groupes, sociétés, institutions, organisations qui encouragent les femmes à rejeter l'excentricité, tout ce qui se montre soupçonneux à l'égard de la nouveauté, de l'inhabituel, tout cela appelle une culture de femmes mortes.

Janis Joplin, chanteuse de blues dans les années 60, est un bon exemple de femme redevenue sauvage dont l'instinct a été endommagé par des forces broyeuses d'esprit. Sa curiosité innocente, sa créativité, son amour de la vie, son approche un tant soit peu irrévérencieuse du monde au cours de son adolescence furent dénigrés férocement par ses professeurs et une grande partie des membres de la communauté baptiste blanche du Sud.

Elle était excellente élève et peintre de talent, mais les autres filles la tenaient à l'écart car elle ne portait pas de maquillage [7], tout comme elle était victime de l'ostracisme de ses voisins, qui lui reprochaient d'écouter du jazz et d'escalader avec des copines un rocher à l'extérieur de la ville, sur lequel elles chantaient. Quand elle finit par s'échapper et rejoindre le monde du blues, elle était si affamée qu'elle ne sut pas s'arrêter. Elle se jeta sans limites dans le sexe, l'alcool, la drogue [8].

On retrouve un peu chez Edith Piaf, Bessie Smith, Anne Sexton, Marilyn Monroe et Judy Garland ce même schéma : essai de se conformer, intempérance, impossibilité de s'arrêter [9]. La liste serait longue des femmes talentueuses aux instincts endommagés qui ont fait de bien mauvais choix dans cet état de vulnérabilité. Elles ont toutes perdu leurs souliers faits main quelque part en route et sont allées vers les souliers rouges empoisonnés. Toutes ont été pleines de chagrin, car elles avaient faim de nourriture spirituelle comme d'une sexualité saine, et au lieu de cela elles se sont changées en des spectres dansant une danse infernale.

Quand des femmes sont aux prises avec une obsession, ou lorsqu'elles se trouvent enfermées dans des schémas peut-être moins diaboliques, mais néanmoins destructeurs, il ne faut pas négliger la possibilité d'un endommagement de leur instinct. Le premier pas vers la restauration de ce dernier se fait par la reconnaissance de la capture, puis de la famine de l'âme et du bouleversement des limites habituelles de la perspicacité et de la protection. Il faut inverser le processus, mais auparavant, beaucoup de femmes devront passer par les étapes suivantes, que décrit le conte.

Piège n° 5 – Essayer de vivre furtivement une vie secrète, être coupée en deux

Dans cette partie du conte, l'enfant va être confirmée. On l'emmène acheter des souliers neufs. Le thème de la confirmation est un ajout relativement moderne. Du point de vue archétypal, *Les Souliers rouges* sont vraisemblablement un fragment, lui-même recouvert de maintes couches, d'un mythe ou d'une histoire beaucoup plus anciens ayant trait au passage à une vie moins protégée par la mère, après que la jeune femme y a été préparée par ses aînées au cours des années précédentes [10].

On dit que dans les cultures matriarcales antiques de l'Inde, de l'Egypte, de la Turquie et de certaines régions d'Asie – censées avoir influencé à des milliers de kilomètres à la ronde le concept de l'âme féminine – la transmission aux très jeunes filles du henné et autres pigments rouges destiné à la teinture des pieds était un motif central dans les rites de passage [11]. L'un des plus importants parmi ces rites avait trait à la première menstruation.

Il célébrait le passage de l'enfance à la capacité de porter la vie dans ses flancs, d'avoir le pouvoir sexuel correspondant et tous les pouvoirs féminins périphériques. Le sang rouge dans tous ses états était au centre de la cérémonie : sang utérin de la menstruation, de la délivrance, de la fausse couche, qui coulait vers les pieds. Vous le voyez, les souliers rouges originels avaient maintes significations.

La référence à la Fête des Innocents est aussi un ajout tardif. C'est une fête chrétienne qui, en Europe, a fini par éclipser les célébrations païennes du solstice. Au cours de cérémonies païennes plus anciennes, les femmes pratiquaient des ablutions rituelles pour laver le corps et l'esprit/âme féminins afin de se préparer à la vie nouvelle, au propre comme au figuré, qu'apportait le printemps. Ces rites pouvaient inclure un deuil collectif pour la perte d'une maternité [12], y compris la mort d'un enfant, l'enfant mort-né, l'avortement, la fausse couche et autres événements importants de la vie sexuelle et reproductrice de la femme au cours de l'année écoulée [13].

Maintenant, voici l'un des épisodes de répression psychique les plus révélateurs du conte. Le désir d'âme de l'enfant rompt les digues de son comportement asséché. Chez le cordonnier, elle prend les souliers rouges au nez et à la barbe de la vieille femme. Cette faim vorace émerge violemment à la psyché et s'empare de ce qui lui tombe sous la main, sachant qu'elle sera bientôt réprimée de nouveau.

Cette furtive et néanmoins explosive émergence psychologique se produit lorsque la femme refoule des parties importantes du soi dans les ombres de la psyché. Pour la psychologie analytique, la répression dans l'inconscient des instincts, pulsions et sentiments, qu'ils soient négatifs ou positifs, les relègue à un royaume de l'ombre. Tandis que le moi et le surmoi tentent de continuer à censurer les impulsions de l'ombre, la pression causée par cette répression se fait de plus en plus intense, jusqu'à ce qu'une explosion ait lieu, comme un pneu qui éclate, libérant son contenu.

Or, en ouvrant un peu la porte du royaume de l'ombre, en laissant sortir un à un différents éléments, en négociant avec eux, en leur trouvant un rôle à jouer, on peut réduire les probabilités de ces explosions inattendues.

D'une culture à l'autre, les valeurs changent et le positif et le négatif de l'ombre ne sont pas toujours les mêmes. On peut dire toutefois que les pulsions typiquement considérées comme négatives et reléguées au royaume de l'ombre sont celles qui encouragent une personne à voler, tricher, assassiner et à accomplir des actes excessifs du même genre. Les aspects négatifs de l'ombre ont tendance à être étrangement excitants et néanmoins entropiques par nature ; ils dépouillent les individus et les groupes de leur équilibre dans la vie et de leur égalité d'humeur.

L'ombre, cependant, peut aussi contenir les aspects divins, beaux, puissants de la personnalité. Chez les femmes surtout, on y trouve presque toujours des aspects de l'être très attrayants, généralement interdits ou peu appréciés dans le cadre de la culture qui les entoure. Au fond du puits de la psyché de nombreuses femmes gît la créatrice visionnaire, la clairvoyante, la diseuse de vérité, celle qui peut se regarder en face sans crainte, qui travaille à perfectionner son talent. Dans notre culture, la plupart du temps, ces pulsions positives de l'ombre tournent autour de l'autorisation de se créer une vie de leurs mains.

Ces aspects de l'âme et du soi laissés de côté, dévalués et « inacceptables », ne se contentent pas de rester dans l'obscurité, mais ils essayent de trouver un moyen de s'échapper. Ils restent là à bouillonner dans l'inconscient, jusqu'à ce qu'un jour ils fassent sauter le couvercle – aussi solide soit-il – et se répandent comme un torrent animé d'une volonté propre.

Alors, comme on dit dans les campagnes, autant essayer de faire entrer dix kilos de farine dans un sac de cinq. Une fois libéré, ce qui a jailli de l'inconscient n'est pas facile à remettre en place. Il aurait mieux valu ne pas l'enfouir, mais quelquefois, les femmes se retrouvent au pied du mur et voilà les conséquences.

Cette vie de l'ombre commence quand les femmes qui écrivent, ou peignent, ou dansent, ou étudient, apprennent, pratiquent, s'occupent de leurs enfants ou de chercher Dieu, cessent de le faire. Si elles se trouvent dans ce cas, ce peut être parce que les choses n'ont pas tourné comme elles l'auraient souhaité, ou parce qu'elles n'ont pas été reconnues, ou pour mille autres raisons. Quand une créatrice s'arrête, l'énergie qui lui vient naturellement est détournée sous la surface, d'où elle émergera quand et où elle le pourra. Elle sent qu'elle ne va pas pouvoir se consacrer au grand jour à ce qu'elle veut et commence donc à mener une étrange double vie, simulant une attitude dans la journée et agissant différemment quand l'occasion se présente.

La femme sauvage peut toujours, comme Hedda Gabler dans la pièce d'Ibsen, prétendre mener « une vie banale » tout en grinçant des dents, mais elle doit en payer le prix. Hedda parvient à mener en secret une existence passionnée et dangereuse. Elle joue avec un ex-amant, avec la Mort. Extérieurement, elle paraît satisfaite d'écouter son époux ergoter sur sa vie poussiéreuse. Une femme peut sembler polie, voire cynique en apparence, tout en souffrant d'une hémorragie interne.

Elle peut aussi, comme Janis Joplin, essayer de se conformer à ce qu'on lui demande, jusqu'au moment où elle ne peut plus le supporter ; alors sa nature créatrice, entamée, rendue malade par son séjour forcé dans l'ombre, fait brutalement éruption et se rebelle contre les dogmes de la bonne éducation, d'une façon qui ne prend en compte ni ses dons ni sa vie même.

Devoir mener furtivement une vie secrète parce la vraie vie n'a pas suffisamment de place pour s'épanouir est une dure épreuve pour la vitalité des femmes affamées et captives. Cette vie furtive est constituée de toutes sortes d'éléments : livres, musique, amitiés, penchants sexuels, choix religieux, pensées, rêves de révolution, pirouettes, baisers, temps volé au compagnon, à la famille, temps volé pour l'écriture, pour l'âme, pour écrire un poème avant de partir au travail...

En fait, cela ne fonctionne jamais. Cette vie-là fait irruption quand on s'y attend le moins. Mieux vaut relever la tête, se tenir debout, vivre de son mieux et renoncer aux faux-semblants pour défendre ce qui nous tient à cœur et nous permet de nous épanouir.

Dans le conte, l'enfant peut choisir les souliers rouges sous le nez de la vieille femme en profitant de sa mauvaise vue. Autrement dit, le système de valeurs perfectionniste est en lui-même dépourvu de la possibilité de voir les choses de près et de prendre conscience de ce qui se passe alentour. Ne pas remarquer la détresse personnelle du soi est typique d'une psyché endommagée et de la culture. Ainsi l'enfant fait-elle encore un mauvais choix parmi bien d'autres à venir.

Admettons qu'en montant dans le carrosse doré, elle ait fait le premier mauvais choix par ignorance, tout comme elle a pu laisser détruire le travail de ses mains par inexpérience. Mais là, elle veut ces souliers chez le cordonnier – et, paradoxalement, cette impulsion vers une vie nouvelle est naturelle – or, elle a en fait passé trop de temps auprès de la vieille dame : son instinct ne l'avertit pas qu'elle est en train d'effectuer un choix mortel. En vérité, le cordonnier est complice. Il lui adresse un clin d'œil et un sourire. C'est ensemble qu'ils prennent furtivement les souliers rouges.

Les femmes trichent souvent ainsi avec elles-mêmes. Elles ont laissé détruire leur trésor, quel qu'il soit, mais elles en récupèrent des petits bouts comme elles le peuvent. Ecrivent-elles ? Oui, mais en secret et personne ne peut leur donner une opinion, les encourager. Sont-elles ambitieuses ? Oui, mais elles prétendent que non, tout en souhaitant leur réussite, celle de leurs proches, de l'univers dans lequel elles vivent et elles restent avec leurs rêves, obligées de se battre et d'avancer en silence. Ne pas avoir de confident, de guide, rester sans personne pour nous encourager est mortel.

C'est là un mode de vie minimal. Elles ne montrent rien, mais dès qu'un rai de lumière apparaît, leur soi affamé sort d'un bond et se précipite vers la forme de vie la plus proche, se dépense follement, danse jusqu'à l'épuisement, puis tente de regagner sa cellule obscure avant qu'on se soit aperçu de son absence.

On trouve ce comportement chez les femmes mal mariées, chez celles auxquelles on fait sentir leur infériorité, celles qui craignent le ridicule, l'humiliation, la punition, celles dont l'instinct est endommagé. Or, une telle attitude n'est bonne *que* dans la mesure où les petits bouts de vie dérobés sont les bons, c'est-à-dire ceux qui vont jouer un rôle positif et conduire à la libération de la femme captive en donnant à l'âme la détermination de cesser ce genre de chose et de mener au grand jour la vie qui lui convient.

Voyez-vous, il y a quelque chose, dans l'âme sauvage, qui ne nous permet pas de subsister indéfiniment grâce à des miettes, grâce à quelques goulées d'air pur et qui nous oblige à nous nourrir, à respirer pleinement. Même si, comme un enfant, vous essayez de retenir votre respiration ou de n'aspirer que quelques goulées d'air, le moment vient où une force viscérale vous oblige à prendre une grande inspiration. Et vous respirez de nouveau normalement.

Par bonheur, cela se passe aussi comme ça dans l'âme/psyché. Elle prend les commandes et vous oblige à inspirer à fond. D'ailleurs, au fond de nous-mêmes, nous savons que nous ne pouvons vivre ainsi. La force sauvage qui se trouve dans l'âme de la femme réclame l'accès à ce bon air.

Le cordonnier du conte préfigure le vieux soldat qui va introduire les souliers démoniaques dans l'histoire. Ce que nous savons du symbolisme antique nous porte à penser que ce personnage ne joue pas un rôle innocent. Le prédateur naturel dans la psyché (et dans la culture, tout aussi bien) peut prendre différentes formes, tout comme les pièges, les cages et les appâts empoisonnés sont dissimulés pour induire en erreur la personne qui ne se méfie pas. N'oublions pas que cela amuse le cordonnier de tromper la vieille femme.

Vraisemblablement, il est de mèche avec le soldat, qui représente bien entendu le diable sous un déguisement [14]. Dans les temps anciens, le démon, le soldat, le cordonnier, le bossu représentaient des forces négatives dans la nature comme dans la nature humaine [15].

Nous pouvons certes, à juste titre, être fières d'une âme suffisamment forte pour se procurer à la dérobée quelque chose dans des conditions aussi arides, mais cela ne peut en rester là. Une psychologie globale ne peut se cantonner au corps, au mental et à l'esprit, elle doit inclure la culture et l'environnement. Sous cet éclairage, on doit se demander, à chacun de ces niveaux, comment il se fait qu'une femme puisse penser qu'elle doive se faire toute petite, ramper, pleurer pour avoir une vie qui pourtant lui appartient. C'est en s'interrogeant sur les pressions effectuées par chaque strate du monde intérieur et extérieur que la femme pourra éviter de considérer que se procurer furtivement les souliers du diable est un choix positif en quoi que ce soit.

Piège n° 6 – Faiblesse face à la collectivité, rébellion de l'ombre

L'enfant, chaussée de ses souliers rouges, se rend à l'église, ne prête aucunement attention à ce qui se passe autour d'elle, est montrée du doigt par la communauté, est punie. Les souliers rouges lui sont enlevés, mais il est trop tard. Elle est « accro ». L'obsession, à ce stade, est moins importante que le fait que la collectivité, en exigeant son adhésion à ses valeurs étriquées, renforce sa famine intérieure.

On peut bien sûr essayer d'avoir une vie secrète, mais un jour ou l'autre le surmoi, ou un complexe négatif, et/ou la culture elle-même interviennent. Il est difficile de dissimuler des plaisirs dérobés quand ils ne vous nourrissent pas assez.

C'est le propre des complexes négatifs et des cultures de sauter sur tout écart entre ce qui est généralement considéré comme la conduite à tenir et les pulsions divergentes d'un individu. De même que certains deviennent fous si une feuille dépasse d'une haie, le jugement négatif intervient avec sa scie pour amputer tout membre qui ne se conforme pas.

Si nous acceptons que la collectivité nous impose de lui être conforme sans réfléchir plus avant, l'exil nous est évité, mais en même temps, nous mettons notre vie sauvage en danger.

Certains pensent révolue l'époque où qualifier une femme de sauvage était une insulte, où être sauvage, c'est-à-dire agir selon son âme-soi naturelle, signifiait être comme il ne fallait pas. Ce n'est pas exact. Ce qui a changé, ce sont les types de comportement féminin considérés comme tels. Par exemple, dans diverses parties du globe, la femme qui prend position en matière de politique, de vie sociale ou d'environnement, voit encore souvent ses motifs examinés de près, histoire de déterminer si elle n'a pas perdu tout sens commun.

La petite fille sauvage née au sein d'une communauté rigide ne peut généralement échapper à l'ignominie de la mise à l'écart. On fait comme si elle n'existait pas, comme si elle n'avait aucun besoin psychique, dans l'intention de la forcer à se conformer. Et si tel n'est pas le cas, on va l'assassiner sur le plan spirituel et/ou la repousser loin du village pour qu'elle y dépérisse et y meure.

Cette mise à l'écart intervient quand elle a fait ou va faire quelque chose qui s'apparente au sauvage, quelque chose d'aussi anodin, parfois, que d'avoir une opinion légèrement divergente ou de porter une couleur que l'on désapprouve. Il faut rappeler que le refus de se conformer d'une femme opprimée est surtout une *impossibilité* de le faire sans mourir par la même occasion. C'est son intégrité spirituelle qui est en jeu et elle essaiera d'être libre de toutes les façons possibles, même si elle se met en péril.

La chaîne de télévision CNN rapportait qu'au début de la guerre du Golfe, des femmes musulmanes d'Arabie saoudite, à qui leur religion interdisait de conduire, avaient pris le volant. Le conflit terminé, elles passèrent devant un tribunal qui condamna leur attitude et les confia à la garde de leurs pères, frères ou maris, lesquels durent promettre de les garder désormais dans le droit chemin.

Voici donc un exemple révélateur de la folie d'un monde qui caractérise comme scandaleux, dément et échappant à tout contrôle un comportement où s'exprime simplement la vie, dans sa générosité. Parfois, il n'y a d'autre choix que de céder aux instances d'une collectivité complètement desséchée ou de commettre un acte trempé dans la sève du courage. Celui-ci n'a nullement besoin d'être fracassant ; il suffit de suivre son cœur. Chaque jour, des millions de femmes accomplissent des actes dans lesquels s'exprime le cœur. Ce ne sont pas les actes isolés qui redonnent forme à une collectivité asséchée, c'est leur persistance. Comme me le disait une nonne bouddhiste : « Goutte à goutte, l'eau s'infiltre dans la pierre. »

Il y a en outre un aspect caché dans la plupart des sociétés qui favorisent l'oppression de la vie sauvage et créatrice des femmes : elles encouragent les femmes elles-mêmes à « rapporter » et à sacrifier leurs sœurs (ou leurs frères) à des restrictions qui ne reflètent pas les valeurs de la nature féminine. On encourage ainsi une femme à donner des informations sur une autre et à exposer celle-ci à être punie pour s'être comportée d'une façon intégralement féminine. Plus, on encourage les femmes plus âgées à s'unir pour abuser sur le plan physique, mental, spirituel des femmes plus jeunes, moins puissantes ou sans défense, et les jeunes femmes à ne pas souscrire aux besoins des femmes beaucoup plus âgées qu'elles.

La femme qui refuse de participer à l'aridité collective refuse ainsi de cesser de penser et donc d'agir de manière sauvage. La leçon du conte *Les Souliers rouges*, c'est qu'il faut protéger correctement la psyché sauvage – en reconnaissant nous-mêmes sans équivoque sa valeur, en défendant ses intérêts, en refusant d'accepter que notre psychisme soit en mauvaise santé. Le conte nous apprend également que le sauvage, du fait de son énergie, de sa beauté, est *toujours* repéré par quelqu'un, par quelque chose, par un groupe ou un autre, dans le but d'en faire un trophée ou de le réduire, de le modifier, de le régir, de l'assassiner, de le redessiner, de le placer sous contrôle. Il faut toujours placer un gardien à la porte du sauvage.

Quand la collectivité est hostile à la vie naturelle d'une femme, celle-ci doit, au lieu d'accepter les étiquettes qu'on lui colle, s'accrocher, comme le vilain petit canard, et chercher sa véritable appartenance, en laissant tous ces gens derrière elle. Le problème, avec l'enfant aux souliers rouges, c'est qu'au lieu de rassembler ses forces pour la lutte, elle est en proie à la fascination pour ces souliers. Quand on se rebelle, il faut être efficace.

J'aimerais pouvoir dire qu'aujourd'hui il n'existe plus de pièges pour les femmes, ou que les femmes sont si avisées qu'elles les repèrent de loin. Ce n'est pas le cas. Le prédateur est toujours au sein de notre culture. Il tente toujours de détruire toute conscience, toute tentative d'intégralité. On dit avec raison que, tous les vingt ans, il faut se battre à nouveau pour les libertés. Parfois, on pourrait croire que c'est toutes les cinq minutes.

Mais la nature sauvage nous enseigne que nous relevons les défis quand ils se présentent. Un loup harcelé ne va pas penser « encore ! » Il va faire ce qu'il doit faire, bondir, courir, plonger, faire le mort, ou sauter à la gorge de l'adversaire. L'existence de l'entropie, de la détérioration, des mauvais moments ne doit pas nous troubler. Nous devons comprendre que tout ce qui piège la joie des femmes prendra toujours des formes diverses, mais notre nature sauvage nous donne l'élan, la libido adéquate pour accomplir tous les actes de courage nécessaires.

Piège n° 7 – Faire semblant, essayer d'être sage, normaliser l'anormal

Pour avoir porté ses souliers rouges à l'église, l'enfant est punie. Elle les regarde maintenant sur l'étagère, sans les toucher. Jusque-là, elle a essayé de se passer de la vie de l'âme et cela n'a pas fonctionné ; elle a essayé de mener une double vie et cela n'a pas marché non plus. Maintenant, dans un dernier effort, elle tente « d'être sage ».

Etre sage ne résout pas le problème sous-jacent, celui de l'ombre, qui un jour va surgir comme une lame de fond et tout emporter sur son passage. En tentant « d'être sage », la femme ferme les yeux sur tout ce qui, autour d'elle, peut être déformé, inflexible ou blessant et essaye de « faire avec ». Ses efforts pour se plier à cet état anormal empêchent ses instincts sauvages de réagir à ce qui n'est pas juste.

Dans un poème intitulé également « Les souliers rouges », Anne Sexton évoque le conte :

Je me tiens dans le cercle
dans la ville morte
et lace les souliers rouges.
Ils ne sont pas à moi.
Ils sont à ma mère.
Et à sa mère avant elle.
Transmis comme en héritage
mais cachés comme des lettres honteuses.
La maison, la rue d'où ils proviennent
sont cachées et cachées aussi
toutes les femmes...

Quand une femme essaie « d'être sage », rangée, de se plier, en face d'un danger intérieur ou extérieur, ou encore de dissimuler une situation réelle ou psychique critique, c'est une perte d'âme. Telle l'enfant dans le conte, qui n'élève guère la voix et essaie de faire comme si rien ne brûlait en elle, les femmes d'aujourd'hui présentent ce même trouble : normaliser l'anormal. C'est un désordre qui touche toutes les cultures. Il provoque une plongée de l'esprit dans l'ennui et plus tard dans la cécité, à l'exemple de la vieille femme.

Une importante étude, réalisée au début des années 60 par des scientifiques [16], nous donne un aperçu de cette perte de l'instinct d'autoprotection chez les femmes. Ils effectuèrent des expériences sur les animaux afin d'étudier « l'instinct de fuite » chez l'être humain. Dans l'une d'elles, ils grillagèrent la moitié droite du fond d'une grande cage, de sorte qu'un chien placé dans cette cage recevait une décharge électrique chaque fois qu'il marchait sur ce côté. Le chien apprit rapidement à se tenir du côté gauche de la cage.

On grillagea ensuite la partie gauche du fond, en laissant la partie droite sans décharges électriques. Le chien se réorienta rapidement et apprit à se tenir du côté droit. On grillagea alors la totalité du fond de la cage, de sorte que les décharges étaient susceptibles d'intervenir n'importe où, quelle que soit la position occupée par le chien. Celui-ci, désorienté au début, paniqua bientôt, puis finit par « laisser tomber ». Il ne tenta plus d'échapper aux décharges et resta allongé, les subissant quand elles se produisaient.

Ce n'était pas terminé. On ouvrit la cage. Les scientifiques s'attendaient à ce que le chien s'échappe. Ce ne fut pas le cas. Bien qu'il eût la possibilité de sortir à tout moment, le chien continuait à rester allongé et à recevoir des décharges électriques au hasard. Les scientifiques en déduisirent qu'un animal exposé à la violence va tenter de s'adapter au problème, de sorte que, lorsque la violence va cesser ou qu'il pourra retrouver sa liberté, son instinct de fuite s'en trouvera considérablement diminué et il restera là [17].

En termes de nature sauvage féminine, c'est cette normalisation de la violence, et ce que les scientifiques appelèrent par la suite « l'impuissance acquise », qui pousse les femmes non seulement à rester auprès de leurs compagnons alcooliques, des employeurs qui profitent d'elles et des groupes qui les exploitent et les persécutent, mais à se sentir incapables de réagir et de défendre ce qui leur tient à cœur : leur art, leurs amours, leur style de vie, leurs idées politiques.

La normalisation de l'anormal, même quand il est évident qu'une telle démarche s'effectue au détriment de la femme elle-même [18], touche la nature sous tous ses aspects, physique, instinctif, créatif, émotionnel, spirituel. Sur le plan psychique, nous finissons par nous habituer aux décharges que reçoit notre nature sauvage. Nous nous adaptons à la violence qui est faite à l'égard de la nature sauvage de la psyché. Et pour finir, nous n'avons plus l'instinct de fuir. Nous perdons notre capacité de nous battre pour nos valeurs. Quand nous finissons par être obsédées par les souliers rouges, toutes sortes d'éléments importants sur le plan personnel, culturel et environnemental passent au second plan.

Quand on abandonne la vie cousue main, il se produit une telle perte de sens que le champ est laissé libre à diverses blessures de la psyché, de la nature, de la culture, de la famille. Les atteintes à la nature vont de pair avec les atteintes à la psyché humaine. On ne doit pas les séparer. Dans la psyché instinctive, la Femme Sauvage voit dans la forêt une demeure pour elle-même et les êtres humains, tandis que d'autres, contemplant cette même forêt, l'imaginent totalement rasée et pensent à se remplir les poches. C'est une divergence considérable dans la conception de l'existence.

Dans les années 50, quand j'étais petite, alors que l'industrie faisait subir à la terre les premiers outrages, un pétrolier coula dans le Chicago Basin, sur le lac Michigan. Après une journée à la plage, les mères durent frotter leurs enfants avec la même vigueur qu'elles mettaient à s'attaquer aux parquets, car ils étaient souillés par le pétrole.

La marée noire avait pris la forme d'îles flottantes, aussi longues et aussi larges que des pâtés de maisons. Quand elles se heurtaient à des jetées, elles se fractionnaient, et imbibaient le sable. Des années durant, on ne put nager sans être souillé par une boue noire. Les enfants qui construisaient des châteaux de sable ramenaient soudain dans leur pelle du sable plein de pétrole. Les amoureux ne pouvaient plus rouler dans le sable. Les chiens, les oiseaux, toute la vie aquatique, les gens souffrirent.

C'est la normalisation de l'anormal qui conduisit les mères à ôter de la peau de leurs enfants les traces de pétrole, puis, plus tard, celles de tous les rejets des usines et des raffineries et, malgré ce souci, à finir par rengainer leur juste courroux. La plupart – pas toutes – avaient fini par s'habituer à être incapables d'intervenir lors d'événements choquants. Car les punitions étaient terribles quand on rompait le silence, désertait la cage, dénonçait les erreurs, réclamait le changement.

Des événements semblables nous ont montré, au cours de notre vie, que lorsque les femmes n'élèvent pas la voix, lorsque nous sommes trop peu à élever la voix, la voix de la Femme Sauvage se tait. Et dans le monde, la nature sauvage se tait également. On n'y entend plus les loups et les ours. Ni les chants, les danses, la création. Ni l'amour, ni l'air, ni l'eau, ni la voix de la conscience.

Mais à cette époque, les femmes, même atteintes par le virus d'une liberté sauvage, restèrent, selon la formule de Sylvia Plath, « ficelées à leurs machines à laver Bendix. ». Elles y lavèrent leurs vêtements dans une eau trop chaude pour y mettre la main et rêvèrent d'un monde différent [19]. Quand les instincts sont endommagés, les êtres humains vont « normaliser » systématiquement les actes d'injustice et de destruction perpétrés à leur encontre et contre leur progéniture, leurs êtres chers, leur terre et même leurs dieux.

Il suffit que l'instinct soit remis en état pour que resurgisse la Femme Sauvage. Au lieu de danser dans la forêt, souliers rouges aux pieds, jusqu'à ce que la vie ne soit qu'une torture, nous pouvons revenir à une vie cousue main, nous refaire une paire de chaussures avec lesquelles nous marcherons du pas qui est le nôtre.

On a sans aucun doute beaucoup à apprendre en dissolvant ses propres projections (tu es méchante, tu me fais du mal) et en considérant le mal qu'on peut se faire à soi-même, mais ce ne doit pas être la fin de la démarche.

Le piège dans le piège serait de penser que tout est résolu une fois qu'on a dissous les projections et eu accès à la conscience en soi-même. C'est quelquefois vrai. Pas toujours. Plutôt que d'utiliser un paradigme modèle « ou/ou » – ou c'est à l'extérieur ou c'est en moi – mieux vaut utiliser le modèle « et/et » – là est le problème intérieur et là est le problème extérieur – qui permet une recherche globale et une guérison plus complète. Il donne confiance aux femmes pour remettre en cause le statu quo et pour ne pas se contenter de s'examiner elles-mêmes, mais considérer le monde qui, inconsciemment, accidentellement ou méchamment, exerce une pression sur elles. Le paradigme « et/et » ne doit pas être utilisé pour se blâmer soi-même ou blâmer les autres. C'est plutôt une façon d'évaluer et de juger ce qui, à l'intérieur comme à l'extérieur, doit changer. Elle permet de ne pas traiter à la légère ses propres besoins sans pour autant se détourner du monde.

Beaucoup de femmes parviennent d'une manière ou d'une autre à rester dans cet état, mais elles ne vivent qu'une moitié, qu'un quart de vie ou pire.

Elles finissent par devenir mortellement silencieuses, désespérées, résignées. La porte de la cage s'est refermée sur elle.

Piège n° 8 – La danse folle, obsession et addiction

La vieille femme a fait trois erreurs de jugement. Même si, dans l'idéal, elle est censée être la gardienne, le guide de la psyché, elle n'y voit pas assez pour se rendre compte de la vraie nature des souliers qu'elle a payés de ses propres deniers. Elle est incapable de voir que l'enfant est ensorcelée par eux ou de percer à jour l'homme à la barbe rouge qui attend près de l'église.

Le vieil homme à la barbe rouge a tapoté les semelles des chaussures de l'enfant et cette vibration, cette démangeaison a mis en marche le processus de la danse. Les pieds de l'enfant dansent, dansent, et elle ne peut plus s'arrêter. Tant la vieille dame que l'enfant, l'une supposée garder la psyché, l'autre exprimant la joie de la psyché, perdent tout sens commun, tout instinct.

L'enfant a tout essayé : s'adapter à la femme âgée, ne pas s'adapter, porter furtivement les souliers, « être sage », perdre tout contrôle et danser comme une folle, se reprendre et essayer d'être sage de nouveau. Là, la faim d'âme, la faim de sens qu'elle éprouve, la force à s'emparer de nouveau des souliers rouges, à les chausser et à entamer sa dernière danse qui va l'entraîner dans l'abîme de l'inconscience.

Elle a normalisé une vie aride et cruelle, provoquant par là même un désir obscur des chaussures de la folie. L'homme à la barbe rouge a éveillé quelque chose à la vie, mais ce n'est pas l'enfant, ce sont les souliers torturants. L'enfant commence à tourner, à tourbillonner, d'une façon qui, comme l'addiction, n'apporte aucun bonheur, aucun espoir, aucun bienfait, juste la peur, le traumatisme, l'épuisement. Il n'y a désormais plus de repos pour elle.

Quand elle arrive en tourbillonnant dans un cimetière, il y a là un esprit menaçant qui lui interdit d'entrer et lui jette cette malédiction : « Tu danseras dans tes souliers rouges jusqu'à ce que tu deviennes telle une apparition, tel un fantôme, jusqu'à ce que ta chair tombe de tes os, jusqu'à ce que tu ne sois plus que des entrailles en train de danser. Tu iras en dansant d'un village à l'autre et tu frapperas à chaque porte par trois fois et quand on t'ouvrira, les gens en te voyant craindront de subir le même sort que toi. Dansez, rouges souliers, danse, tu vas danser. » Par là même, il la lie à une obsession similaire à une addiction.

De nombreuses créatrices ont suivi ce schéma. Adolescente, Janis Joplin, après avoir essayé de s'adapter aux mentalités de sa petite ville, commença à se rebeller, escaladant les collines pour y chanter la nuit et fréquentant des « artistes ». Après que ses parents eurent été convoqués à l'école, elle mena une double vie. Elle se montrait rangée en apparence, mais était capable de franchir les limites de l'Etat pour aller écouter du jazz. Elle alla à l'université, se rendit malade à force d'abuser de diverses substances psycho-actives, se « réforma » et tenta de se comporter normalement. Puis elle se remit petit à petit à boire, se drogua, chaussa les souliers rouges et, dansa, dansa, jusqu'à mourir d'une overdose à vingt-sept ans.

Ce n'est pas la musique de Janis Joplin, ses chansons, la libération de sa vie créatrice qui la tuèrent. C'est son absence d'instinct pour reconnaître les pièges, pour savoir quand il fallait s'arrêter, pour délimiter le terrain de la santé et du bien-être, pour comprendre que les excès sapent peu à peu la psyché jusqu'à ce que la personne s'effondre.

Il ne lui manquait qu'une construction interne emplie de sagesse à laquelle elle aurait pu se raccrocher, un reste d'instinct qui aurait duré suffisamment longtemps, le temps qu'elle puisse se reconstruire, retrouver ses sens et ses instincts. Elle avait seulement besoin d'écouter la voix sauvage qui vit en chacune d'entre nous et qui murmure : « Reste ici suffisamment longtemps... le temps de restaurer l'espoir et tes forces, de chercher ce qui est bon pour toi, d'essayer, le temps de franchir la ligne d'arrivée et qu'importe si c'est long, qu'importe la manière... »

Ce n'est pas la joie de vivre qui tue l'esprit de l'enfant, c'est son absence. Quand une femme n'a pas conscience d'être affamée, quand elle ne voit pas les conséquences de l'usage de substances qui risquent d'être mortelles, elle danse, danse, danse. Qu'elle prenne de la drogue, sombre dans l'alcool, ou se mette en situation d'être abusée, qu'elle ait des pensées négatives, des amours sans lendemain, tout cela, comme les souliers rouges, est du genre dont il est difficile de se détacher une fois que l'on est sous son emprise.

La vieille femme sèche de la psyché joue un rôle majeur dans cette addiction à l'excès compensatoire. Elle a été aveugle, la voilà malade. Elle est immobile, laissant un vide total dans la psyché. Personne n'est plus là, désormais, pour ramener la psyché excessive à la raison. Elle va finir par mourir, d'ailleurs, désertant la psyché et lui ôtant tout terrain sûr. Et l'enfant danse. Elle va passer de l'extase à l'horreur.

Les instincts de survie les plus farouches de la femme se trouvent dans la psyché sauvage. Mais, si elle n'active pas régulièrement sa liberté à l'intérieur et à l'extérieur, la soumission, la passivité, le temps passé en captivité vont affaiblir ses dons innés de vision, de perception, de confiance, ceux dont elle a besoin pour être indépendante.

La nature instinctuelle nous prévient quand trop, c'est trop. Elle est prudente. Elle a en charge de protéger la vie. Une femme ne peut rattraper une vie entière de trahisons, de blessures, en se lançant dans des excès de rage, de plaisir, de déni. La vieille femme de la psyché est censée dire quand il faut s'arrêter. Or, dans le conte, elle est kaput.

Il nous est parfois difficile de prendre conscience que nous perdons nos instincts, car c'est souvent un processus lent, qui prend du temps. Par ailleurs, ce processus est soutenu par la culture environnante et parfois même par d'autres femmes qui le subissent pour parvenir à s'intégrer au sein d'une culture n'offrant aucun habitat à la femme naturelle [20].

L'addiction commence quand la femme perd sa vie cousue main, sa vie porteuse de sens et qu'elle commence à faire une fixation sur tout ce qui peut ressembler à cette existence. Dans le conte, l'enfant essaie encore et encore de porter ses souliers rouges démoniaques, même si, de plus en plus, ils lui font perdre tout contrôle. Elle a perdu toute capacité de sentir la véritable nature des choses. Elle a perdu la vitalité originelle et elle cherche à lui trouver un substitut mortel. En psychologie analytique, nous dirions qu'elle a abandonné le Soi.

Addiction et retour à l'état sauvage sont liés. La plupart des femmes ont été captives, certaines durant une brève période, tandis que d'autres n'ont connu la liberté que *in utero*. Toutes ont perdu une part plus ou moins importante de leurs instincts au cours du processus. Pour certaines, c'est l'instinct permettant de distinguer les gens bien des autres qui a été atteint, pour d'autres c'est la faculté de réagir à l'injustice qui est ralentie, pour d'autres encore c'est l'instinct de fuite qui est diminué. Et la liste est encore longue.

L'abus de substances psycho-actives est un piège bien réel. Les drogues, l'alcool ressemblent par de nombreux aspects à un amant violent qui commence par bien vous traiter, puis vous bat, puis demande pardon, se montre gentil quelque temps et recommence à vous battre. Le piège, c'est d'essayer de s'accrocher aux bons moments en essayant de ne pas se préoccuper des mauvais, car cela ne fonctionnera jamais.

Janis Joplin commença également à représenter, en quelque sorte par procuration, la part archétypale que les autres n'osaient assumer par elles-mêmes. Elles encourageaient sa rébellion comme si, en devenant sauvage à leur place, elle pouvait les libérer. Après un ultime effort pour rentrer dans le rang, Janis ne devait plus échapper à l'emprise de ces abus. Elle rejoignit les rangs de ces autres figures féminines remarquables, mais blessées, qui se retrouvèrent à jouer les chamans célestes pour les masses puis, épuisées, retombèrent au sol. Frances Farmer, Billie Holiday, Ann Sexton, Sylvia Plath, Sara Teasdale, Judy Garland, Bessie Smith, Edith Piaf, Frida Kahlo : il est triste de constater que la vie de certains de nos modèles favoris de femmes, artistes et sauvages, se termina tragiquement et prématurément.

La femme redevenue sauvage n'est pas assez forte pour supporter sans s'effondrer le poids de l'archétype que toutes appellent de leurs vœux. Elle est entrée dans un processus de guérison ; or, on ne demande pas à une convalescente de monter le piano à l'étage du dessus. Il lui faut le temps de reprendre des forces.

Quand les souliers rouges emportent une personne, il lui semble au début que la substance à laquelle elle s'adonne, quelle qu'elle soit, va la sauver. Parfois, cette substance lui donne l'impression qu'elle a une puissance folle, ou, à tort, elle lui laisse croire qu'elle a l'énergie de veiller toute la nuit pour créer et de se passer de repas. A moins qu'elle ne lui permette de dormir sans crainte de ses démons, qu'elle ne lui calme les nerfs, ne la délivre de ses soucis habituels ou même du désir d'aimer ou d'être aimée.

Quoi qu'il en soit, cela finit toujours, comme dans le conte, par créer un tourbillon qui brouille tout et coupe de la vraie vie. L'addiction [21] est une Baba Yaga dérangée qui avale tout crus les petits enfants égarés et les laisse devant la porte du bourreau.

Dans la maison du bourreau : tenter d'ôter les souliers, trop tard

Quand la nature sauvage a manqué d'être anéantie, dans les cas les plus graves, une détérioration schizoïde et/ou une psychose peuvent se déclencher chez la femme [22]. Celle-ci peut brusquement rester au lit et refuser de se lever, ou se promener en robe de chambre, laisser trois cigarettes se consumer dans le cendrier, ou pleurer sans pouvoir s'arrêter, errer dans les rues, échevelée, avoir des idées suicidaires, se tuer, ou mourir accidentellement. Mais, la plupart du temps, elle est comme morte. Elle n'éprouve plus rien.

Que se passe-t-il quand les belles couleurs du psychisme d'une femme sont toutes mélangées, quand on mêle le rouge carmin, le bleu saphir et le jaune topaze ? Les artistes le savent : on obtient la couleur de la boue. Pas de la boue fertile, non, de la boue stérile. Quand les peintres font de la boue sur la toile, il leur faut tout reprendre à zéro.

C'est là la partie la plus difficile, celle où il faut s'amputer des souliers. Se couper de l'addiction à la destruction est douloureux et personne ne sait pourquoi. On pourrait penser que les gens sont soulagés, mais non, c'est comme s'ils avaient une plaie ouverte, même si aucun sang ne coule. Pourtant, c'est cette douleur, cette amputation des pieds sur lesquels nous nous tenons, qui est nécessaire pour redémarrer, pour reprendre notre vie cousue main, soigneusement créée par nous jour après jour.

C'est une amputation bénie. Nos pieds repousseront, nous trouverons notre voie et nous recommencerons à bondir et à sauter. A ce moment, notre vie cousue main sera prête. Nous nous glisserons dedans et nous nous émerveillerons d'avoir eu le bonheur d'une seconde chance.

Retour à la vie cousue main, guérison des instincts endommagés

Quand un conte se termine de la sorte, nous nous interrogeons : une autre fin aurait-elle été possible ?

Sur le plan psychique, il est bon de faire une pause après avoir échappé à la famine. Un ou deux ans ne sont pas de trop pour évaluer les dommages, chercher conseil, appliquer les remèdes, envisager l'avenir. La femme redevenue sauvage retrouve le chemin du retour. Elle apprend à rester en éveil et à ne plus se montrer naïve. Elle prend sa vie en main. Pour réapprendre les instincts féminins profonds, il est essentiel en premier lieu de voir comment ils ont pu être désinvestis.

Que les atteintes portent sur votre art, vos mots, votre forme de vie, vos pensées ou vos idées, il existe, au-delà des méthodes rationnelles, une porte de sortie toute simple. Cessez de tergiverser : il suffit de la franchir. Des pieds tout neufs nous attendent de l'autre côté.

Nous ne pouvons rien quant à notre venue au monde dans telle ou telle famille et à la façon dont nous avons été élevées. Nous ne pouvons forcer la culture environnante à se montrer hospitalière. Mais réjouissons-nous, car il nous est toujours possible de nous réapproprier notre vie. Pour cela, il est nécessaire de veiller à nous réinsérer graduellement dans la nature sauvage et d'édifier une structure éthique ou protectrice susceptible de servir d'étalon pour savoir quand trop, c'est trop.

Il faut donc retourner à la psyché libre et sauvage franchement, mais non sans quelque prudence. Nous, les psychanalystes, aimons à dire que notre formation de personnes qui aident/guérissent implique d'apprendre aussi bien ce qu'il ne faut pas faire que ce qu'il faut faire. La même attitude est à appliquer au retour à l'état sauvage après la captivité.

Les pièges, fosses et appâts empoisonnés qui attendent la femme sauvage sont propres à sa culture. J'ai relevé ici ceux qui se révèlent communs à la plupart des cultures. Les femmes appartenant à des races et à des religions différentes devront ajouter des éléments spécifiques. Ce que nous sommes en train d'établir, c'est une carte des bois dans lesquels nous vivons et où les prédateurs vivent aussi, avec leur façon d'opérer. On dit qu'un loup connaît chaque être vivant sur son territoire à des kilomètres à la ronde. C'est cette connaissance qui lui permet de vivre aussi librement que possible.

Il est à la portée de toutes les femmes de retrouver l'instinct perdu et de restaurer celui qui a été endommagé, car l'instinct revient quand elles prêtent attention, écoutent, regardent, sentent ce qui se passe autour d'elle et agissent comme font les autres, avec efficacité, efficience, avec âme. Cette opportunité d'observer les personnes dont les instincts sont intacts est essentielle à la démarche. Plus tard, tout cela devient un schéma qui, une fois pratiqué, se déroule automatiquement.

Si quelque chose a blessé notre nature sauvage, nous refusons de nous coucher et de nous laisser mourir; nous refusons de normaliser la blessure. Nous battons le rappel de nos instincts et faisons ce que nous devons faire. Par nature, la femme sauvage est pleine de talent, d'intensité. Mais, coupée de ses instincts, elle se montre également naïve, accoutumée à la violence, elle s'adapte à l'expatriation et à l'exmatriation. Et si ni les amants, ni la drogue, l'alcool, l'argent, la gloire ou le pouvoir ne peuvent arranger les choses, un retour graduel à la vie instinctuelle le peut. Pour cela, la femme a besoin d'une mère, une mère sauvage suffisamment-bonne. Devinez qui attend de jouer ce rôle ? La Femme Sauvage, qui se demande pourquoi vous tardez tant à la rejoindre, *pour de bon*.

Il est donc important que, quelle que soit l'œuvre que vous accomplissiez, vous vous entouriez de personnes qui vous soutiennent. Les prétendues amies qui souffrent des mêmes blessures, sans pour autant avoir le désir de guérir, représentent à la fois un piège et un poison. Elles vous encouragent à agir en dehors de vos cycles naturels, à côté des besoins de votre âme.

La femme redevenue sauvage ne peut s'autoriser la naïveté. Lors de son retour à la vie innée, il lui faut considérer les excès d'un œil sceptique, consciente de leur coût en matière d'âme, d'instinct, de psyché. Comme les louveteaux, nous mémorisons les pièges, la façon dont ils sont faits et posés. C'est de cette façon que nous restons libres.

Les instincts ne diminuent de toute façon pas sans laisser de traces et d'échos que nous puissions suivre pour les récupérer. Même au seuil de la destruction par les excès, la femme peut encore entendre les murmures de la Déesse Sauvage dans son sang.

Pour restaurer l'équilibre, il faut ressusciter dans notre nature la Femme Sauvage, autant de fois que nécessaire, quand le fléau de la balance penche trop d'un côté ou de l'autre.

Il est d'une importance capitale de considérer la vie comme un corps vivant en soi, avec sa respiration, le renouvellement de ses cellules, ses déchets. Ce n'est pas parce que nous avons mangé hier que nous n'aurons pas faim aujourd'hui. Ce n'est pas parce que nous avons résolu une question qu'elle va rester résolue, parce que nous avons appris quelque chose que c'est coulé dans le béton. Non, la vie est un grand corps qui croît et décroît en des endroits différents et à des rythmes différents. Tant que nous nous comportons comme ce corps, que nous grandissons de nouveau et pataugeons dans *la mierda*, nous sommes vivantes, nous suivons les cycles de la Femme Sauvage. Si nous prenions conscience que *notre tâche est de continuer la tâche*, nous serions plus véhémentes et plus calmes.

Le vrai miracle de l'individuation et de la revendication de la Femme Sauvage, c'est que nous entamons toutes le processus avant d'y être prêtes. Nous entamons le dialogue avec des pensées et des sentiments qui à la fois nous chatouillent et font un bruit de tonnerre. Nous répondons avant même de connaître la langue, avant de savoir à qui nous parlons.

Mais c'est ainsi que sourd en nous la Femme Sauvage, comme la louve apprend à ses louveteaux à chasser, à se méfier. Nous commençons à parler par sa voix, à adopter sa vision, ses valeurs. Elle nous apprend à envoyer le message de notre retour aux autres qui sont comme nous.

Voici l'ultime instruction à nous toutes. C'est un vers d'un poème de Charles Simic et je connais plusieurs femmes écrivains qui l'ont placé audessus de leur bureau – l'une le porte même plié dans sa chaussure : « Celui qui ne sait pas hurler, jamais ne trouvera sa bande [23]. »

Si vous voulez faire de nouveau appel à la Femme Sauvage, refusez d'être capturée [24]. Avec vos instincts affûtés pour la recherche de votre équilibre, bondissez où vous voulez, hurlez à volonté, laissez paraître vos sentiments, prenez ce qui se présente, courez, dansez. Dansez avec des souliers rouges, mais assurez-vous que ce sont bien ceux que vous avez cousus main. Vous deviendrez une femme pleine de vie, je vous le promets.

9

RENTRER CHEZ SOI : RETOUR À SOI-MÊME

Il y a le temps humain. Il y a le temps sauvage. Quand j'étais enfant, dans les forêts du Nord américain, je croyais qu'il y avait non pas quatre saisons, mais des dizaines : le temps des nuits d'orage, le temps des éclairs de chaleur, le temps des feux de joie dans les bois, le temps du sang sur la neige, le temps des arbres pris par le gel, le temps des arbres courbés sous le vent, des arbres pleurant de pluie, des arbres frissonnant sous le vent, la saison de la neige étincelante, la saison de la neige fumante, celle de la neige qui crisse, et même la saison de la neige sale, de la neige aux pierres affleurantes, car elle annonçait l'arrivée du printemps.

Ces saisons représentaient en quelque sorte des visiteuses de marque, des visiteuses sacrées, qui envoyaient chacune des signes annonciateurs : pommes de pins ouvertes ou fermées, odeur des feuilles pourrissantes ou de la pluie, bois des portes qui travaille, vitres couvertes de fils de givre, décorées de blancs pétales humides, constellées de l'or du pollen, piquées de sève collante. Et notre peau, elle-même, avait ses propres cycles : tannée, moite, hâlée, douce.

La psyché et l'âme des femmes ont aussi leurs cycles et leurs saisons : activité et solitude, mouvement et stase, quête et repos, implication et retrait, création et incubation, appartenance au monde et retour vers le lieu de l'âme. Dans l'enfance et à l'adolescence, la nature instinctive remarque ces phases et ces cycles.

Les enfants *sont* la nature sauvage. Sans qu'on ait besoin de le leur dire, ils se préparent à ces moments, vivent avec, et en gardent des *recuerdos,* des souvenirs : une feuille pourpre séchée dans un livre, un coquillage, une pierre, un bâton, un ruban, vestige de l'enterrement d'un oiseau. Ils se remémorent la paix du cœur, le sang fouetté et toutes sortes d'images.

Il y eut donc le temps où, une année après l'autre, nous vivions selon ces cycles et ces saisons et où ils vivaient en nous. Ils faisaient partie de notre peau d'âme – ce pelage qui nous enveloppait et enveloppait aussi le monde sauvage, naturel – du moins jusqu'à ce qu'on nous apprenne que les saisons étaient seulement au nombre de quatre et qu'il y en avait trois, pas plus, pour les femmes : enfance, âge adulte, vieillesse.

Mais nous ne pouvons tolérer de marcher comme des somnambules, drapées dans ce mince tissu d'inexactitudes qui nous pousse à nous éloigner de nos cycles naturels et donc à souffrir de sécheresse, de fatigue et de la nostalgie du retour chez nous. Il vaut beaucoup mieux revenir régulièrement à l'un ou l'autre de nos cycles propres, ou à tous.

L'histoire qui suit peut être considérée comme un commentaire de l'un des cycles les plus importants pour les femmes, le retour chez soi, le retour au chez-soi sauvage, à la maison de l'âme. On raconte dans le monde entier des histoires d'animaux qui ont une parenté mystérieuse avec les humains, car ils représentent un archétype, un élément universel de connaissance de l'âme. Parfois, les contes de fées, les contes populaires naissent de l'esprit d'un lieu. Celui-ci est répandu dans les froides régions nordiques, dans tous les pays où la mer ou l'océan sont gelés. Il en existe des versions chez les Celtes, les Ecossais, parmi les tribus du Nord-Ouest américain, en Islande et en Sibérie. On l'appelle généralement *La Jeune Fille Phoque* ou *Selkie-o, Pamrauk,* Petit Phoque ; *Eyalirtaq,* Chair de Phoque. Cette version est celle dont je me sers en analyse et que je raconte en public. Je l'ai intitulée *Peau de Phoque, Peau d'Ame*. C'est une histoire qui nous dit d'où nous venons vraiment, de quoi nous sommes faites ; elle nous enseigne que nous devons toutes, régulièrement, nous servir de notre instinct et retrouver le chemin qui mène chez soi [1].

Peau de Phoque, Peau d'Ame

EN un temps qui fut, qui est maintenant à jamais disparu et bientôt sera de retour, les jours de ciel blanc, les jours de neige blanche se succèdent... et les petits points noirs qu'on aperçoit au loin sont des êtres humains, des ours ou des chiens.

Ici, rien ne pousse pour rien. Le vent souffle avec une telle violence que les gens ont fini par mettre exprès de biais leurs parkas et leurs *mamleks,* leurs bottes. Ici, les paroles gèlent en l'air et l'on doit casser des phrases entières à la sortie des lèvres de celui qui parle et les faire fondre auprès du feu pour savoir ce qu'il a dit. Ici, les gens vivent dans l'abondante chevelure de grand-mère Annuluk, la vieille sorcière qui est la Terre en personne. Et c'est là, sur ce sol, que vivait un homme... un homme si seul qu'au fil des ans, les larmes avaient creusé deux abîmes sur ses joues.

Il essayait de sourire, d'être heureux. Il chassait, posait des pièges et son sommeil était bon. Mais il éprouvait le besoin d'une compagnie humaine. Parfois, quand un phoque approchait de son kayak, il se rappelait ces histoires qui disaient qu'autrefois les phoques étaient des êtres humains et que leurs yeux, seul souvenir de cette époque, étaient encore capables de reproduire ces regards-là, ces regards sauvages, sages et aimants. Alors, il lui arrivait de ressentir sa solitude de façon si poignante que les larmes ruisselaient au long des crevasses de son visage.

Un soir, il chassa après la tombée de la nuit, mais il était toujours bredouille. La lune montait dans le ciel et illuminait la banquise lorsqu'il arriva en vue d'un rocher qui se dressait sur la mer. Son œil exercé put y distinguer un mouvement des plus gracieux.

Il s'approcha doucement en pagayant, et là, sur ce majestueux rocher, dansait un groupe de femmes, nues comme au jour de leur naissance. Bon, c'était un homme seul, qui n'avait d'amis humains que dans son souvenir... et il resta à les regarder. Les femmes semblaient faites du lait de la lune et sur leur peau brillaient de petites taches d'argent pareilles à celles des saumons au printemps. Leurs pieds et leurs mains étaient longs et très gracieux.

Elles étaient si belles que l'homme resta cloué de stupeur dans son bateau, tandis que l'eau venait battre la coque et le rapprochait du rocher. Il entendait les rires de ces femmes superbes... du moins lui semblait-il qu'elles riaient, à moins que ce ne fût le rire de l'eau contre la paroi du rocher ? L'homme, ébloui, ne savait que penser. Mais la solitude qui pesait sur sa poitrine comme une dépouille humide disparut soudain et, presque sans savoir ce qu'il faisait, il bondit sur le rocher et déroba l'une des peaux de phoque qui se trouvait là. Il se dissimula derrière un affleurement et la fourra dans sa *qutnguq*, sa parka.

Bientôt, il entendit l'une des femmes crier quelque chose d'une voix qui était la plus belle qu'il eût jamais entendue... un peu comme le chant des baleines au lever du jour... ou plutôt non, c'était comme les louveteaux qui jouent au printemps... ou plutôt non, c'était mieux que ça, mais cela n'avait pas d'importance, parce que... ah, maintenant, que faisaient les femmes ?

Eh bien, elles revêtaient leurs peaux de phoque et, une par une, les femmes phoques se glissaient dans la mer avec de petits cris de joie. Toutes, sauf une, la plus grande, qui cherchait partout sa peau de phoque. En vain. Quelque chose – il ne savait quoi – encouragea l'homme. Il quitta l'abri du rocher et lança : – Femme, sois mon épouse. Je suis un homme seul, si seul.

– Je ne peux être une épouse, répondit-elle, car je suis de celles qui vivent *temeqvanek*, en dessous.

L'homme insista :

– Sois mon épouse, répéta-t-il. Dans sept étés, je te rendrai ta peau de phoque et là, tu pourras partir ou rester, comme tu voudras.

La jeune fille phoque lui lança un long regard qui avait tout d'humain. Elle dit, à regret : – Je viens avec toi et dans sept étés, il en sera décidé.

Ils eurent un enfant, qu'ils appelèrent Ooruk. C'était un enfant souple et grassouillet. En hiver, sa mère lui racontait des histoires sur les créatures qui vivent sous la mer, tandis qu'avec son long couteau, son père découpait un ours ou un loup en petits morceaux. Quand sa mère portait l'enfant pour le mettre au lit, elle lui montrait les nuages qu'on apercevait par le conduit de fumée. Elle lui décrivait les formes qu'ils prenaient, sauf qu'au lieu de les comparer au corbeau, à l'ours et au loup, elle lui parlait des morses, des baleines, des phoques et des saumons, car elle ne connaissait pas d'autres animaux.

Mais, le temps passant, sa peau vint à se dessécher, desquama, puis se craquela. Ses paupières pelèrent, ses cheveux commencèrent à tomber. Elle devint *naluaq*, d'une pâleur mortelle. Elle perdit de ses rondeurs et tenta de dissimuler qu'elle boitait. Chaque jour, sans qu'elle le veuille, son regard devenait de plus en plus terne. Elle se mit à tendre les mains devant elle pour trouver son chemin, car sa vue s'obscurcissait.

Il en alla ainsi jusqu'à ce qu'un soir, l'enfant Ooruk fût réveillé par des cris et se dressât sur sa couche de peaux de bêtes. Il entendit un rugissement d'ours. C'était son père qui réprimandait sa mère. Il entendit des pleurs semblables à un tintement d'argent sur de la pierre. C'était sa mère.

– Tu as caché ma peau de phoque il y a sept longues années et maintenant le huitième hiver arrive. Je veux qu'on me rende ce dont je suis faite, gémissait la femme phoque.

– Et toi, femme, si je te la rends, tu me quitteras ! grondait son mari.

– Je ne sais ce que je ferai. Tout ce que je sais, c'est que je dois avoir ce à quoi j'appartiens.

– Tu me laisseras alors sans épouse et l'enfant sera sans mère. Tu es mauvaise !

Sur ces mots, l'époux rejeta brutalement de côté la portière de cuir et disparut dans la nuit.

L'enfant aimait énormément sa mère. Il eut peur de la perdre et pleura longuement. Il finit par s'endormir avant d'être réveillé par le vent. Un vent étrange, qui semblait l'appeler : Oooruk, Oooruuuuk !

Il quitta son lit si vite qu'il mit sa parka à l'envers et enfila à moitié ses *mukluks*. Il entendait toujours son nom. Il se précipita comme un fou dans la nuit semée d'étoiles.

– Oooruuuuk !

L'enfant courut jusqu'à la falaise qui surplombait la mer et là, loin sur la mer agitée, il y avait un énorme phoque argenté, avec une grosse tête, des moustaches qui tombaient sur sa poitrine et des yeux d'un jaune profond.

– Oooruuuuk !

L'enfant dégringola la falaise et buta tout en bas sur une pierre – non, sur un ballot – qui avait roulé d'une faille dans le rocher. Les cheveux du petit garçon fouettaient son visage comme des milliers de lanières de glace.

– Oooruuuuk !

L'enfant déroula le ballot et le secoua : c'était la peau de phoque de sa mère. Il pouvait sentir son odeur. Il porta la peau à son visage et respira son odeur. Et pendant qu'il faisait cela, l'âme de de sa mère le traversa comme un vent d'été soudain.

Il poussa un « Ohh » de douleur et de joie à la fois et porta de nouveau la peau à son visage. Et de nouveau l'âme de sa mère le traversa. – Ohh, cria-t-il encore, car l'amour infini de sa mère le remplissait.

Là-bas, le vieux phoque d'argent s'enfonçait lentement sous la surface.

Le petit garçon escalada la falaise et rentra chez lui en courant, la peau de phoque volant derrière lui. Il se laissa tomber au sol. Sa mère les releva, lui et la peau de phoque, fermant les yeux de gratitude, car l'un et l'autre étaient saufs.

Elle enfila sa peau de phoque : – Oh, non, maman ! s'écria l'enfant.

Elle prit l'enfant, le mit sous son bras et mi-courant, mi-trébuchant, elle se précipita vers la mer rugissante.

– Maman, non, ne me laisse pas ! cria Ooruk.

Et il était visible qu'elle voulait rester avec son enfant, oui, elle le voulait, mais quelque chose de plus ancien que lui, de plus ancien qu'elle, de plus ancien que le temps l'appelait.

– Non, non, non, maman ! suppliait le petit garçon. Elle se tourna vers lui et ses yeux étaient emplis d'un amour terrible. Elle prit le visage de l'enfant entre ses mains et lui insuffla sa douce respiration dans les poumons, une fois, deux fois, trois fois. Puis, en le tenant comme un précieux ballot sous son bras, elle plongea sous la mer, et s'y enfonça de plus en plus profondément. Et la femme phoque et son enfant respiraient parfaitement sous l'eau.

Ils nagèrent ainsi jusqu'à ce qu'ils parviennent au havre sous-marin des phoques, où dînaient et chantaient, dansaient et parlaient toutes sortes d'animaux. Là, le grand phoque qui avait appelé Ooruk depuis la mer, dans la nuit, étreignit l'enfant et l'appela son petit-fils.

– Comment vont les choses là-haut, ma fille ? demanda le majestueux phoque d'argent.

La femme phoque détourna les yeux. – J'ai blessé un humain, père, un homme qui a tout donné pour m'avoir. Mais je ne peux retourner auprès de lui, car j'y serais prisonnière.

– Et le garçon, mon petit-fils ? interrogea le vieux phoque d'une voix tremblante de fierté.

– Il doit partir, père. Il ne peut rester, car son temps parmi nous n'est pas encore venu.

Ainsi les jours et les nuits passèrent, sept pour être exact, au cours desquels la femme retrouva son lustre, sa belle couleur sombre. Elle eut de nouveau une bonne vue et redevint bien en chair. Elle nageait sans être handicapée. Et vint le temps de ramener l'enfant à terre. Cette nuit-là, son vieux grand-père phoque et sa mère magnifique le prirent entre eux et nagèrent vers le monde du dessus. Là, ils déposèrent doucement Ooruk sur les rochers du rivage, dans la clarté de la lune.

Sa mère promit : « Je serai toujours avec toi. Il te suffira de toucher ce que j'ai touché, le petit bois pour allumer le feu, mon *ulu* – mon couteau – mes sculptures de phoque et d'otaries en pierre et je soufflerai dans tes poumons un vent pour que tu chantes tes chants. »

Après avoir maintes fois embrassé l'enfant, le vieux phoque et sa fille s'arrachèrent à lui et se laissèrent glisser dans la mer, puis, après un dernier regard, ils plongèrent sous la surface. Et parce que son temps n'était pas encore venu, Ooruk resta.

Le temps passa. Il grandit et devint un superbe joueur de tambour, un merveilleux chanteur et conteur. On racontait qu'il en était ainsi parce qu'enfant, il avait été emmené dans la mer par les grands esprits des phoques et qu'il avait survécu. Maintenant, on peut encore le voir dans les brumes grises du matin. Après avoir attaché son kayak, il s'agenouille sur un certain rocher sur la mer et semble parler à un certain phoque, une femelle qui vient souvent près du rivage. Beaucoup ont essayé de s'en emparer, mais ils n'ont jamais réussi. On la connaît sous le nom de *Tanqigcaq*, la brillante, la sacrée, et l'on dit qu'elle a beau être un phoque, ses yeux sont capables de reproduire ces regards humains, ces regards sauvages, sages et aimants.

La perte du sens de l'âme en tant qu'initiation

Le phoque est l'un des plus beaux symboles de l'âme sauvage. Comme la nature instinctuelle des femmes, c'est un animal particulier, qui a évolué et s'est adapté depuis des temps immémoriaux. Au même titre que la Femme Phoque, les vrais phoques ne viennent à terre que pour se reproduire et élever leurs petits. La mère phoque se consacre intensément à son petit durant deux mois environ. Elle veille sur lui, lui donne amour et soins et le nourrit exclusivement à partir de ses propres réserves corporelles. Au cours de cette période, le petit, qui pèse à l'origine une quinzaine de kilos, quadruple son poids. La mère alors retourne à la mer et le petit phoque, désormais viable, entame une vie indépendante.

Chez différentes ethnies du globe et tout particulièrement dans les régions circumpolaires et en Afrique de l'Ouest, on retrouve la croyance que l'être humain n'est pas véritablement animé avant que l'âme n'ait donné naissance à l'esprit, ne se soit occupée de lui, n'en ait pris soin pour qu'il prenne des forces. Plus tard, l'âme se retire en une demeure éloignée, tandis que l'esprit entame sa vie indépendante dans le monde [2].

Le symbole du phoque comme représentation de l'âme est d'autant plus irrésistible qu'il y a chez ces animaux une « docilité », une facilité de contact bien connue de tous ceux qui vivent auprès d'eux. Ils ont un petit côté « chien », naturellement affectueux, et il émane d'eux une sorte de pureté. Mais ils sont aussi très prompts à réagir, à battre en retraite ou à contre-attaquer si on les menace. Il en va de même pour l'âme.

Parfois, néanmoins, les phoques qui ne sont pas habitués à l'homme et se trouvent dans une sorte de béatitude, comme cela leur arrive de temps en temps, ne prévoient pas le comportement des humains. Telle la femme phoque du conte et telle l'âme des femmes jeunes et/ou inexpérimentées, ils n'ont pas conscience des intentions des autres et du mal qu'ils peuvent faire. C'est toujours à ce moment-là que la peau de phoque est dérobée.

Après des années passées à utiliser le thème de la « capture » et du « trésor dérobé » dans les contes et à analyser nombre d'hommes et de femmes, j'en suis venue à penser qu'au cours du processus d'individuation, il se produit au moins un larcin significatif. Certains le définissent comme le vol de la « grande occasion » de leur vie, d'autres comme le larcin de l'amour ou celui de leur esprit, un affaiblissement du sens de soi. D'autres encore le décrivent comme une distraction, une coupure, une interférence ou comme l'interruption de quelque chose de vital pour eux : art, amour, rêves, espoirs, croyance en la bonté, développement, honneur, lutte.

La plupart du temps, ce vol majeur est la conséquence de leur aveuglement. Les femmes le subissent pour les raisons mêmes où il se produit dans cette histoire : à cause de leur naïveté, de leur absence de perspicacité quant aux motifs des autres, de leur manque d'expérience pour se projeter dans l'avenir, de leur défaut d'attention aux indices qui les entourent et aussi parce que le destin, dans sa trame, tisse toujours des leçons.

Les personnes ainsi lésées ne sont ni nulles, ni stupides, ni fourvoyées. Mais elles sont, de manière significative, inexpérimentées, ou ont pour ainsi dire un psychisme assoupi. On aurait tort de penser que c'est le propre des jeunes. Cela peut arriver à tout le monde, sans distinction de race, d'âge, d'éducation. A l'évidence, subir un larcin fait évoluer la victime vers une mystérieuse opportunité d'initiation [3] archétypale.

Le processus de récupération du trésor et de réflexion sur la manière de se refaire une santé élabore quatre constructions vitales dans la psyché. Quand nous abordons le dilemme de front et descendons au *Río Abajo Río*, à la rivière sous la rivière, ce processus renforce considérablement notre résolution de nous battre pour effectuer cette récupération en pleine conscience. Avec le temps, il précise clairement ce qui est important pour nous. Il nous remplit du désir de nous libérer psychiquement, ou de toute autre manière, et de mettre à l'épreuve notre sagesse récemment retrouvée. Enfin et surtout, il développe notre nature médiale, cette part sauvage et connaissante de la psyché qui peut traverser le monde de l'âme et le monde des humains.

Le noyau archétypal de *Peau de Phoque, Peau d'Ame* est d'une grande valeur, car il donne des indications sur les démarches à accomplir pour trouver notre voie par le biais de ces tâches. En effet – et c'est là un problème important et potentiellement très destructeur que rencontrent les femmes – celles-ci se lancent dans divers processus psychologiques d'initiation avec des initiatrices qui ne sont pas parvenues au terme du processus pour elles-mêmes. Or, l'initiatrice dont l'initiation est inachevée va, sans s'en rendre compte, omettre certains aspects du processus initiatique et faire subir parfois un grave dommage à l'initiée, car elle va travailler avec une idée fragmentaire de l'initiation, souvent entachée d'une manière ou d'une autre [4].

A l'autre extrémité du spectre, se trouve la femme qui a subi un larcin et lutte pour connaître et maîtriser la situation, mais qui, faute d'indications et ignorant qu'elle doit encore s'exercer pour compléter l'apprentissage, répète inlassablement la première étape, celle où elle est volée. Au lieu de découvrir ce que requiert une âme sauvage en pleine santé, elle devient la victime d'une initiation incomplète.

Parce que la transmission matrilinéaire – des femmes plus âgées transmettant à de plus jeunes certains faits psychiques et certaines procédures du féminin sauvage – a été fragmentée et interrompue pendant longtemps, l'archéologie des contes de fées et ses enseignements sont une bénédiction. Ils font écho aux schémas internes des processus psychologiques féminins les plus intégraux. En ce sens, les contes de fées et les mythes sont nos initiateurs, les sages qui transmettent à ceux qui viennent après eux.

L'enseignement de *Peau de Phoque, Peau d'Ame* est donc précieux, avant tout, pour les femmes dont l'initiation demeure incomplète. Il suffit de connaître toutes les étapes à franchir pour achever le retour cyclique chez soi afin que même une initiation ratée puisse être reprise, recentrée et terminée correctement. Voyons les indications que nous donne cette histoire pour y parvenir.

Perdre sa peau

Dans des versions d'un certain nombre de contes comme *Barbe-Bleue*, *Raiponce*, *Rose de Bruyère* et autres, on voit que le développement de la connaissance commence par la souffrance. Au début, on n'a pas encore conscience des choses, puis l'on est, d'une manière ou d'une autre, victime d'une tricherie ; alors, progressivement, on retrouve la voie qui conduit au pouvoir et, surtout, à la profondeur. Ce thème se retrouve dans les contes de toutes les époques dont les femmes sont les protagonistes. Ceux-ci se révèlent riches d'enseignements sur ce que nous devons faire en cas de capture et sur la manière de nous en sortir avec la capacité de *pasar atravez del bosque como una loba*, de nous glisser hors de la forêt comme une louve, *con un ojo agudo*, avec un œil exercé.

Il y a dans *Peau de Phoque, Peau d'Ame* un motif rétrograde. Nous disons parfois de ces contes qu'ils vont à rebours. Dans beaucoup de contes de fées, un humain placé sous un charme est changé en animal. Ici, c'est l'inverse, un animal devient un être humain. Grâce à ce procédé, nous pouvons voir ce qui se passe dans la structure de la psyché féminine. La jeune fille phoque, telle la nature sauvage de la psyché féminine, est une combinaison mystique qui appartient au règne animal tout en se révélant capable de vivre parmi les humains.

Au-delà de l'objet même, la peau, la fourrure représente un état affectif et une façon d'être au monde cohérents, qui appartiennent à l'âme et à la nature sauvage féminine. La femme qui se trouve dans cet état se sent parfaitement elle-même, elle est bien dans ses baskets et n'est pas en train de se demander si elle fait ce qu'il faut, si elle agit correctement, si elle pensc juste. Bien qu'elle perde de temps à autre le contact avec cet état où l'on est « dans son soi », où l'on est soi-même, elle en tire suffisamment de force pour pouvoir accomplir sa tâche dans le monde. Périodiquement, son retour à l'état sauvage renouvelle ses réserves psychiques pour sa vie dans le monde du dessus, avec ses projets, sa famille, ses liens affectifs et sa créativité.

Toute femme qui reste trop longtemps loin de la maison de l'âme finit par se lasser, et il doit en être ainsi. Alors, elle cherche à reprendre sa peau, afin de revivifier son sens du soi et de l'âme, de restaurer sa connaissance profonde, océanique. Ce cycle d'allers et retours est dans la nature instinctuelle des femmes, il est en elle tout au long de leur vie, de l'enfance à l'adolescence et à l'âge adulte, à travers leur rôle d'amante, de mère, de femme de métier, de dépositaire de sagesse, de femme âgée. Ces phases ne sont pas nécessairement chronologiques, car souvent, des femmes d'âge mûr sont encore comme des bébés, des vieilles femmes se révèlent de grandes amoureuses et des petites filles en savent long sur les enchantements des vieilles amitiés.

Au fur et à mesure, nous perdons cette impression d'être bien dans notre peau – suite aux circonstances que nous avons vues ou suite à une longue captivité. Celles qui se débattent trop longtemps, sans répit, courent le même risque. La peau d'âme disparaît quand nous ne parvenons pas à faire attention à ce que nous faisons, ni, surtout, au prix à payer.

Il y a autant de façons de perdre notre peau d'âme qu'il y a de femmes sur terre. Nous pouvons la perdre en nous préoccupant trop du moi, en en faisant trop, en étant trop perfectionnistes [5], en nous martyrisant inutilement, en nous laissant mener aveuglément par l'ambition, en étant mécontentes – de nous-mêmes, de notre famille, de notre entourage, de notre environnement culturel, du monde entier – sans rien dire ni rien faire, ou encore en nous consacrant sans fin aux autres ou en ne nous préoccupant pas assez de nous-mêmes...

Il n'y a qu'une façon de garder cette peau d'âme essentielle : en conservant en permanence la conscience aiguë de sa valeur et de ses usages. Une telle tâche est bien sûr quasiment impossible, mais on peut réduire le vol au strict minimum. On peut exercer son regard, avoir cet *ojo agudo* qui va monter la garde auprès de notre territoire psychique. *Peau de Phoque, Peau d'Ame*, néanmoins, traite de ce que nous pourrions appeler un « vol aggravé ». Il est possible, grâce à la conscience, de s'y interposer en faisant attention à nos cycles et à l'appel du retour chez soi.

Toutes les bêtes de la terre retournent chez elles. Il est curieux de constater que nous avons créé des refuges dans la nature pour les ibis, les pélicans, les aigrettes, les grues, les cerfs, les souris, les élans et les ours, mais pas pour nous, dans les lieux où nous vivons quotidiennement. Nous prenons conscience que la perte de son habitat est la pire chose qui puisse arriver à un animal en liberté. Nous dénonçons le fait que le territoire naturel de certains animaux est maintenant cerné par les constructions urbaines, les autoroutes, le bruit et autres nuisances – comme si nous n'en étions pas victimes nous aussi. Nous savons parfaitement que, pour vivre, toutes les créatures doivent bénéficier, au moins de temps en temps, d'un endroit où elles soient chez elles et se sentent en sécurité, protégées.

Traditionnellement, nous compensons la perte d'un habitat plus serein en prenant des vacances, plus ou moins longues, censées nous procurer du plaisir, sauf que ce n'est pas toujours le cas. Nous pouvons compenser les difficultés de notre journée de travail en diminuant les tâches qui nous crispent douloureusement les deltoïdes et les trapèzes. Oui, mais pour l'âme-soi-psyché, vacances n'égale pas refuge. Prendre un temps de repos n'est pas rentrer à la maison. Le calme n'est pas la même chose que la solitude.

On peut limiter cette perte d'âme en commençant par rester tout près de cette peau. Je vois par exemple, au cours de ma pratique avec des femmes douées de tous les talents, que ce vol de la peau d'âme peut se produire par l'intermédiaire de relations amoureuses avec des personnes qui ne sont pas elles-mêmes bien dans leur peau ; certaines peuvent même s'avérer empoisonnées. Il faut certes de la volonté et de la force pour y mettre un terme, mais ce n'est pas impossible, surtout si, comme dans le conte, nous nous éveillons à la voix qui nous appelle et nous demande de rentrer à la maison, vers ce noyau du soi où la sagesse immédiate est intacte et accessible. Là, la femme peut décider en toute connaissance de cause ce qu'elle doit avoir, ce qu'elle doit faire.

Le vol aggravé de la peau de phoque a également lieu de façon plus subtile par le biais du larcin des ressources de la femme et de son temps. Le monde a besoin de réconfort, il a besoin des seins et du giron des femmes. Des milliers de mains se tendent vers nous, nous poussent, nous tirent pour que nous leur prêtions attention. Il y a toujours, partout, quelqu'un ou quelque chose qui a besoin de nous, avec plus ou moins de gentillesse ou de charme, avec, parfois, un tel désarroi qu'à notre corps défendant, l'empathie fonctionne et nous sommes prêtes à donner notre lait nourricier. Mais de grâce – à moins que ce ne soit une question de vie ou de mort – prenons le temps de nous cuirasser, de « mettre un soutien-gorge blindé [6] ». Occupez-vous de regagner votre demeure.

Nous avons vu qu'on peut perdre la peau dans le cours d'un amour nocif et dévastateur, mais on peut également la perdre lors d'un amour valable et profond. Le problème vient moins du fait que cet amour s'adresse à une personne ou un objet adéquat ou inadéquat, que de ce qu'il nous coûte – en temps, en énergie, en attention, en observations, en incitations, en enseignements, en entraînement. Ces mouvements de la psyché sont un peu des retraits en liquide d'un compte d'épargne psychique. Les retraits font partie des mouvements de l'existence, mais pas le fait d'avoir un découvert, et c'est cela qui provoque la perte de la peau et éteint peu à peu nos instincts les plus aiguisés. C'est l'absence de dépôts ultérieurs d'énergie, de connaissance, de reconnaissance, d'idées et d'excitation qui font qu'une femme se sent mourir, psychologiquement.

Dans le conte, lorsque la jeune fille phoque perd sa peau, clle est impliquée dans une quête magnifique, celle de la liberté. Elle danse, danse, sans prêter attention à ce qui se passe autour d'elle. Quand nous sommes bien dans notre nature sauvage, nous éprouvons ce sentiment de vie intense. C'est signe que nous sommes proches de la Femme Sauvage. Nous entrons toutes en dansant dans le monde, nous avons toutes, au début, notre peau intacte.

Pourtant, du moins jusqu'à ce que nous soyons plus conscientes, nous passons toutes par cette étape au cours du processus d'individuation. Nous nageons toutes jusqu'au rocher, et dansons sans prêter attention à rien. C'est alors que l'aspect de la psyché le plus fripon intervient et à un moment donné nous cherchons en vain ce qui nous a appartenu ou ce à quoi nous appartenons. Notre sens de l'âme a mystérieusement disparu ; plus, il a été caché quelque part. Aussi avançons-nous dans une sorte de brouillard. Il n'est pas bon d'effectuer des choix dans un tel cas et pourtant, c'est ce que nous faisons.

Il y a maintes façons de faire un mauvais choix. Telle femme va se marier trop jeune, telle autre avoir un enfant trop tôt, telle autre choisir un mauvais compagnon, telle autre encore va laisser tomber son art pour « raisons financières », telle autre enfin va être séduite par des promesses ou ne pas avoir suffisamment les pieds sur terre, et la liste n'est pas close. Et lorsqu'une femme a sa peau d'âme moitié sur elle, moitié ailleurs, ce n'est pas forcément du fait de ses mauvais choix ; c'est plutôt qu'elle est restée trop longtemps loin de la demeure de l'âme et que, desséchée, elle n'est plus utile à qui que ce soit, et encore moins à elle-même. Il y a maintes façons de perdre sa peau d'âme.

Si nous approfondissons le symbole de la peau animale, nous découvrons que l'homme comme l'animal ont les cheveux/les poils qui se dressent en réaction à des choses vues aussi bien qu'à des choses ressenties. En envoyant un « frisson » dans tout le corps, ce processus provoque la méfiance, la suspicion et autres réactions de protection. Chez les Inuit, on dit que la fourrure et les plumes ont la capacité de voir ce qui se passe au loin et que c'est la raison pour laquelle un *angakok*, un chaman, porte autant de plumes et de fourrure : il a ainsi des centaines d'yeux pour pénétrer les mystères. La peau de phoque est un symbole qui non seulement fournit de la chaleur, mais encore peut, grâce à sa vision, avertir à un stade précoce.

Dans les cultures où l'on vit de la chasse, la peau de bête vaut autant que la nourriture sur le plan de la survie. Elle sert à faire des bottes, à doubler les parkas, pour éviter le givre sur le visage et les poignets. La peau garde au chaud et au sec les petits enfants, protège et réchauffe les parties vulnérables – ventre, dos, pieds, mains, tête. Quand on la perd, on perd sa protection, sa chaleur, son système avertisseur, sa vue instinctive. Sur le plan psychologique, cette perte pousse la femme à accomplir ce qu'elle pense devoir faire et non ce qu'elle souhaite vraiment, à suivre la personne ou à poursuivre l'objet qui l'impressionne, que ce soit ou non bon pour elle. Elle se précipite sans faire attention, se débarrasse des choses en riant au lieu de les examiner avec pénétration. Elle n'accomplit pas l'étape suivante, qui consiste à effectuer la descente nécessaire en elle-même et à rester là suffisamment longtemps pour que quelque chose se passe.

Il est donc évident que, dans un monde qui apprécie les femmes battantes, il n'y a guère d'obstacle au vol de la peau de l'âme, tant et si bien que le premier larcin intervient quelque part entre sept et dix-huit ans. A cet âge, la plupart des jeunes femmes ont commencé à danser sur le rocher en mer et à chercher en vain la peau d'âme qu'elles ont abandonnée. Et, bien qu'à l'origine ceci semble avoir pour but de provoquer le développement de la structure médiale dans la psyché – autrement dit, la capacité de vivre à la fois dans le monde de l'esprit et dans la réalité extérieure – trop souvent cette progression ne s'accomplit pas, pas plus d'ailleurs que le reste de l'expérience initiatique. La femme erre dans l'existence sans sa peau.

Certaines femmes ont eu beau essayer d'éviter que le vol ne se renouvelle en cousant solidement leur peau d'âme autour d'elles, rares sont celles qui atteignent la majorité avec autre chose que quelques touffes de poil intactes. Nous posons cette peau à côté de nous pendant que nous dansons. Nous apprenons la vie, mais nous perdons la peau. Et nous nous apercevons que sans elle nous nous desséchons lentement. Beaucoup de femmes ont été élevées de façon à supporter stoïquement ce genre de choses, comme leur mère l'avait fait avant elles et c'est pourquoi personne ne remarque ce qui se passe, jusqu'à ce qu'un jour...

Quand nous sommes jeunes et que le monde et les exigences de notre culture s'opposent à notre vie de l'âme, nous nous sentons en plan loin de chez nous. Pourtant, au cours de notre vie adulte, nous continuons à nous éloigner de plus en plus de notre chez-soi, à la suite des choix que nous faisons en matière de personne, d'objet, de lieu, de durée... Si l'on ne nous a jamais appris dans l'enfance à retourner vers la demeure de l'âme, nous répétons inlassablement le schéma du « volées et errantes, complètement perdues ». Mais gardons l'espoir, car même si nos mauvais choix nous ont détournées de la route et entraînées trop loin de nos besoins, il y a dans l'âme un dispositif pour nous ramener chez nous. Nous pouvons toutes retrouver le chemin du retour.

L'homme seul

Dans une histoire proche de celle-ci sur le fond, on voit une femme qui induit une baleine mâle à copuler avec elle en volant sa nageoire. Dans d'autres histoires, l'enfant est parfois une petite fille, quelquefois un petit garçon poisson. Quelquefois le vieux phoque en mer est une vénérable femelle. Il existe tant de modifications au niveau des genres dans les contes que le caractère masculin et le caractère féminin ont beaucoup moins d'importance que l'acte répréhensible.

Considérons donc dans cet esprit que l'homme seul qui dérobe la peau de phoque représente le moi dans la psyché féminine. On mesure souvent le bon état du moi à la façon dont nous déterminons les limites dans le monde extérieur, dont nous structurons solidement notre identité, dont nous faisons la différence entre passé, présent et futur, et à la manière dont nos perceptions coïncident avec la réalité consensuelle. Le moi et l'âme rivalisent pour contrôler la force vitale dans la psyché. Au début de l'existence, c'est le moi, avec ses appétits, qui prend souvent le dessus : il mijote toujours quelque chose qui sent vraiment bon. A cette période, il a du muscle et relègue l'âme dans l'arrière-cuisine.

A un moment, pourtant, quelque part entre vingt et... soixante-dix ou quatre-vingts ans pour certaines, nous permettons enfin à l'âme de mener le jeu et le pouvoir change de mains. Et même si l'âme ne mène pas le train en réduisant le moi à néant, celui-ci se voit en quelque sorte rétrogradé et assigné à se soumettre aux nécessités de l'âme.

Du moment où nous naissons, il y a en nous un violent désir que ce soit notre âme qui mène notre vie, car la compréhension du moi est limitée. Imaginez le moi tenu en permanence au bout d'une laisse assez courte : il ne peut pénétrer bien avant dans les mystères de la vie et de l'esprit. Généralement, il prend peur. Il a la fâcheuse habitude de réduire toute numinosité à un « ce n'est que... ». Pour lui, il faut pouvoir observer les faits. Il ne s'accommode guère des preuves de nature mystique ou sentimentale. C'est pourquoi il est si seul. En ce sens, il est assez limité ; il ne peut participer aux processus de l'âme et de la psyché, beaucoup plus mystérieux. Pourtant, l'homme seul éprouve un brûlant désir d'âme. Il reconnaît ce qui appartient à l'âme, ce qui est sauvage, quand il s'en approche.

Certaines personnes utilisent indifféremment le mot « âme » et le mot « esprit ». Mais, dans les contes de fées, l'âme est toujours la *gynitrice* et la *génitrice* de l'esprit. Dans l'herméneutique des arcanes, l'esprit naît de l'âme. Il hérite la matière ou s'y incarne afin de prendre des informations sur les voies du monde et de les rapporter à l'âme. Si rien ne vient interférer avec elle, la relation entre âme et esprit est d'une parfaite symétrie, chacun enrichissant l'autre en retour. Ensemble, l'un et l'autre forment un milieu écologique, comme dans une mare, où les animaux du fond nourrissent ceux de la surface et réciproquement.

Dans la psychologie jungienne, le moi est souvent décrit comme un îlot de conscience flottant sur une mer d'inconscience. Le folklore, lui, le montre comme une créature avec de forts appétits, que symbolise souvent un être humain ou un animal pas très malin entouré par des forces auxquelles il ne comprend pas grand-chose et qu'il entreprend de maîtriser. Parfois, le moi est capable de les dominer d'une manière des plus brutales et destructrices, mais à la fin, grâce à la progression du héros ou de l'héroïne, il échoue souvent dans ses visées sur le pouvoir.

Au début de la vie, le moi est curieux du monde de l'âme, mais il se montre plus souvent préoccupé de satisfaire ses appétits. Il est à l'origine un potentiel et c'est le monde qui nous entoure – parents, professeurs, culture – qui le modèle, le développe, l'emplit d'idées, de valeurs et de devoirs. Et il doit en être ainsi, car il devient notre escorte, notre armure, notre éclaireur dans le monde extérieur. Toutefois, si la nature sauvage n'a pas la possibilité d'effectuer sa remontée à travers le moi, lui donnant de la couleur, de l'énergie et lui communiquant une façon de réagir instinctive, la culture aura beau approuver ce qui aura été fait avec le moi, l'âme ne pourra, ne voudra pas accepter que *son* travail soit aussi incomplet.

L'homme seul du conte tente de participer à la vie de l'âme. Mais comme le moi, il ne présente guère de prédispositions à cet égard et il essaye de mettre la main sur l'âme plutôt que d'entamer une véritable relation avec elle. Pourquoi le moi vole-t-il la peau de phoque ? Comme tout ce qui est seul ou a faim, il aime la lumière. Il voit de la lumière et il envisage la possibilité d'être près de l'âme, alors il s'approche en rampant et vole l'un de ses camouflages essentiels. Le moi n'y peut rien, il est ainsi fait. Même s'il ne peut vivre sous l'eau, il désire avoir un lien avec l'âme. Comparé à l'âme, il a des manières grossières, généralement peu empreintes de sensibilité. Mais il éprouve l'envie de cette belle lumière et il lui vient une toute petite compréhension de ce désir. Cela, d'une certaine manière et pendant un certain temps, calme le moi.

Ainsi c'est sa faim d'âme qui pousse notre moi à dérober la peau. « Reste avec moi, murmure le moi, je te rendrai heureuse – en t'isolant de l'âme et de tes cycles de retour vers la demeure de l'âme. Je te rendrai très, très heureuse. Reste, je t'en prie. » Ainsi, juste comme au début de l'individuation féminine, l'âme est-elle contrainte à une relation avec le moi. S'il en est ainsi, c'est que l'âme a alors pour fonction de nous apprendre comment tourne le monde extérieur, comment acquérir certaines choses, comment travailler, comment faire la différence entre le bien et le moins bien, quand bouger, quand rester immobile, comment vivre avec les autres, comment prendre soin de son corps, quels sont les pourquoi et les comment de la culture, ce que sont le monde du travail, la maternité, bref, tous les éléments de la vie extérieure.

Le but initialement visé en réalisant une structure aussi considérable dans la psyché d'une femme – le mariage entre la femme phoque et l'homme seul – dans lequel elle se trouve dans une relation de dépendance, est de créer un arrangement temporaire destiné à produire un enfant-esprit capable d'habiter les deux mondes, extérieur et sauvage, et de servir de traducteur de l'un vers l'autre, dans les deux sens. Une fois que cet enfant symbolique est né, a grandi, a été initié, il refait surface dans le monde extérieur et la relation avec l'âme est assainie. Même si l'homme seul – le moi – ne peut dominer perpétuellement – car un jour ou l'autre, il doit se soumettre aux exigences de l'âme pour le restant de la vie de la femme – il a, en vivant avec la femme phoque/femme âme, été touché par sa grandeur et se retrouve en conséquence gratifié, plus riche et plus humble à la fois.

L'ENFANT-ESPRIT

Nous voyons donc que, de l'union des contraires entre le moi et l'âme, naît quelque chose d'une valeur infinie : l'enfant-esprit. Et il est vrai que même lorsque le moi fait une intrusion brutale dans les aspects beaucoup plus subtils de la psyché et de l'âme, une fertilisation croisée a lieu. Paradoxalement, en dérobant à l'âme sa protection et sa capacité de s'évanouir à volonté dans l'eau, le moi participe à la conception d'un enfant qui revendiquera un double héritage, celui du monde et celui de l'âme, et sera capable de transmettre dons et messages de l'un à l'autre.

Dans les contes les plus importants, tels que *La Belle et la Bête*, le gaélique, *Bruja Milagra*, le mexicain, et *Tsukino Waguma* : *l'Ours*, le japonais, le chemin du retour vers un juste ordre psychique passe par le fait de nourrir ou de s'occuper d'une femme, d'un homme ou d'une bête sauvage seul et/ou blessé. Qu'un tel enfant, qui se révélera capable d'évoluer dans deux mondes aussi différents, puisse être issu d'une femme dans un pareil état de « dépouillement » et « mariée » à quelque chose qui, en elle ou à l'extérieur, est dans une telle solitude, dans un tel dénuement, est l'un des miracles permanents de la psyché. Lorsque nous sommes dans cet état, il se produit en nous un éveil qui donne naissance à une minuscule vie nouvelle, à une petite flamme qui va s'élever dans des conditions difficiles, voire inhumaines.

Cet enfant-esprit, c'est *la niña milagrosa*, l'enfant miraculeuse, capable d'entendre l'appel lointain de la voix qui lui dit que le temps est venu de revenir à soi-même. L'enfant est une partie de notre nature médiale. Elle s'éveille, quitte son lit, quitte la maison et s'en va dans la nuit et le vent au bord de la mer agitée, nous poussant à nous dire : « Je jure devant Dieu que je vais avancer dans ce sens », ou « Je tiendrai le coup », ou encore « Je ne me détournerai pas de ma route ».

C'est l'enfant qui rapporte à sa mère sa peau de phoque, sa peau d'âme et lui permet de rentrer chez elle. Il a le pouvoir spirituel de nous donner l'impulsion pour continuer une tâche importante, changer de vie, améliorer la communauté, aider à l'harmonie du monde... tout cela en rentrant à la maison. Si l'on veut y parvenir, il faut que se fasse le mariage entre l'âme et le moi et que naisse l'enfant-esprit.

Quelle que soit la situation de la femme, l'enfant-esprit, le vieux phoque qui émerge de la mer pour appeler sa fille à rentrer chez elle, et la mer elle-même, ne sont jamais loin. Jamais. Y compris en des temps et en des lieux où l'on s'attend le moins à les trouver.

Depuis 1971, j'enseigne l'écriture dans des prisons et des pénitenciers des Etats-Unis. M'étant rendue dans une prison pour fédérale femmes, avec un groupe d'artistes/guérisseuses [7] pour m'y produire et apporter mon enseignement à une centaine de femmes profondément impliquées dans un programme de recherche spirituelle, j'ai pu constater, comme d'habitude, que peu de femmes étaient « endurcies »; en revanche, des quantités d'autres étaient à différents stades de « femme-phoquitude ». Beaucoup avaient été capturées, au propre comme au figuré, du fait de leurs choix immensément naïfs. Quelles que fussent les raisons de leur séjour en prison et malgré la privation de liberté, chacune, à sa façon, était nettement en train de procréer un enfant-esprit, patiemment, douloureusement, à partir de sa propre chair, de ses propres os. Chacune aussi était à la recherche de sa peau de phoque; chacune était en train d'essayer de retrouver le chemin de la demeure de l'âme.

Une artiste de la troupe, une jeune violoniste nommée India Cook, joua pour elles. Nous étions dans la cour et il soufflait un vent glacé. Elle prit son archet et se mit à jouer une musique à percer le cœur. Son violon pleurait véritablement des larmes. Une femme lakota aux formes imposantes me prit le bras : « Ce son... murmura-t-elle d'une voix rauque, ce violon ouvre en moi une porte. Je croyais pourtant que j'étais verrouillée définitivement. » Son visage large avait une expression à la fois stupéfaite et éthérée. Je me sentis fondre, car je comprenais que, quoi qu'il lui fût arrivé – et c'était lourd – elle pouvait encore entendre l'appel du retour à la maison venu de la mer.

Dans le conte *Peau de Phoque, Peau d'Ame*, la jeune femme phoque raconte à son fils des histoires qui parlent de ce qui vit et pousse sous l'eau. Ce faisant, elle instruit, elle modèle l'enfant né de son union avec le moi. Elle lui apprend les voies de l'« autre ». L'âme prépare l'enfant sauvage de la psyché à quelque chose de très important.

Desséchée, mutilée

Chez la plupart des femmes, la dépression, la lassitude morale, la confusion mentale sont provoquées par une vie de l'âme par trop restrictive, où l'innovation, l'élan, la création, sont contenus ou interdits. La force de création pousse fortement les femmes à agir. Or, on ne saurait passer sous silence le fait que, par le biais de l'environnement culturel, qui restreint et punit les instincts naturels et sauvages de la femme, on continue à lui voler ses dons, à les couper à la racine.

Il nous est possible d'échapper à cette condition, s'il existe une rivière souterraine ou même un ruisselet qui déverse de l'âme dans notre vie. Mais la femme « loin de chez elle » qui renonce à tout pouvoir n'est bientôt plus qu'un brouillard, puis une brume, puis un mince filet de vapeur issu de ce qui était son soi sauvage.

Ce dessèchement, cette mutilation me rappellent une vieille histoire de tailleur qui circulait dans notre famille. Mon défunt oncle Vilmos la raconta un jour pour calmer un adulte de notre famille élargie qui se montrait trop sévère avec un enfant. Oncle Vilmos faisait preuve d'une douceur et d'une patience infinies envers les bêtes et les hommes. C'était un conteur né, dans la tradition des *mesemondók*, et il se servait de ses histoires comme de remèdes.

UN homme alla voir un *szabó*, un tailleur, et essaya un costume. Dans le miroir, il remarqua que le bas de la veste n'était pas tout à fait droit.

– Oh, dit le tailleur, ce n'est pas un problème. Il suffit que vous teniez le bas avec votre main gauche et personne ne remarquera rien.

Le client obéit, mais alors il remarqua que le revers se relevait un peu.

– Oh ça ? dit le tailleur. Ce n'est rien. Tournez un peu la tête et maintenez-le avec votre menton. Il n'y paraîtra plus.

Le client obtempéra, mais alors il remarqua que la taille du pantalon n'était pas tout à fait assez longue et que cela le gênait un peu à l'entrejambe.

– Oh, dit le tailleur, ce n'est pas un problème. Tirez un peu dessus avec votre main droite et tout sera parfait.

Le client en convint et il acheta le costume.

Le lendemain, il mit son costume neuf en prenant toutes les postures ad hoc. Tandis qu'il traversait le parc en boitant, le menton collé sur le revers, une main tirant sur la veste et l'autre sur l'entrejambe, deux vieillards interrompirent leur jeu de dames pour l'observer.

– *M'Isten*, Seigneur ! s'exclama le premier, regarde ce pauvre infirme !

Le second réfléchit un instant, puis murmura : – *Igen*, oui, c'est terrible, mais vois-tu, je me demande... où donc a-t-il eu un si beau costume ?

La réaction du second vieillard est en fait une réaction courante dans notre culture à l'égard de la femme qui a développé une parfaite *persona* mais doit se mutiler pour parvenir à la conserver. C'est vrai, elle est infirme, mais voyez comme elle a l'air impeccable, comme elle fait bien les choses, comme elle réussit... Une fois que nous sommes totalement desséchées, nous tentons de marcher et avançons de guingois, histoire de montrer que nous avons tout en main, que tout va bien. Que la peau d'âme nous manque ou que la peau coupée par la culture ne nous aille pas, nous nous mutilons en prétendant le contraire. En agissant ainsi, nous amputons notre vie et le prix est lourd à payer pour chacune d'entre nous.

Quand une femme commence à se dessécher, il lui devient de plus en plus difficile de vivre selon la généreuse nature sauvage. Les idées, la créativité, la vie elle-même ont besoin d'humidité pour pousser. Les femmes qui se trouvent dans cet état rêvent souvent de l'homme noir : rôdeurs, violeurs, étrangleurs viennent les menacer, les prendre en otage, les voler et pire encore. Parfois, il s'agit de rêves traumatiques consécutifs à une agression réelle. La plupart du temps, néanmoins, ils sont le fait de femmes en train de se dessécher, qui n'apportent aucun soin au côté instinctuel de leur existence, qui se volent elles-mêmes, amenuisent leur fonction créatrice et parfois ne font aucun effort pour s'en sortir ou font tout pour ignorer l'appel du retour à l'eau.

Au cours de ma pratique, j'ai vu au fil des années de nombreuses femmes dans cet état de dessèchement, certaines gravement affectées, d'autres moins. Parallèlement, elles m'ont raconté de nombreux rêves d'animal blessé. Ces rêves se sont d'ailleurs faits plus nombreux (chez les hommes comme les femmes) au cours des quelque dix dernières années. On ne peut pas ne pas remarquer que cela correspond à la dévastation de la nature, à la fois dans l'environnement et dans les personnalités.

Dans ces rêves, l'animal – biche, lézard, cheval, ours, taureau, baleine et autre – est mutilé, comme l'homme dans l'histoire du tailleur, comme la femme phoque. Même si les rêves mettant en scène un animal blessé sont en rapport avec l'état de la psyché instinctive de la femme et sa relation avec la nature sauvage, ils reflètent également de profondes lacérations de l'inconscient collectif quant à la perte de la vie instinctuelle. Si la culture interdit à la femme, pour quelque raison que ce soit, de mener une vie intégrale, une vie saine, elle va faire des rêves d'animal blessé. La psyché a beau se nettoyer et se renforcer régulièrement, chaque lacération infligée à l'extérieur est enregistrée dans l'inconscient à l'intérieur, de sorte que la rêveuse subit et les effets de la perte de ses liens personnels avec la Femme Sauvage et la perte des liens du monde avec sa nature profonde.

Aussi, parfois, n'est-ce pas seulement la femme qui se dessèche. Des aspects essentiels de son micro-environnement – famille ou lieu de travail, par exemple – ou de son environnement culturel sont en train d'en faire autant, ce qui l'afflige et l'affecte. Pour pouvoir y remédier, elle doit réintégrer sa propre peau, retrouver son sens commun instinctuel et retourner chez elle.

Nous avons vu qu'il est difficile de se rendre compte de cet état avant de devenir une femme phoque qui pèle, boite, perd de sa sève, devient aveugle. Il faut alors considérer comme un don de l'immense vitalité de la psyché l'existence, au plus profond de l'inconscient, de quelqu'un de très ancien, qui va venir émerger à la surface de notre conscience et nous appeler à regagner notre vraie nature.

Entendre l'appel de l'Ancienne

Quel est ce cri, cette voix que le vent apporte de la mer et qui va tirer l'enfant de son lit pour le lancer dans la nuit ? Il est pareil à un rêve qui parvient à la conscience du rêveur comme une voix désincarnée et rien de plus. C'est l'un des rêves les plus forts qu'on puisse faire. Dans mes traditions culturelles, on considère que ce que dit cette voix en rêve vient directement de l'âme.

Les rêves de voix désincarnée peuvent, dit-on, se produire à tout moment, mais ils ont lieu surtout quand une âme est en détresse. Alors, le soi profond monte au créneau, pour ainsi dire, et l'âme de la femme parle, lui dit ce qui va se passer.

Dans l'histoire, le vieux phoque émerge de son propre élément et commence à appeler. C'est là un trait marquant de la psyché sauvage : si nous ne venons pas de notre propre chef, si nous ne prêtons pas attention à nos propres saisons et au temps du retour, alors l'Ancienne vient nous appeler jusqu'à ce que quelque chose en nous réponde.

Dieu merci, plus le besoin de rentrer est pressant, plus l'appel se fait fort. Il est lancé à chaque fois que tout est « trop » – dans un sens positif ou négatif. Le temps de revenir chez soi peut être venu aussi bien quand il y a trop de stimulations positives que lorsque la dissonance est continue. Peut-être se consacre-t-on trop à quelque chose. Ou bien quelque chose nous épuise. On peut être trop aimée, trop peu aimée, avoir trop de travail ou trop peu... l'un comme l'autre coûte cher. Face au « trop », notre cœur se dessèche progressivement, notre cœur se lasse, l'énergie se fait rare et un mystérieux désir de... de ce que nous nommons généralement « quelque chose » monte en nous. Alors, l'Ancienne nous appelle.

Dans cette version de l'histoire, il est intéressant de noter que c'est le petit enfant-esprit qui répond à l'appel venu de la mer. C'est lui qui s'aventure entre les glaces et les pierres, suit aveuglément le cri et bute sur la peau de phoque que sa mère a roulée.

Le sommeil agité de l'enfant est le tableau exact de l'agitation de la femme qui éprouve la nostalgie de regagner son appartenance psychique originelle. Dans la mesure où la psyché est un système en soi, tous ses éléments réagissent à l'appel. L'agitation de la femme au cours de cette période est souvent accompagnée d'irritabilité. Elle a l'impression d'être « perdue », un peu, ou beaucoup, car elle est restée trop longtemps loin de chez elle. Ce sentiment est normal, car il transmet le message qui dit : « Reviens maintenant. » La femme est déchirée parce que, consciemment ou inconsciemment, elle entend que quelque chose l'appelle, lui demande de revenir et elle ne peut lui dire non sans se faire du mal.

Si nous ne rentrons pas à temps, l'âme vient nous chercher, comme nous le voyons dans ce poème intitulé *La Femme qui vit sous le lac.*

... une nuit
un battement de cœur à la porte.
Dehors, dans le brouillard, une femme,
cheveux de brindilles et robe de plantes aquatiques,
ruisselante des eaux vertes du lac.
« Je suis toi, dit-elle,
je viens de loin.
Accompagne-moi, j'ai quelque chose à te montrer... »
Elle va pour repartir, son manteau s'ouvre et alors
soudain une lumière d'or... partout, une lumière d'or [8]...

L'enfant s'en va dans la nuit pour répondre à l'appel. Il est fréquent dans les contes de voir le personnage principal découvrir une étonnante vérité ou retrouver un trésor en tâtonnant dans le noir. Rien ne fait mieux ressortir la lumière, la merveille, le trésor, que l'obscurité. « La nuit obscure de l'âme » est devenu une sorte de cliché dans certains domaines de la culture. La récupération du divin s'effectue dans l'obscurité de l'Hadès ou de « là-bas ». La lumière du retour du Christ contraste avec le crépuscule de l'enfer. En Asie, la déesse du soleil Amaterasu jaillit dans l'obscurité derrière la montagne. Inanna, la déesse sumérienne, sous sa forme liquide, « se change en un éclat d'or blanc lorsqu'elle s'étend dans la trace fraîche d'un sillon de terre noire [9] ». Dans les montagnes du Chiapas, on dit que chaque jour, « le soleil jaune doit faire un trou, en la brûlant, dans le noir de la *huipil* – la blouse – pour s'élever dans le ciel [10] ».

Ces images portant sur la traversée de l'obscurité comportent un message immémorial : « N'ayez pas peur " de ne pas savoir ". Il doit en être ainsi à différents moments de notre vie. Ce trait des contes et des mythes nous encourage à obéir à l'appel, même si nous n'avons aucune idée de la direction à prendre, du but du voyage et de sa durée. Tout ce que nous savons, c'est que, tel l'enfant du conte, nous devons nous lever et sortir. Nous pouvons tâtonner quelque temps, nous demandant qui peut bien nous appeler, mais nous finissons par buter sur la peau d'âme. Alors nous entrons invariablement dans la phase du " Parfait. Je sais ce dont j'ai besoin ". »

Pour beaucoup de femmes, ce n'est pas la recherche de la peau d'âme dans l'obscurité qui leur fait le plus peur. C'est plutôt la plongée dans la mer, le retour chez soi proprement dit et surtout le fait de s'en aller. Même si elles se réintègrent, si elles réenfilent la peau de phoque, et s'apprêtent au départ, partir, quitter ce qui les occupait n'est pas facile. Pas facile du tout.

Un trop long séjour

Dans l'histoire, la femme phoque se dessèche parce que son séjour à terre est trop long. Nos maux et les siens sont les mêmes, dans les mêmes circonstances. Notre peau se dessèche. La peau est l'organe le plus sensible : elle nous dit quand nous avons froid, chaud, quand nous sommes excitées, quand nous avons peur. Quand nous restons trop longtemps loin de chez nous, cette capacité de percevoir vraiment ce que nous éprouvons et ce que nous pensons diminue, la peau commence à s'assécher. C'est la phase « lemming » : dans la mesure où nous ne percevons plus ce qui est trop ou pas assez, nous dépassons nos limites, comme ces petites bêtes qui se jettent du haut de la falaise.

La femme phoque perd ses cheveux, maigrit, devient une version anémique d'elle-même. Nous n'avons plus d'idées, notre sang est appauvri. La femme phoque se met à boiter, ses yeux perdent leur éclat, sa vue décline. Quand nous devrions être de retour chez nous, nos yeux n'ont plus de raison de briller, nos os sont fatigués, nous avons les nerfs à vif et nous ne parvenons plus à nous concentrer.

Dans les collines boisées de l'Indiana et du Michigan, il y a un groupe de fermiers extraordinaires, dont les ancêtres sont arrivés, il y a longtemps, des collines du Kentucky et du Tennessee. Ils parlent avec une grammaire qui leur est propre : « J'avons point de... », « J'a fait ça l'aut' jour... », mais en tant que grands lecteurs de la Bible, ils émaillent leurs discours de mots somptueux tels « iniquité », « aromatique » et « cantique [11] ». Ils ont également beaucoup d'expressions qui s'appliquent aux femmes épuisées et inconscientes. Ce sont des gens rustiques qui ne mâchent pas leurs expressions : « Elle a connu trop longtemps le harnais », « Elle a travaillé à s'en détacher l'arrière-train », et cette formule particulièrement brutale : « Elle allaite une portée morte », destinée à la femme qui s'use dans un mariage, un travail ou une tâche peu gratifiants.

La femme qui est restée trop longtemps loin de chez elle est de moins en moins capable de se propulser dans la vie. Au lieu d'aller de l'avant avec un harnais de son choix, elle se traîne, pantelante. Sa portée morte est constituée par les idées, les tâches et les demandes qui n'ont aucune vie propre et ne lui en apportent pas. Elle est, comme on dit familièrement, au bout du rouleau, mais plus encore, c'est l'*hambre del alma*, la faim de l'âme. Il n'y a plus qu'une solution : retourner chez soi, et la femme sait qu'elle doit le faire *absolument*.

Dans l'histoire, la promesse faite est rompue. L'homme, qui est pas mal desséché lui-même, avec ces grandes crevasses creusées sur son visage par une longue solitude, a en effet fait entrer la femme phoque dans sa maison et dans son cœur en lui promettant qu'au bout d'un certain temps il lui rendrait sa peau, libre à elle alors de choisir entre rester ou retourner chez elle.

Quelle femme ne connaît par cœur cette promesse rompue ? « Dès que j'ai fini ceci, j'y vais. Dès que je vais pouvoir m'échapper... Dès que le printemps arrive, je pars. Dès que l'été est fini, dès que les enfants seront à l'école, dès que l'automne sera encore plus beau... Non, en hiver on ne peut aller nulle part... J'attendrai donc le printemps, et cette fois ce sera pour de bon... »

Retourner chez soi revêt une importance particulière lorsqu'on a séjourné en dehors trop longtemps, prise par des choses pratiques. Qu'est-ce qui est « trop longtemps ? » Pour chaque femme, le cas est différent. Disons simplement que nous savons toutes avec certitude quand nous sommes restées trop longtemps dans le monde. Nous savons que nous devrions déjà être de retour. Notre corps est ici et maintenant, mais notre âme est loin, très loin.

Nous mourons d'envie d'avoir une nouvelle vie. Nous brûlons de retrouver la mer. Nous vivons jusqu'au mois suivant, jusqu'à la fin du semestre, nous avons hâte que l'hiver soit fini pour revivre de nouveau, dans l'attente d'une date future où nous serons libres de faire des choses extraordinaires. Nous sommes sûres de mourir si nous ne faisons pas telle ou telle chose. Il y a là quelque chose comme du deuil. Il y a une angoisse, une désespérance, une nostalgie, de longs séjours auprès de la fenêtre. Et ce n'est pas un malaise temporaire. Cela dure et cela croît avec le temps.

Pourtant, les femmes continuent leur routine quotidienne, l'air coupable. « Oui, oui, je sais, disent-elles, je devrais, mais.. » C'est le « mais » dans leur phrase qui trahit le fait qu'elles sont restées trop longtemps.

La femme qui a subi une initiation incomplète et se trouve dans cette déprime pense à tort qu'elle sera mieux jugée sur le plan spirituel en restant qu'en partant. D'autres sont coincées et, comme on dit au Mexique, sont toujours en train de *dar a algo un tirón fuerte*, de tirer la Sainte Vierge par la manche, autrement dit, elles font tout leur possible pour se faire accepter, pour prouver qu'elles sont des personnes valables.

Il y a toutefois d'autres raisons qui font que les femmes sont partagées. Elles n'ont pas l'habitude de laisser les autres se débrouiller seuls. Peut-être sont-elles des habituées de la « litanie des gosses » : « Mais les gosses ont besoin de ci, les gosses ont besoin de ça [12]... » Elles ne se rendent pas compte qu'en sacrifiant ainsi leur envie de retourner chez elles, elles apprennent à leurs enfants à sacrifier de même leurs propres besoins quand ils seront grands.

Certaines aussi craignent que leur entourage ne comprenne pas ce besoin. C'est d'ailleurs peut-être le cas. Mais il faut que les femmes, elles, comprennent *ceci* : en retournant chez elles suivant leurs propres cycles, elles permettent aux autres de croître et de se développer, d'effectuer leur propre individuation.

Les loups n'ont pas à choisir entre partir ou rester, car ils effectuent leurs tâches, se reproduisent, se reposent et se déplacent de manière cyclique. Ils appartiennent à un groupe qui répartit les tâches : certains travaillent et s'occupent des petits pendant que les autres sont partis. C'est un bon mode de vie, dans toute l'intégrité du féminin sauvage.

Précisons que le retour chez soi n'a pas le même sens pour toutes les femmes. Mon ami peintre roumain savait que sa grand-mère était « en état de retour » quand elle sortait une chaise de bois, s'installait dans le jardin de derrière et contemplait fixement le soleil. « C'est un remède pour mes yeux », disait-elle. Les gens savaient qu'ils ne devaient pas la déranger et s'ils l'ignoraient, ils ne tardaient pas à l'apprendre. Il faut bien se mettre en tête que ce n'est pas forcément une question d'argent, c'est une question de volonté. Il faut se dire « J'y vais » et y aller.

Pour revenir chez soi les chemins sont nombreux; certains sont d'essence humaine, d'autre divine. Mes patientes me disent que les gestes terre à terre suivants leur permettent ce retour (quoique, prenez garde, l'emplacement de l'ouverture qui donne accès chez soi n'est pas toujours le même et peut changer d'un mois sur l'autre) : Relire des passages de livres ou des poèmes qui les ont touchées. Passer ne serait-ce que quelques minutes près d'un ruisseau, d'une rivière, d'une crique. Rester étendue sur le sol dans la lumière tamisée d'un sous-bois. Etre en tête à tête avec l'homme qu'on aime, sans les enfants. Etre assise sous le porche et écosser ou peler quelque chose, tricoter. Marcher ou conduire sans but précis pendant une heure et revenir. Prendre un bus sans savoir où il va. Marquer le rythme avec les mains en écoutant de la musique. Regarder le lever du soleil. Aller jusqu'à l'endroit où les lumières de la ville n'interfèrent pas avec le ciel nocturne. Prier. Avoir un(e) ami(e) intime. Rester assise sur un pont, les jambes ballantes. Tenir un bébé dans ses bras. Etre installée près de la fenêtre dans un café et écrire. Etre assise, entourée d'arbres. Se sécher les cheveux au soleil. Plonger les mains dans un baril d'eau de pluie. Rempoter des plantes, les mains dans la terre. Contempler la beauté, la grâce, la touchante fragilité des êtres humains.

Le retour chez soi n'est donc pas nécessairement une pénible et longue expédition. Je ne voudrais toutefois pas donner l'impression que c'est quelque chose de simpliste, car facile ou pas, ce retour rencontre une forte résistance.

Il existe encore une raison pour laquelle les femmes repoussent ce retour. Celle-ci est beaucoup plus mystérieuse : il s'agit de la suridentification à l'archétype du guérisseur/de la guérisseuse. L'archétype est une force immense, à la fois mystérieuse et instructive. En restant proches de lui, en le prenant comme exemple – jusqu'à un certain point –, en établissant avec lui une relation harmonieuse, nous ne pouvons qu'engranger. Chaque archétype possède ses propres caractéristiques, auxquelles correspond le nom que nous lui avons donné : la grande mère, l'enfant divin, le héros solaire et autres.

L'archétype de la grande guérisseuse véhicule, parmi les valeurs qui lui sont associées, la sagesse, la bonté, la connaissance, l'attention aux autres. Il est donc bon de les mettre en pratique pour soi. Mais jusqu'à un certain point. Chez la femme, la compulsion à « tout soigner, tout régler » est un piège majeur élaboré par les exigences mêmes de notre propre culture, en majorité des pressions pour prouver que nous ne nous contentons pas de prendre de la place et de jouir de la vie, mais que nous avons une valeur – dans certaines parties du globe, on pourrait dire : pour prouver que nous avons une valeur et donc que nous avons le droit d'exister. Ces pressions sont introduites dans notre psyché dans notre très jeune âge, alors que nous sommes incapables de les juger et de leur résister. Elles prennent force de loi... jusqu'au moment où nous les contestons.

Mais une seule personne ne peut soulager toutes les douleurs de l'humanité souffrante. Il est possible de décider de répondre seulement aux appels de ceux qui nous permettent de rentrer régulièrement chez nous, sinon, la lumière de notre cœur risque de s'éteindre. L'aide que le cœur souhaite apporter n'est pas toujours en accord avec les ressources de l'âme. Si une femme tient à sa peau d'âme, elle va décider de ce genre de chose selon qu'elle est proche ou non de « son chez-soi » et de la fréquence à laquelle elle a pu y retourner.

Tandis que les archétypes peuvent se manifester à travers nous sur de courtes périodes, en ce que nous appelons une expérience numineuse, ce ne peut être une expérience continue. Seul l'archétype lui-même peut être toujours capable, donner sans compter, avoir une énergie éternelle. Nous pouvons nous en inspirer, mais sans perdre de vue que c'est un idéal que les humains ne peuvent atteindre – et d'ailleurs tel n'est pas leur rôle. Le piège est pourtant là : les femmes s'épuisent à atteindre ces buts irréalistes. Elles doivent, pour ne pas tomber dedans, apprendre à dire « Stop ! » et « Arrêtez la musique ! »

Il leur faut se mettre à l'écart pour réfléchir tranquillement et essayer de comprendre pour commencer comment elles ont pu être piégées par un archétype [13]. Elles doivent retrouver et développer l'instinct sauvage fondamental qui détermine jusqu'où elles peuvent aller. C'est ainsi qu'elles peuvent faire le point. Mieux vaut rentrer quelque temps chez soi, même si cela irrite les autres, plutôt que de rester à s'abîmer, avant de finir par s'en aller, complètement laminée.

Réveillez-vous dès maintenant, vous qui êtes lasses, temporairement écœurées par le monde, vous qui redoutez de prendre du temps pour vous et de tout arrêter ! Etouffez sous une couverture le son du gong qui vous appelle à l'aide en permanence. Il sera encore là à votre retour et vous pourrez le découvrir si vous le souhaitez. Si vous ne rentrez pas chez vous quand il est temps, vous vous déséquilibrez. Le fait de retrouver sa peau, de l'enfiler, aide à être plus efficace au retour. On dit parfois qu'on ne peut retourner d'où l'on vient. Certes, on ne peut réintégrer l'utérus, mais on peut retourner à la maison de l'âme. Ce n'est pas seulement une possibilité, c'est une nécessité.

Tout lâcher et plonger

Nous avons en nous l'instinct du retour, du retour en ce lieu dont nous gardons mémoire. Nous avons la capacité de regagner, de nuit comme de jour, notre demeure. Nous connaissons toutes le chemin du retour. Qu'importe si le temps a passé : nous le retrouvons toujours. Nous avançons dans le noir, en territoire étranger, parmi des tribus étrangères, sans carte, en demandant notre chemin aux personnages bizarres que nous rencontrons en route.

Il est plus difficile de répondre exactement à la question : « Où est-ce, chez nous ? » Chez nous, c'est un lieu intérieur, qui parfois se situe dans le temps plutôt que dans l'espace, là où la femme se sent entière. Chez nous, c'est là où une pensée, un sentiment, peuvent être alimentés et non interrompus ou nous être arrachés parce que notre temps et notre attention sont requis ailleurs. Et, de tous temps, les femmes ont trouvé mille et un moyens de l'atteindre, même avec une infinité de tâches à accomplir.

Cela, j'ai commencé à l'apprendre dans la communauté où j'ai passé mon enfance. Les femmes se levaient avant cinq heures du matin et, dans l'aube grise, avançaient vêtues de longues robes sombres, leurs *babouchkas* les abritant du monde extérieur, pour aller s'agenouiller dans la nef froide de l'église. Elles enfouissaient leur visage dans leurs mains rouges et priaient et racontaient à Dieu des histoires. Elles faisaient en elles le vide, laissaient la force et la paix les envahir. Souvent, ma tante Katerin m'emmenait avec elle. Un jour, je lui dit : « C'est très calme et très joli, ici. » Elle mit un doigt sur ses lèvres et me fit un petit clin d'œil. « N'en parle à personne, dit-elle, c'est un secret très important. » Et c'était vrai, car il n'y avait que deux endroits où il était interdit de déranger une femme : sur le chemin de l'église au lever du jour et dans la pénombre de la nef.

Il est bon, il est nécessaire que les femmes affirment, par tous les moyens, leur droit à rentrer chez soi. Chez soi, c'est un état d'humeur ou une impression qui nous permet d'éprouver de manière soutenue des sentiments que l'on ne peut pas toujours éprouver de la sorte dans la vie courante : l'émerveillement, la vision, la paix, l'absence de soucis et de demandes à notre égard. Ces trésors doivent être dissimulés dans la psyché afin de servir plus tard, dans le monde du dessus.

Il y a de nombreux endroits physiques où l'on peut se rendre pour « sentir » le chemin du retour vers ce domicile très particulier, mais l'endroit physique lui-même n'est pas ce chez-soi. Il est seulement le véhicule pour endormir le moi, afin que nous puissions continuer seules la route. Ces véhicules sont nombreux, par exemple la musique, l'art, la forêt, les embruns, le lever du soleil, la solitude. Ils nous conduisent vers un monde intérieur nourricier, qui a des idées, un ordre, une subsistance propre.

Ce chez-soi, c'est la vie instinctuelle qui fonctionne de manière parfaitement huilée, où tout est à sa place, où chaque bruit a sa raison d'être, où la lumière est bonne et où les odeurs nous calment au lieu de nous alarmer. Ce qui se passe au retour n'a guère d'importance. Ce qui en a, c'est ce qui renforce l'équilibre. Et c'est cela, chez soi.

Là, nous avons le temps non seulement de contempler, mais d'apprendre et de mettre au jour ce qui a été oublié, ce qui est tombé en désuétude ou a été enterré. Là, nous pouvons imaginer le futur et nous plonger dans l'étude des cicatrices sur la carte de la psyché afin d'apprendre où mène quoi et où aller ensuite. Comme l'écrit Adrienne Rich dans son poème évocateur sur la réappropriation du Soi, « Diving into The Wreck [14] » (*Plongée dans l'Epave)* :

> *Il y a une échelle.*
> *L'échelle est toujours là*
> *innocente elle se balance*
> *près du flanc du schooner...*
> *Je descends...*
> *Je suis venue explorer l'épave...*
> *Je suis venue voir les dommages causés*
> *et les trésors qui prévalent...*

Sur le timing de ce cycle, il n'y a qu'une chose à dire : quand c'est l'heure, c'est l'heure. Même si vous n'êtes pas prête, quand il est temps, il est temps. La femme phoque ne retourne pas à la mer parce qu'elle en a envie, ou que c'est une belle journée pour ce genre de choses, ou parce que sa vie est bien en ordre – elle n'est jamais en ordre pour personne – : non, elle y va parce que le temps est venu et qu'en conséquence elle doit le faire.

Nous avons toutes nos méthodes pour ne pas trouver le temps de retourner chez soi. Pourtant, quand nous avons récupéré nos cycles sauvages et instinctifs, nous sommes psychiquement dans l'obligation de les suivre de plus en plus. Il ne sert à rien de peser le pour et le contre. Quand il faut partir, il faut partir [15].

Certaines femmes ne retournent jamais chez elles et vivent leur vie durant *a la zona zombi*, dans la zone zombie. Le plus cruel, dans cet état dénué de vie, c'est que la femme agit, marche, parle, sans pour autant ressentir les effets de la chose – si tel était le cas, sa douleur la pousserait à réparer. Mais non, elle avance en aveugle, protégée contre la perte douloureuse de son chez-soi. Elle est devenue *sparat*, comme on dit aux Bahamas pour signifier que son âme l'a abandonnée et l'a laissée avec l'impression de ne pas vraiment exister, quoi qu'elle fasse. Elle a le sentiment bizarre de beaucoup agir et de n'avoir que très peu de satisfactions. Elle croit faire ce qu'elle a décidé, mais entre ses mains le trésor est tombé en poussière. Ce mécontentement est un signal d'alerte, il est l'ouverture secrète sur un changement vers une vie porteuse de sens.

Parmi les femmes avec qui j'ai travaillé, celles qui ne sont pas retournées chez elles depuis vingt ans ou plus pleurent toujours en posant de nouveau le pied sur ce terrain psychique. Pour de nombreuses raisons, qui à l'époque leur semblaient bonnes, elles ont accepté d'être en exil; elles avaient oublié le bien que fait la pluie en tombant sur un sol assoiffé.

Pour certaines, ce retour est l'occasion d'entreprendre quelque chose. Elles se mettent à chanter, alors qu'elles se le sont longtemps refusé. Elles apprennent quelque chose qui leur tenait à cœur. Elles se lancent à la recherche de personnes ou d'éléments disparus de leur existence. Elles écrivent. Elles se reposent. Elles se font une place dans le monde. Elles mettent à exécution des décisions importantes. Elles effectuent des actes qui laissent des traces derrière elles.

Pour d'autres, ce chez-soi est une forêt, un désert, une mer. En vérité, c'est un lieu holographique. Un seul arbre peut le contenir tout entier, ou un seul cactus dans la vitrine d'un fleuriste. Il est aussi dans un étang, dans cette feuille d'or tombée sur l'asphalte, dans ce pot de terre cuite qui attend de recevoir une motte de terre grosse de racines, dans cette goutte d'eau sur la peau. Avec les yeux de l'âme, on peut le voir en des lieux multiples.

Combien de temps peut-on y rester? Aussi longtemps que possible ou jusqu'à ce qu'on soit redevenue soi-même. A quelle fréquence doit-on y retourner? Souvent, pour celles qui sont des « sensibles » et sont très actives dans le monde extérieur. Moins souvent pour celles qui ont la peau dure et sont moins branchées sur l'extérieur. Chacune sait tout cela au fond d'elle-même; elle sait évaluer l'éclat de son regard, la vivacité de son humeur, l'animation de ses sens.

Comment mettre en balance le besoin de revenir chez soi et notre vie quotidienne? En prévoyant ce retour dans notre vie. Il est étonnant de voir avec quelle facilité les femmes peuvent « prendre du temps » quand la maladie est là, quand un enfant a besoin d'elles, si la voiture tombe en panne, si elles ont une rage de dents. Il faut mettre le retour sur le même plan, et même sur un plan de crise si cela s'avère nécessaire. Car si elles ne le font pas quand il est temps, la minuscule fissure dans leur âme/psyché devient un ravin et le ravin un abîme.

Si la femme respecte ces cycles, son entourage apprendra de même à le faire. On peut être « chez soi » en prenant un peu de temps pour se mettre à l'écart de la routine quotidienne, en ayant du temps rien qu'à soi. « Rien qu'à soi » : ce que cela signifie est différent selon les femmes. Pour certaines, ce sera d'être dans une pièce à la porte close, mais en restant toujours accessible à autrui, pour d'autres un lieu où personne ne pourra intervenir avec un « Maman, maman, où sont mes chaussures? » ou un « Chérie, a-t-on besoin de quelque chose chez l'épicier? ».

Pour telle autre, c'est le silence qui donne accès à son chez-soi profond. Le silence avec un grand « S ». *No me molestes*. Pour elle, le bruit du vent dans les arbres est silence, le grondement du torrent dans la montagne est silence et aussi le tonnerre. Pour elle, l'ordre de la nature, qui ne demande rien en échange, est le silence pourvoyeur de vie. Chaque femme choisit à la fois comme elle le doit et comme elle le peut.

Souvenez-vous, quelqu'un d'autre peut toujours s'occuper de vos chats, même si vos chats jurent que vous êtes la seule capable de bien vous occuper d'eux. Votre chien vous donnera l'impression que vous abandonnez un enfant sur l'autoroute, mais il vous pardonnera. L'herbe jaunira, mais elle reverdira plus tard. Vous et votre enfant allez vous manquer, mais vous serez heureux de vous retrouver. Votre compagnon rouspétera. Tous s'en remettront. Votre patron brandira des menaces. Il s'en remettra aussi. Rester trop longtemps serait de la folie. C'est partir qui est sain.

Quand l'environnement culturel, la société ou la psyché n'aident pas à ce cycle de retour chez soi, nombreuses sont les femmes qui apprennent à sauter par-dessus la barrière ou à passer par en dessous. Elles ont des maladies chroniques et volent un peu de temps pour lire au lit. Elles ont un sourire figé, comme si tout allait bien, et entreprennent un subtil travail souterrain pour durer.

Lorsque leur cycle de retour chez soi est perturbé, la plupart des femmes pensent qu'elles doivent se bagarrer avec leur patron, leurs enfants, leurs parents ou leur compagnon pour revendiquer leurs droits psychiques. Alors parfois, au milieu d'une dispute, elles déclarent : « Bon, je m'en vais. Puisque tu es un vrai – – – (remplir le blanc) et que tu te fiches complètement de – – – (*idem*), eh bien je m'en vais, merci beaucoup. » Et elles disparaissent en faisant crisser le gravier.

La femme obligée de se battre pour ce qui lui appartient en droit se sent tout à fait justifiée dans son désir de retourner chez elle. Il est intéressant de noter que les loups peuvent se battre, s'il le faut, pour obtenir ce qu'ils veulent, que ce soit de la nourriture, du sommeil, un partenaire ou la paix. Apparemment, se battre pour ce qu'on veut est une réaction instinctuelle au fait d'être empêchée de l'obtenir. Cependant, pour de nombreuses femmes, la bataille doit aussi, ou doit seulement, être livrée à l'intérieur d'elles-mêmes, contre le complexe interne qui nie même son besoin. Une fois que vous êtes allée chez vous et en êtes revenue, vous pouvez également repousser plus facilement les agressions de la culture.

Si vous devez vous battre chaque fois que vous voulez partir, il faudra, le cas échéant, veiller à pondérer les relations avec l'entourage. Si possible, il vaut mieux les prévenir que vous serez différente au retour, que vous ne les abandonnez pas, mais que vous partez vous retrouver et vous ressourcer à la vraie vie. Particulièrement si vous êtes une artiste, entourez-vous de personnes qui se montreront compréhensives par rapport à ce besoin, car il y a des chances qu'il vous soit nécessaire de miner le terrain psychique de votre chez-soi pour apprendre les cycles de la création. Soyez donc brève, mais ferme. Mon amie Normandi, écrivain, a fini par trouver la formule : « Je m'en vais. » Ce sont de loin les mots les plus adéquats. Prononcez-les et partez.

Selon les femmes, les critères de ce qui constitue la durée d'un séjour utile et/ou nécessaire chez soi diffère. La plupart d'entre nous ne peuvent s'absenter aussi longtemps que nous le souhaiterions, aussi nous absentons-nous aussi longtemps que nous le pouvons. De temps à autre, nous nous absentons aussi longtemps que nous le devons et parfois, nous nous absentons jusqu'à ressentir le manque de ce que nous avons laissé. Parfois, nous faisons une incursion, repartons, et recommençons. La plupart des femmes qui réintègrent leurs cycles naturels alternent tout cela, selon les besoins et les circonstances. Une chose est sûre, il est bon d'avoir une petite valise prête. Au cas où.

La femme médiale : respirer sous l'eau

Dans l'histoire, on voit s'établir un curieux compromis. Au lieu d'abandonner l'enfant, ou de l'emmener définitivement avec elle, la femme phoque l'emmène séjourner parmi ceux qui vivent « sous la surface ». Par le sang maternel, l'enfant est reconnu comme un membre du clan des phoques. Là, dans cette demeure subaquatique, on lui donne une éducation conforme aux voies de l'âme.

L'enfant représente un nouvel ordre dans la psyché. Sa mère phoque lui a insufflé dans les poumons un peu de son propre souffle, elle l'a animé de façon particulière, ce qui a fait de lui, en termes psychologiques, un être médial [16], capable de jeter un pont entre les deux mondes. Pourtant, même si cet enfant est initié dans le monde du dessous, il ne peut y demeurer. Il doit revenir à terre. En conséquence, il joue un rôle à part. L'enfant qui a plongé et refait surface n'est ni totalement moi ni totalement âme. Il est entre les deux.

Il y a en toute femme, au plus profond d'elle-même, ce que Toni Wolffe, psychanalyste d'obédience jungienne qui vécut dans la première moitié du XXe siècle a appelé : « La femme médiale ». La femme médiale se tient entre le monde de la réalité consensuelle et celui de l'inconscient mystique, et fait le lien entre les deux. Elle est le transmetteur et le récepteur de deux valeurs ou idées, ou plus. Elle est celle qui donne vie à des idées neuves, échange les vieilles idées contre des innovations, sert de traductrice entre le monde du rationnel et le monde de l'imaginaire. Elle « entend », « sait », « sent » ce qui va arriver.

Ce point médian entre le monde de la raison et le monde de l'image, entre pensée et sensation, entre esprit et matière – entre tous les opposés, toutes les nuances de sens que l'on peut imaginer – est le chez-soi de la femme médiale. Dans l'histoire, la femme phoque est une émanation de l'âme. Elle est capable de vivre dans tous les mondes, le monde du dessus, celui de la matière, comme le monde lointain du dessous, qui est sa demeure spirituelle. Mais elle ne peut rester longtemps sur terre. Elle et le pêcheur, le moi-psyché, créent un enfant qui peut aussi vivre dans les deux mondes, mais ne peut rester trop longtemps dans la maison de l'âme.

Ensemble, la femme phoque et l'enfant constituent dans la psyché féminine un système qui ressemble à une chaîne. La femme phoque, l'âme-soi, passe des pensées, des idées, des sentiments, des impulsions puisés dans l'eau au soi médial, qui à son tour les transmet à la terre ferme, les amène à la conscience, au monde extérieur. Et vice versa. Les événements de notre vie quotidienne, nos anciens traumatismes et nos joies passées, nos craintes et nos espoirs pour le futur, passent de main en main jusqu'à l'âme, qui les commente dans nos rêves, transmet ses sentiments par le biais de notre corps ou nous transperce par un moment d'inspiration qui va donner naissance à une idée.

La Femme Sauvage est une combinaison de sens commun et de sens de l'âme. La femme médiale, son double, est aussi capable des deux. Comme l'enfant du conte, la femme médiale est de ce monde, mais elle peut aisément descendre au plus profond de la psyché. Certaines femmes sont nées avec ce don-là. D'autres le cultivent comme un artisanat. Qu'importe le moyen, d'ailleurs. En tout cas, le fait de rentrer chez soi régulièrement a, entre autres, pour effet de renforcer la femme médiale de la psyché à chaque fois qu'une femme fait l'aller et retour.

Faire surface

Le plus douloureux et en même temps le plus merveilleux, dans le retour au chez-soi sauvage, c'est qu'on peut y effectuer un séjour, mais ne pas y demeurer. Aussi bien que l'on soit dans ces profondeurs, on ne peut rester indéfiniment sous l'eau. Le moment vient où il faut faire surface. Comme Ooruk, que l'on dépose doucement sur le rivage, nous revenons à notre vie quotidienne emplies d'un souffle nouveau. Mais même dans ces conditions, il est triste de se retrouver seule, sur la rive. Dans les anciens rites mystiques, les initiées qui retrouvaient le monde étaient aussi dans un état d'esprit mélangé, à la fois heureuses et revigorées et un peu songeuses au début.

Le remède à cette forme de deuil existe. La femme phoque le donne à l'enfant quand elle lui dit : « Je serai toujours avec toi. Il te suffira de toucher ce que j'ai touché, le petit bois pour allumer le feu, mon *ulu*– couteau –, mes sculptures de phoques et d'otaries en pierre et je soufflerai dans ses poumons un vent pour tes chants [17]. » Il y a dans ces mots quelque chose d'une promesse sauvage. Ils signifient que nous ne devons pas nous appesantir sur le désir de retourner là-bas, auprès d'elle. A la place, en comprenant ces outils, en interagissant avec eux, nous sentons sa présence, comme si nous étions une peau de tambour qu'une main sauvage a frappé.

Pour les Inuit, ces outils sont de ceux qui appartiennent à « une vraie femme ». Ils sont ce dont une femme a besoin pour « se tailler une vie ». Son couteau coupe, taille, libère, donne forme aux matériaux. Son habileté avec le petit bois lui permet d'allumer un feu dans les conditions les plus difficiles. Ses sculptures de pierre expriment sa connaissance mystique, son répertoire de guérison, son union personnelle avec le monde de l'esprit.

Traduites dans le langage de la psychologie, ces métaphores correspondent aux forces communes à la nature sauvage. En termes de psychologie jungienne, certains appellent ce tandem l'axe moi/Soi. Dans la terminologie du conte, le couteau représente, entre autres choses, un outil visionnaire, qui permet de percer l'obscurité et de voir des choses cachées. Les instruments pour allumer le feu représentent la capacité de se nourrir soi-même, de changer sa vieille existence en une vie nouvelle, de repousser la négativité inutile. On peut les considérer comme la représentation d'une pulsion intérieure qui forge les matériaux de base de la psyché. La création de fétiches et de talismans aide traditionnellement l'héroïne et le héros du conte de fées à se souvenir que les forces du monde de l'esprit ne sont pas loin.

Pour la femme moderne, son *ulu*, son couteau, c'est sa perspicacité, sa volonté et sa capacité de trancher le superflu, en coupant net et ce qui doit finir et en taillant de nouveaux commencements. Les instruments du feu sont sa capacité de surmonter ses échecs, de créer la passion pour elle-même, de réduire si nécessaire quelque chose en cendres. Les sculptures de pierre incarnent le souvenir de sa propre conscience sauvage, son union avec la nature sauvage instinctuelle.

Comme l'enfant de la femme phoque, nous apprenons qu'en nous approchant des créations de l'âme-mère, nous sommes remplies d'elle. Même si elle a rejoint les siens, sa force peut être pleinement ressentie à travers les pouvoirs féminins de la perspicacité, de la passion, du lien avec la nature sauvage. Elle nous promet que, si nous entrons en contact avec les instruments de la force psychique, nous sentirons son souffle, son *pneuma* ; son haleine pénétrera la nôtre et nous seront emplies d'un vent sacré pour chanter. Un vieux dicton inuit dit que les souffles d'un dieu et d'un homme, quand ils se mêlent, font qu'une personne crée une poésie intense, une poésie sacrée [18].

C'est cette poésie et ce chant sacré que nous cherchons. Nous voulons des mots et des chants suffisamment forts pour être entendus sous l'eau et sur la terre. Ce chant sauvage est notre chance de nous servir du langage sauvage que nous apprenons par cœur sous la mer. Quand une femme dit sa vérité, embrase ses intentions, ses sentiments, reste au plus près de la nature instinctive, elle chante, elle vit dans le souffle/le courant sauvage de l'âme. Vivre ainsi est un cycle en soi, qui doit se poursuivre encore et encore.

C'est pourquoi Ooruk ne cherche pas à replonger sous la surface, ne supplie pas sa mère de l'emmener quand elle nage vers le large et disparaît. Il reste à terre, car il a sa promesse. Quand nous retournons au vacarme du monde, et surtout si nous avons été isolées pendant notre séjour chez nous, les machines et divers objets nous paraissent un peu étrangers et même le bavardage de nos proches rend un son bizarre. Cette phase du retour, cette « rentrée », est naturelle. L'impression de revenir d'une autre planète s'estompe et disparaît au bout de quelques heures ou de quelques jours. Par la suite, nous resterons une bonne portion de temps dans cette vie quotidienne, tout emplies de l'énergie procurée par ce voyage, et pratiquant l'union avec l'âme par intérim, grâce à la solitude.

Dans le conte, l'enfant de la femme phoque commence à mettre en pratique la nature médiale. Il va jouer du tambour, devenir chanteur, conteur. Dans l'interprétation des contes de fées, on considère qu'en jouant, le joueur de tambour devient le cœur de la vie qui a besoin de se créer. Il est capable, avec ses mains, de faire peur aux choses, de les éloigner, comme de les faire venir. Le chanteur, lui, est un messager entre la grande âme et le soi du monde extérieur. Grâce au son de sa voix, le chanteur peut démanteler, détruire, construire, créer. Et l'on dit que le conteur s'est approché des dieux et les a entendus parler dans leur sommeil [19].

A travers tous ces actes créateurs, l'enfant vit ce que la femme phoque lui a insufflé, ce qu'il a appris sous l'eau, la relation avec l'âme sauvage. Ainsi nous retrouvons-nous emplies de battements de tambour, de chants, prises par l'écoute et la prononciation de nos propres mots – nouveaux poèmes, nouvelles façons de voir, nouvelles façons d'agir et de penser. Au lieu d'essayer de « faire en sorte que la magie dure », nous vivons, tout simplement. Au lieu de résister aux tâches que nous nous sommes assignées, ou de les redouter, nous évoluons parmi elles avec aisance, pleines de vie, de notions nouvelles, et curieuses de voir ce qui va arriver ensuite. Après tout, la personne qui est retournée chez elle a été entraînée au large par les grands esprits phoques et en est revenue.

La pratique de la solitude intentionnelle

Dans la brume grise du matin, l'enfant devenu grand s'agenouille sur un rocher en mer et converse avec quelqu'un qui est en fait la femme phoque. Cette pratique quotidienne d'une communion et de la solitude lui permet d'être près de chez lui, non seulement en plongeant vers la demeure de l'âme durant des laps de temps considérables, mais aussi, ce qui est tout aussi important, en appelant l'âme vers le monde du dessus lors de courtes périodes.

Pour converser avec le féminin sauvage, une femme doit temporairement quitter le monde et adopter un état de solitude au sens le plus ancien du terme. Autrefois le mot *alone* (seul) s'écrivait en deux mots, *all one*, ce qui signifie « totalement un [20] ». C'est là précisément le but de la solitude. Elle est la cure à l'état d'extrême fatigue auquel nombre de femmes d'aujourd'hui sont réduites et qui les fait, comme on dit, « enfourcher leur monture et galoper de tous les côtés ».

La solitude n'est pas, comme certains le croient, une absence d'énergie ou d'action, mais plutôt une corne d'abondance sauvage offerte par l'âme. Dans les temps anciens, si l'on en croit les médecins-guérisseurs, les religieux et les mystiques, la solitude intentionnelle était à la fois palliative et préventive. On l'utilisait pour soigner l'épuisement et prévenir la lassitude. On en faisait aussi un oracle, une façon d'écouter son être intérieur pour solliciter le conseil qu'on n'aurait autrement pu entendre dans le brouhaha de l'existence quotidienne.

Dans l'Antiquité, les femmes réservaient un lieu sacré pour cette recherche et cette communion et aujourd'hui encore, les femmes aborigènes font souvent de même. On dit que cela avait traditionnellement lieu durant les menstrues, car à cette période, la femme est plus proche de la connaissance de soi que d'habitude ; la membrane entre l'esprit conscient et l'inconscient s'amincit considérablement. Les sentiments, les souvenirs, les sensations qui sont normalement retenus à l'écart de la conscience passent à la connaissance sans résistance. Quand la femme s'abandonne à la solitude durant cette période, elle a plus de matériel à trier.

Mes échanges avec des femmes appartenant à des tribus d'Amérique du Nord, d'Amérique du Sud et d'Amérique centrale comme avec des descendantes de certaines tribus slaves m'ont toutefois enseigné que ces « lieux des femmes » étaient utilisés *à tout moment*, et pas seulement durant les menstrues. Plus encore, chaque femme avait souvent son « lieu » – un certain arbre, un endroit au bord de l'eau, dans la forêt, dans le désert, une grotte marine.

En tant qu'analyste, mon expérience avec mes patientes me porte à penser qu'une grande partie des bizarreries prémenstruelles des femmes d'aujourd'hui ne constituent pas seulement un syndrome d'ordre physique ; on peut également l'attribuer au fait qu'elles ne peuvent suffisamment satisfaire leur besoin de prendre du temps pour elles-mêmes, pour se revivifier, se remettre à neuf [21]. Cela me fait toujours rire d'entendre citer les premiers anthropologues, qui affirmaient que dans différentes tribus, les femmes ayant leurs règles étaient considérées comme « impures » et contraintes de quitter le village jusqu'à ce que ce soit terminé. Toutes les femmes savent que, même s'il existait un tel exil rituel forcé, chaque femme, son temps venu, quittait le village tête basse, puis, une fois hors de vue, se mettait à danser tout au long du chemin.

Si, à l'exemple du conte, nous pratiquons régulièrement une solitude intentionnelle, nous suscitons une conversation entre nous-mêmes et l'âme sauvage qui s'approche de notre rivage. Et le but n'est pas seulement de nous « approcher » de la nature sauvage, mais, comme dans la tradition mystique depuis des temps immémoriaux, de poser des questions et de recevoir les conseils de l'âme.

Comment évoque-t-on l'âme ? Les moyens sont nombreux : on peut le faire par la méditation, ou par le rythme de la course, des percussions, du chant, de l'écriture, de la peinture, en faisant de la musique, en ayant la vision de spectacles d'une grande beauté, par la prière, la contemplation, le rite, le rituel, l'immobilité et même des états d'humeur et des idées qui nous élèvent. Ce sont là autant de façons d'en appeler à l'âme et de la faire venir de sa demeure.

Je préconise néanmoins des méthodes ne nécessitant ni instrument, ni endroit particulier et pouvant être utilisées aussi facilement en un instant qu'en une journée. Il suffit de se servir de son esprit. Chacune d'entre nous a au moins un état d'esprit familier dans lequel elle peut pratiquer ce genre de solitude. Pour ma part, la solitude ressemble un peu à une forêt que j'emporte partout avec moi, repliée, et dont je m'entoure après l'avoir déroulée quand le besoin s'en fait sentir. Je m'assois au pied des grands arbres de mon enfance. Là, je pose mes questions, reçoit les réponses, puis réduit ma forêt à la dimension d'une lettre d'amour jusqu'à la prochaine fois. C'est une expérience immédiate, rapide, informative.

Le seul impératif, pour pratiquer la solitude intentionnelle, c'est de se couper de ce qui peut distraire. On peut apprendre à se couper des autres, du bruit, des bavardages, même dans le brouhaha d'une réunion professionnelle animée, même dans une maison où s'agitent une douzaine de membres de la famille et d'amis bien décidés à faire la fête. Si vous avez été adolescente, vous savez comment faire; de même si vous avez été la mère d'un bambin insomniaque. Il est simplement plus difficile de se le rappeler que de pratiquer.

Bien que nous préférerions toutes pouvoir effectuer un séjour chez soi dans les règles, sans que personne sache où nous sommes jusqu'à notre retour, il est aussi très profitable de s'exercer à la solitude dans une pièce remplie de monde. Au début, cela peut paraître curieux, mais franchement, les gens conversent avec l'âme tout le temps. Simplement, au lieu de parvenir consciemment à cet état, beaucoup y tombent d'un seul coup, au cours d'une rêverie, ou bien « décrochent » brusquement.

Parce que c'est plutôt mal considéré, nous avons appris à camoufler ces périodes de communication avec l'âme en termes banals. On dit qu'on « se parle à soi-même », qu'on « est perdu dans ses pensées », qu'on « est dans le vague », ou qu'on « rêve éveillé ». Ces euphémismes nous sont dictés par la culture, car malheureusement on nous apprend dès l'enfance à être embarrassées si nous sommes surprises à communier avec l'âme, particulièrement à l'école, ou au travail.

D'une certaine manière, le monde de l'éducation et celui du travail ont jugé improductif ce temps passé avec soi-même, alors qu'en fait il est le plus fécond. C'est l'âme sauvage qui transmet les idées à notre imagination, où nous les trions pour découvrir lesquelles nous allons mettre en pratique, lesquelles sont les plus applicables, les plus productives. C'est le commerce avec l'âme qui fait de nous des personnes brillantes, désireuses d'affirmer notre talent, quel qu'il soit. C'est cette union brève, momentanée, même, mais intentionnelle, qui nous encourage à vivre notre vie intérieure, de telle sorte qu'au lieu de nous enfermer dans la honte, la crainte des représailles ou des attaques, la léthargie, la complaisance ou autres excuses et raisonnements limitatifs, nous portons haut l'oriflamme de cette vie intérieure.

Donc, outre les informations que nous pouvons recueillir dans le domaine souhaité, la pratique de la solitude peut nous permettre de nous évaluer dans toutes les sphères choisies. Nous avons vu dans le conte que l'enfant est resté sept jours et sept nuits sous l'eau, ce qui représente un apprentissage de l'un des plus anciens cycles de la nature. On considère souvent le sept comme un nombre féminin, un nombre mystique synonyme de la division en quatre phases du cycle lunaire : nouvelle lune, premier quartier, pleine lune, dernier quartier, à l'égal du cycle de la femme. Les vieilles traditions ethniques féminines veulent que l'on fasse son propre bilan durant le cycle de la pleine lune et qu'on s'interroge sur l'état de ses amitiés, de son foyer, de son compagnon, de ses enfants.

Ce bilan est possible dans cet état de solitude-là, car c'est durant cette période que nous réunissons tous les aspects de nous-mêmes et les interrogeons pour savoir ce qu'ils/nous/l'âme veulent et pour les satisfaire si possible. Nous pouvons ainsi avoir une idée de notre condition et c'est vital. Il y a de nombreux domaines sur lesquels nous devons continûment faire le point : l'habitat, le domaine professionnel, la vie créatrice, la famille, le compagnon, les enfants, les parents, la sexualité, la vie spirituelle et ainsi de suite.

L'unité de mesure employée est simple : Qu'est-ce qui a le moins besoin ? Qu'est-ce qui a le plus besoin ? C'est avec le soi instinctif que nous posons les questions, inspirées non pas par la froide logique, par le moi, mais par la Femme Sauvage, pour savoir quelle tâche, quels ajustements, sont nécessaires, où il faut resserrer ou desserrer les boulons. Sommes-nous toujours bien en phase avec l'esprit et l'âme ? Notre vie intérieure transparaît-elle à l'extérieur ? Que faut-il déplacer, changer ? De quoi faut-il se débarrasser ?

Une fois qu'on a commencé à pratiquer, les effets cumulatifs de la solitude intentionnelle se font sentir. C'est comme un système respiratoire vital, un rythme naturel d'accroissement de la connaissance, de mise en place de petits ajustements, quelque chose de puissant et aussi de pragmatique, car la solitude se nourrit de peu : elle a besoin surtout de bonne volonté et de suivi. Avec le temps, vous verrez que vous modulerez vos requêtes à l'âme. Quelquefois ce sera une seule question, quelquefois il n'y en aura pas, seulement le désir d'être sur le rocher, tranquille, auprès de l'âme, pour respirer avec elle.

L'écologie innée des femmes

Il est dit aussi dans le conte que beaucoup cherchent à capturer et à tuer l'âme, mais qu'aucun chasseur ne s'en révèle capable. Il s'agit là de l'une des multiples références à l'indestructibilité de l'âme sauvage que l'on trouve dans les contes. Même si nous avons agi en dehors du cycle en matière de travail, de relations sexuelles, de repos, de jeu, la Femme Sauvage n'en est pas tuée pour autant, c'est *nous* qui sommes épuisées. Bonne nouvelle : nous pouvons effectuer les corrections nécessaires et reprendre nos propres cycles naturels. C'est par le biais de l'amour et des soins que nous portons à nos saisons naturelles que nous évitons à notre vie d'être entraînée dans le rythme, dans la danse de quelqu'un d'autre. C'est en validant nos propres cycles en matière de sexe, de création, de repos, de jeu et de travail que nous réapprenons à établir des distinctions entre nos sens et nos saisons sauvages.

Nous savons que nous ne pouvons vivre une existence confisquée. Nous savons qu'il y a un temps où il faut abandonner momentanément ce qui appartient au monde, êtres et choses. On nous a appris que nous étions semblables aux amphibiens : nous pouvons vivre sur la terre, mais pas indéfiniment, pas sans revenir à l'eau, à notre demeure. Les cultures surcivilisées et oppressives tentent d'empêcher la femme d'effectuer ce retour. Trop souvent, on la pousse à rester loin de l'eau jusqu'à ce qu'elle dépérisse.

Mais quand s'élève l'appel au retour chez soi pour un long moment, une partie d'elle-même l'entend. Elle l'attendait depuis longtemps, en fait. Et elle l'écoutera. Elle s'y préparait, en secret ou plus ou moins ouvertement. Avec l'aide de la psyché, elle va récupérer sa faculté de retour. Ce processus s'applique non pas à une femme par-ci, par-là, mais à nous toutes. Nous sommes toutes coincées à terre par nos engagements et pourtant l'appel de la mer s'adresse à chacune d'entre nous. Il nous faut revenir.

Ces moyens de revenir chez nous n'ont rien à voir avec la situation sociale, économique, avec l'éducation ou la mobilité physique. Même si nous ne voyons qu'un brin d'herbe, qu'un carré de ciel, qu'une fleur sauvage poussant dans une fissure de l'asphalte, c'est nos cycles naturels que nous voyons. Nous pouvons toutes nager jusqu'à la mer et communier avec le phoque. Toutes les femmes doivent ainsi vivre cette union : les femmes avec enfants, les femmes qui ont des amants, les femmes célibataires, les femmes qui travaillent, les femmes dans le trente-sixième dessous, les femmes qui crachent des flammes, les femmes introverties, les femmes extraverties.

Jung disait : « Il serait beaucoup plus simple d'admettre notre pauvreté spirituelle... Quand l'esprit se fait lourd, il se change en eau... Le chemin de l'âme... mène donc à l'eau [22]. » Nos retours vers notre chez-soi, les moments que nous passons à converser avec le phoque sur le rocher sont des actes d'écologie innée et intégrale, car ils représentent un retour à l'eau, une rencontre avec l'amie sauvage, celle qui, plus que tout autre, nous aime inconditionnellement. Il nous suffit de plonger notre regard dans ces yeux qui expriment l'âme et qui sont « sauvages, sages et aimants ».

10

L'EAU CLAIRE : NOURRIR LA VIE CRÉATRICE

La créativité change sans cesse de forme. Elle est pareille à un esprit éblouissant qui apparaît à tout le monde, mais qu'il est difficile de décrire, car personne ne voit la même chose lors de ce flash lumineux. Le maniement des pigments et de la toile, les petites applications de peinture, le papier peint font-ils la preuve de son existence ? Oui. Et le papier, la plume, les bordures fleuries du jardin, la construction d'une université ? Oui. Le repassage parfait d'un col, la préparation d'une révolution ? Oui. Toucher les feuilles d'une plante avec amour, trouver sa voix, savoir aimer ? Oui. Prendre dans ses bras le petit corps chaud du nouveau-né, conduire un enfant vers l'âge adulte, aider à relever une nation ? Oui. S'occuper de son mariage comme du verger qu'il est, chercher l'or du psychisme, trouver le mot juste, coudre un rideau bleu ? Oui, c'est tout cela, la vie créatrice. Tout cela appartient à la Femme Sauvage, le *Río Abajo Río*, la rivière sous la rivière, qui coule dans notre vie.

Certains disent que la vie créatrice est dans les idées, d'autres qu'elle est dans les actes. Il semble que, la plupart du temps, elle soit dans le simple fait d'être. Ce n'est pas de la virtuosité, quoiqu'il n'y ait rien à dire là-dessus. C'est aimer quelque chose à un point tel – une personne, un mot, une image, une idée, sa terre ou l'humanité entière – que, de ce flot généreux, on ne peut rien faire d'autre que créer. La volonté ne joue aucun rôle ; on doit le faire, un point c'est tout.

La force créatrice arrose le terrain de notre psyché. Elle cherche les canaux naturels, les *arroyos* qui existent en nous. Nous devenons ses bassins, ses mares, ses étangs, ses ruisseaux, ses sanctuaires. Elle investit tous les lits que nous lui réservons, ceux avec lesquels nous sommes nées comme ceux que nous avons creusés de nos propres mains. Nous n'avons pas à remplir, nous n'avons qu'à réaliser.

On trouve dans la tradition archétypale cette idée que si l'on prépare dans le psychisme un endroit pour que l'être, la force créatrice, la source de l'âme vienne l'habiter, celle-ci sera au courant et se fraiera un chemin vers lui. Que cette force soit évoquée par la formule biblique « Va et prépare un lieu pour l'âme » ou par la phrase « Si tu le construis, ils viendront », comme dans le film *Jusqu'au bout du rêve* [1], où un fermier entend une voix qui l'incite à construire un terrain de base-ball pour l'esprit des joueurs défunts, le fait de préparer un lieu adéquat met en branle la grande force créatrice.

Une fois que la grande rivière souterraine a trouvé ses estuaires et ses parcours dans notre psyché, notre vie créatrice se remplit et se vide, son niveau monte et descend au fil des saisons, exactement comme une rivière sauvage. Ces cycles font que les choses se créent, sont alimentées, retombent et se meurent chacune en son temps et à l'infini.

Créer quelque chose en un certain endroit de la rivière nourrit ceux qui viennent à cette rivière, les créatures vivantes en aval et celles qui vivent sous l'eau. La créativité n'est pas un mouvement solitaire. C'est là son pouvoir. Tout ce qu'elle touche, tous ceux qui l'entendent, la voient, la sentent, la connaissent, elle les nourrit. C'est pourquoi la créativité des autres nous inspire pour notre propre travail de création. Un seul acte de création peut alimenter un continent, faire surgir un torrent de la pierre.

Ainsi la capacité de création de la femme est-elle son bien le plus précieux, car elle est don à l'extérieur et nourriture à l'intérieur, sur tous les plans, psychique, spirituel, mental, émotionnel, économique. La nature sauvage déverse d'infinies possibilités, donne force et vigueur, étanche la soif et apaise notre faim de vie profonde et sauvage. Dans l'idéal, cette rivière ne comporte pas de barrage, elle n'a pas été déviée et surtout n'est pas utilisée à mauvais escient [2].

La rivière de la Femme Sauvage nous fertilise et fait de nous des créatures qui lui ressemblent : des donneuses de vie. Tandis que nous créons, cet être sauvage et mystérieux nous crée en retour, nous remplissant d'amour. Nous avons tant de vie en nous que nous pouvons en donner : nous éclatons de sève, fleurissons, nous divisons, nous multiplions, incubons, imprégnons.

Il est clair que la créativité émane de quelque chose qui monte, déferle, se soulève, se déverse en nous plutôt que de quelque chose qui resterait là à attendre que nous trouvions, d'une manière ou d'une autre, le chemin qui y conduit. En ce sens, nous ne pourrons jamais perdre notre créativité. Elle est toujours là. Elle nous emplit ou bien entre en collision avec les obstacles qui sont placés sur sa route. Si elle ne peut avoir accès à nous, elle fait marche arrière, rassemble son énergie et donne de nouveaux coups de boutoir jusqu'à ce que la résistance cède et qu'elle nous pénètre. Le seul moyen d'éviter cette énergie obstinée, c'est d'élever sans cesse des barrières contre elle, ou de permettre que la négativité et la négligence destructrices l'empoisonnent.

Si nous avons un besoin vital d'énergie créatrice, si nous avons du mal à avoir accès à ce qui est fertile, imaginatif, idéatif, à nous concentrer sur notre vision personnelle et à agir sur elle ou à la mener à terme, alors c'est que les choses se passent mal au point de jonction entre le cours principal de la rivière et son affluent. Peut-être les eaux de la création coulent-elles dans un environnement pollué où les formes vivantes de l'imagination sont tuées avant de parvenir à maturité. Tel est souvent le cas, et il faut chercher en ce sens lorsqu'une femme est privée de sa vie créatrice.

Il existe d'autres possibilités, encore plus insidieuses. On peut par exemple admirer les talents d'une personne, et/ou les bénéfices dont jouit apparemment celle-ci, au point de développer un certain talent pour l'imitation et de se contenter d'une médiocre ressemblance avec « les autres », au lieu de faire fructifier les dons uniques que l'on possède. On peut aussi être aux prises avec une fascination éperdue pour un modèle ou avec le culte du héros, avec le même résultat. On peut aussi avoir peur de la profondeur de l'eau, de l'obscurité de la nuit, de la route qui est si longue... autant de conditions requises, justement, pour faire s'épanouir ces dons précieux et originaux.

Dans la mesure où la Femme Sauvage est le *Río Abajo Río*, quand elle coule en nous, nous débordons. Si l'ouverture entre elle et nous est bloquée, nous le sommes aussi. Si nos complexes négatifs personnels ou notre entourage la polluent, il en va de même pour les processus délicats qui forgent nos idées. Alors, nous ressemblons à une rivière en train de mourir. Ce n'est pas un mal de moindre importance qu'il faille ignorer. La perte du flot clair de la création constitue une crise psychologique et spirituelle.

Dans une rivière souillée, tout meurt petit à petit, car, ainsi que nous l'enseigne la biologie de l'environnement, toutes les formes de vie sont interdépendantes. Si les roseaux qui la bordent brunissent, faute d'oxygène, les pollens ne peuvent rien fertiliser, les saules ne portent pas de chatons, les tritons ne se reproduisent pas, les éphémères ne voient pas le jour. En conséquence, les poissons ne font pas de saut hors de l'eau, les oiseaux ne plongent pas dans la rivière, les loups et les autres animaux qui venaient s'y rafraîchir passent leur chemin ou meurent pour avoir bu de l'eau contaminée ou mangé des proies qui elles-mêmes se sont nourries des plantes en train de mourir près de l'eau.

Quand la créativité stagne d'une manière ou d'une autre, l'issue est la même : besoin de fraîcheur, fragilité de la fertilité, impossibilité pour les formes de vie inférieures de vivre dans les interstices des formes de vie supérieures, pas d'éclosion de nouvelles idées, pas de vie nouvelle. Alors, nous nous sentons mal, nous avons envie de bouger. Nous errons sans but, prétendant que nous pouvons nous passer de la luxuriance de la vie créatrice, ou feignant d'en avoir une, mais nous ne le pouvons, nous ne le devons pas. Pour restaurer la vie créatrice, il faut rendre à l'eau sa propreté, sa pureté. Nous devons patauger dans la boue, nettoyer ce qui a été contaminé, rouvrir les issues, protéger le flot d'atteintes à venir.

La Llorona

On raconte, parmi les peuples de langue espagnole, un vieux conte. Il s'intitule *La Llorona* [3], La Femme qui pleure. On dit qu'il est originaire du début du XVIe siècle, quand les conquistadors envahirent les Aztèques/Nahuatl du Mexique, mais il est beaucoup plus vieux que ça. Il parle de la rivière de vie, qui devint rivière de mort. La protagoniste est une femme de la rivière, fertile, et généreuse, qui se sert de son corps pour créer. Elle est belle à couper le souffle et pauvre, mais riche en âme et en esprit.

La Llorona est un conte étrange, car il continue à évoluer dans le temps comme s'il avait une vie propre. Telle une immense dune de sable qui avance et inclut ce qui se trouve sur son passage, incorporant la terre jusqu'à ce qu'elle fasse partie intégrante de son propre corps, l'histoire se construit en assimilant les problèmes psychiques de chaque génération. Quelquefois, on fait de *La Llorona* une histoire sur *Ce. Malinalli* ou *Malinche*, l'indigène dont on dit qu'elle fut la traductrice et la maîtresse d'Hernán Cortés.

Mais la première version de *La Llorona* que j'aie entendue la décrivait comme la protagoniste d'une guerre contre l'union dans les forêts du Nord américain où j'ai été élevée. Puis, la fois suivante, il s'agissait d'une femme impliquée dans le rapatriement forcé de Mexicains des Etats-Unis dans les années 50. J'ai entendu aussi de nombreuses versions de ce conte dans le Sud-Ouest. Récemment, trois versions m'ont été données : une histoire de fantôme où l'on voit *La Llorona* errer en gémissant dans un camp de caravanes, la nuit ; une histoire mettant en scène une prostituée atteinte du sida qui exerce son métier près de la Town River à Austin et la troisième, la plus extraordinaire, m'a été donnée par un enfant. Mais avant de vous raconter cette variation nouvelle et étonnante, je vais vous donner les grandes lignes du conte.

La Llorona

Un riche hidalgo courtise une femme très belle mais pauvre et obtient ses faveurs. Elle lui donne deux fils sans qu'il daigne l'épouser. Un jour, il lui annonce qu'il rentre en Espagne pour s'y marier avec une femme riche choisie par sa famille et qu'il emmène ses fils avec lui.

Véritablement folle de douleur, la jeune femme se comporte comme toutes celles qui se trouvent dans cet état et hurlent leur souffrance. Elle se griffe le visage, se jette sur lui, le lacère, se lacère. Puis elle prend avec elle ses deux petits garçons et court vers la rivière, dans laquelle elle les précipite. Les enfants se noient et *La Llorona* s'effondre sur la rive, où elle meurt de chagrin.

L'hidalgo rentre en Espagne et épouse la femme riche. L'âme de *La Llorona* monte au paradis. Là, on lui dit à la porte qu'elle peut entrer au paradis car elle a souffert, mais *pas avant* qu'elle ait récupéré l'âme des deux enfants dans la rivière. C'est pourquoi l'on dit aujourd'hui que *La Llorona*, la femme qui pleure, balaic la rive de ses longs cheveux, plonge ses longs doigts dans l'eau pour sonder le fond à la recherche de ses fils. C'est aussi la raison pour laquelle les petits enfants ne doivent pas aller se promener au bord de l'eau après la tombée de la nuit, car *La Llorona* pourrait les prendre pour ses propres enfants et les emmener à tout jamais [4].

Passons maintenant à une version moderne de *La Llorona*. Notre façon de penser, nos comportements, nos problèmes varient quand la culture subit diverses influences. *La Llorona* aussi varie. Pendant que j'étais dans le Colorado, l'an dernier, en train de collecter des histoires de fantômes, un gamin de dix ans, tout maigre avec des pieds invraisemblablement grands, me raconta ce conte. Il s'appelait Danny Salazar. *La Llorona*, me dit-il, n'avait pas du tout tué ses enfants pour la raison décrite dans le vieux conte. Elle était avec un riche hidalgo qui avait des usines sur la rivière. Malheureusement, les choses tournèrent mal. Pendant qu'elle était enceinte, *La Llorona* but de l'eau de la rivière. Ses enfants, deux garçons, furent aveugles à la naissance, et ils avaient des mains palmées, car l'hidalgo avait empoisonné la rivière avec les rejets de ses usines.

L'hidalgo déclara à *La Llorona* qu'il ne voulait ni d'elle ni de ses enfants. Il épousa une femme riche, qui voulait s'approprier ce qui était fabriqué dans les usines. *La Llorona* jeta les bébés dans la rivière pour leur éviter une vie pénible et mourut sur-le-champ de chagrin. Elle monta au paradis, mais saint Pierre lui dit qu'elle ne pourrait entrer avant d'avoir retrouvé l'âme de ses fils. Alors, maintenant, *La Llorona* cherche indéfiniment ses enfants du regard dans la rivière polluée, mais elle ne voit rien, car la rivière est sale et sombre, maintenant son fantôme racle le fond de la rivière avec ses longs doigts, maintenant, elle erre sur les rives en appelant sans cesse ses enfants.

La pollution de l'âme sauvage

La Llorona appartient à la catégorie de contes que les *cantadoras* et *cuentistas* de notre famille appellent *temblón*, des histoires à faire frémir. Elles sont distrayantes, mais ont pour but d'éveiller dans un frisson l'auditoire à une prise de conscience conduisant à la réflexion, la contemplation et à l'action. Si l'on ne tient pas compte des variations de cette histoire avec le temps, le thème demeure le même : la destruction du féminin fertile. Que la contamination de la beauté sauvage ait lieu dans le monde intérieur ou le monde extérieur, il est aussi pénible d'y assister. Notre culture contemporaine nous fait quelquefois juger l'une comme plus dévastatrice que l'autre, mais toutes deux sont aussi critiques.

Bien que je raconte parfois ce conte avec ses deux versions dans d'autres contextes [5], l'assistance – hommes et femmes – qui l'entend comme métaphore de la détérioration du flot créateur, est prise de frissons car tous comprennent ce qui est en jeu. Si nous y voyons l'état de la psyché d'une seule femme, nous pouvons en déduire beaucoup de choses sur l'affaiblissement et le dépérissement du processus de création. Comme dans les autres histoires dont la fin est brutale, celle-ci sert à apprendre aux femmes ce qu'il ne faut *pas* faire et comment nous sortir des mauvais choix pour en minorer l'impact négatif. En général, en prenant le chemin inverse de celui choisi par la protagoniste, on apprend à naviguer sur l'onde au lieu de s'y noyer.

Ce conte utilise la métaphore de la belle femme et de la pure rivière de l'existence pour décrire le processus féminin de la création dans son cours normal. Mais ici, la rivière et la femme dépérissent en entrant en interaction avec un animus destructeur. Alors, la femme dont la vie créatrice s'étiole ressent, comme *La Llorona*, l'impression d'être empoisonnée, dénaturée. En conséquence, elle est poussée à fouiller apparemment sans fin l'épave de son potentiel antérieur de création.

Afin de rétablir son équilibre écologique, la rivière doit être nettoyée. Dans cette histoire, ce n'est pas la qualité de nos créations qui nous intéresse, mais la reconnaissance par l'individu de la valeur de ses dons uniques et la méthode pour assurer l'entretien de la vie créatrice qui entoure ces dons. Il y a toujours, derrière l'acte d'écrire, de peindre, de penser, de soigner, de cuisiner, de parler, de sourire, d'agir, le *Río Abajo Río* ; la rivière sous la rivière fertilise tout ce que nous faisons.

En symbologie, les grandes étendues d'eau représentent le lieu d'où la vie elle-même est censée être issue. Dans le Sud-Ouest hispanique, la rivière symbolise la capacité à vivre, à vivre vraiment. Elle est la mère, *La Madre Grande, La Mujer Grande*, la Grande Femme, dont les eaux coulent non seulement dans les rigoles et le lit des rivières, mais se déversent hors du corps des femmes elles-mêmes à la naissance de leur enfant. On considère la rivière comme la *Gran Dama* qui parcourt la terre avec sa jupe en éventail, de couleur bleue, argent ou, parfois, or, et couche avec le sol pour l'enrichir.

Quelques-unes parmi mes vieilles amies du Sud Texas disent que *El Río Grande* ne pourrait être en aucun cas masculin ; c'est *une* rivière. En riant, elles ajoutent qu'une rivière ne saurait être autre chose que *La Dulce Acequia*, la douce fente entre les jambes de la terre. Dans le nord de l'Etat du Nouveau-Mexique, quand la rivière gonfle sous l'orage et le vent, quand elle sort soudain de son lit, on dit d'elle qu'elle est en chaleur et se précipite pour toucher tout ce qu'elle peut afin de le faire pousser.

Nous voyons donc qu'ici la rivière symbolise une forme de largesse féminine qui vient exciter, passionner. Quand les femmes créent, leurs yeux brillent, leurs paroles chantent, la vie irrigue leur visage, leur chevelure resplendit. Elles sont excitées par les idées, passionnées par les possibilités, et, parvenues à ce stade, elles sont destinées comme la grande rivière à répandre continûment leur flot sur le sentier de la création, de leur création. Ainsi s'épanouissent-elles. Ainsi en allait-il de la rivière auprès de laquelle vivait *La Llorona* avant qu'elle ne soit polluée.

Parfois, cependant, la créativité féminine est, comme dans le conte, victime de quelque chose qui souhaite fabriquer uniquement les productions du moi, uniquement destinées au moi et sans valeur d'âme durable. Il peut s'agir par exemple de pressions culturelles qui déclarent que les idées de la femme n'ont aucune utilité, que personne n'en voudra, qu'elle ferait mieux d'arrêter. C'est de la pollution, comme de jeter du plomb dans la rivière. On empoisonne la psyché.

Il est permis de satisfaire son moi. C'est même important. Le problème, c'est que les rejets de complexes négatifs attaquent tout ce qui est récent, nouveau ou à naître, comme ce qui commence à croître ou qui est déjà ancien et bien établi. Quand trop de productions sans âme, de productions factices voient le jour, les rejets de matières toxiques envahissent l'eau claire de la rivière, tuant à la fois l'impulsion créatrice et l'énergie.

Du poison dans la rivière

Il existe de nombreux mythes concernant la pollution et le tarissement du créatif et du sauvage. Ils peuvent tourner autour de la contamination de la pureté, comme le brouillard toxique qui vint envahir l'île de Lecia, dans laquelle étaient stockés les écheveaux qui servaient aux Parques à filer la vie [6]. Ce peut être aussi les récits des actes malfaisants de personnes qui cherchent à tarir les puits d'un village et provoquent ainsi des souffrances et des morts. Parmi ces derniers, *Jean de Florette* et *Manon des Sources*, de Marcel Pagnol, font partie des histoires les plus profondes [7]

On y voit deux hommes qui, dans l'espoir de priver un pauvre bossu, sa femme et sa petite fille de la terre qu'ils essaient de faire revivre avec des arbres et des fleurs, scellent la source qui abreuve cette terre et causent la perte de cette famille valeureuse.

L'effet le plus courant de la pollution sur la vie de la création féminine, c'est la perte de vitalité, qui ôte toute capacité de créer ici-bas. Il y a certes des périodes dans les cycles de créativité saine de la femme, où cette rivière créatrice disparaît pour un temps sous la surface, mais quelque chose se développe tout de même, reste en incubation. La sensation n'a rien à voir avec celle de la crise spirituelle.

Dans un cycle naturel, il existe peut-être une certaine agitation, une certaine impatience, mais on n'a jamais l'impression que l'âme sauvage est en train de mourir. Pour constater la différence, il suffit de faire le point sur notre attente : même quand notre énergie créatrice est dans une longue période d'incubation, nous sommes dans l'attente de son surgissement, nous sentons la vie nouvelle qui chante en nous. Il n'y a en nous aucun désespoir, aucune crispation.

Mais quand la vie créatrice meurt parce que nous ne veillons pas à la sauvegarde de la rivière, c'est un autre problème. Nous nous sentons pareilles à la rivière en train de mourir, sans énergie, sans tonus. Notre cours est lent, paresseux, empoisonné par la pollution ou par la retenue et la stagnation de toutes nos richesses. Tout en nous est glauque et toxique.

Comment la créativité d'une femme peut-elle en venir à être polluée ? Cinq phases de la création sont envahies : l'inspiration, la concentration, l'organisation, la mise en œuvre et le suivi. Celles qui ont perdu l'une ou l'autre de ces phases rapportent qu'elles « ne peuvent penser » à rien de nouveau ou d'utile pour elles. Elles sont facilement « distraites » par une liaison, un surcroît de travail, d'amusement, par la fatigue ou par la peur de l'échec [8].

Il leur est parfois impossible d'organiser et leurs projets sont éparpillés. Parfois, c'est la naïveté de la femme quant à son extraversion qui est en cause : elle pense qu'en faisant deux ou trois mouvements dans le monde extérieur, elle a vraiment accompli quelque chose. Cela équivaut à créer une figure humaine sans tête ou sans jambes en croyant avoir fait un être dans sa totalité. Elle a bien évidemment conscience de son incomplétude. Parfois encore, la femme bute sur sa propre introversion et reste au niveau des velléités ; elle peut se satisfaire d'avoir eu une idée et rien de plus. A ceci près qu'il lui manque quelque chose et qu'elle le sent. Ce sont là autant de manifestations de la pollution de la rivière. Ce qui est produit n'est pas de la vie, cela inhibe la vie.

D'autres fois, ce sont les autres qui l'agressent, ou des voix dans sa tête lui martèlent : « Ce que tu fais n'est pas assez valable, pas assez bon, pas assez ceci, pas assez cela, trop comme ci, trop comme ça. » C'est jeter du cadmium dans la rivière.

Une autre histoire décrit le même processus en utilisant un symbolisme différent. Dans la mythologie grecque, il existe un épisode où l'on voit les dieux décider qu'un groupe d'oiseaux, les Harpies [9], doivent punir le roi de Thrace, Phinée. Chaque fois que par magie, de la nourriture est disposée devant Phinée, les Harpies arrivent, se posent et volent une partie de la nourriture, en éparpillent une autre partie et défèquent sur le reste, laissant le pauvre homme en proie à une faim dévorante [10].

Cette pollution au sens propre peut être comprise au sens figuré comme une enfilade de complexes à l'intérieur de la psyché, dont la seule raison d'être est de saccager les choses. Il s'agit sans aucun doute d'un *temblón*, d'une histoire à faire frémir. En l'entendant, un frisson nous parcourt, car nous avons vécu cela. Le « syndrome de la Harpie » détruit par le biais du dénigrement de ses propres efforts et talents, et d'un dialogue intérieur particulièrement dépréciatif. La femme émet une idée. La Harpie chie dessus. La femme déclare : « Je ferais bien ceci ou cela. » Et la Harpie de répondre : « Quelle idée stupide ! Tout le monde s'en fiche. C'est trop simple. Crois-moi, tu n'as que des idées nulles. On va rire de toi. Tu n'as vraiment rien à dire. » Ainsi parle la Harpie.

Les excuses sont une autre forme de pollution. J'en ai entendu de toutes sortes de la bouche de femmes écrivains, peintres et autres artistes. « Oh, je vais m'y mettre un de ces jours. Je suis occupée, oui, j'arrive à écrire de temps en temps, d'ailleurs j'ai écrit deux poèmes l'an dernier... Oui, j'ai achevé un tableau et demi au cours des derniers dix-huit mois... Oui, la maison, les gosses, le mari, nécessitent une attention sans faille. Je n'ai pas assez d'argent, pas assez de temps, je ne peux démarrer avant d'avoir de plus beaux outils, une plus grande expérience, je ne le sens pas maintenant, je n'ai pas l'esprit à ça. Il me faut un jour entier, une semaine, un mois pour m'y plonger. Je ne... ne... ne... »

Le feu sur la rivière

Dans les années 70, la Cuyahoga River de Cleveland fut si polluée qu'elle commença à brûler. Le flot créateur, une fois pollué, peut ainsi soudain prendre feu. Ses flammes toxiques dévorent alors non seulement ce qui souille la rivière, mais aussi toutes les formes de vie. Si trop de complexes psychiques fonctionnent en même temps, cela peut causer d'immenses dommages à la rivière. Des complexes psychologiques négatifs viennent mettre en question votre valeur, vos intentions, votre sincérité, votre talent. Ils vous exhortent également à « gagner votre vie » d'une manière qui vous épuise, ne vous laissent pas un instant pour créer, détruisent votre volonté d'imaginer.

Quelques-unes des friponneries habituelles perpétrées sur la créativité féminine par des complexes malfaisants tournent autour de la promesse faite à l'âme de disposer de « temps pour créer » dans les brumes d'un lointain futur. Ou de la promesse que les choses démarreront lorsque la femme disposera de plusieurs jours à la suite. C'est du vent. Les complexes n'ont aucune intention de ce genre. Il s'agit seulement d'une autre façon d'étouffer dans l'œuf l'impulsion créatrice.

Les voix peuvent aussi murmurer : « Ton travail sera valable seulement si tu passes ton doctorat, si tu reçois les félicitations de la Reine, si tu obtiens telle ou telle récompense ou publies dans tel ou tel magazine, si, si, si... »

Les « seulement si » équivalent à peu près à des sucreries dont on bourrerait l'âme, ce qui n'a rien à voir avec une nourriture correcte. La plupart du temps, le complexe fait montre d'une logique des plus contestables, même s'il essaie de vous convaincre du contraire. Par exemple, et c'est là l'un des points les plus négatifs, il déclare que ce que vous faites n'aboutira pas parce que vous ne pensez pas ou n'agissez pas de manière logique. Or, les premières étapes de la création ne sont pas logiques – et elles n'ont aucune raison de l'être. Si le complexe arrive à vous stopper avec ce genre de raisonnement, vous êtes perdue. Dites-vous bien que la logique n'est pas ce qui mène le monde.

J'ai vu des femmes travailler de longues heures à des postes qu'elles méprisaient pour acheter des produits coûteux à leur compagnon, leurs enfants ou meubler leur maison, et laisser au rebut des dons remarquables. J'ai vu des femmes insister pour nettoyer la maison de fond en comble avant de pouvoir poser leurs fesses sur une chaise et se mettre à écrire – et vous savez ce que c'est que d'entretenir une maison : on n'en a jamais terminé... Impeccable, comme moyen d'arrêter une femme dans son élan.

Il faut faire attention à ne pas laisser la sur-responsabilité (ou la sur-respectabilité) voler les temps de repos et les moments de ravissement nécessaires à la création. Il faut simplement se poser et dire « non » à la moitié de ce que nous croyons « devoir » accomplir. On ne peut donner naissance à des créations artistiques uniquement dans les moments que l'on vole.

L'éparpillement des plans et des projets, comme sous l'action d'un vent mauvais, a lieu lorsque la femme essaie de mettre en œuvre une idée créatrice et que tout vient en quelque sorte emporter celle-ci, qui devient alors de plus en plus confuse et désorganisée. Elle ne poursuit pas concrètement son idée, parce qu'une fois de plus, elle manque de temps, ou que d'autres tâches l'appellent.

Parfois, c'est l'entourage qui ne comprend pas ou ne respecte pas son entreprise de création. Dans ce cas, c'est à la femme de lui faire comprendre que lorsqu'elle a « cette expression-là », ça ne veut pas dire qu'elle est une place vide attendant d'être occupée, mais qu'elle est en train de construire dans sa tête un fragile château de cartes et que si elle parvient à le transporter jusque sur la table sans qu'il s'effondre, elle réussira à rendre visible une image du monde invisible. Lui parler à ce moment-là, c'est faire souffler un vent de Harpie qui va tout faire voler en éclats. Et lui briser le cœur.

Une femme peut pourtant s'infliger cela en se persuadant qu'elle ne peut mener à bien ses idées au point de ne plus avoir aucune envie de se lancer, ou en ne mettant pas le holà à ceux qui s'emparent insidieusement de ses instruments de création, ou encore en ne s'équipant pas correctement pour exécuter son travail de création, en s'interrompant trop fréquemment ou en permettant à tout un chacun de l'interrompre, jusqu'à ce que ce le projet tombe en morceaux.

Si son environnement culturel est de ceux qui attaquent la fonction créatrice de ses membres, s'il entame ou anéantit les archétypes ou pervertit leur sens ou leur dessein, ceux-ci vont se trouver incorporés en l'état à la psyché de ces personnes, comme une force à laquelle on aura brisé les ailes et non comme une source vive génératrice de possibilités.

Lorsque ces éléments sont activés tels quels dans la psyché d'une femme, il est difficile d'avoir la moindre idée de ce qui ne va pas. Etre dans un complexe équivaut à être enfermée dans un sac noir. Elle se sait prisonnière de quelque chose, mais ignore quoi. Elle se trouve alors dans l'impossibilité temporaire d'organiser ses pensées, ses priorités et commence à agir sans pouvoir prendre de champ. Pareil comportement n'est pas toujours négatif – comme lorsqu'on dit « la première idée est toujours la bonne » – mais tel n'est malheureusement pas le cas.

Quand son processus de création est empoisonné ou embourbé, la femme essaie de ne pas tenir compte de l'état de l'animus. Elle travaillotte par-ci, par-là, mais rien de bien conséquent. Elle ne trompe qu'elle-même.

Donc, quand cette rivière meurt, elle est vidée de son contenu, de sa force de création. Les hindous affirment que sans la Çakti, personnification féminine de la force vitale, Shiva, qui incarne la capacité d'action, devient un cadavre. Elle est l'énergie qui donne vie au principe mâle et à son tour le principe mâle anime l'action dans le monde [11].

Nous voyons donc que la rivière doit avoir un équilibre raisonnable entre pollution et purification, mais il faut pour cela que son environnement immédiat puisse la nourrir et soit accessible. En matière de survie, on ne peut nier que moins les éléments essentiels, tels l'eau et la nourriture, la sécurité et un abri, sont disponibles, moins nombreuses sont les options. Et moins nombreuses sont les options, moindre est la créativité, car celle-ci se développe à partir des innombrables combinaisons des choses entre elles.

L'hidalgo destructeur du conte représente la partie profonde, mais immédiatement reconnaissable, d'une femme blessée. Il est son animus, qui la pousse à se battre, non pas avec la création – souvent, elle n'en n'arrive pas à ce point – mais pour établir un solide système de soutien interne qui va lui permettre de créer à volonté. Un animus sain est destiné à se mêler du travail de la rivière et il doit en être ainsi. Bien intégré, il est là pour aider, pour voir ce qu'il faut faire. Mais dans le conte *La Llorona*, il prend le contrôle, il empêche toute vie nouvelle et fait tout pour dominer la vie de la psyché. Lorsqu'un animus animé de mauvaises intentions obtient un tel pouvoir, la femme est susceptible de dénigrer son propre travail ou, au contraire, de faire semblant d'accomplir une tâche réelle. Dans ce cas, elle a de moins en moins d'occasions de créer. L'animus se renforce de plus en plus et dénigre son travail, le rend inauthentique en polluant la rivière.

Examinons d'abord les paramètres de l'animus en général, avant d'essayer de comprendre comment se détériore la vie créatrice d'une femme quand cet animus exerce une influence négative, et de voir ce qu'elle peut et doit faire à ce propos. La créativité doit être effectuée en pleine conscience. Elle reflète la pureté de la rivière. L'animus, qui fonde toute action extérieure, est l'homme de la rivière, celui qui protège la rivière et veille sur elle.

L'homme de la rivière

Avant de comprendre ce qu'a fait l'homme du conte en polluant la rivière, il nous faut examiner comment ce qu'il représente est censé être une structure positive dans la psyché d'une femme. Dans la définition jungienne classique, l'animus est la force de l'âme chez la femme et on la considère comme masculine. Certaines psychanalystes, toutefois, moi y compris, en sont venues, d'après leurs observations personnelles, à réfuter cette conception traditionnelle et à affirmer que chez la femme la source revivifiante n'est nullement masculine et étrangère à elle, mais qu'elle est féminine et lui est familière [12].

Je dois néanmoins reconnaître la grande pertinence du concept masculin de l'animus. Il existe une corrélation impressionnante entre les femmes que la création effraie – qui ont peur de manifester leurs idées au monde, ou le font au petit bonheur ou de manière irrespectueuse – et leurs rêves, qui peuvent souvent mettre en scène des hommes blessés ou qui blessent. Inversement, les rêves des femmes qui manifestent fortement leurs capacités de création comportent souvent une figure masculine forte qui apparaît régulièrement sous divers déguisements.

L'animus se conçoit plus aisément comme une force qui aide les femmes à agir pour elles-mêmes dans le monde extérieur. Il les aide à faire aboutir concrètement leurs pensées et leurs sentiments spécifiques – sur le plan émotionnel, sexuel, financier et autre – plutôt quc de le faire dans le cadre d'une structure calquée sur les standards masculins de développement imposés par la culture.

Les figures masculines dans les rêves des femmes semblent indiquer que l'animus n'est pas l'âme d'une femme, mais qu'il « appartient à, est issu de et va à » l'âme d'une femme [13]. Sous sa forme équilibrée et non pervertie, il est essentiellement un homme qui « jette un pont ». Ses capacités fabuleuses font de cette figure une sorte de marchand d'âme, qui travaille dans l'import-export de savoir et de produits. Il choisit ce qu'il y a de mieux sur le marché, veille à ce que les échanges s'effectuent correctement, obtient les meilleurs prix et suit les opérations de bout en bout.

Pour bien comprendre cela, on peut aussi imaginer que la Femme Sauvage, l'âme-Soi, est l'artiste, et l'animus le bras de cette artiste [14]. La Femme Sauvage est le conducteur, l'animus active le véhicule. Elle compose le chant, il l'orchestre. Elle imagine, il offre ses conseils. Sans lui, la pièce se crée dans la seule imagination, sans jamais s'écrire ni se jouer. Sans lui, la scène peut être pleine à craquer, le rideau ne s'ouvrira jamais et les projecteurs ne s'allumeront pas.

S'il fallait traduire l'animus sain en une métaphore espagnole, nous dirions qu'il est *el agrimensor*, l'arpenteur, qui effectue les relevés du terrain et mesure les distances entre deux points, détermine les limites et trace les frontières. On pourrait aussi l'appeler *el jugador*, le joueur, qui connaît l'art de placer les pièces du jeu. Ce sont là certains des aspects les plus importants d'un animus robuste.

L'animus fait donc un va-et-vient entre deux territoires et quelquefois trois : le monde souterrain, le monde intérieur et le monde extérieur. Toutes les idées, tous les sentiments d'une femme sont rassemblés et transportés par l'animus, qui est sensible à chacun de ces mondes. Il lui rapporte des idées « de l'extérieur » et emporte des idées issues de son âme-Soi de l'autre côté du pont, pour qu'elles portent du fruit et se retrouvent « au marché ». Sans celui qui construit et entretient ce pont entre les territoires, la vie intérieure de la femme ne peut se manifester convenablement au monde extérieur.

Nul besoin, en vérité, de l'appeler « animus ». On peut le qualifier par les mots, par les images que l'on veut. Mais il est important de comprendre qu'il existe actuellement dans le monde féminin une méfiance envers l'élément masculin ; pour certaines, il s'agit de la crainte d'« avoir besoin du masculin », pour d'autres, d'une pénible convalescence après avoir été écrasées. Généralement, cette attitude provient des traumatismes subis autrefois, quand les femmes étaient traitées comme des esclaves et non comme des personnes, traumatismes qui commencent à peine à cicatriser. La Femme Sauvage a encore à la mémoire le temps où l'on jetait à la décharge les femmes de talent, où une femme ne pouvait avoir d'idée qu'en la plantant et en la fertilisant en secret dans le jardin d'un homme, lequel la manifestait alors sous son propre nom.

Je crois en fin de compte que nous ne pouvons rejeter toute métaphore susceptible de nous aider à voir et à être. Je ne saurais pour ma part me servir d'une palette à laquelle manquerait le rouge, ou le bleu, ou le jaune. Vous non plus, d'ailleurs. Or, l'animus est une des couleurs primaires de la psyché féminine.

Ainsi, plus que *la* nature de l'âme féminine, l'animus, ou la nature contra-sexuelle des femmes, est une intelligence psychique profonde qui fait le va-et-vient entre les mondes, entre les différents nœuds de la psyché. Cette force a la capacité d'extravertir et d'agir les désirs du moi, de mener au-dehors les impulsions et les idées de l'âme, de rendre concrète, manifeste, la créativité de la femme.

La *manifestation* effective de pensées, d'impulsions et d'idées cohérentes est l'élément fondamental du développement positif de l'animus. Or, même si nous parlons ici d'un développement positif de l'animus, il faut introduire une mise en garde : c'est en pleine conscience et en s'examinant soi-même que l'on développe un animus intégral. Si l'on n'examine pas, à chaque pas que l'on fait, ses propres motifs, ses propres appétits, on obtient un animus peu développé, qui va vouloir et pouvoir, sans les avoir étudiés, mettre au jour des pulsions du moi, des ambitions aveugles et quantité d'appétits. En outre, l'animus est un élément de la psyché féminine auquel il faut régulièrement faire faire de l'exercice pour qu'il soit capable d'agir – et la femme également – de manière intégrale. Si, dans sa vie psychique, elle néglige cet animus utile, il s'atrophie, exactement comme un muscle qui serait resté immobile trop longtemps.

Bien que certaines femmes émettent la théorie qu'une nature guerrière féminine, la nature de l'Amazone, de la chasseresse, peut supplanter cet « élément masculin dans l'élément féminin », il existe à mes yeux de nombreuses nuances et couches de la nature masculine, comme un certain type d'élaboration intellectuelle des règles, des lois, des limites, qui sont d'une grande valeur pour les femmes vivant dans le monde actuel. Ces attributs masculins ne naissent pas du tempérament psychique instinctuel des femmes sous la même forme ou dans la même tonalité que celles qui proviennent de leur nature féminine [15].

Il me semble donc très utile, pour nous qui vivons dans un monde où il faut agir tant sur le plan méditatif qu'extérieur, de se servir du concept d'une nature masculine, ou animus, chez la femme. Quand il est équilibré, l'animus agit comme un aide, un assistant, un amant, un frère, un père, un roi. Cela ne signifie *pas* que l'animus est le roi de la psyché de la femme, comme on pourrait le déduire d'un point de vue patriarcal déformé, mais bien qu'il existe dans la psyché féminine un élément royal qui, s'il est développé convenablement, agit comme un intermédiaire et sert avec amour la nature sauvage. Sur le plan archétypal, le roi symbolise une force qui a pour but de travailler pour la femme et son bien-être et gouverne les territoires psychiques que l'âme et elle lui accordent.

Ainsi doit-il en être, mais dans le conte l'animus a cherché à atteindre d'autres buts aux dépens de la nature sauvage et, tandis que la rivière est de plus en plus souillée, son flot lui-même commence à empoisonner d'autres aspects de la psyché créatrice et tout particulièrement les enfants à naître de la femme.

Qu'est-ce que cela signifie lorsque la psyché a transmis à l'animus le pouvoir de la rivière et qu'il en fait un mauvais usage ? Quand j'étais enfant, quelqu'un me raconta qu'il était aussi facile de créer pour bien faire que de créer pour mal faire. Il ne m'a pas semblé que tel était le cas. Il est beaucoup plus difficile de garder claire l'eau de la rivière que de la laisser s'opacifier. Disons qu'il s'agit d'un défi naturel, que nous devons toutes affronter. Nous espérons trouver la solution à la pollution aussi rapidement et aussi complètement que possible.

Mais que se passe-t-il donc si quelque chose s'empare du flot de la création et le rend de plus en plus boueux ? Si nous sommes prises au piège, si nous commençons, non sans une certaine perversité, non seulement à y prendre plaisir mais à nous en servir pour gagner notre vie, pour nous sentir vivantes à travers lui ? Si nous l'utilisons pour nous tirer du lit le matin, pour nous mener quelque part, pour faire de nous quelqu'un vis-à-vis de nous-mêmes ? Ce sont là des pièges qui nous attendent toutes.

L'hidalgo du conte représente un aspect de la psyché féminine qui, pour parler familièrement, « a mal tourné ». Il a été corrompu et tire bénéfice de sa production de poison, il est, d'une manière ou d'une autre, obligé de mener cette existence malsaine. Il est pareil à un roi qui gouverne, mû par un appétit mal orienté. Il ne fait preuve d'aucune sagesse et ne sera jamais aimé par la femme qu'il prétend servir.

Pour une femme, c'est chose excellente d'avoir dans sa psyché un animus dévoué, fort, capable de voir loin, d'entendre ce qui se passe, tant dans le monde extérieur que dans le monde souterrain, capable de prédire ce qui va arriver, décrétant des lois et rendant la justice à la lumière de ce qu'il sent, de ce qu'il voit dans tous les mondes. Mais celui que nous voyons dans cette histoire est un infidèle. Au sein de la psyché féminine, l'animus bien constitué, hidalgo, roi ou mentor, est censé être capable de l'aider à concrétiser ses possibilités et ses buts, rendre manifestes les idées et les idéaux auxquels elle tient le plus, évaluer si les choses sont justes ou non, si elles ont ou non leur intégrité, veiller sur les armements, élaborer une stratégie lorsqu'elle est menacée, l'aider à unifier ses territoires psychiques.

Quand l'animus est devenu une menace comme dans le conte, la femme n'a plus confiance dans les décisions qu'elle prend. Au fur et à mesure que, du fait de sa partialité, son animus s'affaiblit, avec ses faussetés, ses larcins, ses manières vis-à-vis d'elle, l'eau de la rivière cesse d'être essentielle à la vie et devient un élément qu'il faut approcher avec la même méfiance qu'un tueur à gages. Alors naissent la famine sur les terres et la pollution dans la rivière.

Créer vient du latin *creare*, qui signifie « donner l'être, la vie, réaliser (quelque chose qui n'existait pas encore) [16] ». Quand on boit l'eau polluée de cette rivière, cela provoque l'arrêt de la vie intérieure et donc extérieure. Dans le conte, cette pollution est cause de déformation chez les enfants et ces enfants représentent des idées et des idéaux neufs. Ils représentent notre capacité à produire quelque chose à partir de rien. Nous prenons conscience de l'existence de cette déformation d'un nouveau potentiel lorsque nous commençons à mettre en question nos capacités et tout particulièrement notre légitimité à penser, à agir ou à être.

Les femmes qui ont des dons, même si elles revendiquent leur créativité, même si de belles choses jaillissent de leurs mains, de leur stylo, de leur corps, se posent toujours la question de savoir si elles sont de *vraies* écrivains, de *vraies* peintres, de *vraies* artistes, de *vraies* personnes. Et bien sûr qu'elles le sont, même si elles prennent plaisir à se torturer en s'interrogeant pour savoir ce qui est « vraiment vrai ». Une fermière est une vraie fermière quand elle promène son regard sur ses champs et songe aux récoltes. La fleur est une vraie fleur avant même qu'elle ne soit en bouton, l'arbre un vrai arbre quand il est encore une graine et il sera encore une vraie créature vivante quand il sera très vieux. Est vrai ce qui a en soi la vie.

L'animus ne se développe pas de la même manière chez toutes les femmes. Il n'a rien de la créature parfaitement formée qui naît de la cuisse d'un dieu. S'il a une qualité innée, il n'en reste pas moins qu'il doit « grandir » et recevoir un enseignement, une formation. Il est fait pour être une force directe. Mais lorsque les forces innombrables à l'œuvre au sein de la culture et de soi-même l'endommagent, quelque chose – lassitude, mesquinerie, ou ce qu'on appelle neutralité – vient s'interposer entre le monde intérieur de la psyché et le monde extérieur de la page blanche, de la toile vierge, du parquet de la salle de danse, de la salle de réunion. Ce « quelque chose » – généralement mécompris ou détourné de son but – opacifie la rivière, embourbe la pensée, fige le stylo et le pinceau, raidit les articulations, encroûte les idées neuves et donc nous fait souffrir.

Il se produit un curieux phénomène dans la psyché : quand une femme est affligée d'un animus négatif, toute tentative de création agit avec lui comme un détonateur, de sorte qu'il l'attaque. Qu'elle prenne un stylo et l'usine sur la rivière déverse ses poisons. Qu'elle envisage de suivre des cours et elle est stoppée dans son élan, asphyxiée par l'absence de soutien. Et s'accumulent les projets non réalisés, les travaux d'aiguille inachevés, les massifs de fleurs jamais plantés, les voyages jamais entrepris, les lettres jamais envoyées, les langues étrangères jamais apprises...

Ce sont là des styles de vie déformés. Ce sont là les enfants empoisonnés de *La Llorona*, tous jetés dans la rivière, dans ces eaux polluées qui les ont tant affligés. Dans le cadre archétypal le plus favorable, on peut envisager qu'ils renaissent de leurs cendres tel le phénix, sous une forme nouvelle. Mais ici quelque chose ne va pas au niveau de l'animus et la capacité de trier les pulsions et, plus encore, de rendre manifestes les idées à l'extérieur et de les mettre en œuvre s'exerce de travers. Et la rivière est tellement encombrée par les excréments des complexes qu'aucune vie nouvelle ne peut en émerger.

Et c'est là le plus pénible : il faut s'immerger dans la fange et, comme *La Llorona*, draguer la rivière à la recherche des dons précieux qu'elle recèle, à la recherche de notre vie créatrice. Sans compter qu'il faut aussi nettoyer la rivière, de façon à ce que *La Llorona* y voie clair et qu'avec elle nous puissions chercher les âmes des enfants afin de créer tranquillement de nouveau.

La culture aggrave la pollution des « usines », du fait du pouvoir immense qu'elle a de dévaluer le féminin – et de son incompréhension du rôle de « pont » joué par le masculin [17]. Trop souvent, la culture maintient l'animus féminin en exil en posant l'une de ces questions absurdes et insolubles que les complexes prétendent valables et qu'en conséquence les femmes redoutent : « Mais es-tu une *vraie* artiste (ou écrivain, mère, fille, sœur, épouse, maîtresse, professionnelle, danseuse, personne) ? » « As-tu *vraiment* des dons (du talent, de la valeur) ? » « As-tu *vraiment* quelque chose à dire qui vaille la peine (qui va aider l'humanité, soigner les rages de dents) ? »

Il n'est donc pas surprenant, quand l'animus d'une femme est aux prises avec des productions psychiques du genre négatif, que ses propres productions diminuent au fur et à mesure que baisse sa confiance dans ses capacités de création. Les femmes dans cette situation « ne voient pas comment s'en sortir ». Leur animus pompe tout l'oxygène de la rivière et elles « sont épuisées », elles subissent « une énorme perte d'énergie », et « ont l'impression que quelque chose les retient ».

Rendre la rivière à la rivière

Du fait de la nature de Vie/Mort/Vie, le Destin, les liens affectifs, l'amour, la créativité évoluent selon d'amples schémas sauvages qui se suivent dans cet ordre : création, accroissement, force, dissolution, mort, incubation, création et ainsi de suite. Le vol ou l'absence d'idées, de pensées, de sentiments est l'aboutissement d'un flot perturbé. Voici comment rendre la rivière à la rivière.

Acceptez ce qui nourrit, pour entreprendre de nettoyer la rivière. Quand une femme décline les compliments sincères qu'elle reçoit sur sa vie créatrice, il est évident que la rivière a été contaminée. La pollution peut être minime, comme lorsqu'elle déclare négligemment : « Oh, c'est très gentil à vous de me faire un pareil compliment », ou massive comme quand elle s'exclame : « Oh, ce vieux machin ? » ou « Tu as perdu la tête ! » ou, sur la défensive, « Evidemment, que je suis formidable, tu ne t'en étais pas aperçue ? » Ce sont autant de signes que l'animus est blessé. Le flot des bonnes choses coule dans cette femme mais il est immédiatement empoisonné.

Pour inverser le processus, il lui faut s'exercer à accepter le compliment, à le savourer, à combattre l'animus malfaisant qui veut affirmer à son auteur : « C'est ce que tu crois, mais tu ignores les âneries qu'elle a faites, si tu voyais comme elle est nulle, et ainsi de suite... »

Les complexes négatifs sont particulièrement attirés par les idées les plus juteuses, les plus merveilleuses, les plus révolutionnaires, par les formes les plus exubérantes de créativité. Il ne faut donc pas y aller par quatre chemins et mettre au repos le vieil animus, l'envoyer aux archives de la psyché, dans cette couche où nous classons les impulsions et les catalyseurs qui ont perdu leur substance. Là, ils deviennent des objets artisanaux, plus que des acteurs ou des affects, tandis qu'on en appelle à un animus qui va agir de manière plus positive.

Réagissez : ainsi nettoie-t-on la rivière. Les loups mènent une existence extraordinairement créatrice. Ils effectuent chaque jour des dizaines de choix, estiment une distance, se concentrent sur leur proie, calculent les chances, saisissent les occasions, réagissent avec force pour atteindre leurs buts. Les capacités qu'ils manifestent pour découvrir ce qui est caché, pour concrétiser les intentions, pour focaliser sur l'issue souhaitée et pour agir en fonction de cet objectif sont les caractéristiques exactes requises chez l'être humain pour mener sa créativité à son terme.

Pour créer, il faut être capable de réagir. La créativité, c'est la capacité de réagir à tout ce qui nous entoure, de choisir parmi les centaines de pensées, de sentiments, d'actions et de réactions qui naissent en nous et de les rassembler en une réponse, une expression, un message unique qui va transmettre un sens, la passion, l'esprit du moment. En ce sens, la perte du milieu dans lequel nous créons nous conduit à être limitées à un seul choix, privées de sentiments et de pensées ou poussées à les supprimer ou les censurer. On n'agit pas, on ne dit rien, on ne fait rien, on n'existe pas.

Soyez sauvage : ainsi nettoie-t-on la rivière. Sous sa forme originelle, la rivière n'arrive pas toute polluée, c'est nous qui nous chargeons de cela. Elle ne s'assèche pas, c'est nous qui en bloquons le cours. Si nous voulons lui rendre sa liberté, il nous faut libérer notre vie idéative, n'y mettre aucun barrage, ne rien censurer. Ainsi va la vie créatrice. Elle est faite d'un divin paradoxe. C'est un processus purement interne. Pour créer, il faut vouloir être complètement stupide, siéger sur un trône porté par un baudet et avoir des rubis qui nous jaillissent de la bouche. Alors la rivière coulera, alors nous pourrons nous tenir au beau milieu du courant en tendant nos tabliers pour en récolter un maximum.

Mettez-vous-y : ainsi nettoie-t-on la rivière. Vous avez peur, peur de ne pas réussir ? Alors, allez-y. Si vous devez échouer, vous échouerez et recommencerez. Autant de fois qu'il le faudra. Ce n'est pas l'échec qui nous retient, c'est le courage de recommencer qui manque et nous fait stagner. Vous avez peur, et alors ? Réglez le problème. Laissez votre peur bondir, laissez-la vous mordre. Quand ce sera fait, vous en aurez fini avec elle. Elle passera. Vous irez de l'avant. Mieux vaut prendre le taureau par les cornes que de se retrancher derrière cette peur pour ne pas dépolluer la rivière.

Votre temps est précieux, protégez-le : ainsi évite-t-on les polluants. Je connais une femme peintre farouche, qui vit ici, dans les Rocheuses. La route qui mène à sa maison est fermée par une chaîne sur laquelle, les jours où elle travaille, elle accroche un panneau qui indique : « Aujourd'hui, je travaille et ne reçois aucun visiteur. Je sais que vous pensez que cela ne s'applique pas à vous parce que vous êtes mon banquier, mon agent ou ma meilleure amie. Eh bien, si. »

Une femme sculpteur de ma connaissance, elle, accroche ce panneau à son portail : « Prière de ne pas déranger, sauf si j'ai gagné à la loterie ou si l'on a aperçu Jésus-Christ sur l'autoroute. » Comme vous pouvez voir, l'animus, quand il est bien développé, sait tracer ses limites.

Obstinez-vous : comment aller plus loin dans le refus de cette pollution ?

En faisant en sorte que rien ne vienne vous empêcher d'exercer l'animus bien intégré, en poursuivant vos travaux artistiques et vos raccommodages psychiques, que vous vous sentiez ou non suffisamment forte. En vous attachant s'il le faut au poteau, à votre chaise, votre bureau – partout où vous créez. Il est essentiel de prendre le temps nécessaire, même si c'est aussi souvent douloureux, de ne pas tenter d'échapper aux tâches difficiles qu'entraîne la lutte pour avoir le dessus. La vie créatrice, la vraie, est exigeante.

C'est en mettant une fois pour toutes le holà et en disant « Je tiens à ma vie créatrice plus que je ne tiens à collaborer à ma propre oppression », que vous bannirez ou transformerez les complexes négatifs rencontrés en chemin – vos rêves vous guideront dans la dernière partie de la route. Si vous vous montriez violentes avec vos enfants, les services sociaux interviendraient, si vous maltraitiez votre chien ou votre chat, ce serait la S.P.A. mais il n'existe aucune police de l'âme pour intervenir si vous persistez à affamer la vôtre. Vous êtes la seule à veiller sur l'âme-Soi et sur votre animus héroïque. Il ne suffit pas de leur donner de l'eau une fois par semaine, ou par mois, voire une fois par an. Chacun a son propre rythme circadien. Il a besoin de vous, de l'eau de votre travail de création tous les jours.

Protégez votre vie créatrice. Pour éviter l'*hambre del alma,* la faim de l'âme, il vous faut découvrir où est le problème et le régler. Pratiquer la création chaque jour. Ne laisser nul homme, nulle femme, aucune pensée, aucun compagnon, aucun ami, nulle religion, aucune activité professionnelle, aucune voix grincheuse vous conduire à la famine. Si nécessaire, montrez les dents.

Réalisez votre œuvre avec soin. Construisez cet abri, tout de chaleur et de connaissance et transférez-y votre énergie. Protégez votre âme, exigez une vie créatrice de qualité. Ne laissez pas vos complexes, votre culture, des détritus intellectuels, ni un chant des sirènes aristocratique, pédagogique ou politique la détourner de vous.

Alimentez la vie créatrice. Bien que les aliments convenant à l'âme soient nombreux, la plupart entrent dans l'une des quatre catégories fondamentales de la Femme Sauvage : le temps, l'appartenance, la passion, la souveraineté. Faites-en des stocks. Ils gardent pure l'eau de la rivière.

Une fois débarrassée des impuretés, la rivière peut couler librement. Les produits de la créativité d'une femme augmentent et continuent par la suite à croître et décroître selon un rythme naturel. Si une contamination intervient naturellement, elle sera efficacement neutralisée. La rivière redevient notre système nutritif, où nous pouvons nous abreuver sans crainte, en toute confiance, et calmer l'âme tourmentée de *La Llorona*, guérir ses enfants et les lui rendre. Nous pouvons arrêter le processus polluant de l'usine, asseoir un nouvel animus. Nous pouvons vivre comme nous l'entendons près de la rivière, nos nombreux bébés dans les bras, en leur montrant leur reflet dans l'eau claire, si claire.

Perte de concentration et usine à rêveries

En Amérique du Nord, on connaît surtout le conte *La Petite Marchande d'Allumettes* dans la version de Hans Christian Andersen. Le thème fondamental en est l'absence de nourriture, le manque de concentration et leurs conséquences. C'est un très vieux conte, que l'on raconte dans le monde entier sous des formes diverses. Parfois, il s'agit d'un vendeur de charbon qui utilise ses derniers boulets pour se chauffer tout en rêvant du passé, parfois le symbole des allumettes laisse la place à un autre, comme dans *Le Petit Marchand de Fleurs*, où l'on voit un homme au cœur brisé plonger le regard dans le cœur de ses dernières fleurs et quitter cette vie.

On peut considérer ces histoires de manière superficielle et les juger larmoyantes, mais ce serait une erreur de ne pas les approfondir. Elles représentent, à la base, l'expression profonde d'une psyché hypnotisée négativement à un point tel que la vie réelle commence à « mourir » en esprit [18].

C'est ma tante Katerina, arrivée aux Etats-Unis après la Seconde Guerre mondiale, qui m'a donné cette version de *La Petite Marchande d'Allumettes*. Au cours du conflit, son petit village de Hongrie avait été occupé à trois reprises par trois armées différentes. Elle commençait toujours l'histoire en disant qu'il n'est pas bon de faire de doux rêves dans des conditions difficiles, que lorsque les temps sont durs, les rêves doivent l'être aussi, les vrais rêves, ceux qui, si nous buvons notre lait à la santé de la Vierge Marie, se réaliseront.

La Petite Marchande d'Allumettes

Il était une petite fille qui n'avait ni père ni mère et vivait dans la sombre forêt. A la lisière des arbres, se trouvait un village. Elle pouvait y acheter pour un demi-penny des allumettes et les revendre dans la rue pour un penny. Si elle vendait suffisamment d'allumettes, elle s'achetait une croûte de pain, regagnait son grabat dans la forêt et s'endormait tout habillée dans les seuls habits qu'elle possédait.

L'hiver arriva. Le froid était extrême. Elle n'avait pas de chaussures et son manteau était si mince qu'on pouvait voir au travers. Ses pieds n'étaient même plus bleus, ils étaient blancs, tout comme ses doigts et le bout de son nez. Elle allait par les rues, demandant aux étrangers qui passaient s'ils ne voulaient pas lui acheter des allumettes. Mais nul ne s'arrêtait, nul ne lui prêtait attention.

Un soir, alors, elle se dit : « Je peux allumer un feu et me réchauffer », mais elle n'avait pas de petit bois et pas de bois du tout. Elle décida néanmoins d'enflammer les allumettes.

Elle était là, assise, les jambes allongées devant elle. Elle craqua sa première allumette et il lui sembla tout soudain que le froid et la neige avaient disparu. A la place des tourbillons de neige, elle vit une pièce, une pièce magnifique avec un grand poêle de céramique vert sombre et une porte de fer forgé. Le poêle émettait tant de chaleur que l'air, tout autour, semblait onduler. Elle se pelotonna près de lui. C'était divin.

Mais brusquement le poêle disparut. Elle était de nouveau assise dans la neige et claquait des dents sous la morsure du froid. Elle craqua sa deuxième allumette. La lumière éclaira le mur du bâtiment voisin et elle put soudain voir au travers. Dans la pièce, derrière le mur, il y avait une table couverte d'une nappe immaculée, avec, sur cette nappe, de la vaisselle de la plus fine porcelaine. Sur un plat, une oie tout juste rôtie était posée. Au moment où elle tendait la main vers ce festin, la vision disparut.

Elle se retrouva dans la neige. Ses genoux et ses hanches ne lui faisaient plus mal. Le froid lui mordait maintenant les bras et le torse et elle craqua sa troisième allumette.

Et à la lumière de cette troisième allumette, elle vit un arbre de Noël magnifique, superbement décoré de bougies, de rubans et de boules de verre, où brillaient tant et tant de petites lumières qu'elle n'aurait pu les compter.

Son regard se porta vers le sommet de cet arbre monumental, qui montait de plus en plus haut, vers le plafond, jusqu'à se confondre avec les étoiles au-dessus de sa tête. Soudain, une étoile traversa le ciel, et elle se souvint de sa mère qui lui racontait que lorsqu'une âme meurt, une étoile tombe.

Alors sa grand-mère surgit du néant, si chaleureuse, si gentille ; l'enfant fut tout heureuse de la voir. La grand-mère souleva son tablier et y enfouit la petite fille qu'elle entoura de ses bras. L'enfant était bien.

Mais la grand-mère commença à s'évanouir. L'enfant craqua allumette sur allumette pour la garder auprès d'elle... encore et encore... et encore... et toutes deux, la petite-fille et sa grand-mère, s'élevèrent ensemble vers le ciel, là où il n'y a plus ni froid, ni faim, ni douleur. Et au matin, entre les maisons, on retrouva l'enfant, immobile, partie pour toujours.

Ecarter les rêveries créatrices

L'enfant vit dans un environnement qui ne se préoccupe pas d'elle. Ce qu'elle possède, des petits bouts de bois avec du feu au bout – les débuts de toute possibilité de création –, n'a aucune valeur pour ce milieu. Si tel est votre cas, échappez-vous. Sur le plan psychique, l'enfant est dans une situation qui offre peu d'options. Elle s'est résignée à occuper sa « place » dans la vie. Refusez de le faire. Quand la Femme Sauvage est acculée, elle ne capitule pas, elle fonce, toutes griffes dehors.

Que va faire la petite marchande d'allumettes ? Si ses instincts étaient intacts, elle aurait le choix entre de nombreuses possibilités. Aller dans une autre ville, se glisser dans un endroit chauffé. La Femme Sauvage saurait ce qu'il faut faire ensuite, mais la petite marchande d'allumettes ne connaît plus la Femme Sauvage. La petite fille sauvage est gelée, il ne reste d'elle qu'une personne qui évolue comme dans une transe.

Il est essentiel, pour que coule le flot de la vie créatrice, que nous soyons entourées de personnes qui exaltent notre créativité. Sinon, nous gelons sur pied. Le chœur des voix, tant extérieures qu'intérieures, qui remarquent où nous en sommes, prennent soin de nous encourager et, si nécessaire, nous réconfortent, vient nous nourrir. Je ne saurais dire de combien d'amis chacune d'entre nous a besoin, mais il est essentiel qu'il y en ait au moins un ou deux qui croient que notre don, quel qu'il soit, est *pan de cielo*, le pain des anges. Toutes les femmes ont droit à un alléluia.

Quand elles sont livrées au froid, elles ont tendance à rêver et non à agir. Ces fantaisies-là les anesthésient. Je connais des femmes que la nature a doté d'une voix superbe. J'en connais qui sont des conteuses-nées : tout ce qui sort de leur bouche est exquisément ciselé. Mais elles sont isolées, ou ne se sentent pas autorisées à se servir de ce don, elles font preuve de timidité, ce qui est souvent une couverture pour un animus affamé. Elles parviennent difficilement à se sentir soutenues de l'intérieur, ou par des amis, leur famille, leur communauté.

Pour éviter de jouer les petites marchandes d'allumettes, il faut impérativement effectuer un geste essentiel. Il faut refuser de perdre votre temps avec ceux qui ne vous soutiennent pas dans votre art, dans votre vie. C'est dur, mais c'est vrai. Sinon, vêtue des oripeaux de la petite marchande d'allumettes, vous allez mener une vie réduite qui va geler toute pensée, tout espoir, vos dons, l'écriture, la peinture, le théâtre, la danse.

Il faudrait que la petite marchande d'allumettes recherche en premier lieu la chaleur, mais ce n'est pas le cas dans le conte. Elle essaie à la place de vendre ses allumettes, sa source de chaleur. Agir ainsi, c'est priver le féminin de chaleur, de richesse, de sagesse et de tout développement ultérieur.

La chaleur est un mystère. D'une certaine manière, elle nous guérit, nous engendre. Elle dénoue ce qui est trop serré, elle enrichit le flot, le mystérieux besoin d'*être*, le vol virginal des idées nouvelles.

Dans l'environnement où elle se trouve, la petite marchande d'allumettes ne peut s'épanouir. Il est dépourvu de chaleur, de petit bois, de bois. Que ferions-nous, à sa place ? Tout d'abord, nous pourrions refuser de nous laisser aller aux fantaisies qu'elle fait naître en craquant ses allumettes. Il y a trois sortes de fantaisies. La première, c'est lorsqu'on rêve pour le plaisir, une sorte de sucrerie pour l'âme, le rêve éveillé, par exemple. La deuxième, c'est l'imagination intentionnelle, qui ressemble à une réunion de planning. On s'en sert comme d'un véhicule qui conduit à l'action. Toutes les réussites – psychologiques, spirituelles, financières et artistiques – commencent par des rêveries de ce genre. Et puis il y a une troisième sorte de fantaisie, qui bloque tout, en entravant l'action adéquate au moment critique.

C'est malheureusement à cette dernière que la petite marchande d'allumettes s'abandonne, une rêverie qui n'a rien à voir avec la réalité. On a l'impression qu'on ne peut plus rien, ou qu'on n'y arrivera pas parce que c'est trop dur, alors autant plonger dans une rêverie pure. Parfois, tout se passe dans l'esprit de la femme, parfois cette rêverie naît d'une bouteille d'alcool, d'une seringue – ou de leur manque –, parfois elle est issue des nuits qu'il vaudrait mieux oublier, dans des chambres étrangères, avec des étrangers. Les femmes qui se trouvent dans ces situations jouent toutes les nuits les petites marchandes d'allumettes et se réveillent transies de froid au petit matin. Il y a plus d'une manière de se déconcentrer.

Qu'est-ce donc qui va inverser le mouvement et restaurer l'estime de l'âme, l'estime de soi ? Il nous faut trouver quelque chose de totalement différent de ce que possède la petite marchande d'allumettes, transporter nos idées en un lieu où elles vont être soutenues. C'est là un pas gigantesque, qui va de pair avec les objectifs : trouver ce qui va nous donner des soins nourriciers. Rares sont celles qui peuvent créer à partir de leur seule énergie. Nous avons toutes besoin des encouragements du ciel.

La plupart du temps, les gens ont de merveilleuses idées : peindre un mur de la couleur qu'ils aiment, élaborer un projet qui va impliquer tous les habitants de la ville, réaliser des carreaux pour la salle de bains et, s'ils les ont réussis, en vendre quelques-uns, reprendre des études, vendre la maison et voyager, avoir un enfant, abandonner ceci et entreprendre cela, aider à réparer une injustice, protéger les faibles...

Ce genre de projet a besoin d'être nourri, il a besoin d'un soutien vital – de la part de gens *chaleureux*. La petite marchande d'allumettes s'en va en morceaux. Il y a si longtemps qu'elle est en bas de l'échelle qu'elle a l'impression d'être en haut. A son niveau, personne ne peut s'épanouir, se développer. Nous avons besoin, comme les arbres et les plantes, de pouvoir nous tourner vers le soleil. Encore faut-il qu'il y ait un soleil. Pour cela, il nous faut *bouger* et non rester assises là. Sinon, notre situation n'évoluera pas et nous resterons dans la rue à vendre nos allumettes.

Le meilleur soleil du monde, c'est celui des amis qui nous aiment et offrent leur chaleur à notre vie créatrice. Quand une femme, comme la petite marchande d'allumettes, n'a aucun ami, elle est glacée par l'angoisse et quelquefois par la colère. Elle peut aussi avoir des amis qui n'ont rien d'un soleil. Ils peuvent la réconforter au lieu de l'informer de sa situation de gel progressif – ce qui n'a rien à voir avec le fait de lui donner des soins nourriciers. Or, en lui donnant ces soins nourriciers, ils la font bouger. Réconforter, c'est comme lorsqu'on a une plante malade à force de la garder dans un placard et qu'on lui dit des mots gentils. Donner des soins nourriciers, c'est sortir la plante du placard, la mettre au soleil, lui donner à boire et ensuite lui parler.

La femme qui est gelée et n'est aucunement l'objet de soins nourriciers est encline à se livrer à d'incessants rêves éveillés du genre « et si... » Mais, même glacée de la sorte, elle peut refuser le réconfort de la rêverie. Celle-ci va de façon certaine nous anéantir. Nous savons parfaitement comment cela se passe : « Un jour, je... », « Si seulement j'avais... », « Il changera... », « Si j'apprenais à me maîtriser... », « Quand je serai prête... Quand j'aurai assez de ceci, ou de cela... Quand les enfants seront grands... Quand j'aurai rencontré quelqu'un d'autre... »

La petite marchande d'allumettes a une grand-mère intérieure qui, au lieu de lui crier : « Debout ! Réveille-toi ! Va chercher de la chaleur, quel qu'en soit le prix ! », l'entraîne dans une vie rêvée, l'emmène au « paradis ». Mais le paradis ne va être d'aucune aide à la Femme Sauvage, à la petite fille sauvage prise au piège ou à la petite marchande d'allumettes dans cette situation. Ce sont des séductions, des distractions mortelles qui la détournent de la vraie tâche à accomplir.

La petite marchande d'allumettes se livre à un mauvais commerce lorsqu'elle vend ses allumettes, la seule chose qui pourrait lui tenir chaud. Quand les femmes sont coupées de l'amour nourricier de la mère sauvage, c'est comme si elles étaient astreintes à un régime de survie. Le moi parvient tout juste à subsister en allant se procurer une nourriture minimale au-dehors et en retournant chaque nuit à son point de départ pour y sombrer dans le sommeil, épuisé.

La petite marchande d'allumettes ne peut s'éveiller à l'avenir, car sa vie misérable ressemble à un portemanteau auquel elle s'accrocherait quotidiennement. Lors des initiations, passer un certain temps dans des conditions difficiles fait partie d'un processus qui coupe la personne de l'aisance et de la complaisance. En tant que passage initiatique, cette période se termine et la femme, après ce « ponçage », entame une vie spirituelle et créatrice nouvelle. Or, celle qui se trouve dans l'état de la petite marchande d'allumettes est aux prises avec une initiation qui, pourrait-on dire, va de travers. Les conditions hostiles ne servent pas à approfondir, mais à décimer. Il faut tout reprendre à zéro, dans un autre environnement, avec des soutiens et des guides différents.

Si l'on se place sur le plan historique, et tout particulièrement sous l'angle de la psychologie masculine, on voit que la maladie, l'exil, la souffrance sont souvent considérés comme un démembrement initiatique, parfois riche de sens. Mais il existe pour les femmes des archétypes additionnels d'initiation issus du psychisme et du physique féminins, comme le fait de donner le jour, la force du sang, le fait d'aimer ou d'être aimée d'un amour nourricier. Recevoir la bénédiction de quelqu'un que l'on respecte, bénéficier de l'enseignement et du soutien d'une personne plus âgée que soi, tout cela constitue des formes d'initiation intenses, qui possèdent leurs propres tensions et résurrections.

On pourrait dire que la petite marchande d'allumettes a été à la fois très près et très loin de l'étape transitoire qui aurait achevé son initiation. Elle dispose dans sa misérable existence du matériel nécessaire pour une expérience initiatique, mais il n'y a personne, ni en elle-même ni au-dehors, pour lui servir de guide dans le processus psychique.

Sur le plan psychique, l'hiver, pris au sens le plus négatif du terme, donne à tout ce qu'il touche le baiser de la mort – c'est-à-dire lui communique le froid. Ce froid sonne le glas de toute relation. Si l'on veut tuer quelque chose, il suffit de faire preuve de froideur. Dès que le gel s'empare des sentiments, des pensées et des actes de quelqu'un, aucune relation n'est désormais possible. Quand les êtres humains veulent se défaire d'un élément qui leur est intérieur ou laisser quelqu'un dans le froid, ils l'ignorent, le mettent à l'écart, restent en dehors de sa route pour ne même pas avoir à poser les yeux sur lui. Telle est la situation dans la psyché de la petite marchande d'allumettes.

La petite marchande d'allumettes erre dans les rues, demandant aux étrangers qu'elle rencontre de lui acheter des allumettes. Cette scène évoque un des aspects les plus déconcertants des instincts féminins endommagés : le don de la lumière moyennant un faible prix. Ces petites lumières rappellent celle, plus forte, qui brûle dans le crâne au bout d'un bâton dans l'histoire de Vassilissa. Elles représentent la sagesse, mais surtout, elles illuminent la conscience, remplaçant l'obscurité par la lumière et rallumant ce qui a été consumé. Le feu est le symbole principal de ce qui revivifie la psyché.

La petite marchande d'allumettes se trouve maintenant dans une grande nécessité et elle offre en fait quelque chose – une lumière – dont la valeur dépasse de beaucoup ce qu'elle reçoit en échange – un penny. Que cette « grande valeur offerte contre une moindre valeur en retour » soit à l'intérieur de notre psyché ou que nous en fassions l'expérience dans la vie courante, l'issue est la même : une perte d'énergie supplémentaire. Alors la femme ne peut plus subvenir à ses propres besoins. Quelque chose veut vivre et supplie, sans recevoir de réponse. Nous avons ici quelqu'un qui, comme Sophia, l'esprit de sagesse des Grecs, prend la lumière dans les abîmes, mais la dilapide dans des accès de rêverie inutile. Les piètres amants, les mauvais patrons, les situations d'exploitation, les complexes rusés de toute sorte tentent la femme pour qu'elle fasse ce genre de choix.

Quand la petite marchande décide de faire brûler ses allumettes, elle utilise ses ressources pour fantasmer au lieu d'agir, elle consume son énergie de façon momentanée. Cela se manifeste de façon évidente au cours d'une vie de femme. Elle est déterminée à poursuivre ses études, mais elle met trois ans à faire le choix de l'université. Elle décide de réaliser une série de tableaux, mais dans la mesure où elle manque de place pour les accrocher, elle ne fait pas de la peinture sa priorité. Elle veut faire ceci ou cela, mais elle ne prend pas le temps d'apprendre, de développer la sensibilité ou les dons essentiels pour réussir. Elle a une dizaine de carnets emplis de rêves, mais, prisonnière de sa fascination pour l'interprétation, elle ne peut se servir de leur signification pour agir. Elle sait qu'elle doit partir, commencer, arrêter, s'y mettre, mais elle ne le fait pas.

Nous voyons bien pourquoi. La femme complètement gelée sur le plan des sentiments, des sensations, ne ressent plus rien de ce qui la concerne, lorsque son sang, sa passion n'atteignent plus les extrémités de sa psyché, lorsqu'elle est désespérée; la vie qu'elle va fantasmer est alors beaucoup plus agréable que tout ce qu'elle a sous les yeux. La petite lumière de ses allumettes, n'ayant pas de bois à brûler, consume la psyché comme s'il s'agissait d'une bûche sèche. La psyché commence à se jouer des tours à elle-même. Elle existe maintenant dans le feu irréel où tous les besoins sont satisfaits. Ce genre de rêveries est pareil à un mensonge, que l'on finit par croire à force de le répéter.

Cette sorte d'angoisse de conversion, dans laquelle le fait de fantasmer des solutions irréalistes ou de rêver à des temps meilleurs atténue les problèmes et les questions, ne touche pas seulement les femmes. C'est la pierre d'achoppement de l'humanité tout entière. Dans la rêverie de la petite marchande d'allumettes, le poêle représente les pensées chaleureuses. Il est le symbole du centre, du cœur, du foyer. Il nous fait comprendre que ce dont elle rêve, c'est du vrai soi, du cœur de la psyché, de la chaleur d'une demeure intérieure.

Mais soudain, le poêle s'éteint. La petite marchande d'allumettes, comme toutes les femmes dans la même situation psychique, se retrouve de nouveau assise dans la neige. Il est évident, alors, que ce genre de rêverie est momentanée, mais extrêmement destructrice. Elle n'a rien d'autre à consommer que notre énergie. Même si une femme se sert de ses rêveries pour se tenir chaud, elle finit toujours par se retrouver dans le froid qui la congèle.

Et quand la psyché gèle, la femme est uniquement tournée vers elle-même. La petite marchande d'allumettes craque une troisième allumette. C'est le chiffre des contes de fées, le chiffre magique, le point au-delà duquel il devrait se passer des choses nouvelles. Mais dans le cas présent, le fantasme prend le pas sur l'action et rien de nouveau n'arrive.

L'ironie du sort veut qu'il y ait dans ce conte un arbre de Noël, un sapin, arbre à feuilles persistantes, issu du symbole pré-chrétien de l'immortalité de la vie. On aurait pu croire que cela sauverait l'enfant, cette idée de l'arbre toujours vert, de l'âme toujours en pleine croissance, en pleine évolution. Mais la pièce n'a pas de plafond. L'idée de la vie ne peut être contenue dans la psyché. L'enfant est hypnotisée.

Sa grand-mère est très chaleureuse, très gentille et pourtant, c'est la dernière dose de morphine, l'ultime gorgée de ciguë. Elle plonge la petite fille dans le sommeil de la mort. C'est, au sens le plus négatif du terme, le sommeil de la complaisance, de la torpeur – « Ça va, je peux le supporter », le sommeil du déni – « Je regarde de l'autre côté. » C'est le sommeil du rêve évcillé nocif, où l'on croit que toute peine va disparaître comme par enchantement.

Il est avéré, psychiquement parlant, que lorsque la libido ou l'énergie s'amenuise au point qu'on ne voit plus son haleine sur le miroir, une représentation de la nature de Vie/Mort/Vie apparaît, incarnée ici par la grand-mère. Son travail est de parvenir à ce que quelque chose meure, d'incuber l'âme qui a laissé son enveloppe derrière elle et de veiller sur elle jusqu'à ce qu'elle puisse renaître.

C'est cela qui est merveilleux, avec la psyché : même dans une fin aussi tragique que celle de la petite marchande d'allumettes, il y a un rayon de lumière. Quand une femme en a assez subi, la Femme Sauvage de la psyché insuffle à nouveau de la vie dans son esprit, lui permettant d'agir une fois de plus en son nom propre. Comme nous le voyons, d'après la dose de souffrance en cause, mieux vaut guérir de son addiction aux rêves éveillés que d'attendre en espérant être relevée d'entre les morts.

Réactiver le feu créateur

Imaginons maintenant que tout va bien : nos intentions sont claires, nous ne nous évadons pas de la réalité, nous sommes intégrées et notre vie créatrice est florissante. Il nous faut encore savoir ce que nous devons faire, non pas *si* nous nous déconcentrons mais *quand* nous nous déconcentrons, c'est-à-dire quand nous sommes à bout pendant un certain temps. Comment ? Après tous ces efforts nous ne serions plus concentrées ? Eh oui, mais c'est temporaire et c'est dans l'ordre des choses. Voici un très joli conte de fées que, dans notre famille, nous intitulons *Les Trois Cheveux d'Or*.

Dans notre famille, on dit que les histoires ont des ailes. Un certain nombre de celles dont je suis dépositaire est issu des Carpathes, qu'elles ont franchies avec ma famille adoptive magyare lorsque ses membres ont fui leur village au cours des guerres. Ceux-ci ont fait une halte dans l'Oural, avant de traverser l'océan vers l'Amérique du Nord et les histoires que leur expérience avait façonnées les ont accompagnés, à travers les vastes forêts, jusqu'à la région des Grands Lacs.

C'est ma « tante » Kata, élevée en Europe de l'Est, guérisseuse de talent et formidable faiseuse de prières, qui m'a donné le petit noyau de *Les Trois Cheveux d'or* et je l'ai développé ici. Au cours de mes recherches, j'ai repéré des histoires teutoniques et celtiques qui tournent autour du leitmotiv des « cheveux d'or » et sont très différentes. Le leitmotiv d'un conte, ou noyau, représente une jointure archétypale de la psyché. Telle est la nature des archétypes... ils laissent une trace d'eux-mêmes au point de contact avec la psyché. En tant que représentation symbolique, ils laissent parfois derrière eux une preuve – ils font leur chemin dans les histoires, les rêves, les idées de chaque mortel. Les archétypes constituent ce que l'on pourrait appeler un ensemble d'instructions psychiques qui, à travers le temps et l'espace, viennent apporter leur sagesse à chaque nouvelle génération.

Cette histoire a pour thème la façon dont on peut se recentrer. Se recentrer, faire une mise au point, c'est tout ensemble sentir, entendre et suivre les indications que donne la voix de l'âme. Beaucoup de femmes y réussissent parfaitement, mais quand elles perdent le contact, elles s'éparpillent comme un oreiller de plumes éventré.

Il est important d'avoir un récipient pour contenir tout ce que la nature sauvage nous fait entendre et ressentir. Pour certaines femmes, c'est leur journal, dans lequel elles consignent le moindre souffle de vent, pour les autres c'est leur art – elles l'écrivent, le peignent, le dansent. Vous vous souvenez de Baba Yaga ? Elle évolue dans le ciel dans un chaudron qui est en fait un mortier avec son pilon. En d'autres termes, elle possède un récipient dans lequel elle peut mettre des choses. Elle a une façon contenue de penser, de se déplacer d'un endroit à un autre. Contenir, telle est la solution au problème des pertes d'énergie en tout genre et à autre chose aussi, que nous verrons plus loin...

Les Trois Cheveux d'Or

Il était une fois, au cœur d'une de ces nuits profondes, d'une de ces nuits obscures où la terre est noire, où les arbres semblent des mains noueuses sur le ciel bleu marine, un vieil homme qui se frayait péniblement un chemin dans la forêt, à demi aveuglé par les branches et les rameaux qui lui écorchaient le visage. Dans une main, il tenait une minuscule lanterne, dont la chandelle diminuait de plus en plus. L'homme avait de longs cheveux jaunes, des dents jaunes toutes fissurées, des ongles jaunes incurvés. Il était tout courbé et son dos arrondi ressemblait à un sac de farine. Ses rides étaient si profondes que sa peau pendait comme des fanfreluches à son menton, à ses aisselles, à ses hanches.

Il s'accrochait à un arbre, et, tirant et poussant, avançait, puis s'accrochait à un autre et recommençait, de sorte qu'il parvenait ainsi à progresser dans la forêt, pareil à un rameur, le souffle court.

Ses pieds étaient en feu, jusqu'au plus petit os. Ses articulations semblaient grincer de la même voix que les hiboux dans les arbres. Dans le lointain, on apercevait une petite lumière qui vacillait, une chaumière, un feu, un foyer, un lieu de repos et c'est vers elle qu'il avançait si laborieusement. Quand il atteignit la porte, il était totalement épuisé. Sa lumière mourut et il s'effondra en entrant.

A l'intérieur, une petite vieille était assise devant un feu qui ronflait magnifiquement. Elle se précipita vers lui, le prit dans ses bras et le transporta près du foyer. On aurait cru une mère tenant son enfant dans les bras. Elle s'installa dans son fauteuil à bascule et se mit à le bercer. Ainsi étaient-ils tous deux, lui le vieil homme si frêle, un vrai sac d'os, et elle, la vieille femme si forte qui le berçait en disant : « Là, là, là. Là, là. »

Elle le berça toute la nuit. Et quand vint l'approche de l'aube, il avait rajeuni ; c'était maintenant un beau jeune homme aux cheveux dorés, aux muscles longs et forts. Elle continuait à le bercer : « Là, là, là. Là, là. »

Et quand le matin fut encore plus proche, le jeune homme s'était changé en un tout petit enfant, un bel enfant avec des cheveux dorés comme des épis de blé.

Quand ce fut l'instant de l'aube, exactement, la vieille femme arracha d'un geste rapide trois cheveux à la tête du bel enfant et les jeta sur les dalles. Ils firent : « Tiiing ! Tiiing ! Tiiing ! »

L'enfant alors quitta son giron et courut vers la porte. Il se retourna et regarda la vieille femme un moment, lui adressa un sourire éblouissant, puis, se retournant, il s'envola dans le ciel et devint le brillant soleil du matin [19].

La nuit, tout est différent. Aussi, pour comprendre cette histoire, devons-nous descendre vers un état de conscience nocturne, un état dans lequel nous sommes instantanément conscientes du moindre craquement. La nuit, c'est quand nous sommes au plus près de nous-mêmes, au plus près des idées et des sentiments essentiels que nous n'enregistrons pas avec la même acuité durant la journée.

Dans la mythologie, la nuit est le domaine de Mère Nyx, la femme qui créa le monde. Elle est la Vieille Mère des Jours, une des vieilles femmes de la Vie et de la Mort. Quand, dans un conte, c'est la nuit, nous sommes, au niveau de l'interprétation, dans l'inconscient, ce que *San Juan de la Cruz,* saint Jean de la Croix, appelait « la nuit obscure de l'âme ». Dans ce conte, la nuit représente un moment où l'énergie, sous la forme d'un vieil homme, faiblit de plus en plus.

Se déconcentrer, c'est perdre de l'énergie. Dans ce cas, il ne faut absolument pas se précipiter pour tenter de la rassembler. Se précipiter est la dernière chose à faire. Le conte nous montre la voie : il faut s'asseoir et bercer. La patience, la paix, le balancement sont ce qui renouvelle les idées. Tenir les idées dans ses bras, les bercer patiemment représente pour certaines femmes un véritable luxe. La Femme Sauvage nous enseigne que c'est une nécessité.

Les loups savent cela parfaitement. Quand un intrus apparaît, ils peuvent grogner, aboyer, ou même le mordre, mais ils peuvent aussi demeurer à bonne distance et rester tranquillement en famille. Ils respirent ensemble, leur cage thoracique se soulève. Ils sont en train de se recentrer, de reprendre pied, de rentrer en eux-mêmes pour décider de ce qu'ils doivent faire ensuite. Ils décident qu'ils « ne vont rien faire pour le moment, simplement rester assis là, juste à respirer, à se bercer ».

Il y a pourtant des moments, quand les idées ont du mal à se mettre en place ou à fonctionner, où nous nous déconcentrons. C'est une attitude qui fait partie d'un cycle naturel. Elle intervient lorsque l'idée commence à être viciée ou que n'avons plus la capacité de l'envisager avec fraîcheur. Nous avons vieilli et ressemblons au vieil homme des *Trois Cheveux d'Or*. Il existe certes maintes théories sur les « blocages » de la créativité, mais la vérité est que les plus légers vont et viennent telles les saisons – à l'exception des blocages psychologiques dont nous avons parlé plus haut, comme la peur d'être rejetée, la crainte de dire ce que l'on sait, le doute sur ses propres capacités, la pollution du flot fondamental, le choix de rester dans la médiocrité ou d'être une pâle imitation de quelqu'un, entre autres.

Cette histoire est excellente, car elle suit le cycle d'une idée dans sa totalité, la petite lumière – l'idée elle-même, bien entendu – qui finit par être épuisée et s'éteint presque, tout cela dans le cadre de son cycle naturel. Dans les contes de fées, quand quelque chose de mauvais arrive, cela signifie qu'il faut tenter du neuf, introduire une énergie nouvelle, consulter quelqu'un qui aide, guérit, une force magique.

Nous revoyons ici *La Que Sabe*, la femme âgée-de-deux-millions-d'années, « celle qui sait ». Etre tenu dans ses bras devant le feu, c'est être restauré, remis en état [20]. C'est vers ce feu, vers ses bras que se traîne le vieil homme, car sans eux il va mourir.

Le vieil homme s'est épuisé dans les tâches que nous lui donnons. Avez-vous jamais vu une femme travailler comme si elle avait le démon à ses trousses et finir par s'effondrer sans pouvoir aller plus loin ? Son animus n'en peut plus. Il a besoin que *La Que Sabe* le berce. La femme dont les idées ou l'énergie se sont amenuisées ou taries a besoin de connaître le chemin vers cette vieille *curandera*, guérisseuse, et doit pouvoir mener auprès d'elle l'animus fatigué pour qu'il soit remis à neuf.

J'ai parmi mes patientes de nombreuses femmes qui sont profondément impliquées dans des activités sociales. Il ne fait aucun doute qu'au tournant de leur cycle, elles sont vidées et se traînent dans la forêt sur des jambes de vieillardes, leur lanterne vacillante, prête à s'éteindre. C'est le moment où elles déclarent : « J'en ai assez. Je plaque tout, je leur rends mon coupe-file, mon badge, ma carte d'affiliation, mon... », quoi que ce soit d'autre. Elles vont filer en Australie, ou se planter devant la télé sans jeter un regard au-dehors, ou s'installer dans un village où rien ne se passe jamais, bref elles vont désormais s'occuper d'elles-mêmes et de rien d'autre... et ainsi de suite.

Même si c'est la fatigue et la frustration qui les font parler ainsi, je leur dis alors que c'est une excellente idée : il est temps pour elles de se reposer. A quoi elles rétorquent d'une voix grinçante : « Me reposer ! Comment pourrais-je me reposer alors que l'univers est en train de s'effondrer juste sous mes yeux ? »

Mais au bout du compte, une femme doit se reposer, bercer, se recentrer. Elle doit rajeunir, retrouver son énergie. Elle croit ne pas pouvoir, mais elle le peut, car le cercle des femmes, qu'elles soient mères de famille, étudiantes, artistes ou militantes, se referme toujours pour que d'autres puissent partir prendre un peu de repos. La femme qui crée doit pouvoir se reposer et reprendre plus tard son travail écrasant. Elle doit aller dans la forêt voir la vieille femme, celle qui revivifie, la Femme Sauvage sous l'un de ses nombreux leitmotive. La Femme Sauvage *s'attend* à ce que l'animus soit régulièrement épuisé. Elle n'est pas choquée de le voir s'effondrer en passant sa porte. Elle est prête. Elle ne va pas se précipiter vers nous, affolée. Simplement, elle nous relève et nous tient dans ses bras jusqu'à ce que nous ayons pu retrouver notre pouvoir.

Nous n'avons d'ailleurs pas à paniquer quand nous n'avons plus d'élan ou que nous nous déconcentrons, mais, comme elle, nous devons tranquillement tenir notre idée et rester en sa compagnie. Que nous soyons centrées sur l'épanouissement de soi-même, sur les problèmes qui se posent dans le monde ou sur les relations affectives, cela importe peu, l'animus s'épuisera de toute façon. Lors des tâches de longue haleine – terminer ses études, finir un manuscrit, s'occuper d'une personne malade – vient toujours le moment où l'énergie a vieilli et s'effondre.

Il est préférable que les femmes en prennent conscience au moment où elles se lancent dans ces tâches, car elles ont tendance à se laisser surprendre par l'épuisement. Alors elles se mettent à gémir, à marmonner, à murmurer au sujet de l'échec, de l'inadéquation. Non, non ! Cette perte d'énergie est dans la Nature.

En affirmant l'existence d'une force éternelle chez l'homme, on est dans l'erreur. Il s'agit là d'une introjection culturelle qu'il faut chasser de la psyché. Cette conception erronée conduit tant les énergies masculines du paysage intérieur que des hommes au sein de cette culture à éprouver un sentiment d'échec s'ils se sentent fatigués ou ont besoin de repos. Les uns comme les autres ont tout naturellement besoin d'un temps de repos pour reprendre des forces. La nature de Vie/Mort/Vie fonctionne de façon cyclique et s'applique à tout et à tous.

Dans le conte, nous voyons trois cheveux d'or jetés sur le sol. Il existe un dicton dans ma famille : « Jette un peu d'or à terre ». Il dérive du *desprender las palabras*, qui, dans la tradition des conteurs, *cuentistas*, et guérisseurs de ma famille, signifie se défaire de quelques mots de l'histoire afin de la rendre plus efficace, plus forte.

La chevelure est le symbole de la pensée, qui est issue de la tête. Le geste d'ôter quelques cheveux au petit garçon l'allège, d'une certaine manière, le fait briller encore plus. De même une idée, une entreprise fatiguées peuvent briller plus si vous leur ôtez un peu de substance, comme le sculpteur qui taille un peu plus dans le marbre pour mieux révéler une forme cachée en dessous.

Otez trois cheveux à votre idée et jetez-les au sol, où ils agiront comme une sorte de réveil, en produisant un bruit semblable à une sonnerie qui va réveiller l'activité dans l'esprit. Le son que font en tombant certaines de vos idées devient comme l'annonce d'une nouvelle ère ou d'une nouvelle occasion à saisir.

En réalité, la vieille *La Que Sabe* est en train d'élaguer un peu le masculin. Nous savons que la taille du bois mort permet à l'arbre de pousser plus robuste, que le fait de pincer certaines plantes les fait s'étoffer. Pour la femme sauvage le cycle de croissance et de décroissance est naturel. C'est un processus archaïque. Depuis la nuit des temps, les femmes ont approché de cette manière le monde des idées et leurs manifestations extérieures, et la vieille femme du conte nous enseigne à nouveau comment nous y prendre.

Quel est le sens de cette régénération et de cette concentration, de ce rappel de ce que l'on a perdu ? Elles ont pour but d'aller droit à l'essentiel des choses de la vie de chacune d'entre nous, parce que là se trouvent notre plaisir, notre bonheur, notre paradis, un lieu où l'on a le temps et la liberté d'être, de flâner, de s'émerveiller, d'écrire, de chanter, un lieu d'où la peur est absente. Quand les loups ont vent du plaisir ou du danger, ils commencent par se figer dans une parfaite immobilité. Ils ressemblent à des statues, parfaitement concentrés, afin de pouvoir entendre, voir, sentir ce qui est *là*, sous sa forme la plus élémentaire.

C'est ce que nous offre la nature sauvage : la capacité de voir ce qui est devant nous par le biais de la concentration, en s'arrêtant pour observer, renifler, écouter, sentir, goûter. Cette concentration fait appel à tous nos sens, y compris l'intuition. C'est dans ce monde-ci que les femmes se rendent pour revendiquer leur propre voix, leurs propres valeurs, leur imagination, leur clairvoyance, leurs histoires et leur mémoire antique. Telles sont les tâches de la concentration et de la création. Si vous êtes déconcentrées, asseyez-vous calmement. Prenez l'idée et bercez-la. Ne gardez pas tout d'elle, jetez-en un peu et elle se régénérera. Il n'est besoin de rien d'autre.

11

LA CHALEUR : RETROUVER UNE SEXUALITÉ SACRÉE

Les Déesses sales

Un être habite le sous-sol sauvage de la nature féminine. C'est notre nature sensorielle, et, comme toute créature intégrale, elle a ses propres cycles naturels et nutritifs. Elle pose des questions, a des relations, éclate d'énergie à certains moments, est beaucoup plus calme à d'autres. Elle réagit aux stimuli qui impliquent les sens : la musique, le mouvement, la nourriture, la boisson, la paix, la tranquillité, la beauté, l'obscurité [1].

C'est cet aspect de la femme qui possède de la chaleur. Entendons-nous bien : nous ne parlons pas de chaleur au sens de « Vite, chéri, fais-moi l'amour », mais d'un feu sous-jacent qui brûle avec plus ou moins de force, selon des cycles. Grâce à l'énergie ainsi libérée, la femme agit comme elle l'entend. La chaleur d'une femme n'est pas un état d'excitation sexuelle, mais un état de conscience sensorielle intense qui inclut sa sexualité sans s'y limiter pour autant.

On pourrait écrire des pages et des pages sur la façon dont on use et abuse de la nature sensorielle des femmes, comme sur la façon dont les autres et elles-mêmes l'attisent à l'encontre de ses rythmes naturels, ou au contraire tentent de l'éteindre complètement. Consacrons-nous plutôt à étudier un aspect qui est fondamentalement sauvage et dégage une bonne chaleur qui nous tient chaud au cœur. Dans les temps modernes, cette expression sensorielle n'a fait l'objet que d'un délai de grâce de la part des femmes et on l'a même bannie en nombre d'endroits et de périodes.

Il existe un aspect de la sexualité féminine qu'on appelait dans l'Antiquité l'obscénité sacrée. Il ne faut pas comprendre le terme « obscénité » au sens où nous l'entendons actuellement ; il s'agit d'une sagesse de la sexualité pleine d'esprit, en quelque sorte. A une époque, il existait des cultes de Déesses voués en partie à une sexualité féminine irrévérencieuse. Les rites n'avaient rien de désobligeant, mais touchaient à des aspects de l'inconscient qui restent mystérieux aujourd'hui encore et sont loin d'avoir tous été répertoriés.

L'idée même du caractère sacré de la sexualité, et plus précisément de l'obscénité en tant qu'aspect d'une sexualité sacrée, est vitale pour la nature sauvage. Dans les cultures matriarcales de l'Antiquité, il existait des Déesses de l'obscénité, ainsi nommées pour leur lascivité innocente mais maligne. Le langage courant nous rend difficile la compréhension du terme « Déesses obscènes » d'une manière exempte de vulgarité. Il suffit pour cela de jeter un œil sur les définitions que nous donnent les dictionnaires, où le mot *obscène* – du vieil hébreu, *ob*, qui signifie sorcier, sorcière – se voit renvoyé au mot « sale » et à la notion d'impureté qui l'accompagne *. On comprend alors pourquoi cet aspect du culte ancien des Déesses a été repoussé sous la surface.

Malgré cette entreprise de dénigrement, des fragments d'histoire ont survécu aux diverses purges dans la culture mondiale. Ils nous montrent que l'obscénité n'a rien de vulgaire, mais qu'elle ressemble plus à une créature naturelle fantastique dont vous aimeriez qu'elle vienne vous rendre visite et devienne l'une de vos meilleures amies.

Il y a quelques années, quand j'ai commencé à raconter « des histoires de Déesses sales », mes auditrices souriaient, puis riaient à l'écoute des exploits de ces femmes, personnes réelles ou personnages mythologiques, qui s'étaient servies de la sexualité, de la sensualité, pour faire un bon mot, pour alléger la tristesse et ainsi rétablir ce qui allait de travers dans la psyché. J'ai été frappée, également, par la façon dont les femmes approchaient le rire sur ces sujets. Il leur fallait d'abord se débarrasser de leur éducation, qui leur disait qu'un tel rire était indigne d'une femme bien élevée.

Or, j'ai vu de quelle manière le fait de se comporter comme une femme bien élevée dans une situation inappropriée pouvait vous étouffer au lieu de vous permettre de respirer. Pour rire, il faut pouvoir alterner rapidement les expirations et les inspirations. Nous savons, par le biais de la kinésiologie et de différentes thérapies corporelles comme l'Hakomi, qu'inspirer nous fait ressentir nos émotions et que lorsqu'on souhaite ne rien ressentir, on retient sa respiration.

En riant, la femme peut vraiment respirer et, ce faisant, commencer à ressentir des émotions non autorisées. En fait, il s'agit moins de sensations que du soulagement d'émotions et, dans certains cas, de remèdes

---

* En anglais, le dictionnaire donne *dirty* – qui signifie « sale » et viendrait de l'islandais « *drit* », « excrément » – comme équivalent à *obscène* dans l'expression « *dirty word* », « mot *obscène* », mais aussi « terme offensant ». La langue française établit également un lien entre « obscène » (du latin *obscenus*, de mauvais augure) et « sale » (« une histoire sale »), mais renvoie plutôt, dans le langage courant, au cochon, « animal malpropre », utilisé comme adjectif dans l'expression « histoire cochonne » (« *dirty story* »), par exemple. *(N.d.T.)*

pour des émotions, comme la libération de pleurs refoulés ou le rappel de souvenirs oubliés, ou encore la rupture des chaînes qui tiennent prisonnière la personnalité sensuelle.

Il est devenu évident à mes yeux que l'importance de ces anciennes Déesses de l'obscénité se mesurait à leur capacité de lâcher cc qui était trop serré, de remonter l'humeur, de placer le corps dans un état qui n'a rien à voir avec l'intellect, de laisser libres certains passages. C'est le corps qui rit en entendant les histoires de Coyote *, de l'Oncle Trungpa [2], et autres. Par leur humour et leur malice, les Déesses obscènes envoient dans le système nerveux et le système endocrinien une forme vitale de remède.

Les trois histoires qui suivent incarnent l'obscénité au sens où nous l'entendons ici, c'est-à-dire une sorte d'enchantement sexuel/sensuel qui provoque une émotion bénéfique. Deux sont anciennes, la troisième est moderne. Elles parlent des Déesses sales, que j'appelle ainsi parce qu'elles sont longtemps restées souterraines. Au sens positif, elles appartiennent au sol fertile, à la boue de la psyché – substance créatrice d'où est issue toute chose. En fait, les Déesses sales représentent un aspect de la Femme Sauvage à la fois sexuel et sacré.

Baubo : la Déesse du ventre

Il existe une expression imagée : *Ella habla por en medio en las piernas*, « Elle parle avec son entrejambe ». On trouve les petites « histoires d'entrejambe » dans le monde entier et parmi elles, celle de Baubo, déesse de la Grèce antique dite « Déesse de l'obscénité ». Elle a d'autres noms, plus anciens, comme *Iambé*, et à l'évidence les Grecs ont emprunté cette déesse à des cultures plus anciennes. Les Déesses Sauvages archétypales de la sexualité sacrée et de la fertilité de la Vie/Mort/Vie ont existé depuis l'origine des temps.

Une seule référence écrite à Baubo nous est parvenue, ce qui incite à penser que son culte a été anéanti, piétiné par les vagues de conquêtes successives. Je suis persuadée que, quelque part sous les collines et les forêts lacustres d'Europe et d'Orient, gisent des temples qui lui sont dédiés, remplis d'objets et d'effigies [3].

Ce n'est donc pas un hasard si l'on a peu entendu parler de Baubo, mais, vous vous souvenez, un seul fragment d'archétype peut transmettre l'image de la totalité. Et ce fragment nous l'avons, sous la forme d'une histoire où nous voyons apparaître Baubo, l'une des plus charmantes et des plus picaresques sommités de l'Olympe. Voici ma version de *cantadora*, de conteuse, fondée sur les vestiges sauvages de Baubo que l'on peut encore

---

* Personnage de la mythologie indienne, héros d'histoires populaires. *(N.d.T.)*

voir luire au sein des mythes grecs de l'époque post-matriarcale et des hymnes homériques.

DÉMÉTER, Mère de la terre, avait une fille très belle, nommée Perséphone. Un jour que Perséphone jouait dans un champ, elle aperçut une fleur particulièrement jolie et tendit la main vers elle pour y enfouir son ravissant visage. Soudain, le sol se mit à trembler. Une faille s'y ouvrit et Hadès, dieu des Enfers, surgit des entrailles de la terre, grand et puissant dans son char noir tiré par quatre chevaux à la robe aux teintes fantomatiques.

Hadès s'empara de Perséphone et l'emmena dans son char au plus profond de la terre, ses voiles volant au vent. Les cris de Perséphone se firent de moins en moins perceptibles, tandis que la fracture du sol se ressoudait, comme si rien ne s'était passé.

Les appels de la jeune fille montèrent vers les rochers des montagnes, vinrent crever comme des bulles d'air à la surface de la mer. Déméter entendit les montagnes crier et l'eau appeler. Puis soudain, ce fut le silence et le parfum des fleurs piétinées s'éleva.

Alors Déméter arracha les bandeaux de son immortelle chevelure et, déroulant ses voiles sombres, elle s'élança comme un grand oiseau au-dessus des terres à la recherche de sa fille, criant le nom de Perséphone.

Cette nuit-là, une vieille femme qui se tenait au seuil d'une caverne fit remarquer à ses sœurs qu'elle avait entendu dans la journée trois cris : une voix très jeune qui hurlait de terreur, une autre qui lançait des appels plaintifs et une troisième, les pleurs d'une mère.

Perséphone restait introuvable. Ainsi commença pour Déméter la longue quête affolée de son enfant chérie. Déméter demanda partout si l'on n'avait pas vu sa fille, fouilla chaque parcelle, chaque creux, chaque aspérité du terrain, ragea, pleura, cria, supplia qu'on ait pitié, réclama qu'on la tue : en vain. Impossible de trouver sa fille bien-aimée.

Alors, elle qui était maîtresse de la croissance, se mit à maudire tous les champs fertiles du monde, hurlant dans son malheur : « Meurs, meurs, meurs ! » Et cette malédiction fit que nul enfant ne pouvait voir le jour, nul épi de blé ne poussait pour le pain, nulle fleur pour les fêtes, nul rameau pour les morts. Tout dépérissait. La terre aride, les mamelles desséchées n'avaient plus rien à donner.

Déméter elle-même ne se lavait plus, ses vêtements étaient maculés de boue, ses cheveux pendaient. Même si, dans son cœur, la douleur vacillait, elle n'abandonnait pas. Après maintes recherches stériles, elle finit par s'effondrer auprès d'un puits, dans un village où elle était inconnue. Tandis qu'elle adossait son corps douloureux à la fraîcheur de la pierre, une femme s'approcha, ou plutôt une sorte de femme. Elle s'avança vers Déméter d'un pas dansant, en ondulant des hanches d'une façon qui évoquait l'acte sexuel et en agitant les seins. Quand Déméter la vit, elle ne put empêcher un léger sourire de naître sur ses lèvres.

De fait, c'était là une créature magique, car elle n'avait pas de tête, ses yeux se trouvaient à la place des mamelons et sa vulve lui tenait lieu de bouche. Et c'est avec cette jolie bouche qu'elle se mit à régaler Déméter de quelques plaisanteries bien salées. Déméter commença par sourire, puis gloussa, avant d'émettre un rire profond, un rire venu du ventre. Ainsi les deux femmes, la petite Déesse du ventre Baubo et la puissante Déesse de la Terre Mère Déméter, rirent-elles de concert.

C'est ce simple rire qui tira Déméter de sa dépression et lui rendit suffisamment d'énergie pour qu'elle continue à rechercher sa fille. Avec l'aide de Baubo, de la vieille Hécate et d'Hélios, le soleil, ses recherches finirent par être couronnées de succès. Perséphone fut rendue à sa mère et le monde, le sol et le ventre des femmes portèrent de nouveau du fruit.

J'ai toujours eu un faible pour cette petite Baubo. Je l'aime plus que les autres déesses de la mythologie grecque et peut-être même plus que toute autre figure. Il ne fait aucun doute qu'elle est la descendante des Déesses du ventre du néolithique, mystérieusement dépourvues de tête et quelquefois de pieds et de bras. On ne peut les réduire à des Déesses de la fertilité, car elles sont en fait beaucoup plus que cela. Elles sont les talismans des propos de femmes, vous savez, ceux qu'on ne tiendrait pour rien au monde devant un homme, sauf circonstances très exceptionnelles.

Elles représentent une sensibilité et des expressions uniques au monde, les seins, les lèvres de la vulve, par l'intermédiaire desquelles les femmes éprouvent des sensations qu'elles sont les seules à connaître. Et cet être qui rit avec son ventre est pour elles l'un des meilleurs remèdes qu'elles puissent avoir.

J'ai toujours pensé que le papotage autour d'une tasse de café était le vestige d'un très ancien rituel féminin, un rituel dans lequel les femmes se réunissent, parlent avec leurs tripes, ne se cachent pas la vérité, s'amusent comme des folles et se sentent revivre. Et quand elles retournent chez elles, tout va mieux.

Il est parfois difficile d'éloigner les hommes afin de rester entre soi. Je sais seulement que dans l'Antiquité, les femmes encourageaient les hommes à « aller à la pêche ». Cette ruse ancestrale leur a permis depuis toujours de satisfaire leur besoin de vivre de temps en temps dans une atmosphère uniquement féminine, seules ou en compagnie d'autres femmes, ce qui est un cycle féminin naturel.

L'énergie masculine est quelque chose de formidable, mais c'est un peu comme si on abusait des chocolats. On a envie, après, d'un bol de riz et d'eau fraîche pour se laver l'estomac. Il faut le faire de temps à autre.

Et puis, la petite déesse Baubo nous transmet l'idée intéressante qu'un peu d'obscénité peut aider à faire céder la dépression. Il est vrai que certaines formes de rire, nées de ces histoires, usées, ressassées, que les femmes se racontent, stimulent la libido. Ces histoires-là nous redonnent goût à l'existence.

Mettons donc dans notre trésor de petites histoires « cochonnes » à la Baubo. Ce sont des remèdes puissants. Ces histoires peuvent non seulement aider à chasser la dépression mais encore supprimer la colère, l'humeur noire et rendre la femme plus heureuse. Essayez, vous verrez.

Quant aux deux aspects de l'histoire de Baubo que j'évoquerai maintenant, je n'en dirai pas grand-chose, car c'est un sujet qui se discute entre femmes seulement et en petit comité...

Baubo a une particularité, elle voit avec ses mamelons. Pour les hommes, c'est là un pur mystère, mais quand je le suggère à des femmes, elles hochent la tête avec enthousiasme en disant : « Je comprends parfaitement ce que vous voulez dire ! » Voir avec ses mamelons est indubitablement un attribut sensoriel. Les mamelons sont des organes psychiques, qui réagissent à la température, à la peur, à la colère, au bruit. C'est un organe des sens au même titre que les yeux.

Quant à « parler avec la vulve », il s'agit, sur le plan symbolique, de parler avec les *primae materiae*, au niveau le plus fondamental, le plus honnête de la vérité – l'*os*, la bouche vitale. Il n'y a rien à ajouter, sinon que c'est du fond du filon le plus profond de la mine, des profondeurs au sens littéral du terme que Baubo parle. Dans l'histoire de Déméter cherchant sa fille, personne ne sait quels mots Baubo lui adresse. Mais nous pouvons en avoir une petite idée.

Coyote Dick

Pour moi, les blagues que Baubo a racontées à Déméter avaient pour thème ces transmetteurs et ces récepteurs aux formes harmonieuses : les parties génitales. Et si tel fut le cas, elle lui a raconté une histoire dans le genre de celle qui suit, que j'ai entendue il y a quelques années de la bouche du gérant d'un parc de caravanes de Nogales. Il s'appelait Old Red et prétendait avoir du sang indien.

Il n'avait pas mis son dentier et arborait une barbe de deux jours. Sa gentille épouse, la vieille Willowdean, avait un visage charmant mais meurtri. Elle me raconta qu'elle avait eu le nez cassé dans une bagarre de bar. Le couple possédait trois Cadillac, dont aucune ne marchait. Elle avait un chien, un chihuahua, qu'elle gardait dans un petit parc pour bébé dans la cuisine. Lui était du genre à ne pas quitter son chapeau pour aller aux toilettes.

J'étais à la recherche d'histoires et avait garé ma petite caravane sur leur terrain. « Dites-moi, connaissez-vous des histoires sur ces parties-là ? » demandai-je – je désignais par ce terme les environs.

Cela mit Old Red en joie. Il jeta à sa femme un regard espiègle. Puis, avec un sourire appuyé, il lança d'un ton provocant : « Je vais lui causer de Coyote Dick.

– Red, ne lui raconte pas cette histoire, s'il te plaît, Red[4].

– Je vais lui causer de Coyote Dick », insista-t-il.

Willowdean se tourna de biais sur sa chaise, la main sur les yeux comme si elle était devenue aveugle.

Voici ce que me raconta Old Red, précisant qu'il tenait cette histoire « d'un Navajo qui la tenait d'un Mexicain qui la tenait d'un Hopi ».

IL était une fois Coyote Dick, la plus chouette et la plus bête des créatures qui se puisse rencontrer. Il avait toujours faim de quelque chose, il jouait tout le temps des tours à des gens pour obtenir ce qu'il voulait et il passait le reste de son temps à dormir.

Un jour que Coyote Dick dormait, son pénis commença à s'ennuyer ferme. Il décida d'abandonner Coyote et de s'aventurer de son côté. Il se détacha donc de Coyote Dick * et courut sur la route. En fait, il sautillait sur la route, puisqu'il n'avait qu'une jambe, évidemment.

Il continua ainsi à sautiller. Ça l'amusait énormément. Il quitta alors la route et atterrit dans les bois, ouh là là !, en plein milieu des orties. Aïe, hurla-t-il. Ouille, ouille, ouille ! couina-t-il, au secours !

Tout ce vacarme finit par réveiller Coyote Dick et, quand il chercha de la main la manivelle qui, habituellement, le remettait en route, il n'y avait plus rien ! Coyote Dick se mit à courir sur la route, la main entre les jambes. Il finit par tomber sur son pénis dans l'état qu'on imagine. Avec douceur, Coyote Dick retira son pénis aventureux des orties, le caressa et le calma, puis il le remit à sa place.

Old Red hurlait de rire. Les larmes lui coulaient, les hoquets l'étouffaient.

« Et voilà l'histoire du vieux Coyote Dick », finit-il par dire.

Willowdean le tança.

---

* Dick est le diminutif du prénom Richard, mais ce terme est aussi employé pour désigner familièrement le pénis. *(N.d.T.)*

« Tu as oublié la fin.
– Quelle fin ? Je lui ai dit la fin, grommela Old Red.
– Eh, vieille calebasse, tu as oublié de lui raconter la vraie fin.
– Ben raconte-lui toi-même, puisque tu t'en souviens si bien... »
On sonna à la porte et Old Red se leva de sa chaise grinçante.
Willowdean me lança un regard brillant. « La fin de l'histoire, c'est sa morale », dit-elle. A ce moment, Baubo s'empara de la vieille femme, qui se mit à glousser, hoqueter, à avoir le ventre secoué par le rire et les yeux pleins de larmes. Il lui fallut bien deux minutes pour prononcer les trois phrases suivantes, en répétant chaque mot deux ou trois fois entre deux hoquets.

« La morale de l'histoire, c'est que même quand Coyote Dick a eu sorti sa bite des orties, ça a continué à le démanger comme un furieux ! C'est pourquoi les hommes se coulent vers les femmes avec dans l'œil ce petit air du " ça me démange terriblement ". Vous voyez, cette bite universelle a des démangeaisons depuis qu'elle a pris la poudre d'escampette pour la première fois. »

Je ne sais ce qui, là-dedans, fut le détonateur, mais je me pliai en deux et nous restâmes là, Willowdean et moi, à nous tordre de rire dans sa cuisine et à donner des coups de poing sur la table jusqu'à perdre quasiment tout contrôle musculaire.

A mes yeux, c'est exactement le genre d'histoires que Baubo racontait. Son répertoire inclut tout ce qui fait rire les femmes de la sorte, sans entraves, sans craindre de montrer ses amygdales, d'avoir le ventre qui pend, ou les seins qui tressautent. Il y a quelque chose de différent dans le rire d'origine sexuelle. Le rire « sexuel » semble atteindre les profondeurs de la psyché, libérant un grand nombre d'éléments, jouant sur nos os et communiquant une exquise sensation à tout le corps. C'est une forme de plaisir sauvage qui appartient au répertoire psychique de chaque femme.

Le sacré et la vie sensuelle/sexuelle sont très proches l'un de l'autre à l'intérieur de la psyché. Tous d'eux viennent en effet à notre connaissance, à travers un sens de l'émerveillement, non par le biais de l'intellectualisation, mais par l'expérience du corps, expérience momentanée ou éternelle de quelque chose – baiser, vision, rire profond, qu'importe – qui nous change, nous fait sortir de nous-mêmes, nous porte au pinacle, adoucit notre caractère, nous fait éclater de vie.

Il y a toujours, dans le sacré, l'obscène, le sexuel, un rire sauvage qui guette – le bref passage d'un rire silencieux, ou un rire d'ancienne qui en a beaucoup vu, ou un rire animal, sauvage, ou le trille qui monte et descend la gamme. Le rire est un aspect secret de la sexualité féminine, un aspect physique, primitif, passionné, vitalisant et donc excitant. C'est le genre de sexualité dépourvue de but, au contraire de l'excitation génitale. C'est une sexualité joyeuse, une sexualité du moment, un véritable amour sensuel qui se libère, vit, meurt et revit de par sa propre énergie. Il est sacré parce qu'il a valeur de guérison. Il est sensuel parce qu'il réveille le corps et les émotions, parce qu'il excite et fait naître des ondes de plaisir. Il n'est pas unidimensionnel, car le rire se partage. C'est la sexualité la plus sauvage de la femme.

Voici un autre aperçu des Déesses sales et des histoires que se racontent les femmes. C'est une histoire que j'ai découverte étant enfant. Les enfants en entendent beaucoup plus que les adultes ne le pensent.

Une visite au Rwanda

C'était à Big Bass Lake, dans le Michigan. J'avais douze ans environ. Toutes les adorables femmes de ma famille, ma mère et mes tantes, après avoir fait le petit déjeuner et le déjeuner d'une quarantaine de personnes, se reposaient dans des chaises longues au soleil, en bavardant et plaisantant. Les hommes étaient partis « à la pêche » – autrement dit, ils se donnaient du bon temps en jurant et en se racontant leurs propres blagues.

Je jouais non loin des femmes. Soudain, j'entendis des cris aigus. Inquiète, je me précipitai vers elles. Mais ce n'étaient pas des cris de douleur. Elles hurlaient de rire et, entre deux hoquets, une de mes tantes répétait : « ... Couvert le visage... couvert le visage ! » Et cette phrase mystérieuse les plongeait dans de nouveaux accès de fou rire.

Elles rirent ainsi jusqu'à s'en étouffer pendant un très long moment. Ma tante avait sur ses genoux un magazine. Un peu plus tard, lorsque toutes les femmes somnolèrent au soleil, je subtilisai le magazine qu'elle tenait encore d'une main endormie et m'installai sous sa chaise longue pour le lire avec de grands yeux. Sur la page à laquelle le magazine était ouvert était rapportée une anecdote de la Seconde Guerre mondiale, que l'on pourrait raconter à peu près comme ceci :

LE général Eisenhower s'apprêtait à aller passer ses troupes en revue au Rwanda. (Ç'aurait pu être le général MacArthur ; ç'aurait pu être Bornéo, en ce qui me concernait. Les noms ne me disaient pas grand-chose à l'époque.) Le gouverneur tenait à ce que toutes les femmes africaines se tiennent sur le bord de la route de terre battue lorsque le général passerait dans sa jeep et poussent des cris de bienvenue en agitant les bras. Le seul problème, c'est que les femmes indigènes ne portaient pour tout vêtement qu'un collier de perles de couleur et, quelquefois, une mince lanière de cuir autour de la taille.

Impossible, donc. Le gouverneur appela le chef de la tribu et lui exposa l'affaire. « Tout ira bien », dit l'homme. Si le gouverneur pouvait fournir quelques dizaines de blouses et de jupes, il se faisait fort de veiller à ce que les femmes s'en revêtent pour cet événement. Le gouverneur et les missionnaires procurèrent les vêtements.

Le jour de la grande parade, néanmoins, on découvrit, quelques minutes à peine avant que la jeep d'Eisenhower ne fît son apparition sur la route, que les femmes africaines portaient les jupes, mais pas les blouses, qu'elles avaient laissées chez elles, car elles ne leur plaisaient pas. Et elles étaient là, bien rangées des deux côtés de la route, en jupe mais les seins nus, et pas de sous-vêtements, pas un fil de plus sur elles.

En entendant cela, le gouverneur faillit avoir une attaque. Il tança le chef de tribu, qui lui certifia avoir parlé avec la déléguée des femmes et avoir reçu d'elle l'assurance que celles-ci étaient d'accord pour se couvrir les seins à l'arrivée du général.

– Tu en es sûr ? hurla le gouverneur.

– Parfaitement sûr.

Il était trop tard pour discuter. On ne peut donc qu'imaginer la réaction du général Eisenhower quand, à l'arrivée de sa jeep, les femmes aux seins nus soulevèrent l'une après l'autre leur jupe dans un geste gracieux pour s'en couvrir le visage.

Sous la chaise longue, j'étouffai mon rire. C'était l'histoire la plus folle que j'aie jamais entendue, une histoire merveilleuse, incroyablement excitante. En même temps, intuitivement, je savais que c'était un produit de contrebande et je la gardai pour moi des années durant. Chaque fois que j'avais un moment difficile, et même à la veille de mes examens à l'université, je pensais aux femmes du Rwanda qui se couvraient le visage de leur jupe, en pouffant derrière sans aucun doute. Cela me faisait rire et me réconfortait, me recentrait.

C'est là, sans aucun doute, l'autre aspect bénéfique des blagues entre femmes et des rires partagés : ils deviennent un remède pour les périodes pénibles et vous renforcent pour plus tard. C'est du bon sexe, du sexe propre, du sexe cochon. Pouvons-nous imaginer que le sexuel, l'irrévérencieux, soient sacrés ? Oui, surtout quand ils sont un remède et permettent de restaurer l'intégrité du cœur, de le réparer. Jung avait remarqué que lorsque quelqu'un venait dans son cabinet en se plaignant d'un problème sexuel, il s'agissait plus souvent d'un problème yant trait à l'esprit et à l'âme. Quand une personne parlait d'un problème spirituel, il s'agissait souvent d'un problème de nature sexuelle.

En ce sens, on peut faire de la sexualité un remède pour l'esprit et elle est en conséquence sacrée. Quand le rire sexuel est *un remedio*, un remède, c'est un rire sacré. Et tout ce qui provoque un rire qui soigne est de même sacré. Quand le rire aide sans faire de mal, quand il éclaire, réaligne, remet en ordre, réaffirme force et pouvoir, ce rire-là est générateur de santé. Quand le rire rend les gens heureux de vivre, heureux d'être là où ils sont, plus conscients de l'amour, quand il fait disparaître leur tristesse et les coupe de la colère, il est sacré. Ce qui nous rend plus forts, meilleurs, plus généreux, plus sensibles est sacré.

Il y a largement la place, dans l'archétype de la Femme Sauvage, pour la nature des Déesses sales. Dans la nature sauvage, le sacré et l'irrévérencieux, le sacré et le sexuel ne sont pas séparés mais vivent ensemble, tel, me semble-t-il, un groupe de très vieilles femmes qui attendent, un peu plus loin sur la route, que nous leur rendions visite. Elles sont là, dans notre psyché et, en nous attendant, elles testent leurs histoires les unes sur les autres et rient comme des folles.

12

MARQUER LE TERRITOIRE : LES LIMITES DE LA RAGE ET DU PARDON

L'ours au croissant de lune

Sous la tutelle de la Femme Sauvage, nous revendiquons l'antique, l'intuitif, le passionné. Quand notre vie reflète la sienne, nous agissons de manière cohérente. Nous allons jusqu'au bout des choses, ou, si nous ne savons comment nous y prendre, nous apprenons. Nous faisons ce qu'il faut pour faire connaître nos idées. Nous nous reconcentrons quand c'est nécessaire, veillons à nos rythmes personnels, nous rapprochons des amis et des compagnons qui sont en accord avec les rythmes nourriciers et intégraux. Nous choisissons d'avoir des liens avec ceux qui enrichissent notre vie instinctive et créatrice. Nous faisons tout pour enrichir les autres. Et nous avons le désir de donner, si besoin est, à nos compagnons qui se révèlent réceptifs, des leçons sur les rythmes sauvages.

Mais la maîtrise des choses comporte un autre aspect, qui a trait à ce qu'on ne peut appeler autrement que la rage féminine. Une rage qu'il faut libérer. Quand les femmes se souviennent de ce qui est à l'origine de cette fureur, elles ont l'impression qu'elles vont grincer des dents jusqu'à la fin des temps. Curieusement, nous éprouvons aussi le besoin de l'exprimer, car elle est nuisible et déstabilisante. Il nous tarde d'en finir avec elle.

Pourtant, il ne sert à rien de la réprimer. Autant vouloir enfermer des flammes dans un sac de paille. Il n'est pas bon, non plus, d'échauffer les autres et nous-mêmes avec. Nous voici donc avec une émotion forte, que nous n'avons, nous semble-t-il, pas demandé à ressentir. C'est un peu comme les déchets toxiques : ils sont là, personne n'en veut et pourtant il existe quelques rares endroits où il est possible de s'en débarrasser. Il faut aller loin pour trouver où les enterrer. Voici une version littéraire d'un conte court japonais, que je raconte dans le détail depuis des années. Je l'intitule *Tsukino Waguma*, « l'Ours au croissant de lune ». Je suis sûre qu'il peut nous aider à y voir clair en la matière. Le noyau de l'histoire m'a été donné, sous le titre « l'Ours », par le sergent I. Sagara, vétéran de la Seconde Guerre mondiale, qui était soigné dans l'Illinois, au Hines Veteran's Assistance Hospital, il y a maintenant de nombreuses années.

L'Ours au Croissant de Lune

IL était une fois une jeune femme qui vivait dans une forêt de pins odorants. Depuis des années, son mari était parti à la guerre. Quand il fut enfin libéré, il rentra chez lui dans une humeur de chien. Il refusa d'entrer dans la maison, ayant pris l'habitude de dormir sur la pierre, et il passa son temps dans la forêt, la nuit comme le jour.

A l'annonce de son retour, la jeune femme fut folle de joie. Tout excitée, elle courut faire des achats, revint, cuisina, repartit, recommença. Elle prépara des plats et des plats, trois sortes de poissons, trois sortes d'algues, de grosses crevettes orange froides, des monceaux de riz blanc saupoudré de piment rouge, des bols et des bols d'exquis fromage de soja.

Avec un sourire timide, elle porta la nourriture dans la forêt et, s'agenouillant devant son époux épuisé par la guerre, elle lui offrit le superbe repas qu'elle avait préparé. Mais il se leva d'un bond et donna un coup de pied dans les plateaux. Le fromage de soja se renversa, les poissons sautèrent en l'air, les algues et le riz s'éparpillèrent sur le sol et les grosses crevettes orange roulèrent sur le sentier.

« Laisse-moi seul ! » rugit-il. Il lui tourna le dos, dans une rage telle qu'elle eut peur. Et cela se reproduisit jusqu'à ce qu'en désespoir de cause, la jeune épouse finisse par aller trouver la guérisseuse qui vivait à l'extérieur du village, dans une caverne.

« La guerre a profondément meurtri mon mari, dit-elle. Il est perpétuellement furieux et il ne mange rien. Il veut vivre dehors et non plus avec moi, comme avant. Pouvez-vous me donner une potion qui le rendra aimant et attentif comme avant ? »

La guérisseuse répondit : « C'est possible, mais j'ai besoin d'un ingrédient particulier. Malheureusement, il ne me reste plus de poils d'ours au croissant de lune. Il faut donc que tu escalades la montagne, que tu trouves l'ours et que tu me rapportes un seul poil du croissant de lune que son pelage forme sur sa gorge. Je pourrai alors te donner ce que tu veux et la vie sera belle de nouveau. »

La tâche en aurait découragé plus d'une, mais pas l'épouse, car c'était une femme amoureuse. « Oh, je vous suis très reconnaissante, dit-elle. C'est bon de penser qu'on peut faire quelque chose. »

Elle se prépara donc pour le voyage. Elle chantonna « *Arigato zaishö* », ce qui est une façon de saluer la montagne et signifie : « Merci de me laisser escalader ton corps. »

Elle escalada les premiers contreforts, avec leurs rochers comme des grosses miches de pain, puis parvint à un plateau recouvert par une forêt dont les arbres avaient de longs rameaux semblables à des draperies et des feuilles pareilles à des étoiles.

« *Arigato zaishö* », chantonna-t-elle. C'était une façon de remercier les arbres de soulever leur chevelure afin qu'elle puisse passer en dessous. Elle put donc progresser dans la forêt et reprit son ascension.

Il était devenu plus difficile d'avancer. Des fleurs pleines d'épines s'accrochaient à l'ourlet de son kimono et des rochers égratignaient ses mains minuscules. Des oiseaux bizarres volaient à sa rencontre dans le crépuscule. Cela lui faisait peur. Elle savait que c'était des *muen-botoke*, des esprits des morts sans famille et elle chantonna des prières à leur intention : « Je serai votre parente. Je vous permettrai de connaître le repos. »

Elle continua de grimper, car c'était une femme amoureuse. Elle grimpa jusqu'à ce qu'elle aperçût de la neige sur le sommet de la montagne. Bientôt, ses pieds furent froids et humides. Elle continua cependant de grimper, de plus en plus haut, car c'était une femme amoureuse. Une tempête se leva ; la neige lui entra dans les yeux et dans les oreilles, l'aveugla. Elle continua cependant de grimper. Et quand la neige cessa de tomber, la femme chantonna : « *Arigato zaishö* », pour remercier les vents d'avoir cessé de l'aveugler.

Elle alla s'abriter dans une caverne profonde, si étroite qu'elle eut du mal à s'y glisser. Bien qu'elle eût un sac empli de provisions, elle ne mangea pas, mais se recouvrit de feuilles et s'endormit. Au matin, tout était calme. On apercevait ici et là dans la neige de petites feuilles vertes. « Bon, se dit-elle, cherchons maintenant l'ours au croissant de lune. »

Elle chercha toute la journée. Vers le crépuscule, elle découvrit de grosses crottes et n'eut pas besoin d'aller plus loin. La silhouette d'un gigantesque ours noir se découpait sur la neige. Avec un rugissement furieux, l'ours se dirigea vers sa tanière en laissant derrière lui de profondes traces et y pénétra. La jeune femme ouvrit son sac et plaça dans un bol la nourriture qu'elle avait apportée, puis déposa le bol à l'extérieur de la tanière, avant de courir se mettre de nouveau à l'abri. Alléché par l'odeur de la nourriture, l'ours sortit de sa tanière en se dandinant. Il rugit si fort que de petites pierres se détachèrent de la montagne. Il s'approcha alors à bonne distance de la nourriture, en dessinant un cercle, huma le vent, avant d'avaler les aliments en une seule bouchée. Puis, se redressant sur ses pattes de derrière, il regagna sa tanière.

Le lendemain soir, l'épouse recommença. Elle déposa la nourriture, mais cette fois, au lieu de faire retraite vers son abri, elle resta à mi-chemin. L'ours sentit la nourriture, s'extirpa de sa tanière, poussa un rugissement à décrocher les étoiles, dessina un cercle autour des aliments, huma précautionneusement le vent, mais finit par engloutir la nourriture et retourna dans sa tanière. Et ainsi de suite, pendant de nombreux soirs, jusqu'à ce que, par une nuit d'un bleu profond, la femme se sentît suffisamment de courage pour attendre un peu plus près encore de la tanière.

Elle laissa la nourriture dans le bol à l'extérieur de la tanière et demeura près de l'entrée. Quand l'ours renifla l'odeur des aliments et sortit à pas pesants, il découvrit, outre la nourriture habituelle, une paire de petits pieds humains. Il tourna la tête de côté et poussa un rugissement si puissant que les os vibrèrent dans le corps de la femme.

La femme trembla, mais ne recula pas. L'ours se dressa sur ses pattes de derrière, fit claquer ses mâchoires et rugit si fort que la femme put voir jusqu'au fond de son palais rouge et brun. Mais elle ne s'enfuit pas. L'ours rugit encore, tendit ses pattes antérieures en avant comme pour s'emparer d'elle. Ses dix griffes restaient suspendues comme autant de longs couteaux au-dessus du crâne de la femme. Celle-ci tremblait comme une feuille dans le vent mauvais, mais elle ne céda pas un pouce de terrain.

« S'il te plaît, cher ours, supplia-t-elle, j'ai fait tout ce chemin parce que j'ai besoin d'un remède pour mon mari. » L'ours reposa ses pattes avant à terre en faisant jaillir la neige et dévisagea la femme effrayée. Un moment, elle crut voir dans le vieux, vieux regard de l'ours le reflet de chaînes de montagnes, de vallées, de rivières, de villages et une grande paix l'envahit, tandis qu'elle cessait de trembler.

« S'il te plaît, cher ours, je t'ai nourri tous ces derniers soirs. Pourrais-je avoir l'un des poils du croissant de lune sur ta gorge ? » L'ours fit une pause. Cette petite femme était de la nourriture facile pour lui. Mais soudain, une vague de pitié à son égard le submergea. « Il est vrai, dit l'ours au croissant de lune, que tu as été bonne pour moi. Tu peux prendre l'un de mes poils, mais fais vite, puis va-t'en. »

L'ours leva son mufle, dévoilant le croissant de lune blanc sur sa gorge et la femme put voir les pulsations de son cœur, qui battait là. Elle posa une main sur le cou de l'ours et de l'autre saisit un seul poil brillant, puis tira d'un coup sec. L'ours recula et poussa un cri de douleur, qui laissa bientôt la place aux grogrements de quelqu'un que l'on dérange.

« Oh, merci, cher ours, merci beaucoup. » La femme faisait de petits saluts, encore et encore. Mais l'ours fit un pas en avant en grognant. Il rugit à l'adresse de la femme des mots qu'elle ne pouvait comprendre et qu'il lui semblait pourtant connaître depuis toujours. Elle fit demi-tour et dévala la montagne à toutes jambes. Elle courut sous les arbres dont les feuilles étaient en forme d'étoiles, en criant « *Arigato zaishö* », pour remercier les arbres de soulever leurs rameaux afin de lui livrer passage. Elle trébucha sur les rochers qui ressemblaient à de grosses miches de pain en criant « *Arigato zaishö* », pour remercier la montagne de lui permettre de marcher sur son corps.

Malgré ses vêtements en lambeaux, sa chevelure défaite et son visage maculé, elle descendit en courant les marches de pierre qui conduisaient au village, emprunta la route de terre battue, traversa la petite bourgade et pénétra dans la cabane où la vieille guérisseuse était en train d'attiser le feu.

« Regardez, regardez ! s'écria la jeune femme. Je l'ai, je l'ai trouvé, je l'ai obtenu, le poil de l'ours au croissant de lune !

– Bien », dit la guérisseuse en souriant. Elle regarda la jeune femme, prit le poil d'un blanc pur et l'éleva vers la lumière. Elle le soupesa dans sa vieille main, le mesura avec un doigt et s'exclama : « Oui, c'est là un authentique poil de l'ours au croissant de lune. »

Puis elle fit soudain volte-face et jeta le poil dans le feu, où il se consuma dans les flammes orange avec de petits crépitements.

« Oh non ! cria la jeune épouse. Qu'avez-vous fait ?

– Calme-toi. C'est bien. Tout va bien, dit la guérisseuse. Tu te rappelles chaque pas que tu as fait pour escalader la montagne ? Tu te rappelles chaque pas que tu as fait pour gagner la confiance de l'ours ? Tu te rappelles tout ce que tu as vu, tout ce que tu as entendu, tout ce que tu as ressenti ?

– Oui, dit la jeune femme, je me le rappelle parfaitement. »

La vieille guérisseuse lui adressa un doux sourire. « Eh bien maintenant, ma fille, dit-elle, rentre chez toi avec cette compréhension nouvelle et suis la même méthode avec ton mari. »

La rage comme professeur

On retrouve dans le monde entier le motif central de cette histoire, la quête d'un objet magique. Dans certains cas, c'est une femme qui entreprend le voyage, dans d'autres c'est un homme. L'objet magique recherché peut être un cil, un poil de nez, une dent, une bague, une plume ou tout autre élément physique. Il existe en Corée, en Allemagne, dans l'Oural, des variations sur le thème du trésor représenté par la fourrure ou une partie du corps d'un animal. En Chine, le donneur est souvent un tigre, au Japon c'est quelquefois un ours, quelquefois un renard. En Russie, l'objet à se procurer est la barbe d'un ours. Dans une histoire que nous racontons dans ma famille, il s'agit d'un poil du menton de Baba Yaga en personne.

L'Ours au Croissant de Lune appartient, comme d'autres histoires de cet ouvrage, à la catégorie de contes que j'appelle « histoires à ouverture ». Les histoires à ouverture nous permettent d'apercevoir leurs structures curatives cachées et leur sens profond et non pas seulement leur contenu manifeste. Le contenu de cette histoire nous montre que la patience vient en aide à la fureur, mais au-delà, il nous fait comprendre ce qu'une femme doit faire pour rétablir l'ordre dans la psyché et soigner par là même le soi en fureur.

Dans les histoires à ouverture, les choses sont sous-entendues plus qu'elles ne sont affirmées. La structure sous-jacente de ce conte révèle un modèle complet pour se comporter avec la rage et en guérir : en faisant appel à une force de guérison calme et emplie de sagesse (aller chez la guérisseuse), accepter le défi de se rendre sur un territoire psychique dont on n'a jamais approché auparavant (escalader la montagne), reconnaître les illusions (escalader les rochers, courir sous les arbres), mettre au repos ses idées et ses sentiments obsessionnels (rencontrer les *muen-botoke*, les esprits qui ne connaissent pas le repos, faute de proches pour les enterrer), solliciter le grand Soi compatissant (nourrir patiemment l'ours et voir l'ours rendre la gentillesse), comprendre l'aspect rugissant de la psyché compatissante (reconnaître que l'ours, le Soi compatissant, n'est pas soumis).

L'histoire montre combien il est important de ramener cette connaissance du niveau psychologique au niveau de la vie quotidienne (descente de la montagne et retour au village), d'apprendre que la guérison est dans le processus de la quête et de la pratique et non dans une seule idée (destruction du poil). Le fond de l'histoire, c'est « Appliquons ça à notre fureur et tout ira bien » (la guérisseuse conseille de rentrer à la maison et de mettre ces principes en pratique).

Ce conte appartient à un groupe d'histoires où, au début, le protagoniste fait appel à une créature blessée, solitaire d'une manière ou d'une autre. En l'étudiant comme si toutes ses composantes appartenaient à la psyché d'une seule femme, nous voyons qu'il y a dans la psyché un secteur torturé, en proie à une grande fureur, représenté par le mari de retour de la guerre. L'esprit aimant de la psyché, l'épouse, se donne le mal d'aller chercher un remède à cette colère et à cette rage afin qu'elle et son amour puissent vivre à nouveau en paix. C'est là un effort que chacune d'entre nous a intérêt à faire, car il traite la rage et nous permet souvent de découvrir le chemin qui mène au pardon.

Le conte nous montre que la patience est un bon remède à la fureur, ancienne ou récente, tout comme la quête entreprise pour la guérir. Même si la guérison et l'introspection varient avec chaque personne, il propose des idées intéressantes sur la façon de procéder.

Au Japon, le remarquable prince-philosophe Shotoku Taishi, qui vécut au tournant du VIe siècle, enseignait, entre autres choses, que chacun doit accomplir un travail psychique dans le monde extérieur comme dans le monde intérieur. Il enseignait aussi et surtout la tolérance envers chaque être humain, chaque animal, et *chaque émotion*. Admettre que toute émotion a son prix est sans aucun doute une façon de se respecter soi-même.

On peut considérer que les émotions, même brutes, même désordonnées, sont une forme de lumière, bourrée d'énergie. Il est possible d'utiliser la lumière de la fureur de manière positive, pour voir dans des endroits qui nous échappent habituellement. Nous l'utilisons négativement quand nous la concentrons de manière destructrice sur un point minuscule jusqu'à ce que, tel l'acide créant un ulcère, elle vienne brûler les délicates couches de la psyché et y forer un trou noir.

Il existe une autre voie. Toute émotion, la fureur y compris, véhicule une connaissance, une perspicacité, ce que certains appellent l'illumination. Notre rage peut, un certain temps, devenir un professeur... un élément dont il ne faut pas se débarrasser trop vite, mais qui va servir à escalader la montagne, que l'on va personnifier, par le biais de différentes images, afin d'en recevoir des leçons, de la gérer à l'intérieur, puis de la transformer en quelque chose d'utile pour le monde ou de la rendre à la poussière. Dans une existence cohésive, la rage n'est pas un élément isolé. C'est une substance qui attend nos efforts de transformation. Son cycle est pareil à tous les autres : elle croît, décroît, meurt et renaît sous forme d'énergie nouvelle. En prêtant attention à la rage, on entame le processus de la transformation.

En permettant à la rage de nous donner des leçons et donc en la transformant, on la disperse. Notre énergie retourne à d'autres secteurs, particulièrement celui de la créativité. Certaines personnes ont beau affirmer que leur rage chronique leur permet de créer, le problème est que la fureur limite l'accès à l'inconscient collectif – cet infini réservoir d'images et de pensées – de sorte que si l'on tire sa créativité de la rage, on a tendance à créer toujours la même chose sans que rien de nouveau n'émerge. Une fureur qui n'est pas transformée peut devenir un mantra permanent qui répète combien nous sommes des êtres opprimés, blessés, torturés.

Une de mes amies, conteuse comme moi, affirme être enragée depuis toujours et refuse toute aide à ce propos. Quand elle rédige des histoires qui se passent en temps de guerre, elle décrit des personnages fondamentalement mauvais ; de même quand l'intrigue est sur un fond culturel ; et quand elle écrit sur l'amour, elle décrit des personnages également animés de mauvaises intentions. La rage est corrosive : elle attaque notre confiance et nous croyons qu'il ne peut rien se passer de bien dans la vie. Quelque chose est arrivé à l'espoir. Et, derrière la perte de l'espoir, on trouve habituellement la rage, derrière la rage, la douleur, derrière la douleur une forme quelconque de torture, parfois récente, parfois ancienne.

Lorsqu'on soigne un traumatisme physique, on sait que plus on intervient tôt sur la blessure et moins ses effets s'aggravent, moins ses conséquences sont étendues et plus rapide est la convalescence. C'est également vrai des traumas psychologiques. Dans quel état serions-nous si, nous étant cassé une jambe étant enfant, nous attendions encore qu'on la soigne trente ans plus tard ?

Le trauma originel va provoquer de terribles perturbations dans les systèmes et les rythmes corporels, par exemple sur le plan immunitaire, osseux et locomoteur. De même avec les traumas psychologiques anciens. La plupart n'ont pas été pris en compte à l'époque, soit par ignorance, soit par négligence. Maintenant, on revient de la guerre, pour ainsi dire, mais il semble qu'on soit toujours en guerre dans son corps et dans son esprit. Et pourtant, en entretenant la rage – c'est-à-dire les retombées du trauma – au lieu de chercher des manières de la résoudre, de comprendre ce qui l'a provoquée et ce qu'on peut en faire, nous nous enfermons avec elle dans une pièce, qu'elle envahit pour le reste de notre existence. Ce n'est pas une vie, même de façon intermittente. Le conte nous montre qu'il faut une pratique consciente pour la contenir, la guérir. Nous pouvons le faire. Il suffit d'entreprendre l'ascension pas à pas.

Faire intervenir la guérisseuse : escalader la montagne

Donc, plutôt que d'essayer de « bien nous tenir » et de ne pas ressentir notre rage, ou encore de nous en servir pour réduire en cendres tout ce qui vit à cent kilomètres à la ronde, mieux vaut inviter d'abord la fureur à prendre une tasse de thé et à bavarder un peu, de façon à découvrir ce qui nous a valu sa visite. Au début, la rage se comporte comme le mari furieux de l'histoire. Elle ne veut ni parler, ni manger, elle a juste envie qu'on la laisse tranquille. C'est à ce moment critique que nous devons faire appel à la guérisseuse, notre soi le plus avisé, nos meilleures ressources pour y voir clair au-delà de l'irritation, de l'exaspération du moi. La guérisseuse est toujours « clairvoyante », elle voit loin. C'est elle qui peut nous dire quel bénéfice tirer de l'exploration de cette vague émotive.

Dans les contes de fées, les guérisseurs représentent en général un aspect de la psyché calme et impassible. Le monde peut s'effondrer autour de nous, la guérisseuse intérieure ne bronche pas. Elle garde son calme, afin de réfléchir à la meilleure façon de procéder. Nous avons toutes dans la psyché ce « fixateur », qui appartient à la psyché sauvage et naturelle depuis notre naissance. Si nous en perdons la trace, nous pouvons le récupérer en examinant calmement la situation qui provoque notre fureur, en nous projetant dans le futur puis, de là, en décidant de ce qui nous rendrait fières de notre comportement passé, et enfin en passant à l'acte en ce sens.

Le sentiment d'outrage, l'irritation que nous éprouvons naturellement devant certains aspects de l'existence et de notre culture se trouvent exacerbés lorsque, dans notre enfance, nous avons à plusieurs reprises été l'objet d'un manque de respect, de la négligence, d'incidents douloureux ou très ambigus [1]. La personne qui a subi pareilles blessures est sensibilisée à tout ce qui peut la blesser à nouveau et elle se servira de toutes ses défenses pour l'éviter [2]. Lorsque, dans l'enfance, on perd son pouvoir, lorsqu'on n'a plus aucune assurance de recevoir les soins, le respect, l'attention qu'on mérite, il s'ensuit un chagrin extrême et la volonté farouche de ne plus jamais permettre que cela se reproduise à l'âge adulte.

De plus, la femme qui a été élevée de sorte à avoir moins d'attentes positives que le reste de la famille, subissant de brutales restrictions à sa liberté, à sa conduite, son langage, risque de voir sa fureur normale exploser face à des questions, des intonations, des mots, des gestes et autres détonateurs sensoriels qui vont lui rappeler les événements originels [3]. En observant de près les circonstances dans lesquelles les adultes perdent leur calme de manière irrationnelle, on peut parfois parvenir à deviner, en se servant de ses connaissances, quelles blessures ils ont subies dans leur enfance [4].

Ce que nous voulons, c'est utiliser la rage comme une force créatrice, pour changer, développer, protéger. Aussi, qu'une femme soit aux prises avec l'irritation momentanée provoquée par un rejeton ou avec la douleur d'une brûlure persistante, la perspective de la guérisseuse est la même : le calme permet d'apprendre, de trouver des solutions, mais la fournaise, intérieure ou extérieure, calcine tout et ne laisse que des cendres. Nous voulons pouvoir regarder en arrière et considérer nos actes sans en avoir honte.

Il nous faut parfois, c'est vrai, donner libre cours à notre fureur pour pouvoir évoluer vers un calme instructif, mais ce doit être dans un cadre restrictif d'une façon ou d'une autre. Sinon, autant jeter une allumette dans un bidon d'essence. La guérisseuse dit que oui, cette rage peut être transformée, mais elle a besoin de quelque chose qui appartienne au monde instinctuel, celui où les animaux parlent encore et où les esprits vivent – quelque chose issu de l'imagination humaine.

Dans le bouddhisme, *nyûbu* désigne l'acte de se rendre dans la montagne pour se comprendre soi-même et rétablir les liens entre soi et le Grand Tout. C'est un rituel très ancien, en relation avec les cycles par lesquels on prépare la terre, on sème, on récolte. Il est certainement excellent d'aller dans la montagne proprement dite, mais il existe aussi des montagnes dans le monde du dessous, dans l'inconscient de chacun, et, par chance, nous avons tous l'entrée de ce monde dans notre propre psyché.

Dans la mythologie, on considère parfois la montagne comme un symbole qui décrit les niveaux de maîtrise auxquels il faut parvenir avant de pouvoir s'élever au niveau suivant. La partie la plus basse de la montagne, les avant-monts, représente souvent le besoin de conscience et tout ce qui s'y passe s'entend en termes de conscience en train de mûrir. La partie moyenne de la montagne est souvent considérée comme la phase escarpée de la progression, celle qui met à l'épreuve la connaissance acquise aux niveaux inférieurs. La haute montagne représente un stade intensif de l'apprentissage. L'air y est plus rare ; il faut beaucoup de détermination et d'endurance pour continuer à accomplir ses tâches. Le sommet, c'est la confrontation avec la sagesse ultime, comme dans les mythes où la vieille femme vit sur le pic ou, comme dans cette histoire, l'ours brun empli de sagesse.

Il est bon, donc, de se rendre sur la montagne quand on ne sait que faire d'autre. Etre poussé à entreprendre une quête peu familière crée de la vie, développe l'âme. En faisant l'ascension d'une montagne inconnue, nous acquérons une connaissance véridique de la pyché instinctive et des actes créateurs dont elle est capable – et tel est notre but. L'enseignement ne se fait pas de la même manière pour tous. Mais le point de vue instinctuel qui émane de l'inconscient sauvage de manière cyclique devient le seul à pouvoir donner du sens et un sens à la vie, à notre vie. Il nous dit de façon infaillible quelle étape entreprendre ensuite. Et où allons-nous découvrir le processus qui va nous libérer, sinon sur la montagne ?

Sur la montagne, nous trouvons d'autres indices encore sur la manière dont nous pouvons transformer la souffrance, le négativisme, les aspects pleins de rancœur de la rage, qui sont habituellement ressentis et souvent justifiés au début. L'un d'eux est la phrase « *Arigato zaishö* », que chantonne la femme pour remercier les arbres et la montagne de la laisser passer. Ce qui signifie, au figuré : « Merci, Illusion. » En japonais, *zaishö* exprime une façon claire de voir les choses qui interfère avec la compréhension profonde de nous-mêmes et du monde.

Il y a illusion lorsque quelque chose crée une image qui n'est pas réelle ; par exemple des ondes de chaleur sur une route donnent l'impression que celle-ci est ondulée. Il est vrai qu'il existe des ondes de chaleur, mais la route n'est pas réellement ondulée. C'est une illusion. La première affirmation est vraie, pas la seconde, la conclusion.

Dans l'histoire, la montagne permet à la femme de passer et les arbres soulèvent leurs branches pour qu'elle puisse avancer. C'est là le symbole de la levée des illusions qui permet à la femme de poursuivre sa quête. On dit, dans le bouddhisme, qu'il existe sept voiles d'illusion. Au fur et à mesure qu'elle les soulève, la personne découvre et comprend un autre aspect de la vraie nature de la vie et de l'être. Par ce geste, elle devient suffisamment forte pour accepter le sens de la vie, voir clair dans les schémas des événements, des gens, des choses et pour apprendre à ne pas prendre trop au sérieux la première impression, mais à aller chercher ce qui se trouve derrière et au-delà.

Il est nécessaire de soulever les voiles pour parvenir à l'illumination. La jeune femme du conte entreprend un voyage destiné à apporter la lumière dans les ténèbres de la fureur. Pour ce faire, elle doit comprendre les différentes couches de la réalité, là, sur la montagne. Nous avons tant et tant d'illusions sur l'existence. « Elle est belle, donc désirable » peut être une illusion. Quand nous sommes à la recherche de notre vérité, nous faisons en même temps la chasse à nos illusions, ce que le bouddhisme qualifie d'« obstacles à l'illumination ». Au moment où nous pouvons voir ce qu'elles dissimulent, nous découvrons la face cachée de la rage.

On se fait couramment des illusions sur la rage. On pense : « Si la rage me quitte, je changerai, je serai plus faible » (la première affirmation est correcte, la seconde non) ; ou bien : « Je tiens ma rage de mon grand-père/ma grand-mère/mère, etc... et j'y suis vouée pour la vie » (première affirmation correcte, seconde incorrecte). En cherchant, en questionnant, en étudiant, en regardant sous les arbres et en escaladant le corps de la montagne, nous mettons en cause ces illusions. Nous les perdons lorsque nous prenons le risque de rencontrer l'aspect de notre nature qui est authentiquement sauvage, ce mentor en matière de vie, de fureur, de patience, de suspicion, de goût du secret, d'éloignement, d'ingéniosité... l'ours au croissant de lune.

Sur la montagne, des oiseaux volent à la rencontre de la femme. Ce sont des *muen-botoke*, les esprits de personnes décédées qui n'ont pas de famille pour les nourrir, les réconforter, leur permettre de connaître le repos. Quand elle prie pour eux, elle devient leur famille. Cela permet de comprendre les morts orphelins de la psyché, ces pensées, ces idées, ces mots créateurs qui ont disparu prématurément de la vie d'une femme et contribuent considérablement à sa rage. On pourrait dire en un sens que la fureur est consécutive à ces fantômes auxquels il n'a pas été permis de reposer en paix. On trouvera à la fin de ce chapitre, dans la rubrique « *descansos* », des suggestions pour gérer les *muen-botoke* de la psyché féminine.

Comme dans le conte, il est utile de se rendre favorable l'ours empli de sagesse – la psyché instinctive – et de continuer à lui offrir une nourriture spirituelle, que ce soit sous la forme de l'église, de la prière, de la psychologie archétypale, de la vie onirique, de l'art, du canoë-kayak, de l'escalade, de voyages ou autres. Pour approcher le mystère de l'ours, on le nourrit. C'est un sérieux voyage qu'il faut accomplir pour régler la question de la rage : se dépouiller des illusions, la considérer comme un professeur, requérir l'aide de la psyché instinctuelle, permettre aux morts du passé de reposer en paix.

L'OURS-ESPRIT

Que nous apprend le symbole de l'ours, par rapport à celui du renard, du blaireau ou du quetzal ? Pour les anciens, l'ours symbolisait la résurrection. Il hiberne longtemps et son pouls ne bat plus qu'à peine. Le mâle féconde souvent la femelle juste avant l'hibernation, mais, miraculeusement, l'ovule et le sperme ne s'unissent pas sur-le-champ et chacun flotte séparément dans le liquide utérin pendant un certain temps. Vers la fin de l'hibernation, l'union s'effectue et la division cellulaire commence, de sorte que les petits naîtront au printemps, au réveil de la mère, juste à temps pour qu'elle puisse s'en occuper. Non seulement parce qu'il se réveille après l'hibernation comme après une mort, mais surtout parce que la femelle s'éveille avec des petits, cet animal est une métaphore de notre vie, du retour et de la croissance issus de ce qui était apparemment mort.

On associe l'ours à de nombreuses déesses de la chasse : Artémis et Diane chez les Grecs et les Romains, et les divinités de la boue, *Muerte* et *Hecoteptl*, transmises par les cultures latino-américaines. Ces déesses accordaient aux femmes le pouvoir de découvrir, connaître, mettre au jour les aspects psychiques de toute chose. Chez les Japonais, l'ours symbolise la loyauté, la sagesse et la force. Là où vivent les tribus Aïnous, au nord du Japon, il est censé s'adresser directement à Dieu et rapporter des messages destinés aux humains. L'ours au croissant de lune est considéré comme un être sacré, auquel la déesse bouddhiste Ku'an Yin, dont l'emblème est un croissant de lune, a fait don de la marque blanche sur sa gorge. Kuan-Yin est la déesse de la profonde Compassion et l'ours est son émissaire [5].

Dans la psyché, on peut considérer l'ours comme la capacité de régler sa propre vie et tout particulièrement sa vie émotionnelle, de vivre selon des cycles, d'être parfaitement alerte ou de plonger dans un sommeil d'hibernation qui va régénérer l'énergie pour le cycle à venir. L'image de l'ours enseigne qu'il est possible d'exercer une sorte de régulation de la vie émotionnelle, d'être en même temps farouche et généreux, de protéger son territoire et ses frontières tout en étant disponible.

Le poil de la gorge de l'ours est un talisman, une façon de se remémorer ce que l'on a appris. Comme nous le voyons, il a une valeur inestimable.

Le feu qui transforme et l'action requise

L'ours fait preuve d'une grande compassion à l'égard de la femme en l'autorisant à lui arracher un poil. Elle se hâte de redescendre de la montagne, tout en renouvelant les gestes, les chansons et les éloges qui lui étaient venus spontanément à l'aller, et se précipite chez la guérisseuse. Elle aurait pu dire : « Regardez, j'ai fait ce que vous m'avez demandé. J'y suis arrivée. J'ai triomphé. » La vieille guérisseuse, qui ne manque pas de bonté, la laisse un moment savourer son exploit, puis jette dans le feu ce poil chèrement gagné.

La femme est stupéfaite. Qu'a donc fait cette folle de guérisseuse ? « Rentre chez toi, dit celle-ci, et mets en pratique ce que tu as appris. » Dans le Zen, *ce moment* où la guérisseuse jette le poil dans le feu et prononce ces simples mots est celui de la véritable illumination. Remarquez bien que l'illumination n'a pas lieu sur la montagne. Elle se produit quand, par le fait de brûler le poil de l'ours au croissant de lune, la projection du remède magique est dissoute. Nous devons toutes faire face à cela, car nous sommes persuadées qu'au prix de maints efforts et en nous livrant à une quête sacrée, nous allons revenir avec une substance qui va définitivement tout faire rentrer dans l'ordre, comme par un coup de baguette magique...

Mais les choses ne se passent pas ainsi. Elles se passent exactement comme il est dit dans l'histoire. On peut avoir la connaissance universelle, on en revient toujours à ceci : la pratique. Rentrer à la maison et, pas à pas, mettre à exécution ce que nous savons, aussi souvent que nécessaire, le plus longtemps possible, ou jusqu'à la fin. Il est rassurant, quand la rage monte en nous, de savoir que faire exactement : la mettre en attente, libérer les illusions, l'emmener escalader la montagne, lui parler, respecter son enseignement.

Cette histoire nous donne de nombreuses idées sur la façon de parvenir à l'équilibre : prendre patience, traiter avec douceur la personne en fureur et lui laisser le temps de surmonter sa rage par l'introspection et la recherche. Il existe un vieux dicton :

Avant le Zen, les montagnes étaient des montagnes, et les arbres des arbres.
Pendant le Zen, les montagnes étaient le trône des esprits, et les arbres la voix de la sagesse.
Après le Zen, les montagnes furent des montagnes, et les arbres des arbres.

Pendant que la femme était dans la montagne, en train d'apprendre, tout était magique. Maintenant qu'elle en est descendue, le prétendu poil magique est parti en fumée dans le feu qui détruit les illusions et le temps de « l'après-Zen » est venu. C'est le retour à la vie ordinaire, mais elle a le trésor de son expérience sur la montagne. Elle sait. Et l'énergie que la rage monopolisait va pouvoir être utilisée ailleurs.

La femme qui est parvenue à un arrangement avec sa rage a l'impression nouvelle qu'elle va pouvoir mieux vivre sa vie. Pourtant, un beau jour, il suffit d'un mot, d'un regard, d'une intonation, de l'impression d'être manipulée ou sous-estimée, pour que sa rage s'accumule de nouveau. Alors le vieux reste de souffrance qui couvait s'enflamme [6].

On peut comparer aux ravages d'une bombe à fragmentation la rage résiduelle consécutive à d'anciennes blessures. Une fois les éclats enlevés, il demeure néanmoins de minuscules fragments qui vont, en certaines occasions, réveiller la douleur et faire souffrir comme le ferait la blessure originelle, comme si la rage était en train de monter.

Ce n'est pourtant pas cette fureur originelle qui est en cause, mais de toutes petites particules qui en sont issues, des substances irritantes demeurées dans la psyché, impossibles à extraire complètement. La douleur qu'elles provoquent est presque aussi intense que celle de la blessure d'origine. La personne se contracte dans la crainte de cette souffrance, ce qui a pour résultat d'aggraver celle-ci. Elle va manœuvrer sur trois fronts : essayer de maîtriser l'événement extérieur, tenter de contrôler la douleur qui émane de la vieille douleur interne et essayer de se mettre à l'abri en fonçant la tête la première sur une position de repli psychologique. C'est trop demander à une seule personne. D'où la nécessité impérative de s'arrêter au beau milieu de tout cela et de se retirer dans la solitude de la montagne, afin de s'occuper d'abord du plus ancien événement, ensuite du plus récent, de décider de l'attitude à adopter et de rentrer au bercail pour y agir dans la dignité.

Personne ne peut échapper à son histoire. Il est possible de repousser celle-ci à l'arrière-plan, mais elle n'en sera pas moins toujours présente. Pourtant, en agissant ainsi, vous pouvez surmonter votre rage. Les choses finiront par se calmer peu à peu et tout ira bien. Pas très bien, bien. Vous pourrez aller de l'avant. Vous saurez désormais quand il est temps d'appeler à nouveau la guérisseuse, d'entreprendre l'ascension de la montagne, de vous débarrasser de l'illusion que le présent est une répétition calculée du passé. La rage ne s'en va pas toute seule, comme un calcul rénal, si l'on attend suffisamment longtemps. Il faut faire ce qu'il faut. Alors elle disparaîtra et votre vie sera plus créatrice.

Une juste colère

Avant de tendre l'autre joue, autrement dit de ne pas réagir à l'injustice ou aux mauvais traitements, il faut soigneusement peser le pour et le contre. Une chose est d'utiliser la résistance passive dans un but politique, comme le préconisait Gandhi, mais le problème est différent lorsque les femmes sont encouragées à rester silencieuses, ou forcées de l'être, pour subsister dans une situation impossible de corruption ou d'abus de pouvoir au sein de leur famille, de leur communauté, ou dans le monde. Elles se retrouvent par là même amputées de leur nature sauvage et leur silence n'est qu'une façon d'éviter qu'on leur fasse du mal. C'est une erreur de penser qu'une femme silencieuse est une femme qui est toujours d'accord avec la vie telle qu'elle est.

Il y a des moments – même s'ils ne sont pas fréquents – où il est impératif de libérer une fureur à faire trembler les murs, de donner toute sa puissance de feu. Il faut le faire en réaction à une offense grave, dirigée contre l'âme ou l'esprit, avoir tout essayé auparavant et bien choisir son moment. On ne déchaîne pas sa fureur n'importe quand. Les femmes savent très bien quand ce moment est venu si elles prêtent attention au soi instinctuel, comme l'homme dans le conte qui va suivre. C'est instinctif, chez elles. Et juste.

Cette histoire vient du Moyen-Orient. En Asie, les soufis, les bouddhistes, les hindous en donnent différentes versions [7]. Elle appartient à la catégorie des contes qui ont pour thème la réalisation d'un acte interdit, ou non reconnu, pour le rachat de la vie.

Les Arbres desséchés

C'ÉTAIT un être dont le mauvais caractère lui avait fait perdre énormément de temps et coûté de nombreuses amitiés. Il s'approcha d'un vieux sage en haillons et lui demanda : « Comment puis-je venir à bout de ce démon de la rage ? » Le vieillard dit à cet homme de se rendre dans une lointaine oasis du désert, brûlée par le soleil, de s'asseoir sous les arbres desséchés et de tirer un peu d'eau saumâtre pour les voyageurs qui par hasard s'aventureraient jusque-là.

L'homme, dans son désir de venir à bout de sa colère, gagna le désert et s'installa sous les arbres desséchés. Pendant des mois, enveloppé dans des étoffes et un burnous pour se protéger des vents de sable, il tira de l'eau saumâtre pour tous les arrivants. Les années passèrent. Il n'eut plus aucun accès de mauvaise humeur.

Un jour arriva un noir cavalier. Du haut de son chameau, il jeta un coup d'œil hautain à l'homme qui lui tendait un bol empli d'eau. Il examina d'un air méprisant l'eau trouble, la refusa et reprit sa route.

La rage aveugla l'homme qui la lui avait offerte. Il jeta le cavalier à bas de sa monture et le tua sur-le-champ. Immédiatement, il fut navré. La fureur s'était emparée de lui et voilà à quoi elle l'avait conduit.

Soudain, un autre cavalier surgit à toute allure. Il baissa les yeux sur le visage du mort et s'exclama : « Allah soit loué ! Tu as tué l'homme qui s'en allait assassiner le roi ! » A ce moment, l'eau saumâtre de l'oasis se changea en une eau pure et fraîche et les arbres, éclatants de sève, se parèrent d'une jeune verdure.

Il faut entendre symboliquement ce conte. Il ne faut pas y voir une histoire de gens qui tuent : il nous apporte ses enseignements sur la colère, que l'on ne doit pas libérer n'importe comment, et seulement au moment adéquat. Il débute quand l'homme apprend à donner de l'eau – la vie – même dans des conditions de sécheresse. Donner la vie est inné à la plupart des femmes. Elles y excellent la plupart du temps. Cependant, il y a aussi un temps pour le courroux sorti des tripes, pour la juste colère, la juste fureur [8].

La plupart des femmes sont sensibles, comme le sable est sensible à la vague, comme les arbres sont sensibles à la qualité de l'air, comme un loup entend un autre animal pénétrer sur son territoire à plus d'un kilomètre à la ronde. Elles ont le don extraordinaire de voir, d'entendre, de sentir, recevoir, transmettre des idées, des images, des sentiments à la vitesse de l'éclair, de deviner la moindre variation de caractère chez une autre personne, de lire sur les visages et sur les corps – on appelle cela l'intuition – et souvent, à partir de minuscules indices, elles savent ce que les gens ont en tête. Pour pouvoir exercer ces dons sauvages, elles restent ouvertes à tout. Mais en même temps, c'est cette ouverture qui rend leurs frontières vulnérables et les expose à des blessures de l'esprit.

Une femme peut affronter le même problème que l'homme du conte, à des niveaux différents. Elle peut renfermer une forme de rage diffuse qui va la pousser à chercher querelle, ou à se retrancher derrière la froideur, ou à prononcer des mots gentils tout en voulant punir ou abaisser. Ou bien elle va abuser de son pouvoir sur ceux qui dépendent d'elle, ou encore les menacer de couper court à leurs relations, de leur retirer son affection. Elle peut aussi se montrer avare de compliments, ou même ne pas reconnaître aux autres ce qui leur est dû et en général se comporter comme quelqu'un qui souffre de graves blessures à l'instinct. La personne qui traite les autres de cette manière est elle-même en butte dans sa psyché aux attaques répétées d'un démon qui lui inflige exactement le même traitement, c'est bien connu.

Nombre de femmes affligées de ce mal décident de faire le ménage. Elles prennent la bonne résolution de cesser leurs mesquineries, de se montrer « plus gentilles », plus généreuses. Souvent leur entourage en est soulagé, tant qu'elles ne se mettent pas à faire une suridentification à un modèle de générosité, tel l'homme du conte qui, dans son oasis, se sent de mieux en mieux à force de servir les autres et finit par s'identifier au calme – plat – de sa vie.

De même, donc, la femme qui évite les confrontations se sent mieux, mais l'amélioration n'est que temporaire. Il ne s'agit pas là de l'enseignement que nous recherchons, pour savoir quand nous pouvons ou non nous permettre une juste colère. Le conte ne traite pas des efforts à faire pour parvenir à la quasi-sainteté. Il dit quand agir d'une manière intégrale et sauvage. La plupart du temps, les loups évitent l'affrontement, mais lorsqu'ils doivent défendre leur territoire, lorsqu'ils sont harcelés ou acculés, ils explosent. Même si c'est rare, la capacité d'exprimer cette colère fait partie de leur répertoire. Elle doit également faire partie du nôtre.

On a beaucoup dit que la femme en colère est impressionnante, avec ce pouvoir qu'elle a de faire trembler de peur son entourage. Mais il s'agit plus d'une projection de l'angoisse du spectateur de cette colère que d'autre chose. Dans sa psyché instinctuelle, la femme a le pouvoir de manifester une colère réfléchie en réponse à des provocations – et *cela*, c'est remarquable. La colère est pour elle une façon innée de tenter de faire naître et de conserver l'équilibre auquel elle tient. C'est son droit et, dans certaines circonstances, c'est un devoir moral.

Autrement dit, il y a un temps pour montrer les dents, pour révéler la capacité que nous avons de défendre notre territoire, de dire « Stop ! On ne va pas plus loin ». Comme l'homme au début des *Arbres desséchés* et comme le guerrier de *L'Ours au Croissant de Lune*, beaucoup de femmes portent en elles un soldat fatigué de se battre, qui ne veut plus parler ni entendre parler de combat. Ainsi sort de la terre de la psyché une oasis brûlée par le soleil. Il s'agit toujours, au-dehors ou au-dedans, d'un lieu de silence qui attend que quelque chose vienne à grand bruit faire renaître la vie.

Dans le conte, l'homme est atterré d'avoir tué le cavalier. Et puis, quand il comprend que, dans son cas, « la première idée a été la bonne », il n'est plus soumis à la règle du « ne te mets jamais en colère ». Comme dans *L'Ours au Croissant de Lune*, ce n'est pas durant l'acte lui-même qu'a lieu l'illumination. Elle intervient une fois l'illusion anéantie et l'on parvient ainsi à voir le sens caché des choses.

Les *Descansos*

Nous souhaitons donc transformer la colère en un feu de cuisson plutôt qu'en un feu de déflagration. Nous avons vu que, sans le rituel du pardon, le travail de la rage n'est pas achevé. Nous avons également dit que la rage féminine a souvent pour origine une situation familiale, la culture environnante, et parfois un trauma survenu à l'âge adulte. Mais quelle que soit la source de cette rage, il faut que quelque chose permette de la reconnaître, de la bénir, de la contenir et de la libérer.

Les femmes torturées développent souvent une forme de perception stupéfiante, d'une profondeur et d'une ampleur extraordinaires. Bien que je ne souhaite à personne d'être torturé pour connaître les mécanismes secrets de l'inconscient, le fait est que d'avoir subi une dure répression provoque l'apparition de dons qui compensent et protègent.

Sous cet angle, la femme qui a eu une vie torturante et a plongé dans ses abîmes a une profondeur inestimable. Même si elle y est parvenue dans la souffrance, dans la mesure où elle s'est accrochée à la conscience, elle a une vie de l'âme riche et jouit d'une confiance en elle insensible aux vacillements occasionnels du moi.

Il y a toujours un moment dans notre existence, généralement à la maturité, où il faut prendre la décision – peut-être la plus importante, sur le plan psychique, pour notre vie future – d'éprouver ou non de l'amertume. En général, cela se passe vers la fin de la trentaine ou le début de la quarantaine, quand les femmes commencent à en avoir plus qu'assez de tout, « ras-le-bol ». Peut-être les rêves de leur jeunesse sont-ils en lambeaux. Peut-être peuvent-elles parler de cœurs brisés, de mariages rompus, de promesses non tenues.

Tout corps qui a vécu longtemps accumule nécessairement des déchets. Pourtant, la femme qui, au lieu de sombrer dans l'amertume, revient à la nature instinctuelle, va renaître. Chaque année, naissent des louveteaux. Ce sont des boules de fourrure vagissantes, couvertes de terre et de paille, mais ils sont sur-le-champ joueurs, parfaitement éveillés, affectueux. Ils veulent jouer, grandir. De même, la femme qui retourne à la nature instinctuelle et créatrice va revenir à la vie. Elle va vouloir jouer, grandir, se développer encore, en ampleur et en profondeur. Mais avant, il va lui falloir effectuer un nettoyage.

Je voudrais vous présenter le concept de *descansos* [9]. Si vous connaissez le Mexique, le Nouveau-Mexique, le sud du Colorado, l'Arizona ou certaines parties du sud des Etats-Unis, vous avez pu voir, sur le bord des routes, de petites croix blanches. Ce sont des *descansos*, des lieux de repos. On les trouve aussi au bord des falaises, sur certaines routes panoramiques, mais dangereuses, de la Grèce, de l'Italie et autres pays méditerranéens. Parfois, ces croix sont regroupées par deux ou trois. Des noms sont gravés ou inscrits sur le bois, parfois avec des clous, des noms comme Jesús Mendéz, Arturo Buenofuentes, Jeannie Abeyta, – parfois peints, parfois gravés dans le bois, parfois dessinés avec des clous.

Ces *descansos* sont souvent recouverts à profusion de fleurs, naturelles ou artificielles, ou bien de la paille fraîchement coupée est collée sur les montants et les fait briller comme de l'or au soleil. Il arrive que le *descanso* consiste juste en deux bâtons ou deux bouts de tuyau liés l'un à l'autre et plantés dans le sol. Dans les passes des montagnes Rocheuses, la croix est juste peinte sur un gros rocher sur le bord de la route.

Les *descansos* sont des symboles qui marquent une mort. A cet endroit même, le voyage terrestre d'une personne s'est brusquement arrêté. Il y a eu un accident de voiture, ou une bagarre, ou bien quelqu'un est mort d'insolation en marchant sur la route. Quelque chose s'est passé là, qui a mis un terme à une existence et marqué à jamais d'autres personnes.

Avant d'avoir vingt ans, les femmes ont connu mille morts. Elles sont parties dans telle ou telle direction et on leur a coupé la route, comme on a coupé les ailes à certains de leurs espoirs et de leurs rêves. Tout ceci, c'est du grain à moudre pour le moulin des *descansos*.

Tout ceci approfondit sans aucun doute l'individuation, la différenciation, le passage à l'âge adulte, le développement, l'épanouissement de l'être, l'éveil de la conscience, mais il s'agit aussi de véritables tragédies qui doivent être pleurées en tant que telles.

Fabriquer des *descansos*, c'est jeter un regard à sa propre existence et marquer les endroits où ont eu lieu les petites morts, *las muertas chiquitas*, et les grandes morts, *las muertas grandotas*. J'aime bien établir la carte chronologique d'une femme sur une grande feuille de papier et marquer d'une croix les lieux où, entre l'enfance et le moment présent, des parties d'elle-même et de son existence sont mortes. Nous marquons ainsi les endroits où des routes n'ont pas été empruntées, où d'autres ont été barrées, les lieux des embuscades, des trahisons, des morts. Je place une petite croix là où il aurait fallu pleurer, d'autres là où le deuil reste à faire. Puis j'inscris à l'arrière-plan « oubliée » pour ces choses que la femme sent, mais qui n'ont pas encore fait surface, et « pardonnée » pour celles qu'elle a libérées en grande partie.

Je ne saurais trop vous encourager à faire des *descansos*, à établir une carte chronologique de votre propre vie en vous demandant : « Où sont les petites croix ? Où sont les lieux dont il faut se souvenir, qui doivent être bénis ? » Tous ont des significations, que vous avez apportées à votre vie actuelle. Il faut vous les remémorer et les oublier en même temps. Cela prend du temps. Et de la patience.

Souvenez-vous, dans *L'Ours au Croissant de Lune*, la femme dit une prière et permet aux âmes orphelines des morts de reposer en paix. C'est ce que l'on fait avec les *descansos*. Les *descansos*, c'est une pratique consciente qui prend en pitié et honore les morts orphelins de notre psyché et leur permet enfin de reposer en paix. Créez-en pour les aspects de vous-mêmes qui étaient en route vers quelque part et ne sont jamais arrivés. Ce sont des lieux funéraires, mais aussi des mots d'amour à votre souffrance. Ils sont des agents de transformation.

Rage et instinct endommagé

Les femmes (et les hommes) ont tendance à vouloir mettre fin aux épisodes passés en disant : « J'ai/il/elle a/ils ont fait de leur mieux », mais ce n'est pas pardonner. Même si elle est vraie, cette formule péremptoire annule toute possibilité de guérison. C'est comme si on plaçait un garrot sur une plaie profonde. Au bout d'un certain temps, la gangrène se déclare, car la circulation ne se fait plus. Nier la douleur et la colère n'est d'aucune efficacité.

La femme dont l'instinct est endommagé doit faire face à plusieurs défis en ce qui concerne la rage. Elle a souvent du mal à reconnaître les intrusions, elle est lente à remarquer les violations de son territoire et ne prend conscience de sa propre colère que lorsque celle-ci l'envahit. Comme l'homme au début des *Arbres desséchés*, sa fureur lui tombe dessus dans une sorte d'embuscade.

C'est le résultat des dommages causés aux instincts quand des petites filles se voient exhortées à ne pas se préoccuper des dissensions, à essayer de faire la paix à tout prix, à ne pas interférer et à supporter la douleur jusqu'à ce que les choses s'arrangent ou se calment temporairement. De manière caractéristique, ces femmes n'agissent pas sous le coup de la colère qu'elles éprouvent, mais le font des semaines, des mois, voire des années après, quand elle se rendent compte de ce qu'elles auraient pu, dû, voulu faire ou dire.

Habituellement, cela n'est *pas* dû à la timidité ou à l'introversion. Elles réfléchissent trop, sont trop disposées à se montrer gentilles, à leur propre détriment, et n'agissent pas assez selon l'âme. L'âme sauvage sait quand et comment agir. Il faut que la femme l'écoute. La bonne réaction est celle qui fait preuve de perspicacité et d'un mélange adéquat de force et de compassion. On peut restaurer les instincts endommagés en s'exerçant à tracer solidement des frontières, à les renforcer, et à réagir de manière ferme, quoique généreuse, quand c'est possible.

Il n'est pas toujours facile pour une femme de libérer sa colère, même lorsqu'elle est un handicap, même lorsqu'elle la renvoie de façon obsessionnelle à des événements anciens comme s'ils venaient de se produire. Insister sur un trauma au cours d'une période donnée est un élément très important de la guérison. Mais toute blessure doit finir par être suturée et par guérir sous forme de tissu cicatriciel.

La fureur collective

La colère ou fureur collective est également une fonction naturelle. La blessure de groupe, le chagrin de groupe, sont des phénomènes qui existent. En développant une conscience sociale, politique ou culturelle, les femmes doivent souvent gérer la fureur collective qui monte en elles et s'exprime par leur canal.

Sur le plan psychologique, cette colère est saine, dans la mesure où elles l'utilisent pour dénoncer l'injustice et tenter d'inventer des solutions. En revanche, il n'est *pas* sain de neutraliser cette colère afin de ne plus la ressentir et ne pas exercer en conséquence de pressions en faveur du changement et de l'évolution. La fureur collective est un professeur, au même titre que la colère personnelle. Les femmes peuvent la consulter, seules ou avec d'autres, et agir d'après leurs conclusions. Il y a une différence entre promener en soi une vieille rage et la remuer avec un bâton neuf, histoire de voir comment on peut en tirer quelque chose de constructif.

La fureur collective est utilisée à bon escient quand elle motive pour proposer ou rechercher un soutien, pour concevoir des méthodes conduisant des groupes ou des individus au dialogue, ou pour réclamer des progrès, des améliorations. Cela rentre dans le cadre de l'éveil de la conscience des femmes à ce qui est essentiel pour elles. Réagir avec force aux menaces, aux offenses, au manque de respect est le propre de la psyché instinctuelle saine. Une réaction sincère fait naturellement partie de l'apprentissage de ce qu'est l'univers collectif de l'âme et de la psyché.

Blocage dans une rage ancienne

Si la rage vient à nouveau constituer un barrage contre la créativité, il faut soit l'adoucir, soit la modifier. Pour celles qui ont passé beaucoup de temps à essayer de se sortir d'un trauma, qu'il soit le résultat de la cruauté, de la négligence, du manque de respect, de la brutalité, de l'ignorance de quelqu'un, ou même du destin, vient un temps où il faut pardonner, afin de permettre à la psyché de revenir à un état normal de calme et de tranquillité [10].

Quand une femme a du mal à se débarrasser de la colère ou de la rage, c'est souvent parce qu'elle s'en est servie pour se rendre plus forte. Au début, cela a pu être utile, mais elle doit maintenant être prudente, car une rage persistante est un feu qui brûle son énergie primaire. C'est comme si elle essayait de mener une existence équilibrée tout en ayant « le pied au plancher ».

Il ne faut pas non plus confondre le feu de la colère et une vie passionnée. Ce feu-là n'a rien à voir avec une existence portée à l'incandescence, c'est une forme de défense qui, une fois qu'on n'en a plus besoin pour se protéger, coûte très cher d'entretien. Il finit par brûler en permanence, par polluer nos idées avec sa fumée noire, par nous empêcher de voir et d'appréhender les choses.

Je ne vais pourtant pas vous raconter un affreux mensonge et vous dire que vous pourrez vous débarrasser de votre rage aujourd'hui, ou la semaine prochaine, et pour toujours. L'angoisse et les tourments du passé surgissent dans la psyché de manière cyclique. Même si une bonne purge élimine le plus gros de cette colère et de cette souffrance archaïque, on ne peut jamais complètement faire disparaître les résidus. On peut en revanche faire en sorte qu'il ne reste que quelques cendres légères et non un feu dévorant. Il faut donc nettoyer cette rage résiduelle selon un rituel hygiénique périodique libérateur, car en la conservant quand elle n'est plus utile, on génère une anxiété sans doute inconsciente, mais constante.

Parfois, les gens croient à tort que d'être bloqué dans une rage ancienne veut dire qu'on fulmine, gesticule, jette les objets à travers la pièce. C'est faux, dans la plupart des cas. En revanche, cela signifie qu'on est sans cesse fatigué, qu'on promène une solide couche de cynisme, qu'on détruit ce qui est riche d'espoir, de tendresse, de promesses. Qu'on a peur de perdre avant même d'ouvrir la bouche, qu'on atteint – visiblement ou non – le point d'ébullition, qu'on se réfugie dans un silence amer, qu'on se sent impuissant. Mais il existe une solution. Le pardon.

Le pardon, direz-vous, tout, mais pas ça ! Et pourtant. vous savez au fond de votre cœur qu'un jour ou l'autre vous y viendrez, même si c'est seulement sur votre lit de mort. Réfléchissez : nombreux sont ceux qui ont du mal à pardonner parce qu'on leur a présenté le pardon comme un acte d'une seule pièce. Non, le pardon a plusieurs strates, plusieurs saisons. Notre culture véhicule la notion que le pardon est une proposition à 100 %, que c'est tout ou rien. On dit aussi que pardonner, c'est passer l'éponge, faire comme si une chose n'avait jamais existé. C'est également faux.

La femme qui, dans le cas où quelqu'un, ou quelque chose, lui a causé un grave dommage, peut arriver à pardonner à 95 % est proche de la béatification, voire de la sainteté. Si elle arrive à 75 % de pardon et 25 % de « Je ne sais si je pourrai complètement pardonner et d'ailleurs je ne sais même pas si je le souhaite », elle est plus dans la norme. Mais 60 % de pardon accompagné par 40 % de « Je ne sais pas, je ne suis pas sûre, j'y travaille encore », c'est déjà très bien. 50 % ou moins de pardon permet d'accéder au statut de créatrice à l'œuvre. Moins de 10 % ? Vous venez sans doute de commencer, ou bien vous n'avez pas vraiment essayé.

Mais, dans tous les cas, une fois que vous aurez atteint la moitié du chemin, le reste suivra, généralement par petits bouts. Ce qui importe, en matière de pardon, c'est de *commencer* et de *continuer*. Terminer, c'est l'affaire d'une vie. Tout pourrait se pardonner si nous pouvions tout comprendre, c'est vrai. Mais la plupart des gens ont besoin de mijoter longtemps dans le bain alchimique pour y arriver. C'est bien ainsi. Nous avons la guérisseuse. Nous aurons donc la patience d'aller au bout.

Certaines personnes sont, par tempérament, mieux à même que d'autres de pardonner. Pour les uns c'est un don, pour les autres cela s'apprend. Une forte vitalité, une sensibilité élevée ne permettent pas toujours aux offenses de s'estomper facilement. La personne qui ne pardonne pas aisément n'est pas mauvaise pour autant. Celle qui le fait n'est pas une sainte. A chacun selon son tempérament. Tout vient en son temps.

Pour parvenir néanmoins à une véritable guérison, il faut dire notre vérité et pas seulement notre regret et notre souffrance. Il faut dire aussi le mal qui a été fait, la colère et le dégoût, et quel désir de nous châtier ou de nous venger a été provoqué en nous. La vieille guérisseuse de la psyché comprend la nature humaine avec ses faiblesses et accorde le pardon sur la base de la vérité nue. Elle donne non seulement une deuxième chance, mais plusieurs chances.

Examinons ensemble plusieurs niveaux de pardon. J'ai élaboré et utilisé ces étapes au fil des ans, au cours de mon travail avec des personnes traumatisées. Il y a plusieurs couches dans chaque niveau. On peut les suivre dans l'ordre que l'on souhaite et pour aussi longtemps qu'on en a envie, mais les voici présentés dans l'ordre que je conseille à ces personnes pour commencer.

Les quatre étapes du pardon

1. Aller de l'avant – laisser les choses derrière soi
2. S'abstenir – éviter de punir
3. Oublier – refuser de s'appesantir sur les souvenirs
4. Pardonner – faire abandon de la dette

Aller de l'avant

Il est bon, pour commencer à oublier, d'aller de l'avant pendant quelque temps, c'est-à-dire de cesser un temps de penser à la personne ou à l'événement en question. Il ne s'agit pas de laisser quelque chose inachevé, mais plutôt de nous mettre en congé, ce qui va nous éviter l'épuisement, nous permettre de nous renforcer dans d'autres domaines, d'avoir d'autres sources de bonheur dans notre existence.

C'est en fait un bon exercice en vue du lâcher-prise qui vient plus tard, avec le pardon. Abandonnez aussi souvent que nécessaire la situation, le souvenir, la question. L'idée, c'est d'acquérir force et agilité dans le processus de détachement. Aller de l'avant, cela veut dire s'atteler à telle tâche, apprendre telle ou telle chose intéressante et gratifiante, se rendre au bord de la mer et laisser tomber la question pour un temps. Cela est bon, cela aide à guérir. Le tourment des blessures anciennes sera moins pénible si la femme assure sa psyché qu'elle va maintenant mettre un baume sur ses plaies et s'attaquer plus tard au problème global de l'origine du mal.

S'abstenir

La deuxième phase consiste à s'abstenir, particulièrement au sens d'éviter de punir, de ne pas châtier ni même de penser au châtiment de près ou de loin. Il est très utile de pratiquer ce genre d'exercice, car il verrouille la question en un point bien précis au lieu de la laisser se répandre un peu partout. C'est une façon de se concentrer en vue des étapes ultérieures. Il ne s'agit pas de cesser de veiller à sa propre protection, mais, simplement, de faire acte de grâce et de voir ce que cela peut apporter à la situation.

S'abstenir, c'est aussi faire preuve de patience, faire face, canaliser ses émotions. Autant de remèdes puissants. C'est une sorte de purification. Vous n'avez pas besoin de tout faire et pouvez vous contenter de pratiquer la patience, par exemple. Vous pouvez éviter de maugréer, d'agir de manière hostile et d'exprimer du ressentiment. L'intégrité des actes et de l'âme en sort renforcée. En vous abstenant, vous pratiquez la générosité, permettant ainsi à la grande nature compatissante de s'impliquer dans des sujets qui, par le passé, étaient générateurs d'une émotion pouvant aller d'une petite irritation à la rage.

Oublier

Oublier, c'est refuser de s'appesantir sur les souvenirs – en d'autres termes, lâcher prise, desserrer notre étreinte, particulièrement sur la mémoire. Cela ne veut pas dire pour autant qu'il faille mettre notre cerveau au niveau de l'électroencéphalogramme plat. Quand on oublie consciemment, on laisse aller l'événement, on ne s'obstine pas à le garder au premier plan, mais on lui permet plutôt d'être relégué à l'arrière-plan ou de sortir de la scène.

C'est en refusant d'évoquer le matériel brûlant, en refusant de nous le remémorer que nous pratiquons l'oubli conscient. Oublier, c'est un effort actif et non une pratique passive. C'est refuser de tourner et retourner certains matériaux, de les faire remonter à la surface, de laisser des pensées, des images, des émotions répétitives nous travailler. Oublier consciemment signifie cesser volontairement de se laisser obséder, aller de l'avant sans se retourner, s'insérer dans un paysage nouveau, se faire une vie nouvelle, des expériences nouvelles sans plus penser aux anciennes. Ce genre d'oubli n'efface pas la mémoire, il met au repos l'émotion qui entoure le souvenir.

Pardonner

Il y a maintes façons de pardonner une offense à quelqu'un, à une communauté, à une nation. Il faut se souvenir qu'un pardon « définitif » n'est pas pour autant une reddition. C'est prendre en connaissance de cause la décision de cesser d'entretenir le ressentiment, ce qui signifie également effacer une dette et abandonner la résolution de punir son auteur. Vous êtes seule à décider quand pardonner et par quel rituel marquer l'événement. C'est vous qui décidez quelle dette n'a désormais plus besoin d'être payée.

Certains choisissent le pardon général : la personne n'est désormais plus comptable de rien. D'autres choisissent d'arrêter les comptes à un certain moment, considérant que le paiement est maintenant suffisant : le passé est le passé, la dette est abandonnée. Il est également possible d'effacer l'ardoise, même si aucune restitution, d'ordre émotionnel ou autre, n'a été effectuée.

Pour certains, pardonner signifie considérer l'autre avec indulgence, et c'est le plus facile quand l'offense est relativement mineure. L'une des formes de pardon les plus profondes est de tendre la main avec compassion à l'offenseur, de lui apporter une aide [11]. Il ne s'agit pas pour autant de se jeter dans la fosse aux serpents, mais de réagir en se plaçant sur une position de clémence, de sécurité, de préparation [12].

Le pardon, c'est ce point où culminent les trois étapes : aller de l'avant, s'abstenir et oublier. On ne cesse pas de se protéger, on se départit de sa froideur. Ne plus exclure l'autre, abandonner toute attitude de froideur à son égard, arrêter de l'ignorer, ou de se raidir, de jouer faux, c'est pardonner profondément. Mieux vaut, pour le bien de l'âme-psyché, limiter le temps passé avec des personnes dont la présence vous pose problème et éviter de leur répondre, plutôt que d'agir avec l'indifférence d'un mannequin de bois.

Pardonner, c'est faire acte de création. Les méthodes éprouvées ne manquent pas. Vous pouvez pardonner pour le moment, jusqu'à tel moment, jusqu'à la prochaine fois, pardonner pour cette fois mais ce sera la dernière – tout repartira à zéro si un nouvel incident se produit. Vous pouvez donner une autre chance, plusieurs autres chances, de nombreuses chances. Vous pouvez oublier tout ou partie de l'offense. C'est vous qui décidez [13].

Comment savoir si vous avez pardonné ? Vous avez tendance à éprouver du chagrin plutôt que de la fureur en évoquant l'événement, à être désolée pour la personne plutôt qu'en colère à son égard. Vous comprenez la souffrance qui a conduit à l'offense. Vous préférez vous tenir à l'écart de tout ça. Vous n'attendez rien. Vous ne voulez rien. Vous n'êtes plus rattachée à l'événement comme si vous aviez une corde à la cheville, vous êtes libre de vos mouvements. Sans doute l'affaire ne s'est-elle pas terminée sur un « et ils furent heureux », mais il est fort probable que désormais, un nouvel « il était une fois » vous attend.

13

CICATRICES DE GUERRE : FAIRE PARTIE DU CLAN DES CICATRICES

Les larmes sont une rivière qui conduit quelque part. Elle entourent de leur flot le bateau qui emporte la vie de notre âme, viennent le soulever et l'entraîner hors des rochers, hors du terrain sec, vers un lieu nouveau, un endroit meilleur.

Il y a des océans de larmes que les femmes n'ont jamais versées, car on les a habituées à emporter dans la tombe les secrets de leurs parents, les secrets des hommes, les secrets de la société et les leurs propres. Ces larmes sont considérées comme dangereuses, car elles poussent les verrous qui défendent les secrets des femmes. Pourtant, en vérité, mieux vaut qu'elles pleurent, pour leur âme sauvage. Pour elles, les larmes sont le début de l'initiation au Clan des Cicatrices, cette tribu de femmes de toutes couleurs, de toutes races, de toutes langues, dont l'origine se perd dans la nuit des temps et qui ont vécu à travers les âges quelque chose de grand, dont elles ont tiré et tirent encore orgueil.

Les femmes ont toutes une histoire personnelle aussi vaste, aussi forte que le numen dans les contes de fées. Néanmoins, il existe un type d'histoires en relation avec les secrets féminins, surtout ceux auxquels la honte est associée, et qui sont parmi les plus importantes qu'une femme puisse révéler. Pour la plupart des femmes, ces histoires secrètes sont les leurs, incrustées en elles, non comme des joyaux dans une couronne, mais comme des graviers noirs sous la peau de l'âme.

Secrets assassins

En vingt années de pratique professionnelle, j'ai entendu des milliers d'« histoires secrètes », des histoires qui, en majorité, étaient demeurées cachées de nombreuses années et quelquefois durant presque toute une vie. Que la femme ait enveloppé ce secret dans le linceul d'un silence auto-imposé ou que quelqu'un de plus fort qu'elle l'ait menacée, elle craint profondément, si elle le révèle, d'être mise à l'écart et considérée comme une personne indésirable, de voir se rompre des relations importantes à ses yeux et même, quelquefois, de subir un dommage physique.

Les histoires secrètes des femmes peuvent porter sur un mensonge ou une mesquinerie dont elles sont l'auteur et qui a causé des ennuis ou de la peine à quelqu'un. Elles sont toutefois rares, d'après mon expérience. La plupart des histoires secrètes féminines tournent autour de la violation d'un code social ou moral à l'intérieur de leur culture, de leur religion ou de leur propre système de valeurs. On a souvent considéré, culturellement parlant, que certains de ces actes, de ces événements et de ces choix, notamment ceux en liaison avec la liberté des femmes dans toutes les sphères de l'existence, étaient honteusement répréhensibles pour les femmes, mais pas pour les hommes.

Le problème, c'est qu'une histoire secrète entourée de honte coupe la femme de sa nature instinctive, qui est essentiellement joyeuse et libre. Quand elle a un noir secret dans sa psyché, elle ne peut s'en approcher et évite en fait de venir en contact avec tout ce qui va le lui rappeler ou aggraver une douleur déjà chronique.

Cette réaction de défense est courante. Comme dans les séquelles d'un trauma, elle influence secrètement les choix de la femme dans le monde extérieur en matière de livres, de films, d'événements, de sujets de rire ou de moquerie, d'intérêts. En ce sens, la nature sauvage, qui devrait être libre de faire ce qu'elle veut, est piégée.

Généralement, on retrouve dans les secrets les thèmes du drame. En voici quelques-uns : trahison, amours interdites, curiosité déconseillée, gestes désespérés, actes forcés, amour non partagé, jalousie et rejet, fureur et vengeance, cruauté envers soi-même ou les autres, désirs, souhaits, rêves, choix sexuels et styles de vie désapprouvés, grossesses non désirées, haine et agression, mort ou blessure accidentelle, promesses non tenues, manque de courage, perte de calme, impossibilité d'accomplir quelque chose ou de le mener à son terme, manipulation et interventions en coulisse, négligence, abus. La liste est encore longue de ces thèmes, qui pour la plupart entrent dans la catégorie de l'erreur malheureuse [1].

Comme les contes de fées et les rêves, les secrets suivent les mêmes schémas structurels que le drame, mais au lieu de se conformer à la structure héroïque, ils ont une structure tragique. Le drame héroïque s'ouvre sur l'héroïne en train d'accomplir un voyage. Parfois, elle n'est pas éveillée, sur le plan psychologique, parfois elle est trop gentille et ne perçoit pas le danger, parfois encore elle a été maltraitée et se comporte à la façon désespérée d'une bête en cage. Quel que soit ce début, l'héroïne finit par tomber entre les griffes de quelque chose ou de quelqu'un et subit une douloureuse épreuve. Puis, parce qu'elle est intelligente et que des gens veillent sur elle, elle est libérée et en ressort plus forte [2].

Dans la tragédie, l'héroïne est arrachée de force à son existence et plongée dans l'enfer, ou bien elle s'y précipite tout droit. Personne ne peut entendre ses cris, à moins qu'elle ne supplie en vain. Elle perd tout espoir, tout lien avec l'aspect précieux de la vie, et s'effondre. Au lieu de pouvoir savourer son triomphe sur l'adversité, ou la sagesse de ses choix et son endurance, elle est avilie, affaiblie. Presque toujours, les secrets que garde une femme sont des drames héroïques qui ont été pervertis et changés en tragédies ne conduisant nulle part.

Il y a pourtant une issue. Pour passer du drame tragique au drame héroïque, il faut mettre le secret au jour, en parler à quelqu'un, lui écrire une autre fin, examiner le rôle que nous y jouons et les attributs qui sont les nôtres. La douleur et la sagesse se partagent à égalité les leçons que nous en tirons. S'en sortir représente un triomphe de l'esprit profond, de l'esprit sauvage.

Ce sont de bien vieilles histoires, ces secrets honteux que les femmes promènent. Toute personne qui a gardé un secret à son détriment a été submergée par la honte. Dans ce fléau universel, le schéma lui-même est archétypal : ou bien l'héroïne a été forcée de faire quelque chose, ou bien elle est tombée dans un piège, suite à la perte de son instinct. Elle ne peut parvenir à redresser la situation. D'une certaine manière, elle est condamnée au secret, par un serment ou par la honte. Elle se soumet par peur de perdre un amour, la considération, sa subsistance. Pour sceller encore plus le secret, un sort est jeté à la personne ou aux personnes qui seraient susceptibles de le révéler. Elles sont menacées du pire si le secret venait à être connu.

On a raconté à des femmes que certains événements, certains choix, certaines circonstances de leur vie, généralement en rapport avec le sexe, l'amour, l'argent, la violence, et/ou d'autres difficultés inhérentes à la nature humaine, étaient d'une nature extrêmement honteuse et ne pouvaient en conséquence être absoutes. C'est faux.

Chacun fait de mauvais choix, par ignorance et sans prendre conscience des conséquences. Et rien, sur cette planète comme dans l'univers, n'est en dehors des limites du pardon. Rien. « Non », allez-vous me dire : « Regardez ce que j'ai fait. *Cela* ne peut être pardonné. » Je répète donc. *Rien* de ce qu'un être humain a fait ou fera n'est en dehors des limites du pardon.

Le Soi n'a rien d'une force punitive qui se précipite pour châtier les femmes, les hommes et les enfants. Le Soi est un dieu sauvage qui comprend la nature des créatures. Il est souvent difficile pour nous de « bien agir », notamment quand nous ne sommes plus en prise avec nos instincts fondamentaux, y compris l'intuition. Nous avons donc du mal à réfléchir à l'issue avant le fait plutôt qu'après. L'âme sauvage a un aspect profondément compatissant, qui prend cela en compte.

Dans l'archétype du secret, un enchantement est jeté comme un filet noir sur une partie de la psyché de la femme, qui est encouragée à croire que le secret ne devra jamais être révélé ; plus encore, elle va devoir croire que si elle le révèle, toutes les personnes correctes qui croiseront sa route la considéreront à jamais comme un être indigne. Cette menace supplémentaire vient s'ajouter à la honte secrète et la femme porte donc non pas un, mais deux fardeaux.

Cette sorte d'enchantement en forme de menace est propre aux personnes qui occupent un espace noir, étroit, de leur cœur. Chez celles qui sont pleines de chaleur et d'amour pour la nature humaine, c'est l'inverse qui se passe. Elles vont aider à mettre le secret au jour, car elles savent qu'il cause une blessure inguérissable tant que l'histoire ne sera pas verbalisée et racontée à quelqu'un.

La zone morte

En gardant son secret, une femme se coupe de tous ceux qui lui apporteraient amour, secours et protection. Elle porte seule son fardeau de chagrin et de peur, quelquefois pour un groupe entier, que ce soit sa famille ou sa culture. En outre, comme dit Jung, garder des secrets nous coupe de l'inconscient. Là où il y a secret honteux, il y a toujours une zone morte dans la psyché de la femme, un lieu qui ne ressent pas les événements de sa vie émotionnelle ou de celle des autres, ou bien n'y réagit pas correctement.

La zone morte est extrêmement protégée. On trouve là une infinité de murs et de portes, chacune fermée avec une vingtaine de verrous, et les *homunculi*, les petites créatures des rêves féminins, sont toujours en train de construire d'autres portes, d'autres barrages, d'autres systèmes de sécurité, de peur que le secret ne s'échappe.

Pourtant, on ne peut tromper la Femme Sauvage. Elle est parfaitement au courant de ces sombres paquets qui gisent dans l'esprit de la femme, enveloppés de mètres de corde. La lumière, la grâce, n'atteignent pas ces endroits, tant ils sont couverts et recouverts. Bien sûr, dans la mesure où la psyché joue un rôle compensatoire, le secret filtrera de toute manière à l'extérieur, sinon sous forme de mots, du moins sous forme d'accès soudains de mélancolie, de rages mystérieuses et intermittentes, de toutes sortes de tics et de maux physiques, de conversations qui cesseront brutalement, sans explication, de réactions bizarres à des films ou même à des publicités à la télévision.

Le secret filtrera donc toujours et la plupart du temps ce sera d'une façon impossible à gérer de front. Que va donc faire la femme qui s'aperçoit de cette fuite? Elle dépensera une énergie considérable à lui courir après. Elle le rapatriera dans la zone morte et édifiera de plus fortes défenses. Elle fera appel à ses *homunculi* – ses gardiens intérieurs, les défenseurs du moi – pour qu'ils élèvent d'autres murs, placent d'autres portes. Et elle s'appuiera contre son dernier tombeau psychique, en suant sang et eau et en soufflant comme une locomotive. La femme qui entretient un secret est une femme épuisée.

Mes *nagynénik*, mes tantes, avaient l'habitude de raconter une petite histoire à propos de ces secrets. Elles l'appelaient *Arányos Haj*, « Les Cheveux d'or », – « La Femme aux Cheveux d'Or ».

La Femme aux Cheveux d'Or

C'ÉTAIT une femme étrange, mais très belle. Elle avait de longs cheveux dorés, aussi fins que des fils d'or. Elle était pauvre et orpheline, et vivait seule dans les bois, tissant sur un métier fait de rameaux de noyer noir. Le fils du charbonnier, une brute, tenta de la forcer à l'épouser et, pour s'en débarrasser, elle lui donna quelques-uns de ses cheveux d'or.

Mais l'homme ne vit pas qu'il avait reçu un or spirituel et non une monnaie. Aussi, quand il se rendit au marché pour échanger les cheveux contre des marchandises, tout le monde se moqua de lui et considéra qu'il avait l'esprit dérangé.

Fou de rage, il retourna de nuit à la maisonnette de la femme, la tua de ses mains et enterra son corps près de la rivière. Il se passa beaucoup de temps avant qu'on ne s'aperçût de la disparition de la femme. Personne ne s'inquiétait de son sort. Mais dans la tombe, ses cheveux dorés poussèrent. Sa magnifique chevelure, de plus en plus épaisse, se fraya un chemin à travers la terre noire, traçant maintes boucles et spirales, montant de plus en plus haut, jusqu'à ce que sa tombe soit recouverte d'un champ de roseaux dorés qui ondulaient.

Des bergers vinrent et coupèrent les roseaux pour en faire des pipeaux. Lorsqu'ils soufflèrent dedans, les petits pipeaux se mirent à chanter, sans pouvoir s'arrêter :

Ci-gît la femme aux cheveux d'or
qui au fond de son tombeau dort.
Le fils du charbonnier l'a tuée
parce que vivre était son souhait.

C'est ainsi qu'on découvrit le meurtrier de la femme aux cheveux d'or et qu'il fut conduit devant ses juges, afin que ceux qui vivent comme nous dans les bois sauvages de la planète puissent être à nouveau en sécurité.

Tandis que ce conte transmet les instructions habituelles sur la nécessité d'être prudent dans la solitude des bois, son message profond nous dit que la force vitale de la belle sauvageonne, personnifiée par sa chevelure, continue à pousser et à vivre et à imprégner la connaissance consciente, même après avoir été réduite au silence et enterrée. Les leitmotive de ce conte sont probablement des fragments d'une histoire plus importante et plus ancienne de mort et de résurrection qui tournait autour d'une divinité féminine.

Ce segment est magnifique et de grande valeur. En outre, il nous parle de la nature des secrets et peut-être même de ce qui est tué dans la psyché lorsque la vie d'une femme n'est pas reconnue à sa juste valeur. Le meurtre de la femme qui vit au fond des bois est le secret. Elle représente une *korê*, la « femme-qui-ne-se-mariera-jamais ». Cet aspect de la psyché féminine représente la part qui veut vivre seule. Elle est, au sens positif du terme, mystique et solitaire, car la *korê* s'attache à trier et à tisser les idées, les pensées, les entreprises.

C'est cette sauvageonne intérieure qui est le plus victime d'un trauma ou de la conservation d'un secret... ce sens intégral de soi qui n'a pas besoin de grand-chose autour de lui pour être heureux, ce cœur de la psyché féminine qui, au cœur de la forêt, tisse sur son métier de noyer noir et s'y sent en paix.

Dans *La Femme aux Cheveux d'Or*, nul ne s'interroge sur l'absence de cette femme vitale. Ce n'est pas inhabituel, dans les contes comme dans la vie. Les familles des femmes mortes de *Barbe-Bleue* ne viennent pas non plus à la recherche de leur fille. Sur le plan culturel, nul besoin de fournir une interprétation. Nous savons toutes, hélas, ce que cela signifie et trop de femmes sont bien placées pour comprendre cette absence d'interrogation. Souvent, la femme porteuse de secrets se trouve face à la même réaction. Même si les gens sentent que son cœur est percé, ils peuvent, volontairement ou non, rester aveugles à sa blessure.

Toutefois, la psyché sauvage a ceci de miraculeux que, même si une femme est « assassinée », même si elle est blessée, sa vie psychique continue. Elle va s'exhumer et, dans des circonstances favorables à l'âme, chanter à nouveau le chant de l'épanouissement. Alors, le mal qui a été fait est consciemment appréhendé, et la psyché commence à se rétablir.

Ne trouvez-vous pas intéressante cette idée que la force d'une femme peut continuer à se développer même si apparemment elle est sans vie ? C'est là la promesse que, dans les conditions les plus difficiles, la force vitale sauvage va continuer à faire en sorte que nos idées survivent et se développent par en dessous, même si cela ne dure qu'un temps. La vie se fraiera un chemin vers la surface le moment venu. Cette force de vie ne permettra pas que le sujet soit abandonné avant qu'on sache où se trouve le corps de la femme enterrée et les circonstances de sa mort.

Comme le font les bergers du conte, il faut pour cela prendre une inspiration et transmettre aux roseaux le souffle de l'âme ou *pneuma*, afin de savoir dans quel état sont exactement les affaires de la psyché et de connaître l'étape suivante. Ensuite on pourra commencer à creuser.

Il y a des secrets qui vous donnent de la force. Par exemple, ceux qui font partie d'une stratégie pour parvenir à un but ou ceux que l'on garde pour le plaisir de les savourer. Mais les secrets honteux sont d'un tout autre ordre. Il faut les exposer aux regards compatissants d'êtres humains généreux. Il est terrible de voir les tortures et le blâme que peut s'infliger la femme qui garde pour elle un tel secret. Ces tortures, ce blâme, qui lui avaient été promis si elle révélait le secret, l'assaillent de toute manière, même si elle n'a rien dit à personne, et l'attaquent de l'intérieur.

La femme sauvage ne peut vivre ainsi. Le secret honteux hante la femme qu'il habite. Elle ne peut dormir, car il lui déchire le ventre comme un fil de fer barbelé lorsqu'elle tente de s'échapper. Il est destructeur non seulement pour sa santé mentale, mais pour ses relations avec la nature instinctive. La Femme Sauvage déterre les choses, les lance en l'air, leur court après. Ce n'est pas son genre d'enterrer et d'oublier. Ou alors, si elle enterre quelque chose quelque part, elle s'en souvient parfaitement et il se passera peu de temps avant qu'elle ne l'ait de nouveau exhumé.

La psyché est profondément perturbée par ce secret. Il va faire irruption dans le matériel onirique. L'analyste doit souvent aller au-delà du contenu manifeste et quelquefois même archétypal d'un rêve pour découvrir qu'il se fait l'écho du secret même que le rêveur ne peut ou n'ose dire à haute voix.

Nombreux sont les rêves qui, une fois analysés, révèlent qu'ils se réfèrent à des sentiments de très grande ampleur que le rêveur est incapable de libérer dans la vie courante. Certains appartiennent à des secrets. La plupart des images courantes que j'ai rencontrées sont des lumières, électriques ou autres, qui vacillent et/ou s'éteignent, des rêves dans lesquels le rêveur est malade après avoir mangé quelque chose, ceux dans lesquels il est en danger mais ne peut bouger ou encore tente d'appeler au secours, mais aucun son ne sort de sa bouche.

Vous vous souvenez du *canto hondo*, du chant profond et de l'*hambre del alma*, de l'âme affamée ? En leur temps, ces deux forces, par le biais des rêves et de la propre force sauvage vitale de la femme, émergent à la surface de la psyché et permettent au cri nécessaire, le cri qui libère, de s'échapper. A ce moment, la femme retrouve sa voix. Elle chante, fait sortir d'elle le secret et est entendue.

Dans la tradition des pratiques ethniques et religieuses qui sont celles de ma famille, le sens profond de ce conte de fées et d'autres, similaires, est un remède à appliquer sur les blessures tenues secrètes. Dans le *curanderisma*, on les considère comme des encouragements, des conseils, comme une forme de résolution. Derrière la formation de la sagesse du conte de fées, il y a le fait que pour les hommes comme pour les femmes, les blessures infligées au soi, à l'âme, à la psyché, par le biais des secrets ou autres, font partie de l'existence de beaucoup. De même, on ne peut éviter les cicatrices qui en résultent. Mais on peut traiter ces blessures et elles peuvent guérir, indubitablement.

Il existe des blessures générales, des blessures spécifiques aux hommes, des blessures propres aux femmes. L'avortement laisse une cicatrice, la fausse couche aussi, comme la perte d'un enfant, quel que soit son âge. Parfois, le fait même d'être proche de quelqu'un produit un tissu cicatriciel, tout comme le fait de tomber dans un piège, de faire des choix naïfs ou même le bon choix, mais un choix douloureux. Il y a autant de formes de cicatrices que de types de blessures psychiques.

Quand on refoule un matériel secret entouré de honte, de peur, de colère, de culpabilité ou d'humiliation, on verrouille par la même occasion toutes les autres parties de l'inconscient à proximité du site du secret[3]. C'est comme lorsqu'on injecte un anesthésique, disons, dans la cheville de quelqu'un avant une intervention. Une grande partie de la jambe et du pied est également anesthésiée et ne sent plus rien. Il en va de même quand on conserve un secret dans la psyché ; on fait une perfusion d'anesthésique qui engourdit bien plus que la région concernée.

Quelle que soit la nature du secret, quel que soit le degré de douleur causé, la psyché est affectée de la même manière. Voici un exemple. Une femme dont le mari s'était suicidé quarante ans auparavant, trois mois après leur mariage, avait été pressée par la famille de l'époux non seulement de dissimuler les preuves de la dépression majeure de celui-ci, mais aussi la colère et le chagrin profonds qu'elle ressentait depuis cette époque. Résultat, elle avait constitué une « zone morte » concernant son angoisse à elle et son angoisse à lui, ainsi que sa fureur contre la marque d'infamie que la société attachait à l'événement dans son ensemble.

Elle avait permis aux membres de la famille de son mari de la trahir en accédant à leur demande de ne pas révéler, au fil des ans, leur attitude cruelle envers son époux. Chaque année, à la date anniversaire du suicide, la famille du mari faisait la morte. Personne n'appelait pour lui demander : « Comment te sens-tu ? As-tu besoin de compagnie ? Est-ce qu'il te manque ? Il te manque, bien sûr, je le sais. Pourquoi ne sortirions-nous pas un peu ? » Année après année, cette femme creusait de nouveau la tombe de son époux et enterrait seule son chagrin.

Elle finit par éviter d'autres dates de commémoration, les anniversaires divers, le sien y compris. La zone morte s'élargit autour du centre du secret. Elle ne recouvrit pas seulement les événements commémoratifs, mais aussi les célébrations et même alla au-delà. La femme se mit à traiter par le mépris tous les événements familiaux et amicaux, les considérant ouvertement comme une perte de temps.

Pour son inconscient, toutefois, il s'agissait de gestes vides de sens, car personne ne s'était approché d'elle dans ses périodes de désespoir. Son affliction chronique, le secret honteux qu'elle gardait, avaient mordu sur la zone de sa psyché qui gouvernait les relations avec les autres. Souvent, nous blessons les autres là – ou du moins très près de là – où nous avons nous-mêmes été blessés.

Si néanmoins une femme désire conserver tous ses instincts et ses capacités à évoluer librement dans sa psyché, elle peut révéler son ou ses secrets à une personne de confiance et les redire aussi souvent que nécessaire. En général, il ne suffit pas de désinfecter une fois une blessure et de l'oublier ensuite ; il faut la panser et la nettoyer à plusieurs reprises pendant qu'elle cicatrise.

Une fois le secret enfin révélé, l'âme a besoin d'une autre réponse que « Hum, c'est vraiment épouvantable », ou « Oui, la vie est bien dure », de la part tant de celle qui parle que de la personne qui écoute. Celle qui parle doit essayer de ne pas déprécier le sujet. Et tant mieux si la personne qui écoute, homme ou femme, se montre attentive avec son cœur, laisse son visage exprimer ses sentiments et ressent un pincement de douleur sans pour autant s'évanouir. Pour qu'un secret cicatrise, il est en partie nécessaire de le raconter, afin que les autres en soient émus. De cette manière, en recevant le secours et les soins dont elle a manqué au moment du trauma originel, la femme commence à se remettre de la honte.

Au sein de petits groupes confidentiels de femmes, je fais naître cet échange en demandant aux femmes de se réunir et d'apporter des photos de leur mère, de leurs tantes, de leurs sœurs, de leurs compagnes, de leurs grand-mères et autres femmes importantes à leurs yeux. Nous alignons toutes les photos. Certaines sont déchirées, d'autres pâlies, d'autres encore portent la marque d'une tasse de café, ou des traces de liquide renversé dessus. Beaucoup ont au dos une inscription : « A toi pour toujours », ou « Moi et Joe à Atlantic City », ou encore « L'équipe des filles de l'usine ».

Je suggère que chaque femme commence par dire : « Ce sont les femmes de mon sang » ou « Ce sont les femmes dont j'ai hérité ». Les femmes regardent ces photos des femmes de leur famille et de leurs amies et, avec une profonde compassion, elles commencent à raconter ce qu'elles savent des secrets de chacune, les grandes joies, les grandes blessures, les grands triomphes. Il y a des moments où, au cours de ces périodes que nous passons ensemble, nous ne pouvons aller plus loin, car de nombreuses larmes jaillissent, viennent mettre à flot de nombreux, nombreux bateaux et nous voguons toutes ensemble vers le large pendant un bout de temps [4].

L'important, ici, c'est cet authentique lavage du linge féminin, une fois pour toutes. Il y a quelque chose d'ironique dans le fait de recommander de ne pas laver son « linge sale » en public, car généralement on ne le lave pas non plus en famille. Il gît dans un coin de la cave, tout raidi à jamais par son secret. Insister pour garder les choses en privé est nocif. En réalité, cela signifie qu'une femme n'a autour d'elle personne pour la soutenir et l'aider à régler les problèmes qui la font souffrir.

La plupart des histoires secrètes personnelles des femmes sont du genre dont on ne peut parler avec la famille ou les amis, car ou bien ceux-ci ne croient pas ce qu'on leur dit, ou bien ils tentent de détourner la conversation, et non sans raison. En effet, s'ils essayent de les tirer au clair, d'en parler, d'y réfléchir, ils devront partager le chagrin de la femme. Pas question de balbutier « Eh bien, euh... » avant de sombrer dans le silence, ou de dire : « Mieux vaut ne pas perdre de temps avec ça et faire ce que nous avons à faire. » Non, au cas où la famille, le compagnon, la communauté d'une femme partageraient le chagrin de la mort de la femme aux cheveux d'or, ils devraient tous prendre leur place dans le cortège et aller pleurer sur la tombe. Personne ne pourrait y échapper et ce serait très pénible pour eux.

Quand les femmes réfléchissent plus que d'autres membres de leur famille ou de leur communauté à leur honte secrète, elles sont les seules à souffrir consciemment [5]. Le but psychologique de la famille, qui est de rassembler, n'est pas atteint. Pourtant, la nature sauvage exige que toutes les menaces et tous les éléments irritants soient éliminés de l'environnement de la personne et qu'il y ait le moins possible d'éléments oppresseurs. C'est donc une question de temps, généralement, avant que la femme ne fasse appel à son courage, se coupe un roseau doré et joue avec force l'air de son secret.

De *Barbe-Bleue* à *Mary Culhane* [6], en passant par *Mr Fox*, il existe quantité de contes de fées dans lesquels l'héroïne refuse d'une manière ou d'une autre de garder son secret et se trouve ainsi, en fin de compte, libre de vivre sa vie. Les conseils qu'ils transmettent au niveau archétypal nous permettent, par extrapolation, de comprendre comment il faut agir avec ces secrets lourds de honte.

Parlez-en à quelqu'un. Il n'est jamais trop tard. Et si vous avez du mal à le dire à haute voix, couchez-le sur le papier. Choisissez une personne en qui vous avez instinctivement confiance. Si vous préférez, allez voir un psychothérapeute. Il vous écoutera avec compassion, sans vous juger et fera la différence entre culpabilité et remords. Il sait ce que sont l'affliction et la résurrection de l'esprit.

Quel que ce soit ce secret, nous comprenons qu'il fait maintenant partie du travail de vie que nous accomplissons. La rédemption guérit la plaie ouverte. Mais il y aura une cicatrice, qui nous fera souffrir aux changements de temps. Ainsi en va-t-il de la peine sincère.

Pendant des années, la psychologie traditionnelle, toutes tendances confondues, a estimé à tort que la peine était un processus par lequel on passait une fois pour toutes, de préférence sur une période d'un an, point final; et quelque chose n'allait pas chez les personnes qui ne pouvaient ou ne voulaient le faire dans ce délai. Nous savons maintenant, toutefois, ce que les êtres humains savaient instinctivement depuis des siècles : pour certaines blessures, certains dommages, certaines hontes, le deuil n'est jamais complètement fait, la perte d'un enfant – par la mort ou le renoncement – étant une des formes de peine les plus durables, sinon la plus durable.

En conduisant une étude [7] de journaux intimes rédigés sur une longue période, Paul C. Rosenblatt s'est aperçu que, suite à une tragédie, les gens se remettent de leur peine dans une période de un à deux ans, selon le soutien dont ils bénéficient, mais qu'ils continuent par la suite à connaître des périodes de chagrin actif. Même si ces épisodes sont de plus en plus courts et de plus en plus espacés, chacun fait presque aussi mal que la première fois.

Ces éléments d'informations nous aident à comprendre qu'il est normal d'éprouver une peine de longue durée. Quand on ne dit pas un secret, l'affliction n'en persiste pas moins, et à vie. La rétention des secrets interfère avec l'hygiène de la psyché et de l'esprit, qui cicatrisent naturellement. C'est une raison supplémentaire pour les révéler. En les racontant, en élaborant notre peine, nous quittons la zone morte et nous revivons. Ils nous permettent de laisser derrière nous le culte mortel du secret. Nous en sortons avec des traces de larmes et non des marques de honte, emplies d'une vie nouvelle.

La Femme Sauvage nous soutiendra pendant le temps de la peine. Elle est le Soi instinctuel. Elle peut supporter nos cris, nos gémissements, notre envie de mourir sans mourir. Elle appliquera des remèdes là où ça fait le plus mal. Elle nous chuchotera à l'oreille. Elle aura mal pour nous et elle le supportera sans s'enfuir. Certes, nous aurons des cicatrices en grand nombre, mais il est bon de se souvenir qu'en termes d'élasticité et de résistance à la pression, la cicatrice est supérieure à la peau.

Le « boubou émissaire »

Parfois, dans le cours de mon travail avec des femmes, je leur apprends comment réaliser, avec du tissu ou un autre matériau, ce que j'appelle un « *boubou* émissaire » – autrement dit un vêtement constitué d'éléments cousus ou épinglés, rappelant, sous forme écrite, peinte, dessinée ou autre, les insultes, les traumas, les blessures, tout ce qu'une femme a souffert au cours de son existence. C'est une façon, pour chacune d'entre elles, d'exprimer qu'elle a servi de *bouc émissaire*. La réalisation de ce « boubou émissaire » peut prendre un jour, comme elle peut prendre des mois. Elle joue un rôle extrêmement utile dans l'élaboration de la liste des coups reçus.

J'ai commencé par faire ce boubou pour moi-même. Très vite, il est devenu si imposant, qu'il aurait fallu un chœur de Muses pour porter la traîne. J'avais l'intention, une fois tous ces rebuts psychiques réunis en un objet physique, de le brûler et de voir par là même mes vieilles blessures partir en fumée. Mais voilà, je l'ai gardé, suspendu au plafond du couloir et à chaque fois que je passais à côté, loin d'éprouver une sensation désagréable, je me sentais bien. J'éprouvais de l'admiration pour la femme qui avait *los ovarios* de porter ce genre de vêtement et de continuer à marcher à quatre pattes, de chanter, de créer et de remuer la queue.

Il en va de même avec les femmes avec lesquelles j'ai travaillé. Elles ne veulent pas détruire leurs « boubous émissaires » une fois ceux-ci achevés et plus ils sont affreux, plus elles ont envie de les garder pour toujours. Nous les appelons aussi parfois des « boubous de combat », car ils sont la preuve des échecs, des victoires et de l'endurance de chacune et de ses sœurs.

D'ailleurs, pourquoi ne pas déterminer notre âge, non au nombre des années, mais au nombre de nos cicatrices? Parfois, on me demande: « Quel âge avez-vous? », et je réponds: « J'ai dix-sept cicatrices de guerre ». En général, les gens ne cillent pas et se mettent même à m'imiter.

Comme les glyphes peints sur les peaux de bêtes des Lakota, comme les anciens manuscrits des Egyptiens, des Nahuatl, des Mayas rapportant les grands événements de la vie de la tribu, les « boubous émissaires », les « boubous de combat » racontent les batailles et les victoires des femmes. Je me demande ce qu'en penseront nos petites-filles et nos arrière-petites-filles. J'espère qu'il faudra tout leur expliquer.

Soyez claires en en parlant, car ce boubou-là aura été gagné de haute lutte. Et si l'on vous demande votre nationalité, votre origine ethnique, votre lignage, prenez un air énigmatique et répondez: « Le Clan des Cicatrices. »

14

LA SELVA SUBTERRÁNEA : INITIATION DANS LA FORÊT SOUTERRAINE

La jeune fille sans mains

Si les histoires sont des graines, nous sommes le sol dans lequel elles germent. Il suffit d'écouter une histoire pour la vivre, comme si nous étions l'héroïne qui chancelle ou l'emporte à la fin. Si le personnage est un loup, nous rôdons un temps comme lui, en appréhendant le monde à sa façon. S'il est question d'une colombe retrouvant ses petits, quelque chose bouge sous les plumes de notre giron. S'il s'agit d'arracher de haute lutte une perle sacrée aux griffes du neuvième dragon, nous nous sentons épuisées, mais satisfaites. L'histoire nous imprègne, nous transmet un savoir, par le simple fait de l'écouter.

Les jungiens appellent cela « la participation mystique » – un terme emprunté à l'anthropologue Lévy-Bruhl – et l'on désigne ainsi une relation dans laquelle « une personne ne peut se considérer comme étant séparée de l'objet ou de la chose dont elle est le spectateur ». Chez les freudiens, on parle d'« identification projective ». Chez les anthropologues, on utilise parfois la formule « magie sympathique ». Tous ces termes désignent la capacité de l'esprit à sortir quelque temps du moi pour se mêler à une autre réalité – autrement dit, une autre façon d'appréhender les choses, une autre manière de les comprendre. Dans ma lignée de guérisseurs, cela signifie apprendre et expérimenter par l'intermédiaire d'un état de prière ou d'un état non ordinaire de la conscience, puis rapporter à la réalité consensuelle ce que l'on a aperçu et appris dans ces circonstances [1].

La Jeune Fille sans Mains est une histoire très intéressante, de celles où les antiques religions nocturnes montrent le bout du nez sous les différentes couches du conte. Elle est structurée de façon à ce que l'auditoire puisse participer aux épreuves d'endurance de l'héroïne, car c'est un conte long à raconter et plus long encore à assimiler. J'ai pour habitude de l'étaler sur sept soirées, et quelquefois, selon l'auditoire, sur une durée de sept semaines ou même, à l'occasion, de sept mois – consacrant une soirée, une semaine ou un mois à chacun des travaux de l'histoire. Ce n'est évidemment pas sans raison.

Le conte nous entraîne dans un monde qui se trouve bien en dessous des racines des arbres. Considéré sous cet angle, *La Jeune Fille sans Mains* fournit du matériel pour la totalité du processus d'une existence. Il traite de la plupart des voyages-clés de la psyché féminine. Au contraire d'autres contes abordés ici, qui s'adressent à une tâche spécifique ou à une leçon particulière portant sur quelques jours ou quelques semaines, *La Jeune Fille sans Mains* couvre un long voyage, celui d'une vie de femme. Il est donc tout à fait à part. L'une des meilleures façons de l'assimiler, c'est de le lire auprès de votre Muse, épisode par épisode, en prenant largement votre temps.

La Jeune Fille sans Mains traite de l'initiation des femmes dans la forêt souterraine par le rite d'endurance. Le terme « endurance » évoque a priori l'idée de durer, de continuer sans s'arrêter. On peut certes l'entendre en ce sens, occasionnellement, pour les tâches sous-jacentes à l'histoire, mais il signifie aussi « aptitude à résister à la fatigue, à la souffrance », et donc « capacité à se renforcer », et c'est là le moteur principal du conte et le trait génératif d'une longue vie psychique pour la femme. Nous n'allons pas de l'avant pour simplement continuer. Si nous endurons, c'est que nous accomplissons quelque chose de substantiel.

La nature tout entière nous donne des leçons d'endurance. A leur naissance, les louveteaux ont sous les pattes des coussinets doux comme de l'argile. Ce sont les randonnées qu'ils vont effectuer en compagnie de leurs parents qui renforceront cette partie de leur corps. Alors, ils pourront bondir sur des graviers acérés, des épines et même du verre brisé sans être blessés.

J'ai vu des mères louves plonger leurs petits dans des ruisseaux glacés, courir jusqu'à ce que le louveteau ne tienne plus sur ses pattes. Ainsi endurcissent-elles ce tendre esprit et lui donnent-elles force et caractère. Dans les mythes, l'apprentissage de l'endurance est l'un des rites de la Grande Mère sauvage, de la Femme Sauvage archétypale. Selon un rituel immémorial, elle rend forte sa progéniture. C'est elle qui nous endurcit, nous donne force et endurance.

Le lieu de cet apprentissage, de l'acquisition de ces attributs, c'est *La Selva Subterránea*, la forêt d'en bas, le monde souterrain de la connaissance féminine. C'est un monde sauvage qui vit sous celui-ci, sous le monde que perçoit le moi. Lorsque nous nous y trouvons, nous parlons, nous comprenons avec l'instinct ; dans cette situation, nous comprenons ce que nous avons du mal à saisir en étant dans le monde du dessus.

La jeune fille du conte maîtrise plusieurs descentes. Dès qu'elle a accompli une descente et une transformation, elle en affronte une autre.

Ces cycles alchimiques complets ont chacun sa *nigredo*, la perte, sa *rubedo*, le sacrifice, et son *albedo*, l'apparition de la lumière, à la suite l'une de l'autre. Le roi et la mère du roi ont chacun son cycle. Toutes ces descentes, ces pertes, ces découvertes et cette force gagnée représentent l'initiation des femmes, une vie durant, au renouveau du Sauvage.

La Jeune Fille sans Mains porte des titres différents selon les régions du monde. On l'intitule parfois *Les Mains d'Argent*, *La Fiancée sans Mains*, *Le Verger*. Plus d'une centaine de versions ont été répertoriées. Le noyau de la version littéraire dont je suis l'auteur et que je rapporte ici m'a été donné par ma tante Magdalena, une des remarquables femmes de la campagne qui m'ont entourée dans mon enfance. On trouve d'autres versions en Europe centrale et dans les pays de l'Est. Mais à vrai dire, partout où existe le désir de la Mère Sauvage, on trouve l'expérience profondément féminine qui est sous-jacente au conte.

Ma tante Magdalena utilisait un petit stratagème quand elle nous racontait des histoires. Elle prenait son auditoire par surprise en débutant par un : « Ceci s'est passé il y a une dizaine d'années », puis en poursuivant par une histoire qui avait le Moyen Age pour décor, avec chevaliers, donjons, ponts-levis et tout. Ou bien elle commençait par : « Il était une fois, la semaine dernière... » et embrayait sur un conte se passant aux temps où les hommes allaient encore vêtus de peaux de bêtes.

Voici donc :

La Jeune Fille sans Mains

IL était une fois, il y a quelques jours, à l'époque où la farine des villageois était écrasée à la meule de pierre, un meunier qui avait connu des temps difficiles. Il ne lui restait plus que cette grosse meule de pierre dans une remise et, derrière, un superbe pommier en fleur.

Un jour, tandis qu'il allait dans la forêt couper du bois mort avec sa hache au tranchant d'argent, un curieux vieillard surgit de derrière un arbre. « A quoi bon te fatiguer à fendre du bois ? dit-il. Ecoute, si tu me donnes ce qui se tient derrière ton moulin, je te ferai riche.

– Qu'y a-t-il derrière mon moulin, sinon mon pommier en fleur ? pensa le meunier. Il accepta donc le marché du vieil homme.

– Dans trois ans, je viendrai chercher mon bien, gloussa l'étranger, avant de disparaître en boitant derrière les arbres. »

Sur le sentier, en revenant, le meunier vit son épouse qui volait à sa rencontre, les cheveux défaits, le tablier en bataille. « Mon époux, mon époux, quand l'heure a sonné, une pendule magnifique a pris place sur le mur de notre maison, des chaises recouvertes de velours ont remplacé nos sièges rustiques, le garde-manger s'est mis à regorger de gibier et tous nos coffres, tous nos coffrets débordent. Je t'en prie, dis-moi ce qui est arrivé ? » Et à ce moment encore, des bagues en or vinrent orner ses doigts tandis que sa chevelure était prise dans un cercle d'or.

« Ah », dit le meunier, qui, avec une crainte mêlée de respect, vit alors son justaucorps devenir de satin et ses vieilles chaussures, aux talons si éculés qu'il marchait incliné en arrière, laisser la place à de fins souliers. « Eh bien, tout cela nous vient d'un étranger, parvint-il à balbutier. J'ai rencontré dans la forêt un homme étrange, vêtu d'un manteau sombre, qui m'a promis abondance de biens si je lui donnais ce qui est derrière le moulin. Que veux-tu, ma femme, nous pourrons bien planter un autre pommier...

– Oh, mon mari ! gémit l'épouse, comme foudroyée. Cet homme en manteau sombre, c'était le Diable et derrière le moulin il y a bien le pommier, mais aussi notre fille, qui balaie la cour avec un balai de saule. »

Et les parents de rentrer chez eux d'un pas chancelant, répandant des larmes amères sur leurs beaux habits.

Pendant trois ans, leur fille resta sans prendre époux. Elle avait un caractère aussi doux que les premières pommes de printemps. Le jour où le Diable vint la chercher, elle prit un bain, enfila une robe blanche et se plaça au milieu d'un cercle qu'elle avait tracé à la craie autour d'elle. Et quand le Diable tendit la main pour s'emparer d'elle, une force invisible le repoussa à l'autre bout de la cour.

« Elle ne doit plus se laver, hurla-t-il, sinon je ne peux l'approcher. » Les parents et la jeune fille furent terrifiés. Quelques semaines passèrent. La jeune fille ne se lavait plus et bientôt ses cheveux furent poisseux, ses ongles noirs, sa peau grise, ses vêtements raides de crasse.

Chaque jour, elle ressemblait de plus en plus à une bête sauvage. Alors, le Diable revint. La jeune fille se mit à pleurer. Ses larmes coulèrent tant et tant sur ses paumes et le long de ses bras que bientôt ses mains et ses bras furent parfaitement propres, immaculés. Fou de rage, le Diable hurla : « Coupe-lui les mains, sinon je ne peux m'approcher d'elle ! » Le père fut horrifié : « Tu veux que je tranche les mains de mon enfant ? – Tout ici mourra, rugit le Diable, tout, ta femme, toi, les champs aussi loin que porte son regard ! »

Le père fut si terrifié qu'il obéit. Implorant le pardon de sa fille, il se mit à aiguiser sa hache. Sa fille accepta son sort. « Je suis ton enfant, dit-elle, fais comme tu le dois. »

Ainsi fit-il, et nul ne sait qui cria le plus fort, du père ou de son enfant. Et c'en fut fini de la vie qu'avait connue la jeune fille.

Quand le Diable revint, la jeune fille avait tant pleuré que les moignons de ses bras étaient de nouveau propres et de nouveau, il se retrouva à l'autre bout de la cour quand il voulut se saisir d'elle. Il lança des jurons qui allumèrent de petits feux dans la forêt, puis disparut à jamais, car il n'avait plus de droits sur elle.

Le père avait vieilli de cent ans, tout comme son épouse. Ils s'efforcèrent de faire aller, comme de vrais habitants de la forêt qu'ils étaient. Le vieux père proposa à sa fille de vivre dans un beau château, entourée pour la vie de richesses et de magnificence, mais elle répondit qu'elle serait mieux à sa place en mendiant désormais sa subsistance et en dépendant des autres pour vivre. Elle entoura donc ses bras d'une gaze propre et, à l'aube, quitta la vie qu'elle avait connue.

Elle marcha longtemps. Quand le soleil fut au zénith, la sueur traça des rigoles sur son visage maculé. Le vent la décoiffa jusqu'à ce que ses cheveux ressemblent à un amas de brindilles. Et au milieu de la nuit, elle arriva devant un verger royal où la lune faisait briller les fruits qui pendaient aux arbres.

Une douve entourait le verger et elle ne put y pénétrer. Mais elle tomba à genoux, car elle mourait de faim. Alors, un esprit vêtu de blanc apparut et ferma une des écluses de la douve, qui se vida.

La jeune fille s'avança parmi les poiriers. Elle n'ignorait pas que chaque fruit, d'une forme parfaite, avait été compté et numéroté, et que le verger était gardé ; néanmoins, dans un craquement léger, une branche s'abaissa vers elle de façon à mettre à sa portée le joli fruit qui pendait à son extrémité. Elle posa les lèvres sur la peau dorée d'une poire et la mangea, debout dans la clarté lunaire, ses bras enveloppés de gaze, ses cheveux en désordre, la jeune fille sans mains pareille à une créature de boue.

La scène n'avait pas échappé au jardinier, mais il n'intervint pas, car il savait qu'un esprit magique gardait la jeune fille. Quand celle-ci eut fini de manger cette seule poire, elle retraversa la douve et alla dormir dans le bois, à l'abri des arbres.

Le lendemain matin, le roi vint compter ses poires. Il s'aperçut qu'il en manquait une, mais il eut beau regarder partout, il ne put trouver le fruit. Le jardinier expliqua : « La nuit dernière, deux esprits ont vidé la douve, sont entrés dans le jardin quand la lune a été haute et celui qui n'avait pas de mains, un esprit féminin, a mangé la poire qui s'était offerte à lui. »

Le roi dit qu'il monterait la garde la nuit suivante. Quand il fit sombre, il arriva avec son jardinier et son magicien, qui savait comment parler avec les esprits. Tous trois s'assirent sous un arbre et attendirent. A minuit, la jeune fille sortit de la forêt, flottant avec ses bras sans mains, ses vêtements sales en lambeaux, ses cheveux en désordre et son visage sur lequel la sueur avait tracé des rigoles, l'esprit vêtu de blanc à ses côtés.

Ils pénétrèrent dans le verger de la même manière que la veille et de nouveau, un arbre mit une branche à la portée de la jeune fille en se penchant gracieusement vers elle et elle consomma à petits coups de dents le fruit qui pendait à son extrémité.

Le magicien s'approcha d'eux, un peu, mais pas trop. « Es-tu ou n'es-tu pas de ce monde ? » demanda-t-il. Et la jeune fille répondit : « J'ai été *du* monde et pourtant je ne suis pas de *ce* monde. »

Le roi interrogea le magicien : « Est-elle humaine ? Est-ce un esprit ? » Le magicien répondit qu'elle était les deux à la fois. Alors le cœur du roi bondit dans sa poitrine et il s'écria : « Je ne t'abandonnerai pas. A dater de ce jour, je veillerai sur toi. »

Dans son château, il fit faire pour elle une paire de mains en argent, que l'on attacha à ses bras. Ainsi le roi épousa-t-il la jeune fille sans mains.

Au bout de quelque temps, le roi dut partir guerroyer dans un lointain royaume et il demanda à sa mère de veiller sur sa jeune reine, car il l'aimait de tout son cœur. « Si elle donne naissance à un enfant, envoyez-moi tout de suite un message. »

La jeune reine donna naissance à un bel enfant et la mère du roi envoya à son fils un messager pour lui apprendre la bonne nouvelle. Mais, en chemin, le messager se sentit fatigué, et, quand il approcha d'une rivière, le sommeil le gagna, si bien qu'il s'endormit au bord de l'eau. Le Diable sortit de derrière un arbre et substitua au message un autre disant que la reine avait donné naissance à un enfant qui était mi-homme mi-chien.

Horrifié, le roi envoya néanmoins un billet dans lequel il exprimait son amour pour la reine et toute son affection dans cette terrible épreuve. Le jeune messager parvint de nouveau au bord de la rivière et là, il se sentit lourd, comme s'il sortait d'un festin et il s'endormit bientôt. Là-dessus, le Diable fit son apparition et changea le message contre un autre qui disait : « Tuez la reine et son enfant. »

La vieille mère, bouleversée par l'ordre émis par son fils, envoya un messager pour avoir confirmation. Et les messagers firent l'aller-retour. En arrivant au bord de la rivière, chacun d'eux était pris de sommeil et le Diable changeait les messages qui devenaient de plus en plus terribles, le dernier disant : « Gardez la langue et les yeux de la reine pour me prouver qu'elle a bien été tuée. »

La vieille mère ne pouvait supporter de tuer la douce et jeune reine. Elle sacrifia donc une biche, prit sa langue et ses yeux et les tint en lieu sûr. Puis elle aida la jeune reine à attacher son enfant sur son sein, lui mit un voile et lui dit qu'elle devait fuir pour avoir la vie sauve. Les femmes pleurèrent ensemble et s'embrassèrent, puis se séparèrent.

La jeune reine partit à l'aventure et bientôt elle arriva à une forêt qui était la plus grande, la plus vaste qu'elle eût jamais vue. Elle tenta désespérément d'y trouver un chemin. Vers le soir, l'esprit vêtu de blanc réapparut et la guida vers une pauvre auberge tenue par de gentils habitants de la forêt. Une autre jeune fille, vêtue d'une robe blanche, la fit entrer en l'appelant Majesté et déposa le petit enfant auprès d'elle.

« Comment sais-tu que je suis reine ? demanda-t-elle.

– Nous, les gens de la forêt, sommes au courant de ces choses-là, ma reine. Maintenant, reposez-vous. »

La reine passa donc sept années à l'auberge, où elle mena une vie heureuse auprès de son enfant. Petit à petit, ses mains repoussèrent. Ce furent d'abord des mains de nourrisson, d'un rose nacré, puis des mains de petite fille et enfin des mains de femme.

Pendant ce temps, le roi revint de la guerre. Sa vieille mère l'accueillit en pleurant. « Pourquoi as-tu voulu que je tue deux innocents ? » demanda-t-elle en lui montrant les yeux et la langue.

En entendant la terrible histoire, le roi vacilla et pleura sans fin. Devant son chagrin, sa mère lui dit que c'étaient là les yeux et la langue d'une biche, car elle avait fait partir la reine et son enfant dans la forêt.

Le roi fit le vœu de rester sans boire et sans manger et de voyager jusqu'aux extrémités du ciel pour les retrouver. Il chercha pendant sept ans. Ses mains devinrent noires, sa barbe se fit brune comme de la mousse, ses yeux rougirent et se desséchèrent. Il ne mangeait ni ne buvait, mais une force plus puissante que lui l'aidait à vivre.

A la fin, il parvint à l'auberge tenue par les gens de la forêt. La femme en blanc le fit entrer et il s'allongea, complètement épuisé. Elle lui posa un voile sur le visage. Il s'endormit et, tandis qu'il respirait profondément, le voile glissa petit à petit de son visage. Quand il s'éveilla, une jolie femme et un bel enfant le contemplaient.

« Je suis ton épouse et voici ton enfant. »

Le roi ne demandait qu'à la croire, mais il s'aperçut qu'elle avait des mains.

« Mes labeurs et mes soins les ont fait repousser », dit la jeune femme. Alors la femme en blanc tira les mains en argent du coffre dans lequel elles étaient conservées. Le roi se leva, étreignit son épouse et son enfant et ce jour-là, la joie fut grande au cœur de la forêt.

Tous les esprits et les habitants de l'auberge prirent part à un splendide festin. Par la suite, le roi, la reine et leur fils revinrent auprès de la vieille mère, se marièrent une seconde fois, eurent beaucoup d'autres enfants, qui tous racontèrent cette histoire à des centaines d'autres, qui à leur tour la racontèrent à des centaines d'autres, tout comme vous faites partie de la centaine d'autres à qui je la raconte.

Première phase – Le marché à l'aveuglette

Dans la première phase de l'histoire, le meunier, facilement impressionnable et sensible à l'appât du gain, fait un marché de dupes avec le Diable. Croyant s'enrichir, il s'aperçoit trop tard que le prix à payer sera très lourd et qu'il n'a pas échangé son pommier contre la richesse, mais a donné sa fille au Diable.

Selon la psychologie archétypale, qui considère tous les éléments d'un conte de fées comme étant la description des aspects de la psyché d'une seule femme, nous pouvons nous interroger : « Quel marché de dupes fait chaque femme ? »

Selon les jours, la réponse sera différente, mais il en est une que l'on retrouve constamment dans la vie de toutes. Même si nous avons du mal à l'avouer, ce marché est celui que nous faisons lorsque nous échangeons notre vie porteuse d'une connaissance profonde contre une existence autrement plus fragile, quand nous abandonnons nos dents, nos griffes, nos sens, notre odorat et nous dépouillons de notre nature sauvage contre la promesse de quelque chose qui semble a priori riche, mais se révèle une coquille vide. Comme le père dans le conte, nous faisons ce marché sans prendre conscience du chagrin, de la douleur, du bouleversement qu'il va nous apporter.

Nous pouvons agir intelligemment dans la vie courante et pourtant rares sont celles d'entre nous qui, à la première occasion, ne vont pas faire le mauvais choix. Il y a là un paradoxe monumental, très significatif. On peut en effet considérer ce mauvais choix comme un acte pathologiquement autodestructeur, mais il se révèle la plupart du temps comme le tournant qui va offrir l'occasion d'accroître de nouveau le pouvoir de la nature instinctive. Sous cet angle, le marché de dupes, malgré la tristesse et la perte qu'il provoque, constitue au même titre que la naissance et la mort le pas dans le vide prévu par le Soi pour faire plonger la femme du haut de la falaise, droit au cœur de sa nature sauvage.

L'initiation d'une femme commence avec ce marché, conclu longtemps auparavant, quand elle n'était pas encore éveillée. En choisissant ce qui lui paraissait alors la richesse, elle a abandonné en retour toute autorité sur la plupart, et quelquefois la totalité, des territoires de sa vie passionnée, créatrice, instinctive. Cet assoupissement psychique féminin est un état proche du somnambulisme. Nous marchons, parlons, et pourtant nous dormons. Nous aimons, nous travaillons, mais nos choix nous trahissent ; les aspects voluptueux, curieux, positifs, incendiaires de notre nature ne sont pas totalement sentants.

C'est dans cet état que se trouve la fille du meunier. Elle est innocente, jolie à regarder. Néanmoins, elle pourrait passer sa vie à balayer derrière le moulin, elle n'atteindrait jamais à la connaissance. Tout métabolisme est absent de sa métamorphose.

Le conte s'ouvre donc sur la trahison involontaire mais cruelle du jeune féminin, de l'innocence [2]. Disons que le père, qui symbolise la fonction de la psyché censée nous guider dans le monde extérieur, se révèle très ignorant de la façon dont le monde extérieur et le monde intérieur vont de pair. Quand cette fonction paternelle de la psyché ne connaît pas grand-chose aux questions de l'âme, nous sommes très facilement trahies. Le père passe à côté d'un des éléments les plus fondamentaux unissant le monde de l'âme à celui de la matière, à savoir que les choses qui se présentent à nous ne sont pas, pour la plupart, ce qu'elles semblent être au premier abord.

L'initiation à ce type de connaissance est du genre dont aucune d'entre nous ne veut, même si nous finissons toutes par la recevoir, un jour ou l'autre. De nombreux contes, de *La Belle et la Bête* à *Barbe-Bleue*, commencent avec un père qui met sa fille en danger [3]. Mais, dans la psyché de la femme, le père a beau se lancer dans un marché mortel, par ignorance de l'aspect sombre du monde ou de l'inconscient, cet horrible moment est aussi celui d'un début crucial pour elle, qui marque l'approche d'une conscience, d'une sagacité.

Aucune créature sentante au monde ne se voit autorisée à demeurer innocente toute sa vie. Pour nous permettre de croître, notre nature instinctive nous porte à affronter le fait que les choses ne sont pas ce qu'elles semblent être. La fonction créatrice sauvage nous pousse à apprendre quels sont les différents états de l'être, de la perception, de la connaissance, autant de canaux qui nous apportent la voix de la Femme Sauvage. La perte et la trahison sont les premiers pas, en terrain glissant, sur le chemin d'un long processus initiatique qui va nous faire basculer dans *La Selva subterránea*, la forêt souterraine. Là, parfois pour la première fois de notre vie, nous aurons une chance de cesser de nous cogner contre les murs que nous aurons nous-mêmes élevés et d'apprendre plutôt à passer au travers.

Dans la société moderne, la perte de l'innocence de la femme est souvent ignorée. En revanche, dans la forêt souterraine, celle qui est passée par là est considérée comme quelqu'un de particulier, parce qu'elle a souffert, mais aussi et surtout parce qu'elle a persévéré et qu'elle cherche à comprendre, à ôter l'une après l'autre les couches de ses perceptions et de ses défenses pour voir ce qu'il y a dessous. Dans ce monde-là, on traite sa perte d'innocence comme un rite de passage [4]. On considère comme positif le fait qu'elle fasse maintenant preuve de plus de clairvoyance. Elle a souffert et continue à apprendre : cela lui confère honneur et statut.

Non seulement le marché de dupes est représentatif de la psychologie des femmes jeunes, mais il est aussi le fait des femmes de tout âge non initiées ou incomplètement initiées. Comment une femme en vient-elle à conclure pareil marché ? Le conte s'ouvre sur le symbole du meunier et du moulin. La psyché, comme eux, moud des idées ; elle mastique des concepts et les broie pour les rendre consommables, elle prend des matériaux bruts, sous la forme d'idées, de sentiments, de pensées, de perceptions, et les fractionne de façon à ce qu'ils s'ouvrent et que nous puissions nous en nourrir.

On appelle souvent « élaboration » cette capacité psychique. Quand nous élaborons, nous trions tous les matériaux bruts de la psyché, tout ce que nous avons appris, entendu, espéré, ressenti sur une période donnée. Nous les fractionnons, en nous demandant : « Comment faire pour utiliser au mieux ceci ? » Ces idées et ces énergies élaborées nous servent à exécuter les tâches les plus fortes en âme et constituent la base de nos diverses entreprises de création. Ainsi restons-nous pleines de force et de vie.

Mais, dans l'histoire, le moulin ne fonctionne pas. Le meunier de la psyché est au chômage. Autrement dit, les matériaux bruts qui entrent quotidiennement dans notre vie ne sont pas traités et tous les grains de connaissance qui viennent à nous, apportés par le souffle du monde du dessus et du monde du dessous, demeurent sans signification. Avec un meunier [5] sans travail, la psyché a cessé de se nourrir de manière critique.

La mouture du grain est liée à la pulsion créatrice. Pour une raison ou une autre, la femme dans cet état a sa vie créatrice au point mort. Elle sent qu'elle ne bouillonne plus d'idées et d'inventivité, qu'elle ne cherche plus la substantifique moelle des choses, que son moulin est réduit au silence.

Il semble que les êtres humains, à un moment ou à un autre de leur vie, soient pris d'une sorte de somnolence naturelle. J'ai pu constater, tant en élevant ma propre progéniture qu'en travaillant durant plusieurs années avec le même groupe d'enfants doués, que cet assoupissement gagne les jeunes approximativement vers l'âge de onze ans, au moment, en fait, où ils commencent à prendre la mesure précise de ce qu'ils sont par rapport aux autres. Leurs yeux se dessillent et ils ont beau être agités comme des puces, ils sont en fait pris d'un froid mortel. Qu'ils soient trop « cool » ou trop bien élevés, ils ne réagissent plus à ce qui se passe en eux et leur nature éveillée sombre graduellement dans le sommeil.

Imaginons maintenant que pendant cette période, on nous propose gratuitement quelque chose. Admettons que nous soyons parvenues à nous persuader que si nous continuons à dormir, quelque chose va nous arriver. Les femmes savent ce que cela signifie.

Lorsqu'une femme n'écoute plus les instincts qui lui disent quand dire « oui » et quand dire « non », lorsqu'elle abandonne sa perspicacité, son intuition et autres traits sauvages, elle se retrouve dans des situations qui lui promettent de l'or et ne produisent que du chagrin. Elle va renoncer à son art pour un absurde mariage d'argent. Ou bien elle va abandonner le rêve de sa vie pour être une « trop-bonne » épouse, une jeune femme convenable, ou une fille sans problèmes aux yeux de ses parents. Ou encore elle va tourner le dos à sa vocation pour mener ce qu'elle espère être une vie plus acceptable, plus gratifiante, et surtout plus saine.

C'est ainsi, entre autres, que nous perdons nos instincts. Au lieu de laisser l'éventualité de l'illumination emplir notre vie, nous nous retrouvons dans une sorte d'obscurcissement. Notre capacité extérieure à pénétrer la nature des choses et notre vision intérieure sont carrément en train de ronfler de concert, de sorte que lorsque le Diable s'en vient frapper à la porte, nous allons lui ouvrir la porte en somnambules et le faisons entrer.

Le Diable symbolise la force obscure de la psyché, le prédateur, qui dans ce conte n'est pas reconnu comme tel. Celui-ci est l'archétype du bandit qui a besoin de la lumière et vient la pomper. En théorie, si le Diable recevait de la lumière – c'est-à-dire une vie porteuse de promesses d'amour et de créativité – il ne serait plus le Diable.

Dans cette histoire, le Diable intervient parce que la douce lumière de la jeune fille l'a attiré. Cette lumière n'est pas n'importe quelle lumière, c'est celle d'une jeune âme prise au piège d'un état somnambulique. Quel morceau de roi ! Sa lumière irradie une beauté à couper le souffle, mais elle n'en a pas conscience. Une telle lumière inconsciente et non protégée attire toujours le prédateur, qu'elle soit le halo de la créativité d'une femme, de sa beauté, de son intelligence ou de sa générosité. Elle est toujours une cible.

J'ai eu en analyse une femme dont les autres abusaient, son époux, ses enfants, sa mère, son père, les étrangers, tous. Elle avait quarante ans et se trouvait toujours au stade du marché/trahison de son développement intérieur. Non seulement sa gentillesse, sa voix chaleureuse, son comportement aimable attiraient ceux qui venaient prendre une braise au feu de son âme, mais une telle foule s'amassait devant ce foyer qu'elle n'avait même plus la possibilité de s'y chauffer un peu.

Son marché de dupes à elle, c'était de ne jamais dire « non » pour qu'on continue à l'aimer. Dans sa psyché, le prédateur lui offrait l'or de l'affection des autres à condition qu'elle renonce à ses instincts qui lui disaient : « Trop, c'est trop. » Un rêve lui fit prendre vraiment conscience de ce qu'elle était en train de s'infliger. Elle se voyait à quatre pattes au milieu d'une foule, tentant de se frayer un chemin à travers une forêt de jambes vers une couronne précieuse que quelqu'un avait jetée dans un coin.

La couche instinctuelle de la psyché lui montrait qu'elle n'avait plus aucune souveraineté sur son existence et qu'elle allait devoir se mettre à quatre pattes pour la récupérer. Pour récupérer sa couronne, cette femme devait réévaluer le temps et les attentions qu'elle donnait aux autres.

Le pommier en fleur du conte symbolise un aspect féminin magnifique, l'aspect de notre nature dont les racines plongent dans le monde de la Mère Sauvage et le nourrissent par en dessous. L'arbre est un symbole archétypal de l'individuation. On le considère immortel, car ses graines vont continuer à vivre, son système de racines abrite et revivifie, et il abrite toute une chaîne de la vie. Comme la femme, il a ses saisons et ses périodes de croissance.

Dans les pommeraies du Nord de mon enfance, les fermiers appellent leurs juments et leurs chiennes : « Fille », et les arbres fruitiers en fleur « Madame » – ils sont les jeunes femmes nues du printemps. Entre toutes les manifestations du printemps, le parfum de ces fleurs-là était le plus évocateur, plus encore que les rouges-gorges qui sautillaient comme des fous dans la cour ou les premières pousses qui pointaient comme des flammes vertes dans la terre noire.

Il y avait aussi un dicton à propos des pommiers : « Amer le fruit croquant au printemps ; fondant comme glace sur l'autre versant. » Cela signifie que la pomme a une double nature ; toute ronde et jolie à la fin du printemps, elle est aussi dure et acide, impossible à manger, alors que plus tard, c'est un délice d'y croquer.

Le pommier et la jeune fille sont deux symboles interchangeables du Soi féminin et le fruit symbolise la nourriture et la maturation de notre connaissance de ce Soi. Si nous avons de notre âme une connaissance qui n'est pas parvenue à maturité, nous ne pouvons nous en nourrir. La maturation prend du temps. Une saison au moins est nécessaire, voire plusieurs. Si rien ne vient mettre à l'épreuve le sens de l'âme de la jeune fille, rien d'autre ne peut se passer dans notre vie. Mais si nous pouvons nous créer des racines souterraines, nous pouvons mûrir et nourrir l'âme, le Soi et la psyché.

Le pommier en fleur est une métaphore de la fécondité, bien entendu, mais plus encore il désigne la pulsion créatrice sensuelle et le mûrissement des idées. Tout cela, c'est le travail de *las curanderas*, des guérisseuses qui vivent au plus profond des rochers et des montagnes de l'inconscient. Elles creusent dans les profondeurs de l'inconscient et nous remontent ce qu'elles ont extrait, pour qu'à notre tour nous le travaillions. Nous y gagnons un feu ardent, des instincts aiguisés, des sources de connaissance profonde et nous nous développons en profondeur dans le monde intérieur comme dans le monde extérieur.

Ici, nous avons un arbre qui symbolise l'abondance de la nature libre, de la nature sauvage de la psyché féminine, mais la psyché de la femme ne prend pas conscience de sa valeur. On pourrait dire que la psyché n'est pas éveillée aux vastes possibilités de la nature féminine. Quand nous parlons de la vie d'une femme dans sa relation avec le symbole de l'arbre, nous entendons par là cette florissante énergie féminine qui nous est propre et nous vient de manière cyclique, avec un flux et un reflux réguliers, comme le printemps psychique vient après l'hiver psychique. Sans le renouveau de cette floraison dans notre existence, l'espoir est oblitéré et la terre de notre esprit, de notre cœur n'a aucun mouvement. Le pommier en fleur, c'est notre vie profonde.

La sous-estimation dévastatrice par la psyché de la valeur du jeune féminin est flagrante quand le père déclare, à propos du pommier : « Nous pourrons bien en planter un autre. » La psyché ne reconnaît pas sa propre Déesse-créatrice sous son aspect d'arbre fleuri. Le jeune soi est échangé sans que soient reconnus ni sa valeur ni le rôle qu'il joue pour communiquer avec la Mère Sauvage par l'intermédiaire des racines. Or, pourtant, c'est ce défaut de connaissance qui va lancer l'initiation de l'endurance.

Le meunier sans travail a commencé à couper du bois. C'est une activité pénible et pourtant elle symbolise de vastes ressources psychiques, la capacité de fournir de l'énergie pour l'accomplissement de nos tâches, de développer nos idées, de rendre notre rêve accessible, quel qu'il soit. Aussi, lorsque le meunier entame sa corvée, c'est, pourrait-on dire, que la psyché a commencé la rude tâche consistant à se procurer lumière et chaleur.

Mais le pauvre moi est toujours en train de chercher une issue facile. Quand le Diable propose au meunier de le délivrer de sa corvée en échange de la lumière du féminin profond, l'ignorant accepte. Ainsi scellons-nous notre destin. Quelque part au fin fond des régions hivernales de notre esprit, nous sommes endurcies et nous savons parfaitement qu'une transformation sans peine n'existe pas, qu'il nous faudra être consumées et laisser derrière nous les cendres de celle que nous avons cru être pour aller de l'avant. Mais un autre aspect de notre nature, qui aspire plus à la langueur, espère qu'il n'en sera pas ainsi et que la corvée va cesser afin que la somnolence nous gagne de nouveau. Au moment où le prédateur se montre, nous sommes prêtes, et soulagées d'imaginer qu'une voie plus facile existe peut-être.

Quand nous fuyons la corvée du bois à couper, ce sont nos mains qui sont coupées, elles, car sans tâche psychique à accomplir, les mains de la psyché s'atrophient. Pourtant, ce désir d'échapper à une tâche pénible par un marché est tellement humain que rares sont les personnes qui n'ont pas topé là. La liste serait infiniment longue des hommes et des femmes qui sont prêts à perdre leurs mains – c'est-à-dire la mainmise, la prise sur leur propre vie – en échange d'une existence plus facile.

Prenons quelques exemples. Une femme se marie pour de mauvaises raisons et se coupe de la créativité. Une femme a certaines tendances sexuelles et se force à en avoir d'autres. Une femme a envie d'être quelqu'un d'important, ou de réaliser quelque chose d'important et au lieu de ça, elle reste chez elle à faire des cocottes en papier. Une femme a envie de vivre sa vie et se borne à économiser des petits bouts d'existence comme de la ficelle. Une femme est une personne entière et pourtant elle va faire don de parties d'elle-même à tous les amants qui croisent sa route. Une femme regorge de créativité et va inviter tous ses amis à venir la vampiriser. Une femme a besoin d'avancer et quelque chose en elle lui chuchote : « Non, être prise au piège, c'est la sécurité ! » C'est là le « Je te donne ci si tu me donnes ça » du Diable, le marché à l'aveuglette.

Ainsi, ce qui devait être l'arbre en fleur nutritif de la psyché perd son pouvoir, ses fleurs, son énergie, se retrouve vendu, trahi, déchu de son potentiel, sans comprendre le marché qu'il a conclu. Presque toujours, c'est en dehors de la conscience de la femme que le drame débute et se noue.

Il faut néanmoins faire remarquer que c'est par là que tout le monde commence. Dans le conte, le père représente le point de vue du monde extérieur, de l'idéal collectif qui pousse les femmes à être flétries plutôt que sauvages. Si vous avez fait des rameaux fleuris l'objet d'un échange, il n'y a pas de honte à avoir. Vous avez souffert pour cela, c'est certain. Et il y a peut-être des années, voire des décennies que vous les avez abandonnés. Mais tout espoir n'est pas perdu.

La mère du conte annonce à la psyché ce qui s'est passé : « Réveille-toi ! Regarde ce que tu as fait ! » Et ce réveil brutal est douloureux [6]. Néanmoins, c'est une bonne nouvelle, car la mère de la psyché, celle qui a un temps aidé à diluer, à atténuer la fonction sensorielle, vient de comprendre l'horrible signification du marché. A ce moment, pour la femme, la douleur devient consciente. Elle peut donc en faire quelque chose. Elle peut s'en servir pour apprendre, devenir forte, devenir une femme sachante.

Sur le long terme, il y aura d'autres nouvelles, meilleures encore. On peut récupérer ce qui a été donné lors du marché et lui faire retrouver sa place dans la psyché. Vous verrez.

Deuxième phase – Le démembrement

La deuxième phase du conte voit les parents rentrer chez eux, chancelants, répandant des pleurs amers sur leurs beaux vêtements. Trois ans après, jour pour jour, le Diable vient chercher leur fille. Elle a pris un bain et, vêtue d'une robe blanche, elle se tient au milieu d'un cercle de craie qu'elle a tracé autour d'elle. Quand le Diable tente de se saisir d'elle, une force invisible le rejette à l'autre bout de la cour. Il lui ordonne de ne plus se laver. Elle se retrouve dans la condition d'un animal, mais elle pleure de nouveau sur ses mains et de nouveau le Diable ne peut la toucher. Il ordonne au père de couper les mains de sa fille, afin qu'elle ne puisse plus verser de larmes dessus. Ce qui est fait. C'est la fin de la vie qu'elle a connue. Mais elle pleure sur ses moignons, de sorte que le Diable ne peut à nouveau l'approcher et il abandonne.

Compte tenu des circonstances, la jeune fille s'est très bien débrouillée. Pourtant, une fois arrivées à ce point, nous entrons dans une sorte de stupeur en prenant conscience de ce qu'on nous a fait, de la façon dont nous nous sommes soumises à la volonté du prédateur et au père terrifié. L'esprit réagit alors en bougeant quand nous bougeons, en marchant quand nous marchons, mais il ne ressent rien en propre. Nous sommes saisies d'horreur à l'idée de respecter le marché. Nous pensions nos schémas parentaux internes toujours vigilants, éveillés, protecteurs vis-à-vis de la psyché en fleur et voici que nous découvrons que tel n'est pas le cas.

Trois ans ont passé entre la conclusion du marché et le retour du Diable. Ces trois ans représentent la période au cours de laquelle la femme n'a pas clairement conscience qu'elle est elle-même sacrifiée. Dans la mythologie, cet espace de trois années est celui de la montée vers un point culminant, comme durant les trois années d'hiver qui précèdent Ragnarok, le Crépuscule des Dieux de la mythologie scandinave. Dans ce genre de mythe, trois années s'écoulent, puis intervient une destruction et enfin, sur ces ruines, s'édifie un nouveau monde de paix [7].

Ces trois années représentent symboliquement la période durant laquelle la femme se demande ce qui va lui arriver, si ce qu'elle craint le plus – être emportée par une force destructrice – va vraiment avoir lieu. Dans le conte, le symbole du trois suit ce schéma : Le premier essai n'est pas le bon. Le deuxième non plus. Au troisième, quelque chose va enfin se passer.

Bientôt enfin, il y aura suffisamment d'énergie, suffisamment de vent venu de l'âme pour pousser le vaisseau psychique vers le large. Lao Tseu disait : « De la Voie naquit un, d'un, deux et de deux trois. Et trois engendre dix mille [8]. » Lorsque nous en arrivons au pouvoir « trois » de quelque chose, c'est-à-dire au moment de la transformation, les atomes s'emballent et là où il n'y avait que lassitude, il y a maintenant mouvement.

Demeurer trois ans sans prendre époux peut être interprété comme une incubation de la psyché, une période au cours de laquelle il serait trop difficile, trop distrayant, d'avoir une autre relation. Durant ces trois années, on se renforce au mieux, on mobilise toutes ses ressources psychiques, on essaie d'être la plus consciente possible. Cela signifie laisser derrière soi sa souffrance et en chercher le sens, le schéma, en observant les autres personnes qui sont passées par là et s'en sont sorties et en imitant ce qui nous paraît pertinent.

C'est ce genre d'observation de la situation et des solutions qui invite la femme à rester à part soi, à bon escient, d'ailleurs, car ainsi que nous le verrons plus avant dans le conte, la tâche de la jeune fillc est de trouver son époux dans le monde du dessous et non dans le monde du dessus. Au fond d'elles-mêmes, les femmes voient cette montée préparatoire à leur descente initiatique s'effectuer sur une longue période de temps, des années parfois, puis elles font enfin l'ultime pas dans le vide au bord de la falaise et plongent, la plupart du temps poussées dans le dos, et quelquefois, mais rarement, avec élégance.

Un ennui profond vient parfois caractériser cette période. Les femmes rapportent souvent qu'elles ne savent pas ce qu'elles veulent, que ce soit dans le domaine du travail, de l'amour, de la créativité. Il leur est difficile de se concentrer, difficile d'être productives. Cette instabilité nerveuse est typique de cette phase de développement spirituel. Seul le temps – généralement l'attente n'est pas trop longue – nous conduira au bord de la falaise d'où il nous faudra tomber, faire un pas dans le vide ou plonger.

Parvenues à ce point du conte, nous voyons apparaître un fragment des religions nocturnes antiques. La jeune femme prend un bain, s'habille de blanc, trace autour d'elle un cercle de craie. On trouve là un rituel de la Déesse : se baigner – se purifier – enfiler la robe blanche – l'habit de la descente vers la terre des morts – et tracer un cercle de protection magique – la pensée sacrée – autour de soi. Ce que fait la jeune fille dans un état proche de la transe, comme si elle recevait ses instructions d'un lointain passé.

C'est un moment crucial pour nous, cette attente de ce que nous croyons être notre perte, notre fin. Nous sommes alors poussées, comme la jeune fille, à tendre l'oreille vers une voix venue du fond des âges, une voix qui nous dit comment rester fortes et garder un esprit simple et pur. Un jour que j'étais désespérée, j'ai entendu une voix qui me disait : « Touche le soleil. » Par la suite, chaque jour, où que je sois allée, j'ai placé mon dos, ou la plante de mes pieds, ou la paume de mes mains sur les rectangles de soleil qui se posent sur les murs, les portes, les sols. Je suis restée appuyée sur ces formes dorées. Et elles ont agi sur mon esprit comme une sorte de turbine. Je ne saurais expliquer pourquoi, mais c'est ainsi.

Si nous écoutons les voix de nos rêves, les images, les histoires – surtout issues de nos vies – notre art, les disparus, et nous-mêmes, quelque chose va nous être transmis, qui est de l'ordre du rituel, des rites psychologiques personnels, et sert à affermir cette étape du processus [9].

Le squelette de ce conte date du temps où, dit-on, les Déesses peignaient la chevelure des mortelles et les aimaient tant. En ce sens, les descentes qui y sont décrites sont de celles qui conduisent une femme vers un passé très ancien, vers ses ancêtres matrilinéaires du monde du dessous. Telle est la tâche qui nous attend, ce retour, à travers les brumes du temps, à la demeure de *La Que Sabe*. Elle a plus d'une leçon souterraine à nous donner et cela nous sera bien utile, à nous et à notre esprit, dans le monde extérieur.

Dans les religions anciennes, le fait de s'habiller de vêtements immaculés et de se préparer à sa propre mort immunise la personne, la rend inaccessible au démon. En nous entourant de la protection de la Mère sauvage – le cercle de craie de la prière, des pensées élevées, du désir de trouver une issue bénéfique à l'âme – nous nous donnons la possibilité de continuer notre descente psychologique sans dévier de notre route, sans permettre aux forces d'opposition démoniaques de la psyché d'épuiser notre vitalité.

Et nous voici, revêtues de cette protection, dans l'attente de notre destin. Mais la jeune fille verse des pleurs, qui tombent sur ses mains. Au début, quand la psyché pleure inconsciemment, nous ne l'entendons pas, à ceci près que nous sommes envahies par un sentiment d'impuissance. Les larmes de la jeune fille continuent de couler. Elles sont la germination de ce qui la protège, de ce qui nettoie la blessure reçue.

Dans l'œuvre de C.S. Lewis, on trouve l'histoire d'un flacon de larmes enfantines dont une seule goutte peut guérir n'importe quelle blessure. Dans les mythes, les larmes font fondre les cœurs de glace. *L'Enfant de la Pierre*, une histoire que j'ai développée à partir d'un poème que m'a donné, il y a des années, ma chère *madrina* inuit, Mary Uukalat, montre comment les chaudes larmes d'un petit garçon font se fendre une pierre gelée, libérant un esprit protecteur [10]. Dans le conte *Mary Culhane*, le démon ne peut pénétrer dans aucune des maisons où un cœur pur a versé des larmes, car il les considère comme de l'eau bénite. De tout temps, les larmes ont joué un triple rôle : elles ont convoqué les esprits, repoussé ceux qui cherchaient à bâillonner et ligoter les âmes simples et cicatrisé les blessures des victimes d'un marché de dupes.

Il y a des moments, dans la vie d'une femme, où elle verse des larmes sans fin, même si elle bénéficie de l'appui et du soutien des êtres qui lui sont chers. Quelque chose dans ses pleurs tient à l'écart le prédateur et tous les désirs malsains qui risquent de la détruire. Les larmes sont un des éléments qui font se refermer les coupures de la psyché, par lesquelles a fui l'énergie. Le problème est grave, mais le pire – le vol de notre lumière – n'a pas lieu, car en pleurant, nous prenons conscience des choses. Quand nous pleurons, nous ne risquons pas de replonger dans le sommeil, ou bien c'est dans un sommeil réparateur du corps.

Il arrive qu'une femme dise : « J'en ai assez de pleurer. » Mais c'est son âme qui produit ses larmes et celles-ci la protègent. Elle doit aller au bout de son besoin de pleurer. Certaines s'étonnent de ces larmes apparemment intarissables. Elles se tariront pourtant, mais pas avant que l'âme n'en ait terminé avec ce sage moyen d'expression.

Le Diable tente en vain de s'approcher de la jeune fille, car elle a pris un bain et pleure. Il admet que son pouvoir est affaibli par cette eau bénite et lui interdit de se laver de nouveau. Mais loin de l'avilir, le fait de ne plus se laver va avoir l'effet opposé [11]. Elle va commencer à ressembler à une puissance animale, la nature sauvage sous-jacente, et cela aussi la protège. C'est à ce stade que la femme se soucie moins de son aspect extérieur, qui ne fait plus partie de ses préoccupations premières.

« Bon, dit le Diable, si je te dépouille de ta couche de civilisation, je vais peut-être pouvoir m'emparer à jamais de ta vie. » Par ces proscriptions, il tente de l'affaiblir, de l'avilir. Il croit qu'en faisant d'elle une personne sale, il va la dépouiller d'elle-même. Mais c'est le contraire qui se passe, car la femme de boue est aimée de la Femme Sauvage et bénéficie de sa protection [12]. Apparemment, le prédateur ne comprend pas que ses interdictions ne font que la rendre plus proche de sa nature sauvage, avec toute sa puissance.

Le Diable ne peut s'approcher du soi sauvage. Il y a là une forme de pureté qui, jointe aux larmes, le protège de la force vile attachée à sa perte.

Ensuite, le Diable demande au père de mutiler sa fille en lui tranchant les mains. Si ce dernier n'obéit pas, c'est la psyché tout entière qui sera anéantie : « Tout ici mourra, tout, ta femme, toi, les champs, aussi loin que porte ton regard ! » En agissant ainsi, le Diable a pour but de faire perdre à la jeune fille sa capacité psychique de saisir, de tenir, d'aider les autres et elle-même.

L'élément paternel de la psyché manque de maturité. Il ne peut résister à ce formidable prédateur et il tranche les mains de son enfant. Il tente bien de plaider la cause de la jeune fille, mais le prix à payer – la destruction de toute la force créatrice de la psyché – est trop lourd. Sa fille se soumet et le sacrifice sanglant a lieu, ce qui, dans l'Antiquité, dénotait une descente aux enfers.

En perdant ses mains, la femme avance dans *la selva subterránea*, ce lieu d'initiation souterrain. Dans une tragédie grecque, le chœur se mettrait à se lamenter et à pleurer, car même si cet acte place la femme en position de prendre connaissance d'un pouvoir immense, son innocence n'en a pas moins été massacrée et ne lui sera jamais rendue intacte.

La hache au tranchant d'argent appartient à une autre couche archéologique du féminin sauvage antique, dans lequel l'argent est la couleur spécifique du monde des esprits et de la lune. Dans les temps anciens, la lame de la hache en acier noirci à la forge était affûtée jusqu'à devenir d'une brillante couleur argentée. La hache de la Déesse, dans le culte minoen, servait à marquer le chemin rituel de l'initiation et les lieux sacrés. J'ai appris de la bouche de deux conteuses croates que dans les cultes féminins anciens, on utilisait une petite hache rituelle pour trancher le cordon ombilical du nouveau-né, libérant ainsi l'enfant du monde du dessous et lui permettant de vivre dans ce monde [13].

Il y a un lien entre l'argent de la hache et l'argent des mains qui appartiendront plus tard à la jeune fille. C'est un passage délicat, car il suggère que l'ablation des mains psychiques pourrait être rituelle. Dans les rites de guérison du nord et de l'est de l'Europe pratiqués par des vieilles femmes, on trouvait le concept de l'arbrisseau que l'on taillait à la hache afin de le rendre plus touffu [14]. Il y a longtemps, les arbres étaient l'objet d'une dévotion profonde, pour cette capacité à mourir afin de mieux renaître qu'ils symbolisaient et pour le don de leurs bienfaits : du bois pour se chauffer et pour cuire les aliments, pour construire des berceaux, tailler des cannes, édifier des murs, des remèdes contre la fièvre, des abris auxquels on pouvait monter pour voir de loin et, le cas échéant, se cacher des ennemis. L'arbre était véritablement une magnifique mère sauvage.

Dans les cultes féminins de l'Antiquité, ce genre de hache appartient à la Déesse et non au père. Ce passage du conte suggère fortement que si le père possède cette hache, c'est suite à un mélange de la religion ancienne et la nouvelle, l'ancienne ayant été démembrée et étant certainement tombée dans l'oubli. Pourtant, malgré les brumes du temps et/ou les couches qui sont venues recouvrir ces vieilles notions sur l'initiation féminine, nous pouvons découvrir dans le méli-mélo d'un conte comme celui-ci ce dont nous avons besoin et reconstituer la carte qui nous montre le chemin de la descente et du retour à la surface.

On peut comprendre l'ablation des mains à peu près de la même manière que le faisaient les anciens. En Asie, on utilisait la hache céleste pour séparer la personne du soi non illuminé. Ce motif de l'ablation en tant qu'initiation est central dans notre histoire. Si, dans nos sociétés modernes, il nous faut nous séparer des mains du moi pour retrouver notre fonction sauvage, nos sens féminins, qu'il en soit donc ainsi. Puisque cela nous écarte de toutes les séductions insignifiantes à notre portée et nous évite de nous accrocher à ce qui va nous empêcher de nous développer, séparons-nous de nos mains pour un temps.

Le père manie l'instrument tranchant. Il éprouve certes un terrible regret, mais il tient avant tout à sa propre vie et à celle de la psyché tout autour, quoique, pour certains conteurs de notre famille, c'est visiblement la sienne et la sienne seule qui le préoccupe. Si l'on considère que le père représente un principe organisateur, une sorte de gouverneur de la psyché extérieure, on peut alors considérer que le soi manifeste de la femme, le moi du monde extérieur qui la gouverne, ne veut pas mourir.

On peut parfaitement le comprendre. Cela se passe toujours ainsi lors de la descente. Quelque chose en nous est attiré par la descente, considérée comme agréable, sombre, douce-amère. En même temps, nous la repoussons, nous traversons, psychiquement parlant, des rues, des autoroutes, des continents même, pour l'éviter. Ici, pourtant, on nous montre que l'arbre en fleur doit subir une telle amputation. Une seule chose peut nous aider à supporter cette idée, c'est la promesse que quelqu'un, quelque part au fond de la psyché, nous attend pour nous aider et nous guérir. Et c'est vrai, Quelqu'un d'extraordinaire attend de nous remettre en état, de transformer ce qui a été abîmé et de redonner vie aux membres blessés.

Dans la région agricole où j'ai grandi, on appelait les orages de grêle « orages tranchants » et parfois « orages fauchants » – comme on dirait La Faucheuse –, car ils saccageaient tout ce qui vivait alentour, touchant le bétail et les êtres humains parfois, mais détruisant surtout plantes et arbres. Après un violent orage, des familles entières allaient voir ce qui pouvait être fait pour les récoltes, les fleurs, les arbres. Les petits enfants ramassaient sur le sol les rameaux lourds de feuilles et de fruits, les plus grands redressaient et tuteuraient les plantes lacérées par la grêle, mais pas mortes pour autant, tandis que les adultes brûlaient tout ce qui avait été irrémédiablement détruit.

C'est une famille aimante de ce genre qui attend la jeune fille dans le monde du dessous, comme nous allons le voir. Quelque chose va sortir de cette métaphore des mains coupées. Dans le monde souterrain, ce qui ne peut vivre est cueilli, mis à part pour être utilisé d'une autre manière. La femme du conte n'est ni vieille ni malade et pourtant elle va devoir être démantelée, car elle ne peut plus être celle qu'elle a été. Des forces l'attendent, qui vont l'aider à guérir.

En lui tranchant les mains, son père accentue la descente, hâte la *dissolutio*, la difficile perte des valeurs les plus chères à la personne, c'est-à-dire tout, la perte des positions avantageuses, la perte de l'horizon, la perte des points de repère. Dans le monde entier, des rites des aborigènes ont pour rôle de brouiller l'esprit ordinaire pour que les initiés puissent avoir facilement accès au mystique [15].

L'amputation des mains met l'accent sur l'importance du reste du corps psychique et de ses attributs. Nous savons maintenant que le père qui gouverne la psyché n'a plus longtemps à vivre, car la femme profonde, démembrée, va faire son travail, avec ou sans son assistance et sa protection. Et, aussi affreux que cela puisse paraître au premier abord, son corps, sous cette forme nouvelle, va lui être d'un grand secours.

C'est donc au cours de cette descente que nous perdons nos mains psychiques, ces parties de notre corps elles-mêmes semblables à deux petits êtres humains. Dans les temps anciens, les doigts étaient assimilés à des bras et des jambes et le poignet était assimilé à la tête. Ces créatures peuvent danser et chanter. J'ai un jour marqué la cadence avec Renée Heredia, grande guitariste de flamenco. Dans le flamenco, les paumes des mains parlent. Les sons qu'elles produisent sont des mots, comme « Plus vite, ô beauté, maintenant, prends ton essor, ah, sens, sens-moi, sens cette musique, sens ça, et ça, et ça... » Les mains sont des êtres véritables.

Dans les crèches des pays du bassin méditerranéen, les mains des bergers, des Rois Mages, de la Vierge et de Joseph sont souvent tendues vers le Divin Enfant, paumes en avant, comme si l'enfant était une lumière qu'ils pouvaient recevoir en eux par cet intermédiaire. Au Mexique, les statues de la Grande Guadalupe la représentent en train de montrer la paume de ses mains, d'où émane sa lumière destinée à nous guérir. Au cours de l'histoire, le pouvoir des mains a toujours été reconnu. Sur la réserve navajo, à Kayenta, on peut voir près de la porte d'un *hogan* * l'empreinte rouge, ancienne, d'une main. Cela signifie : « Ici, nous sommes en sécurité ».

Nous, les femmes, nous touchons beaucoup de gens. Nous savons que

---

* Hutte des Indiens navajos. *(N.d.T.)*

notre paume est une sorte de palpeur. En étreignant, en donnant une accolade ou une petite tape, nous faisons en quelque sorte une lecture de la personne que nous touchons. Si nous sommes d'une manière ou d'une autre en relation avec *La Que Sabe*, nous savons ce que ressent cette personne en la touchant avec la paume de la main. Certaines, parfois, reçoivent des informations, sous la forme d'images ou même de mots, qui les renseignent sur l'état des autres. On pourrait dire qu'existe une sorte de radar dans les mains.

Les mains ne sont pas que des récepteurs, ce sont aussi des transmetteurs. En serrant la main de quelqu'un, on peut envoyer un message, parfois sans s'en rendre compte, par le biais de l'intensité, de la durée, de la force de la pression et par la température de la peau. Le toucher des personnes qui cherchent à nuire, consciemment ou inconsciemment, semble percer des trous dans le psychisme de l'autre. A l'opposé, on peut poser les mains sur quelqu'un dans le but de le calmer, le rassurer, le soulager, le guérir. C'est là un savoir féminin ancestral que l'on se transmet de mère en fille [16].

Le prédateur de la psyché n'ignore rien du profond mystère lié aux mains. Dans maintes parties du monde, hélas, la victime innocente d'un enlèvement est amputée de ses mains, signe particulièrement pathologique d'inhumanité. Le criminel, coupé de toute sensation, de tout sentiment, fait en sorte que sa victime ne puisse, elle non plus, se servir de ses mains pour toucher, voir, guérir. C'est exactement l'intention que le Diable manifeste. L'aspect non rédimé de la psyché ne sent rien, en effet, et la jalousie folle qu'il éprouve envers ceux dont ce n'est pas le cas le pousse à une haine mutilatrice. On retrouve dans de nombreux contes de fées le thème de la femme qu'on assassine en tranchant dans sa chair. Mais le Diable fait plus qu'assassiner : il mutile. Il ne s'agit pas d'une scarification initiatique ou simplement décorative, mais d'un acte qui a pour but de handicaper la femme à tout jamais.

Quand nous disons qu'une femme a les mains coupées, nous entendons par là qu'elle n'a plus accès à l'autoréconfort, à l'autoguérison immédiate, qu'elle ne peut plus rien faire, sauf suivre le chemin ancien, la route séculaire. Il est bon alors de continuer à pleurer durant cette période. C'est la meilleure et la plus simple protection contre un démon si nuisible qu'aucune d'entre nous ne peut saisir entièrement ses motifs ou sa *raison d'être* *.

On trouve dans les contes de fées un leitmotiv intitulé « l'objet jeté ». Poursuivie, l'héroïne prend dans sa chevelure un peigne magique et le jette derrière elle, où il donne naissance à une forêt si épaisse qu'on ne pourrait glisser une aiguille. Ou bien, elle possède une petite fiole emplie d'eau, qu'elle débouche et dont elle répand le contenu derrière elle tout en courant. Les gouttes d'eau se changent en un flot puissant qui arrête son poursuivant.

---

* En français dans le texte.

Dans ce conte, la jeune fille pleure sans fin sur ses moignons et le Diable est repoussé par une sorte de champ de force qui l'entoure. Il ne peut s'emparer d'elle comme il en a l'intention. Ici, les larmes sont « l'objet jeté ». Elles constituent un mur liquide qui tient le Diable à l'écart, non parce qu'elles l'émeuvent ou l'attendrissent, mais parce que quelque chose, dans leur pureté, brise le pouvoir du démon. Et c'est vrai, nous en faisons l'expérience lorsque nous pleurons sur notre sort, sur les sombres perspectives qui nous attendent et que nos larmes nous empêchent d'être totalement réduites en cendres, pour rien [17].

La fille du meunier doit être dans l'affliction. Je suis étonnée de la rareté des pleurs chez les femmes d'aujourd'hui, et encore sont-elles honteuses d'en verser. Je m'inquiète lorsque la désuétude ou la honte commencent à faire disparaître une fonction aussi naturelle. L'humidité est essentielle aux arbres en fleur, faute de quoi ils cassent. Il est bon, il est juste de pleurer. Pleurer ne résout pas le problème, mais cela permet au processus de se poursuivre, en évitant l'effondrement. Maintenant, c'en est fini de la vie de la jeune fille, telle qu'elle l'a connue et comprise jusqu'alors. Elle descend vers un niveau inférieur du monde du dessous. Et nous mettons nos pas dans les siens. Nous avançons, vulnérables, dépouillées de toute autoprotection comme un arbre de son écorce et pourtant fortes, car nous avons appris à envoyer le Diable à l'autre bout de la cour.

A ce stade, nous constatons que nous avons beau faire, nous n'avons aucune prise sur les plans de notre moi. Quels que soient les projets formés par notre moi pour le futur immédiat, un immense changement va se produire dans notre vie. Notre destin propre commence à régir notre existence – terminé le moulin, le balayage de la cour, le sommeil. Nous avons besoin d'être seules. Nous ne pouvons plus compter sur la culture paternelle dominante. Nous sommes en train de découvrir pour la première fois ce qu'est notre vraie vie.

C'est la période où tout ce à quoi nous attachons de l'importance perd de son attrait. Jung se réfère au terme utilisé par Héraclite, *enantodromia,* pour désigner le fait de courir à l'opposé, d'aller à rebours. Mais ce retour en arrière peut constituer plus qu'une régression dans l'inconscient personnel ; il peut s'agir d'un retour sincère à des valeurs anciennes toujours viables, à des idées plus profondément ancrées [18]. Si nous entendons cette étape dans l'initiation à l'endurance comme un pas en arrière, il faut aussi considérer que c'est une enjambée de sept lieues sur le domaine de la Femme Sauvage.

Tout cela va renvoyer le Diable, la queue entre les jambes. En ce sens, la femme qui sent qu'elle a perdu le contact avec le monde n'a pas perdu tout pouvoir, il lui reste de la force dans la pureté de son âme, de la force dans la persistance qu'elle met dans son chagrin et cela repousse l'élément qui cherche à la détruire.

Le corps psychique a perdu ses précieuses mains, c'est vrai. Mais le reste de la psyché va compenser cette perte. Il nous reste des pieds qui connaissent le chemin, une âme-esprit pour voir loin, des seins et un ventre pour ressentir, comme l'énigmatique Baubo, la Déesse du ventre qui représente la profonde nature instinctuelle des femmes... et n'a pas de mains non plus.

Avec ce corps incorporel, fantastique, nous allons de l'avant. Nous allons entreprendre la descente suivante.

Troisième phase – L'errance

Dans la troisième phase du conte, le père propose à sa fille de vivre désormais dans la plus grande opulence, mais elle lui répond qu'elle va partir et dépendre désormais du destin. A l'aube, les bras enveloppés de gaze propre, elle quitte la vie qu'elle a connue.

De nouveau, elle se retrouve négligée, dans un état d'animalité. Tard dans la nuit, elle arrive, morte de faim, à un verger dont les poires sont numérotées [19]. Un esprit vide la douve qui entoure le verger et, sous l'œil du gardien, mystifié, la jeune femme mange la poire qui s'offre à elle.

L'initiation, c'est le processus par lequel nous abandonnons notre inclination naturelle à l'inconscience pour décider que, même si cela nécessite des souffrances, des efforts, de l'endurance, nous poursuivrons l'union consciente avec l'esprit profond, le Soi sauvage. Dans le conte, le père et la mère tentent de ramener la jeune fille à l'inconscience : « Reste ici avec nous, tu es blessée, mais nous pouvons faire en sorte que tu oublies. » Va-t-elle, maintenant qu'elle a vaincu le Diable, se reposer à proprement parler sur ses lauriers ? Va-t-elle se retirer, blessée, amputée des mains, dans les recoins de la psyché où, jusqu'à la fin de ses jours, on s'occupera d'elle, où elle n'aura qu'à se laisser vivre et faire ce qu'on lui dira ?

Non, elle ne vivra pas en recluse comme une beauté défigurée au vitriol. Elle va s'habiller, se soigner psychiquement de son mieux, et descendre un autre escalier de pierre vers un domaine encore plus profond de la psyché. La vieille partie dominante de la psyché lui propose de la garder cachée, bien en sécurité, mais sa nature instinctuelle dit non, car elle sent qu'elle doit faire des efforts pour rester en éveil, à quelque prix que ce soit.

Elle enveloppe ses blessures de gaze blanche. Le blanc est la couleur du pays des morts, celle aussi de l'*albedo* alchimique, la résurrection de l'âme. Elle manifeste le cycle de la descente et du retour. Ici, au début, la jeune fille devient une vagabonde, ce qui est en soi une résurrection dans une vie nouvelle et une mort à l'ancienne vie. Aller à l'aventure est un très bon choix.

A ce stade, les femmes commencent souvent à se sentir à la fois désespérées et fermement décidées à continuer ce voyage intérieur. Ce qu'elles font, quittant une vie pour une autre, ou une période de leur vie pour une autre, quelquefois même quittant un amant pour personne, que leur propre compagnie. Passer de l'adolescente à la jeune femme, ou de la femme mariée à la femme seule, ou de la maturité à la sagesse de l'âge, porteuse de blessures mais aussi d'un nouveau système de valeurs – c'est cela, la mort et la résurrection. Quitter quelqu'un ou la maison paternelle, abandonner derrière soi des valeurs qui n'ont plus cours, devenir soi-même, parfois s'enfoncer dans la nature sauvage juste parce que l'on *doit* le faire, c'est tout cela, la fortune de la descente.

Nous allons donc vers un autre monde, sous des cieux différents, foulant un sol inconnu, vulnérables parce que sans mains, nous n'avons aucune prise, aucune connaissance, rien à quoi nous accrocher.

Le père et la mère – les aspects de la psyché représentant le collectif et le moi – n'ont plus le même pouvoir qu'avant. Ils sont punis par le sang versé à cause de leur indifférence. Même s'ils proposent à la jeune fille de la garder dans l'aisance, ils ne peuvent plus, désormais, avoir une influence sur son existence, car le destin la pousse à vivre comme une vagabonde. En ce sens, son père et sa mère meurent et le vent et la route les remplacent.

L'archétype du vagabond déclenche ce que Jung appelle une constellation, c'est-à-dire qu'il en fait émerger un autre : celui du loup solitaire ou de l'*outsider*, la personne qui se trouve « en dehors ». La jeune fille est en dehors des familles apparemment heureuses des villages, en dehors de la chaleur du foyer ; telle est sa vie désormais [20]. C'est la métaphore que vont vivre au sens propre les femmes qui entreprennent le voyage. D'une certaine manière, nous nous sentons à l'écart du carnaval de l'existence, de ce cirque dont les splendeurs tombent en poussière au fur et à mesure que nous descendons dans le monde du dessous.

Et voici que vient de nouveau à notre rencontre l'ancienne religion de la nuit. La vieille histoire d'Hadès s'emparant de Perséphone et l'entraînant aux enfers est un beau drame, mais les histoires beaucoup plus anciennes, issues des religions matricentrées, comme celles d'Ishtar et d'Innana, manifestent un lien du type « besoin d'amour » entre la jeune fille et le roi du monde d'en bas.

Dans ces versions religieuses anciennes, point n'est besoin qu'un dieu sombre s'empare de la jeune fille et l'entraîne au royaume souterrain. Elle sait qu'elle doit s'y rendre, que cela fait partie d'un rite divin. Même si elle a peur, elle *veut* dès le début aller à la rencontre de son royal époux dans ce royaume du dessous. Accomplissant sa descente à sa manière, elle se transforme là, elle y acquiert une connaissance profonde, avant d'émerger à nouveau dans le monde extérieur.

Tant le mythe classique de Perséphone que le noyau du conte *La Jeune Fille sans Mains* sont des drames fragmentaires issus de ceux, plus complets, décrits dans les religions plus anciennes. Ce qui fut autrefois un désir d'aller à la rencontre du Bien-Aimé du monde d'en bas devint, à un moment ou à un autre, concupiscence et capture dans les mythes ultérieurs.

A l'époque des grands matriarcats, il était naturel qu'une femme soit menée vers le monde du dessous, guidée par les pouvoirs du féminin profond. Acquérir ce savoir de première main était considéré comme faisant partie de son éducation et comme constituant un exploit. C'est la nature de cette descente qui constitue le noyau archétypal de *La Jeune Fille sans Mains* comme celui du mythe de Déméter/Perséphone.

Maintenant, dans le conte, la jeune fille erre pour la deuxième fois sans s'être lavée, dans son état animal. C'est le mode de descente adéquat – le mode du « Je me fiche pas mal du monde extérieur ». Et, comme nous le voyons, sa beauté n'en resplendit pas moins. L'idée de ne pas se laver vient aussi de rituels très anciens, pratique qui culmine lorsque la personne se baigne et enfile des habits neufs pour marquer qu'elle est entrée dans une relation nouvelle ou rénovée avec le Soi.

La jeune fille sans mains a accompli la totalité d'une descente et d'une transformation – celle de l'éveil. Dans certains traités alchimiques, on trouve la description de trois étapes nécessaires à la transformation : la *nigredo*, la phase noire ou obscure de la dissolution, la *rubedo*, phase rouge ou sacrificielle, et l'*albedo*, phase blanche de la résurgence. Le marché avec le diable, c'était la *nigredo*, l'assombrissement ; le sacrifice des mains était la *rubedo* et le départ de la maison vêtue de blanc, l'*albedo*, la vie nouvelle. Et maintenant, en tant que vagabonde, elle replonge dans la *nigredo*. Toutefois, le soi ancien a disparu, et le soi profond, le soi nu, celui-là est le puissant vagabond [21].

La jeune fille a faim. Elle s'agenouille devant un verger comme devant un autel – et c'en est un, l'autel des dieux sauvages, des dieux souterrains. Quand nous descendons vers la nature primaire, nos anciennes façons de nous nourrir sont éliminées. Les choses terrestres dont nous nous nourrissions n'ont plus de goût. Nous ne sommes plus excitées par les buts que nous nous fixions, ni intéressées par nos exploits. Nous pouvons regarder tout autour de nous dans le monde d'en haut, il n'y a rien qui puisse nous nourrir. C'est donc un véritable miracle de la psyché si une aide nous arrive, et à temps, alors que nous sommes totalement sans défense.

La jeune fille vulnérable reçoit la visite d'un émissaire de l'âme, l'esprit vêtu de blanc. Il fait tomber les barrières qui l'empêchent d'être nourrie, vide la douve. Cette douve a un sens caché. Dans l'Antiquité grecque, le fleuve Styx sépare dans l'au-delà la terre des vivants du royaume des morts. Ses eaux sont remplies des souvenirs de tous les actes des morts depuis l'origine des temps. Les morts peuvent déchiffrer ces souvenirs et les tenir en ordre, car, dépouillés de leur corps physique, ils ont une vision supérieure.

Mais pour les vivants, la rivière est un danger mortel. Si un esprit ne les aide pas à la franchir en leur servant de guide, ils vont se noyer et s'enfoncer vers une autre couche des enfers, semblable à une brume, où ils erreront à jamais. Dante a eu Virgile, Coatlicue était accompagnée vers le monde infernal par un serpent vivant et la jeune fille sans mains a l'esprit vêtu de blanc. Donc, vous voyez, la femme échappe d'abord à la mère non éveillée et au père avide, puis s'en remet à l'âme sauvage qui la guide.

Dans le conte, l'esprit escorte la jeune fille sans mains vers le royaume souterrain des arbres, le verger royal. Là aussi, il s'agit d'un vestige de l'ancienne religion. Les jeunes initiés des religions anciennes ont toujours un esprit qui les guide. La mythologie grecque abonde en jeunes femmes que des femmes louves ou des femmes lionnes accompagnent et initient. Même de nos jours, dans des rites religieux en accord avec la nature comme ceux des Navajos, figurent les *yeibichaïs*, ces esprits animaux mystérieux qui accompagnent les rites d'initiation et les cérémonies de guérison.

L'idée qui se trouve incarnée ici est que l'au-delà, comme l'inconscient des êtres humains, bouillonne d'éléments inhabituels et irrésistibles – images, traits, archétypes, séductions, menaces, trésors, tortures, épreuves. Quand une femme entreprend le voyage de l'individuation, il est important qu'elle ait du bon sens, spirituellement parlant, ou alors qu'elle reçoive l'aide d'un guide sensé, afin de ne pas céder à la fantasmagorie de l'inconscient et de ne pas s'y perdre. Le conte nous montre qu'il est plus important de rester sur sa faim et d'aller de l'avant.

Comme Perséphone, comme les Déesses de la Vie/Mort/Vie avant elle, la jeune fille trouve le chemin d'un pays où il existe des vergers magiques et un roi qui l'attend. La religion ancienne se manifeste dans le conte avec une intensité accrue. Dans la mythologie grecque [22], deux arbres s'entrelaçaient à la porte du pays des morts et l'Elysée, séjour des défunts qui avaient été jugés vertueux, était planté de... oui, de vergers.

L'Elysée est décrit comme un lieu où le jour est perpétuel, où les âmes peuvent choisir de renaître sur terre lorsqu'elles le souhaitent. C'est le *Doppelgänger*, le double du monde d'en haut. Des choses difficiles peuvent s'y passer, mais leur sens et l'enseignement qu'elles apportent n'ont rien à voir avec ce monde du dessus, où tout est interprété en termes de gain et de perte. Dans l'autre monde, tout est interprété à la lumière des mystères de la vision authentique, de l'action juste, du développement de la personne en termes de force intérieure et de connaissance.

Dans le conte, l'action est maintenant centrée sur l'arbre fruitier, que dans les temps anciens on appelait Arbre de Vie, Arbre de la Connaissance, Arbre de Vie et de Mort, Arbre de la Science. Au contraire des arbres feuillus ou épineux, l'arbre fruitier offre de la nourriture – et pas uniquement de la nourriture, mais aussi de l'eau qu'il stocke dans ses fruits. L'eau, fluide primal de la croissance et de la continuité, monte dans l'arbre par le biais des racines, qui nourrissent l'arbre par capillarité – un réseau de milliards de cellules invisibles à l'œil nu –, et parvient au fruit, auquel elle confère une magnifique rondeur.

C'est pourquoi l'on considère que le fruit a de l'âme, qu'il est investi d'une force vitale qui se développe à partir de l'eau, de l'air, de la terre, de la nourriture, des graines *et* en contient. Sans compter qu'il possède un goût divin. Les femmes que nourrissent le fruit, l'eau et les graines du travail qui s'accomplit dans les forêts souterraines, se voient en conséquence conférer une rondeur psychologique ; leur psyché devient gravide, en perpétuelle maturation.

Comme une mère donne le sein à son enfant, le poirier du verger se penche vers la jeune fille pour lui offrir son fruit. Cette substance maternelle est celle de la régénération. En mangeant la poire, la jeune fille se nourrit, mais surtout, l'inconscient se penche vers elle pour l'alimenter, lui donne un baiser. Elle va ainsi connaître le goût du Soi, recevoir le souffle et la substance de son Dieu sauvage en une communion.

Quand Elisabeth[23] salue Marie dans le Nouveau Testament, on peut voir là un vestige de cette ancienne compréhension entre femmes : « Béni est le fruit de ton sein », dit-elle. Auparavant, dans les religions de la nuit, la femme fraîchement initiée et portant en elle la connaissance était accueillie à son retour vers le monde des vivants par la bénédiction de sa parenté féminine.

L'élément remarquable qui ressort du conte, c'est que dans les moments les plus sombres, l'inconscient féminin, l'inconscient utérin, la Nature, nourrit l'âme de la femme. Des femmes racontent qu'au milieu de leur descente, au plus noir de l'obscurité, une aile légère vient les effleurer et alléger leur tourment. Elles se sentent nourries de l'intérieur, baignées par une source d'eau bénite qui, surgie d'on ne sait où, vient abreuver une terre desséchée. Cette source ne fait pas disparaître leur souffrance. Elle les nourrit quand rien d'autre ne vient le faire. C'est la manne tombée dans le désert. C'est l'eau jaillissant des pierres. Notre faim est apaisée et nous pouvons poursuivre la route. Et c'est cela qui compte, continuer. Avancer vers notre destin de femmes sachantes.

Le conte fait resurgir de la nuit des temps la promesse que la descente va nous nourrir, même si nous sommes dans le noir, même si nous avons l'impression d'avoir perdu notre chemin. Même si nous marchons à l'aveuglette, « Quelque chose », la présence démesurée d'un « Quelqu'un » nous accompagne, allant à gauche quand nous allons à gauche, à droite quand nous allons à droite, nous soutenant et nous ouvrant la voie.

Nous sommes maintenant dans une autre *nigredo* d'errance ; nous ignorons ce qu'il va advenir de nous et pourtant, dans notre condition lamentable, nous sommes portées vers la sève nourricière de l'Arbre de Vie. Manger de l'Arbre de Vie est une ancienne métaphore de fécondation. On pensait autrefois que dans le pays des morts, l'âme pouvait élire domicile dans un fruit, ou toute autre denrée comestible, afin que sa future mère puisse la consommer et qu'elle entame alors sa régénération dans sa chair. Ainsi, quasiment à mi-chemin, le corps de la Mère sauvage nous est-il donné par l'intermédiaire de la substance de la poire et mangeons-nous ce que nous allons nous-mêmes devenir[24].

Quatrième phase – Trouver l'amour dans le monde du dessous

Le lendemain matin, le roi revient pour compter ses poires. Il en manque une. Le jardinier révèle ce qu'il a vu : « La nuit dernière, deux esprits ont vidé la douve, sont entrés dans le jardin quand la lune a été haute et celui qui n'avait pas de mains, un esprit féminin, a mangé la poire qui s'était offerte à lui. »

Dans la nuit, le roi monte la garde avec son jardinier et son magicien, qui sait parler aux esprits. A minuit, la jeune fille sans mains émerge de la forêt, les vêtements sales, en haillons, les cheveux emmêlés, le visage maculé. A ses côtés se tient l'esprit en blanc.

De nouveau, un arbre se penche vers elle et elle consomme la poire qui se trouve à l'extrémité du rameau. Le magicien s'approche à distance respectueuse. « Es-tu ou n'es-tu pas de ce monde ? » interroge-t-il. Et la jeune fille répond : « J'ai été *du* monde et pourtant je ne suis pas de *ce* monde. »

Le roi interroge le magicien : « Est-elle humaine ? Est-ce un esprit ? » Le magicien répond qu'elle est les deux à la fois. Alors le cœur du roi bondit dans sa poitrine et il s'écrie : « Je ne t'abandonnerai pas. A dater de ce jour, je veillerai sur toi. » Il l'épouse et lui fait faire une paire de mains en argent.

Dans la psyché souterraine, le roi est homme de sagesse. Il représente l'un des gardiens en chef de l'inconscient d'une femme. Il veille sur la flore de l'âme qui se développe – dans son verger (et celui de sa mère) poussent en nombre les arbres de la vie et de la mort. Il appartient à la famille des dieux sauvages. Comme la jeune fille, il sait endurer. Et comme elle, une autre descente l'attend.

En un sens, on pourrait dire qu'il file la jeune fille. La psyché piste toujours son propre processus. C'est là une prémisse sacrée. Si vous errez, un autre est là – parfois plusieurs – riche d'expérience, qui attend que vous frappiez à la porte, mangiez une poire, ou tout simplement que vous vous montriez, pour annoncer votre arrivée dans le monde du dessous. Les femmes sont très conscientes de cette présence affectueuse. Elles parlent à son propos d'étincelle de lumière ou de perspicacité, de pressentiment ou de présence.

Le jardinier, le roi et le magicien représentent trois personnifications de l'archétype masculin. Ils correspondent à la trinité sacrée du féminin que personnifient la jeune fille, la mère et la vieille. Dans cette histoire, les triples Déesses des temps anciens ou les trois-Déesses-en-une sont représentées de la façon suivante : la jeune fille est incarnée par la jeune femme sans mains, tandis que la mère du roi représente la mère et la vieille femme. Ce qui rend le conte « moderne », c'est le fait que l'image du démon représente un personnage qui, dans les anciens rites initiatiques féminins, était habituellement incarné par la vieille femme dans sa double nature, celle qui donne la vie et celle qui la prend. Ici, le Diable est uniquement montré sous l'angle de celui qui prend la vie.

Il y a néanmoins fort à parier que, dans les temps anciens, ce genre d'histoire donnait à l'origine à la vieille le rôle d'initiatrice/créatrice d'ennuis et qu'elle rendait les choses difficiles pour la jeune héroïne, de façon à susciter son passage de la terre des vivants au pays des morts. Sur le plan psychique, les concepts de la psychologie jungienne, la théologie et les anciennes religions nocturnes s'accordent également sur le fait que le Soi, ou, dans notre vocabulaire, la Femme Sauvage, sème dans la psyché périls et défis, de sorte que le désespoir pousse la personne humaine à retourner vers sa nature originelle pour y chercher des réponses et y puiser de la force, recréant ainsi l'union avec le grand Soi sauvage et, autant que possible, ne faisant par la suite plus qu'un avec lui.

En un sens, cette déformation dans le conte déforme notre connaissance des anciens processus du retour de la femme vers le monde du dessous. Mais en fait, ce remplacement de la vieille par le diable est tout à fait pertinent pour nous aujourd'hui. Ne nous retrouvons-nous pas, dans notre recherche des anciennes voies de l'inconscient, en train de nous battre avec le diable qui se présente sous la forme des injonctions culturelles, familiales ou intrapsychiques destinées à dévaluer la vie de l'âme du féminin sauvage ? Sous cet angle, le conte fonctionne dans les deux sens. Il présente encore suffisamment d'os de l'ancien rituel pour que nous puissions reconstituer son squelette et il nous montre également comment le prédateur essaie de nous couper des pouvoirs qui sont les nôtres, de nous arracher le travail sur l'âme que nous accomplissons.

Les principaux agents de transformation présents dans le verger sont, dans l'ordre approximatif de leur entrée en scène : la jeune fille, l'esprit en blanc, le jardinier, le roi, le magicien, et la mère/vieille et le diable.

La jeune fille

Comme nous l'avons vu, la jeune fille représente la psyché sincère, antérieurement assoupie. Mais sous son apparence de douceur se cache une héroïne-guerrière. Elle a l'endurance du loup solitaire. Elle est capable de supporter la saleté, la trahison, la solitude, la souffrance et l'exil de l'initiée, d'errer dans le monde souterrain et de remonter à la surface, porteuse d'une richesse nouvelle. Et même si elle n'est pas toujours capable de les articuler lors de sa première descente, elle suit les instructions de la vieille Mère sauvage, la Femme Sauvage.

L'esprit en blanc

Dans toutes les légendes et les contes de fées, l'esprit en blanc est le guide, celui qui a une connaissance innée et aimable, une sorte de pionnier lors du voyage qu'entreprend la femme. Chez certains *mesemondók*, on considérait cet esprit comme une parcelle d'un dieu ancien très précieux qui aurait volé en éclats mais continuerait à habiter chaque être humain. Son vêtement le rapproche des innombrables Déesses de la Vie/Mort/Vie appartenant à diverses cultures et qui, toutes, sont vêtues d'un blanc immaculé – *La Llorona*, Berchta, Hel et bien d'autres. Ceci signifie que l'esprit vêtu de blanc est un aide de la mère/vieille qui, en psychologie archétypale, est elle-même aussi une Déesse de la Vie/Mort/Vie.

Le jardinier

Le jardinier est celui qui cultive l'âme, le gardien des graines, du sol, des racines. Il équivaut au Kokopelli des Hopis, l'esprit bossu qui, chaque printemps, vient dans les villages pour fertiliser les champs et féconder les femmes. Le jardinier a pour tâche de régénérer. La psyché féminine doit sans cesse semer, palisser, récolter une énergie nouvelle qui va remplacer ce qui est vieux et épuisé. Il existe une entropie naturelle, ou dégradation de l'énergie, des régions du psychisme. C'est une chose positive, car la psyché est censée procéder de la sorte, mais il faut que la personne tienne prête une énergie de substitution. Tel est le rôle du jardinier : il suit les besoins, sait quand il faut remplacer et fournir. Au niveau intrapsychique, il y a en permanence de la vie, en permanence des choses meurent, en permanence il faut remplacer des idées, des images, des énergies.

Le roi

Le roi [25] est un trésor de connaissance dans le monde du dessous. Il a la capacité de faire sortir le savoir intérieur et de le mettre en pratique sans affectation, excuses, ni murmure. Le roi est le fils de la reine-mère/vieille femme. Comme elle et certainement à son exemple, il joue un rôle dans les mécanismes du processus vital de la psyché : vacillement, disparition puis retour de la conscience. Un peu plus avant dans le conte, quand il erre à la recherche de sa reine perdue, il subit une sorte de mort qui va le faire passer de l'état de roi civilisé à l'état de roi sauvage. Quand il la retrouve, il renaît. En termes psychiques, cela signifie que les vieilles attitudes centrales de la psyché vont disparaître au fur et à mesure que celle-ci apprend, pour être remplacées par des points de vue neufs ou rénovés sur tout ce qui touche à la vie d'une femme. En ce sens, le roi représente le renouvellement des attitudes dominantes et des lois au sein de la psyché d'une femme.

Le mage

Le mage ou magicien, dont le roi se fait accompagner pour qu'il interprète ce qu'il va voir, représente la magie directe du pouvoir de la femme [26]. Le fait de se souvenir dans un flash, de voir très loin, d'entendre à des kilomètres à la ronde, d'être capable, par empathie, de voir avec les yeux des autres – animaux ou êtres humains – tout cela appartient au féminin instinctuel. Le magicien possède ces capacités. Il aide aussi, traditionnellement, à les conserver et à les mettre en œuvre dans le monde extérieur. Le mage peut appartenir à l'un ou l'autre sexe, mais ici c'est une figure masculine forte, similaire à celle du frère courageux des contes de fées, prêt à tout pour aider sa sœur qu'il aime tant. Dans les rêves et dans les contes, il apparaît indifféremment comme un homme et comme une femme. Il peut être homme, femme, animal, minéral, tout comme la vieille, son équivalent féminin, peut apparaître sous le déguisement de son choix. Dans la vie consciente, le mage agit positivement sur la capacité de la femme à devenir ce qu'elle souhaite et à donner d'elle-même, à tout moment, l'image qu'elle veut.

La reine-mère/la vieille

Dans ce conte, c'est la mère du roi qui joue le rôle de la reine-mère/la vieille. Cette figure représente beaucoup de choses et parmi elles la fécondité, la force de deviner les tours et détours du prédateur, la capacité d'adoucir les mauvais sorts. Le sens du mot *fécondité* va au-delà de la fertilité ; il englobe la productivité, comme on dit que la terre est productive. Elle est cette terre noire riche de particules brillantes de mica, de racines sombres, de toute la vie qui est passée là et se trouve maintenant fractionnée pour former cet humus odorant. Derrière le mot *fertilité* il y a des graines, des œufs, des êtres, des idées. La fécondité, c'est le milieu fondamental dans lequel sont déposées, préparées, réchauffées, incubées et sauvegardées les graines. C'est pourquoi on appelle souvent la vieille mère par ses noms les plus anciens, Mère Poussière, Terre Mère, Mère, car de cette boue les idées jaillissent.

Le diable

Dans cette histoire, la nature double de l'âme féminine, qui à la fois tourmente et soigne, a été remplacée par une figure unique, celle du Diable. Comme nous l'avons vu, cette figure démoniaque représente le prédateur naturel de la psyché féminine, un aspect *contra naturam*, contre nature, qui s'oppose au développement de la psyché et tente d'anéantir tout ce qui appartient à l'âme. Cette force est coupée de son aspect créateur de vie. Il faut la vaincre, la contenir. Elle n'a rien à voir avec cette autre source naturelle de tracasseries qui se trouve aussi dans la psyché féminine et que j'appelle l'« alter-âme ». L'« alter-âme » est une force positive d'opposition. On la rencontre souvent dans les rêves des femmes, les contes de fées, les récits mythologiques, sous forme d'une vieille figure multiforme qui vient harceler la femme et la pousser vers une descente aboutissant, dans l'idéal, à la réunion avec ses ressources les plus profondes.

Ici donc, dans ce verger souterrain, ces deux parties de la psyché, à la fois masculines et féminines, vont se retrouver. Elles forment une *conjunctio*, terme issu de l'alchimie qui signifie l'union transformative de substances dissemblables. Quand ces opposés viennent à être frottés l'un contre l'autre, il en résulte l'activation de certains processus intrapsychiques, comme lorsqu'on frotte un silex sur un rocher pour produire du feu. Les éléments dissemblables qui habitent le même espace psychique produisent, par leur friction, de l'énergie, de la perspicacité, de la connaissance.

La présence de la sorte de *conjunctio* que nous avons dans ce conte révèle l'activation d'un cycle verdoyant de Vie/Mort/Vie. Nous savons qu'une mort spirituelle va avoir lieu, qu'un mariage spirituel est imminent, mais aussi qu'une nouvelle vie va naître. Ces facteurs prédisent ce qui va arriver. La *conjunctio* ne se fait pas en soufflant dessus. Elle naît d'un difficile travail.

Nous voilà donc dans nos habits crottés, marchant sur une route inconnue, la marque de la nature sauvage brûlant de plus en plus en nous. Il est juste de dire que cette *conjunctio* pousse à effectuer une révision complète de la personne que nous avons été. Si nous sommes dans le verger, avec auprès de nous ces aspects psychiques identifiables, nous ne pouvons plus faire marche arrière.

Et ces poires ? Elles sont là pour apaiser la faim de celles qui entreprennent ce long voyage souterrain. La matrice de la femme est représentée traditionnellement par des fruits divers, la plupart du temps des poires, des pommes, des figues, des pêches, bien qu'en règle générale tous les objets ayant ce genre de forme et à l'intérieur un germe susceptible de se transformer en un élément vivant, comme l'œuf, puissent connoter cette qualité féminine de « vie à l'intérieur de la vie ». Ici, sur le plan de l'archétype, les poires représentent une explosion de vie nouvelle, le germe d'une individualité nouvelle.

Dans la plupart des mythes et des contes de fées, les arbres fruitiers appartiennent au domaine de la Grande Mère, la vieille Mère sauvage, dont le roi et ses hommes sont les régisseurs. Si les poires du verger sont numérotées, c'est qu'au cours de ce processus transformatif, tout est suivi, enregistré. Rien n'est laissé au hasard. La vieille Mère sauvage sait combien elle possède de substances transformatives. Le roi vient les compter, non pas par un sens jaloux de la propriété, mais pour voir si quelqu'un de nouveau est arrivé dans le monde du dessous pour y entamer une initiation. Le monde de l'âme attend toujours la novice et la vagabonde.

La poire qui se penche vers la jeune fille pour la nourrir est comme une cloche qui résonnerait par tout le verger souterrain pour battre le rappel de toutes les sources, de toutes les forces – le roi, le mage, le jardinier et, dans ce cas précis, la vieille mère ; et chacune se précipite vers la novice pour l'accueillir, la soutenir, l'assister.

A travers les âges, les figures sacrées sont là pour nous assurer que sur la route de la transformation, il y a déjà un endroit prêt pour nous accueillir. Et c'est vers cet endroit que le destin nous conduit, par l'intuition ou le flair. Nous finissons toutes par arriver dans le verger du roi. Il doit en être ainsi.

Dans cet épisode, les trois attributs masculins de la psyché féminine, le jardinier, le roi et le magicien, sont ceux qui observent, interrogent, aident la femme au cours de son voyage souterrain, où rien n'est ce qu'il paraît être. Quand l'élément royal de la psyché souterraine apprend qu'un changement est intervenu dans l'ordre du verger, il arrive avec le mage de la psyché, qui peut comprendre les affaires du monde matériel *et* du monde de l'esprit et faire le tri dans l'inconscient.

Ainsi regardent-ils l'esprit vider la douve. Nous l'avons dit, il y a dans la douve un sens symbolique similaire à celui du Styx, le fleuve toxique que traversaient les âmes des défunts pour passer de la terre des vivants au royaume des morts. Il n'était pas dangereux pour les morts, mais pour les vivants. Les personnes humaines doivent donc prendre garde à l'impression de sérénité et d'accomplissement qui vient leur faire croire que la réussite ou l'aboutissement d'un cycle spirituel leur permet de s'arrêter et de se reposer désormais sur leurs lauriers. La douve est un lieu de repos pour les morts, mais une femme vivante ne peut rester trop longtemps près d'elle, sous peine d'être prise de léthargie dans l'accomplissement des cycles du « faire de l'âme » [27].

Par le biais du symbole de la rivière circulaire, la douve, le conte nous prévient : cette eau n'est pas n'importe quelle eau. C'est une étendue d'eau qui fait limite, un peu comme le cercle que la jeune fille a tracé autour d'elle pour tenir le Malin à distance. Ce cercle que l'on pénètre ou traverse, c'est un autre état de conscience ou d'absence de conscience, une autre manière d'être.

Ici, la jeune fille est en train de traverser l'état d'inconscience qui est réservé aux morts. Elle ne va pas boire de cette eau, ni mettre les pieds dedans, mais passer à sec. Parce que la femme doit, lors de la descente, traverser le pays des morts, il lui arrive parfois de penser qu'elle doit trouver une mort définitive. Pas du tout. La tâche est de traverser le pays des morts en tant que créature vivante, car c'est ainsi que se crée la conscience.

Cette douve est donc un symbole d'une grande importance. L'esprit qui, dans le conte, la vide, nous aide à comprendre ce que nous devons faire lors de notre propre voyage. Nous ne devons aucunement nous allonger et plonger dans un sommeil bienheureux une fois que nous en sommes arrivées à ce stade du travail, ni sauter à pieds joints dans la rivière, dans une tentative stupide pour accélérer le processus. Il y a la mort avec un petit « m » et la mort avec un grand « M ». Ce que la psyché recherche avec le processus de ces cycles de Vie/Mort/Vie, c'est *la muerte por un instante*, la mort d'un moment et non *La Muerte eterna*.

Le magicien s'approche – pas trop – de l'esprit et de la jeune fille et demande : « Es-tu ou n'es-tu pas de ce monde ? » Et la jeune fille, revêtue des habits sauvages de la *criatura* dépouillée du moi et accompagnée par le corps immaculé d'un esprit, répond au mage qu'elle est dans le pays des morts, même si elle est vivante. « J'ai été *du* monde et pourtant je ne suis pas de *ce* monde. » Quand le roi interroge le magicien pour savoir si elle est un esprit ou une personne humaine, le magicien répond qu'elle est l'un et l'autre.

Par cette réponse énigmatique, la jeune fille fait savoir que, tout en appartenant au monde des vivants, elle est en train de se mettre au pas de la Vie/Mort/Vie, et donc qu'elle est une créature humaine en cours de descente, et en même temps l'ombre de ce qu'elle était auparavant. Elle peut vivre des jours dans le monde du dessus, il n'en reste pas moins que le travail de transformation s'effectue dans le monde souterrain et, telle *La Que Sabe*, elle est capable d'être dans l'un et dans l'autre. Tout ceci afin de trouver sa voie, de tracer sa route vers le soi authentique et sauvage.

Pour mettre au jour le sens du matériel de *La Jeune Fille sans Mains*, voici un certain nombre de questions destinées à aider les femmes à éclairer un peu leur voyage souterrain. Elles sont formulées de manière à ce que des réponses, personnelles comme collectives, puissent leur être apportées. Ces questions créent une sorte de réseau, de filet lumineux qui se tisse entre les femmes tandis qu'elles commencent à parler entre elles. Elles le jettent dans la collectivité de leurs esprits, puis le remontent, lourd des formes de leur vie intérieure, afin que toutes puissent voir celles-ci et s'en servir.

En répondant à une question, on en fait naître une autre. En voici quelques-unes : Comment vit-on à la fois dans le monde du dessus et dans le monde du dessous, sur le plan de la vie quotidienne ? Que faut-il faire pour rejoindre son propre monde du dessous ? Quelles sont les circonstances qui aident les femmes à effectuer leur descente ? A-t-on le choix entre l'accomplir ou non ? Quelle aide la nature instinctive apporte-t-elle au cours de cette période ?

Quand les femmes (ou les hommes) sont dans cet état de double appartenance, ils font parfois l'erreur de penser que ce serait une excellente idée de se retirer du monde et de ses corvées irritantes. Or, au cours de ces périodes, le monde extérieur est la seule corde attachée à la cheville de la femme qui erre, travaille et est suspendue la tête en bas dans le monde du dessous. C'est un moment d'une importance capitale et le monde extérieur doit y jouer son rôle, qui est d'exercer une tension, d'équilibrer dans l'autre sens, pour aider au bon aboutissement du processus.

Ainsi errons-nous, en nous interrogeant, ou, pour dire la vérité, en marmonnant : « Suis-je de ce monde ou de l'autre ? », et en répondant : « Je suis des deux. » Et nous nous le répétons en progressant. La femme qui a entrepris ce processus doit appartenir aux deux mondes. C'est cette sorte d'errance qui aide à chasser les dernières résistances, les dernières objections. Elle est épuisante, mais cette fatigue-là nous permet de nous débarrasser des craintes et des ambitions du moi et de nous laisser conduire, moyennant quoi nous aurons une compréhension profonde et complète du temps que nous passerons dans les forêts souterraines.

Dans le conte, une deuxième poire vient s'offrir à la jeune fille. Dans la mesure où le roi est le fils de la vieille Mère sauvage, dans la mesure aussi où le verger est le sien, la jeune fille goûte en fait le fruit des secrets de la vie et de la mort. Le fruit est l'image primale des cycles de floraison, croissance, maturation et déclin. En le mangeant, l'initiée intériorise une horloge psychique qui connaît les schémas de la Vie/Mort/Vie et qui va indéfiniment par la suite sonner l'heure de laisser mourir une chose et de donner naissance à une autre.

Comment trouver cette poire ? En nous immergeant dans les mystères du féminin, les cycles de la terre, des insectes, des animaux, des oiseaux, des arbres, des fleurs, des saisons, dans le flot et le niveau des rivières, le pelage des animaux qui s'épaissit ou s'amincit au fil des saisons, les cycles d'opacité et de transparence de notre propre processus d'individuation, les cycles qui régissent la montée et le reflux de nos désirs en matière de sexualité, de religion, d'ascension et de descente.

En mangeant la poire, nous nourrissons notre faim de créativité, notre envie d'écrire, de peindre, de sculpter, de filer, de nous manifester, d'émettre des idées, de faire vivre des espoirs et des créations que le monde n'a encore jamais vus. Il est extrêmement nourrissant de réintégrer dans notre monde moderne les schémas, les principes de sensibilité innée, les cycles d'autrefois qui viennent enrichir maintenant nos existences.

C'est là la vraie nature de l'arbre psychique : il pousse, il donne, il fatigue, puis laisse ses graines pour qu'une vie nouvelle lui succède. Il nous aime. Tel est le mystère de la Vie/Mort/Vie. C'est un schéma ancien, immuable, qui date d'avant l'eau, d'avant la lumière. Une fois que nous avons appris quels sont ces cycles et leurs représentations symboliques, qu'ils s'appliquent aux poires, aux vergers, aux étapes ou aux âges de la vie féminine, nous pouvons compter qu'ils vont se répéter à l'infini, selon le même cycle et de la même manière. Le schéma est le suivant : dans toute mort, ce qui était inutile devient utile au cours de notre cheminement. Pendant que nous avançons, la connaissance à laquelle nous allons parvenir se révèle dans tout ce qui vit, la perte apporte un gain. Notre tâche est d'interpréter ce cycle de Vie/Mort/Vie, de le vivre avec autant de grâce que possible, quitte à hurler comme des chiennes démentes lorsque c'est impossible – et d'aller de l'avant, car devant nous se trouve la famille souterraine aimante qui va nous prendre dans ses bras et nous aider.

Le roi aide la jeune fille à mieux évoluer dans le monde souterrain de sa tâche. Et c'est une bonne chose, car parfois, au cours de sa descente, la femme a l'impression d'être moins un acolyte qu'une sorte de monstre qui se serait accidentellement échappé du laboratoire d'un savant fou. Cependant, de leur point de vue, les figures souterraines nous considèrent comme une créature bénie en train de lutter. Sous cet angle, nous sommes une flamme qui donne de toutes ses forces contre une vitre obscure afin de la faire céder et d'être libre. Et tout ce que la demeure d'en bas compte de forces secourables se précipite pour nous assister.

Dans les temps anciens, les histoires racontant la descente d'une femme vers le monde du dessous révélaient que celle-ci entreprenait cette descente dans le but d'épouser le roi (certains rites ne semblaient pas inclure de roi et l'acolyte épousait probablement toute imago existante de la Femme Sauvage du monde souterrain). Il en reste quelque chose dans ce conte, lorsqu'au premier regard le roi, sans hésitation, reconnaît la jeune fille comme étant la femme de sa vie. Et ce, *non pas* en dépit de l'état de sauvagerie, d'errance et de mutilation dans lequel elle se trouve, mais à cause de lui. C'est toujours le thème du soutien affectif dans le manque. Même si nous errons dans cette pitoyable condition, une force immense issue du Soi nous aime et nous tient contre son cœur.

Les femmes qui se trouvent dans cet état ressentent une grande excitation, un peu comme lorsqu'on rencontre le compagnon dont on a toujours rêvé. C'est une période étrange, un moment paradoxal, car nous sommes en surface, et pourtant en dessous, nous errons et pourtant on nous aime, nous ne sommes pas riches et pourtant nous sommes nourries. La psychologie jungienne qualifie cet état de « tension des opposés », dans laquelle quelque chose appartenant à chaque pôle de la psyché est constellé * à un moment, ce qui fait place à un nouveau terrain. La psychologie freudienne parle de « bifurcation » : la disposition ou l'attitude essentielle de la psyché se divise en deux polarités, noir et blanc, bien et mal. Chez les conteurs de mon entourage, on utilise pour qualifier cet état la formule *nacio dos vesas*, « né deux fois ». C'est le moment où, par l'intermédiaire d'une source magique, il se produit une seconde naissance et où l'âme peut revendiquer une double ascendance : une appartenant au monde physique, une appartenant au monde invisible.

Le roi déclare qu'il va aimer, protéger la jeune fille. Maintenant, la psyché a une conscience accrue ; il va y avoir un très intéressant mariage entre le roi vivant du pays des morts et la femme sans mains de la terre des vivants. Deux partis très différents, de quoi mettre à l'épreuve l'amour le plus sincère. Pourtant, ces épousailles sont à rapprocher de tous les mariages picaresques des contes de fées, qui unissent des vies riches en énergie mais totalement dissemblables. Cendrillon et le prince, la femme et l'ours, la jeune fille et l'astre lunaire, la femme-phoque et le pêcheur, la fille du désert et le coyote. L'âme se charge de la connaissance de chaque entité : c'est ce que naître deux fois veut dire.

Dans les mariages des contes de fées, comme dans les unions du monde du dessus, le grand amour entre des entités dissemblables peut durer toujours, ou juste le temps que la leçon soit terminée. Dans l'alchimie, le mariage des contraires annonce une mort et une nouvelle naissance, ce que nous allons voir bientôt se produire ici.

Le roi commande une paire d'esprits-mains pour la jeune fille, qui vont

---

* Selon Jung, la « constellation », telle qu'il la définit dans *L'Homme à la découverte de son âme,* est « une situation d'expérience particulière. (...) Cette notion exprime que la situation extérieure met en branle dans le sujet un processus psychique marqué par l'agglutination et l'actualisation de certains contenus ». (Traduction Dr Roland Cahen, Paris, Albin Michel, 1987.) *(N.d.T.)*

agir en son nom dans le monde du dessous. C'est au cours de cette phase qu'une femme commence à manifester de la dextérité dans son voyage ; elle s'y abandonne entièrement, elle a assuré son pas et aussi, pourrait-on dire, sa « prise en main ». Dans le monde du dessous, cette « prise en main » découle du fait que l'on apprend à convoquer, diriger, réconforter les pouvoirs de ce monde et à faire appel à eux, mais aussi à écarter ses aspects indésirables, comme la somnolence. Si, dans le monde du dessus, le symbole de la main représente une sorte de radar sensoriel, la main symbolique du monde souterrain voit dans l'obscurité et à travers le temps.

L'idée de remplacer les membres perdus par d'autres en argent, en or ou en bois est une histoire très ancienne. Dans les contes de fées d'Europe et des régions circumpolaires, ce sont les *homunculi*, les lutins, *dvergar*, elfes et autres gobelins qui travaillent l'argent. Si l'on traduit en termes de psychologie, ils représentent les aspects élémentaux de l'esprit à l'œuvre au plus profond de la psyché qu'ils creusent à la recherche d'idées précieuses. Ces créatures sont des psychopompes, c'est-à-dire des messagers qui font le va-et-vient entre la force de l'âme et les êtres humains. Depuis des lustres, on associe les objets en métal précieux à ces petits fureteurs industrieux et souvent passablement grincheux. C'est là un autre exemple du travail qu'accomplit la psyché en notre nom, même si nous ne sommes pas tout le temps présentes dans tous les ateliers.

Comme tout ce qui touche à l'esprit, les mains d'argent sont porteuses d'une histoire et d'un mystère. Nombreux sont les mythes et les légendes qui retracent l'origine de ces prothèses magiques et évoquent leur travail en grand détail. Dans la mythologie grecque, l'argent est l'un des métaux précieux travaillé dans la forge d'Héphaïstos. Telle la jeune fille, Héphaïstos fut estropié à la suite d'un événement qui concernait ses parents. Il est vraisemblable que sa figure et celle du roi dans le conte sont interchangeables.

Sur le plan archétypal, Héphaïstos et la jeune fille sans mains sont frère et sœur. L'un comme l'autre, ils ont des parents inconscients de leur valeur. A la naissance d'Héphaïstos, Zeus, son père, demanda qu'on l'éloigne et sa mère, Héra, dut accepter – du moins jusqu'à ce qu'il fût devenu grand. Elle le fit alors revenir sur l'Olympe. Héphaïstos était devenu un orfèvre d'une habileté extrême. Une dispute survint entre ses parents, car Zeus était un dieu jaloux. Héphaïstos prit le parti de sa mère et Zeus, se retournant contre lui, jeta le jeune homme au bas de l'Olympe, où il se brisa les jambes.

Désormais infirme, Héphaïstos refusa de s'abandonner à son triste sort. Il se fabriqua dans sa forge une paire de jambes faites d'or et d'argent. Par la suite, il créa maints objets magiques et devint un dieu de l'amour et de la restauration mystique. Il est en quelque sorte le patron de tout ce qui, êtres vivants ou objets inanimés, est démembré, fendu, abîmé, tordu. Il a une inclination particulière envers les infirmes de naissance et les cœurs brisés.

Sur ceux-là, il applique les remèdes qu'il fabrique dans sa forge merveilleuse, reconstituant un cœur avec l'or le plus fin, renforçant un membre déformé en le recouvrant d'or ou d'argent et en l'investissant d'une fonction magique qui vient compenser son handicap.

Ce n'est pas un hasard si l'on a toujours considéré les borgnes, les boiteux, les personnes porteuses de malformations diverses et, en règle générale, les êtres physiquement différents comme ayant un savoir particulier. Leur handicap les oblige précocement à avoir accès à des domaines de la psyché habituellement réservés aux personnes très âgées. Et ils sont sous la garde affectueuse de cet artisan de la psyché. Ne lui est-il pas arrivé de forger douze jeunes filles aux membres d'or et d'argent, qui parlaient et marchaient ? La légende raconte qu'il tomba amoureux de l'une d'entre elles et demanda aux dieux de la rendre humaine, mais cela est une autre histoire et un autre propos.

Recevoir des mains d'argent, c'est être investie des dons des mains de l'esprit – guérir par imposition des mains, voir dans l'obscurité, connaître sans avoir besoin de toucher. C'est avoir toute une *medica* psychique pour nourrir, guérir, soutenir. Avec ces mains psychiques, la jeune femme va pouvoir mieux appréhender les mystères du monde du dessous, mais elles lui seront aussi acquises, lorsqu'une fois sa tâche accomplie, elle entreprendra sa remontée.

Les actes bizarres, les actes de guérison qui échappent à la volonté du moi et résultent de ce don des mains psychiques – une force de guérison mystique – sont le propre de cette phase de la descente. Dans les temps anciens, ces capacités mystiques appartenaient aux vieilles villageoises. Elles ne leur venaient toutefois pas avec leur premier cheveu blanc. Elles s'accumulaient au cours de ce travail d'endurance, de ce long, de ce difficile travail, qui est aussi le nôtre.

On pourrait dire que ces mains d'argent représentent le sacre de la jeune fille dans un autre rôle, un sacre qui ne la verrait pas porter une couronne sur la tête mais des mains d'argent au bout des bras. Elle est couronnée reine du monde du dessous. Faisons maintenant encore un peu de paléomythologie et remarquons que dans la mythologie grecque, Perséphone n'était pas que la fille de sa mère : elle était aussi la reine du royaume des morts.

Il existe à son propos des histoires moins connues, qui lui font endurer des tourments divers, comme de rester suspendue à l'Arbre du Monde durant trois jours afin de racheter les âmes qui n'ont pas assez souffert pour atteindre à la profondeur d'esprit. On retrouve un écho de ce *Cristo* féminin, de cette *Crista*, dans *La Jeune Fille sans Mains*. Le parallèle est encore accentué par le fait que l'Elysée, séjour souterrain de Perséphone, signifie « pays des pommes » – *alise* étant un terme gaulois pour désigner le fruit de l'alisier, une variété de sorbier – de même que l'*Avalon* arthurien. La jeune fille sans mains est directement associée au pommier en fleur.

Grâce à cette cryptologie, nous voyons que Perséphone du pays des pommes, la jeune fille sans mains et le pommier en fleur sont un même et unique habitant des terres sauvages. Il en ressort que les contes de fées et les récits mythologiques nous ont légué une carte précise des connaissances et des pratiques d'antan et de la méthode à utiliser de nos jours.

On *pourrait* donc dire, à l'issue de la quatrième tâche de la jeune fille sans mains, qu'elle a accompli tout ce qu'elle devait faire au cours de sa descente, dans la mesure où elle est faite reine de la vie et de la mort. Elle est la femme lunaire qui sait ce qui a lieu dans la nuit, et le soleil lui-même dans sa course doit passer à côté d'elle dans le monde souterrain afin de se renouveler pour le jour. Mais ce n'est pas là pour autant la *lysis*, la résolution ; nous sommes seulement à mi-chemin de la transformation, en un lieu où, tout aimées que nous sommes, nous nous tenons prêtes à plonger vers un autre abysse. Et donc, nous continuons.

Cinquième phase – Les déchirements de l'âme

Le roi s'en va guerroyer dans un lointain royaume, après avoir demandé à sa mère de veiller sur la jeune reine et de lui envoyer un messager si son épouse donne naissance à un héritier. Cette dernière met au monde un bel enfant et un message est envoyé pour annoncer l'heureuse nouvelle. Mais, près de la rivière, le messager s'endort. Le Diable fait son apparition et modifie le message, qui devient : « La reine a donné naissance à un demi-chien. »

Horrifié, le roi envoie néanmoins à son tour un message assurant la reine de son amour et de son soutien dans cette terrible épreuve. Et de nouveau, le messager s'endort au bord de la rivière et le Diable change le message, qui devient : « Tuez la reine et son enfant. » Bouleversée, la veille mère renvoie un messager demandant confirmation et les messagers vont et viennent, pris de sommeil à chaque fois en arrivant à la rivière. Les messages du Démon deviennent de plus en plus haineux, le dernier étant : « Gardez la langue et les yeux de la reine pour me prouver qu'elle a bien été tuée. »

La mère du roi refuse de tuer la jeune et douce reine. A la place, elle sacrifie une biche, conserve ses yeux et sa langue et les cache. Elle aide la jeune reine à attacher son enfant contre son sein, la voile et lui dit de s'enfuir. Les deux femmes en pleurs se disent au revoir.

Comme Barbe-Bleue, Jason de la Toison d'Or, l'hidalgo de *La Llorona* et comme d'autres maris/amants dans les contes de fées et la mythologie, le roi est appelé à partir après son mariage. Pourquoi donc ces mytho-époux filent-ils toujours si peu de temps après leur nuit de noces ? La raison est différente dans chaque conte, mais le fond, psychiquement parlant, ne varie pas : l'énergie royale de la psyché décline, afin que l'étape suivante dans la progression de la femme puisse avoir lieu, la mise à l'épreuve de sa nouvelle disposition psychique. Dans le cas présent, le roi ne l'a pas abandonnée, car en son absence sa mère veille sur l'épouse.

Au cours de la phase suivante, la relation se noue entre la jeune femme et la vieille Mère sauvage et le lien avec l'enfantement se crée. Il y a mise à l'épreuve du lien amoureux entre la jeune fille et le roi et de la relation d'affection entre elle et la vieille mère. Le premier touche à l'amour entre les contraires, la seconde à l'amour du Soi féminin profond.

Le départ du roi est un leitmotiv universel dans les contes de fées. Lorsque nous éprouvons, non pas le retrait d'un soutien, mais la diminution de la proximité de ce soutien, nous pouvons être sûres qu'une période de mise à l'épreuve va débuter ; nous allons devoir nous nourrir des seuls souvenirs de l'âme en attendant le retour de l'aimé. Nos rêves et tout particulièrement les plus frappants, les plus pénétrants d'entre eux, vont être le seul amour dont nous disposerons pendant un certain temps.

Voici quelques-uns des rêves qui, d'après les femmes, les ont soutenues avec force durant cette phase.

Une femme d'une quarantaine d'années, tout à fait charmante et spirituelle, rêva qu'elle voyait dans l'humus riche une paire de lèvres. S'étant allongée sur le sol, elle entendit ces lèvres lui parler à l'oreille, puis, soudain, elles l'embrassèrent sur la joue.

Une autre femme, qui travaillait énormément, fit un rêve décevant dans sa simplicité : elle dormait une nuit entière d'un sommeil parfait. Quand elle s'éveilla, elle se sentit merveilleusement reposée. Pas un muscle, pas un nerf, pas une cellule qui ne fût à sa place dans son corps.

Une autre rêva qu'on l'opérait à cœur ouvert. La salle d'opération n'avait pas de toit et c'est la lumière du soleil qui servait d'éclairage. Elle sentait la chaleur de l'astre qui baignait son cœur mis à nu. Elle entendit le chirurgien dire qu'il était inutile de continuer à opérer.

Les rêves de ce genre sont autant d'expériences de la nature sauvage féminine et de Celle qui illumine tout. Ils sont d'une grande profondeur émotionnelle et parfois physique et représentent des états émotionnels que l'on peut comparer à ces réserves de nourriture dans lesquelles nous pouvons aller nous servir quand les provisions spirituelles font défaut.

Tandis que le roi, sur sa monture, s'éloigne vers de nouvelles aventures, sa contribution psychique à la descente est maintenue en place par l'amour et le souvenir. L'épouse comprend que le principe royal du monde du dessous lui est acquis et qu'il ne va pas l'abandonner, comme il le lui a promis avant leur mariage. Souvent, au cours de cette période, la femme est « pleine de Soi-même ». Elle est enceinte, c'est-à-dire qu'en elle naît l'idée de ce que sa vie peut devenir si elle poursuit sa tâche. C'est un moment magique et frustrant, comme nous le verrons, car c'est un cycle de descentes – autrement dit, une autre nous attend encore au tournant.

C'est à cause de l'éclosion d'une vie nouvelle que la femme semble à nouveau trébucher lorsqu'elle se trouve trop près du bord de l'abîme et qu'elle plonge encore dans le vide. Mais cette fois, l'amour du masculin intérieur et le vieux Soi sauvage vont la soutenir comme jamais auparavant.

De l'union du roi et de la reine du monde du dessous, un enfant naît. Un enfant fait dans le monde souterrain est un enfant magique. Il a tout le potentiel lié au monde du dessous, comme une ouïe d'une extrême finesse et une grande sensibilité intérieure, mais ceci en est encore à l'étape *anlage*

– « en devenir ». C'est à cette étape du voyage que les femmes ont des idées frappantes, grandioses, pourrait-on dire, qui résultent du fait qu'elles ont un regard neuf et des attentes naissantes. Chez les plus jeunes, cela peut se manifester de manière directe, par la recherche de nouveaux centres d'intérêts, de nouveaux amis. Pour les femmes plus âgées, il peut s'agir d'une épiphanie tragicomique entière, avec divorce, reconstitution, happy end.

L'enfant-esprit pousse les femmes sédentaires à escalader les Alpes au seuil de la cinquantaine, les femmes d'intérieur à abandonner une existence consacrée à cirer les parquets pour s'inscrire à l'université, les femmes éprises de sécurité à se lancer à l'aventure sur les routes.

Donner la vie, c'est, sur le plan psychique, la même chose que devenir soi-même, devenir un seul soi, c'est-à-dire une psyché indivise. Avant que naisse cette vie nouvelle dans le monde du dessous, la femme est susceptible de penser que les différentes parties d'elles-mêmes et ses différentes personnalités sont des vagabondes qui vont et viennent, qui entrent et sortent de son existence. Lors de cette naissance souterraine, elle apprend que tout cela *fait* partie d'elle-même. Il est parfois difficile d'effectuer cette différenciation de tous les aspects de la psyché, surtout quand il s'agit de tendances et de pulsions que nous jugeons répulsives. Cette mise au défi d'aimer des aspects de nous-mêmes peu ragoûtants vaut bien tous les efforts entrepris par les héroïnes.

Parfois, nous avons peur, si nous identifions plus d'un soi dans la psyché, de souffrir de psychose. S'il est vrai que des personnes atteintes de troubles psychotiques ont aussi en elles plusieurs soi auxquelles elles s'identifient ou qu'elles rejettent, celle qui est saine d'esprit maintient tous ces soi intérieurs en ordre, de façon rationnelle. Elle en fait bon usage et se développe bien. Pour la majorité des femmes, le fait de materner et d'élever les soi internes est une tâche créatrice, un accès à la connaissance et non une raison d'être déconcertée.

La jeune fille sans mains attend donc un enfant, un nouveau petit soi sauvage. Le corps porteur d'une nouvelle vie sait ce qu'il a à faire. La femme qui se trouve dans cette phase du processus psychique peut se retrouver dans une autre *enantodromia*, cet état dans lequel tout ce qui avait de la valeur en a beaucoup moins désormais et peut même être remplacé par des envies violentes de spectacles, d'expériences, d'efforts inhabituels.

Par exemple, pour certaines femmes, le mariage était tout et plus. Dans l'*enantodromia*, elles ont le désir de tout couper : le mariage est mauvais, le mariage c'est de la crotte de bique. Remplacez le mot *mariage* par le mot *amant, travail, art, vie* ou *choix* et vous aurez une parfaite description de l'état d'esprit de cette période.

Et puis, il y a ces envies irrépressibles, ah, là, là ! La femme peut mourir d'envie d'être au bord de l'eau, ou le ventre contre terre, le nez plongé dans l'odeur sauvage de l'humus. Elle peut vouloir être cheveux au vent, ou planter, désherber, arracher, repiquer. Elle peut désirer plonger les mains jusqu'au coude dans la farine et pétrir voluptueusement la pâte.

Elle peut avoir besoin d'escalader les collines, de bondir de rocher en rocher, en criant des phrases dans le vent. Elle peut avoir besoin de nuits constellées d'étoiles, de silences parfaits, d'orages pour y danser nue, de retours à la maison les doigts tachés d'encre, ou de peinture, ou le visage baigné de larmes ou de clarté lunaire.

Un nouveau soi est en route. Nos vies intérieures telles que nous les avons connues sont en train de changer. Cela ne veut pas dire pour autant qu'il faille jeter aux orties les aspects décents de notre vie, surtout ceux qui nous fournissent un soutien, pour faire un nettoyage démentiel par le vide. Non, cela signifie qu'au cours de la descente, le monde du dessus et les idéaux pâlissent, que pendant un certain temps nous allons être instables, insatisfaites, car la satisfaction, l'épanouissement sont en train de voir le jour dans la réalité intérieure.

Jamais un compagnon, un travail, de l'argent, ni rien de nouveau ne pourra satisfaire la faim qui est la nôtre, car nous avons faim de l'autre monde, le monde qui sustente nos vies de femmes. Et cet enfant-Soi que nous attendons va naître seulement de ceci, de l'attente. Tandis que nous sommes dans le monde du dessous, que nous y travaillons, le temps passe et l'enfant se développe, s'apprête à voir le jour. Dans la plupart des cas, c'est un rêve qui va annoncer la naissance. La femme rêve au sens propre d'un nouvel enfant, d'une nouvelle demeure, d'une nouvelle vie.

Maintenant, la mère du roi et la jeune reine sont restées ensemble. La mère du roi, c'est – devinez qui – la vieille *La Que Sabe*. Elle sait tout. Dans l'inconscient féminin, la reine-mère représente à la fois Déméter et Hécate [28], la mère et la vieille femme [29].

Cette alchimie de la jeune fille, de la mère et de la *curandera,* la vieille guérisseuse, se retrouve dans la relation entre la jeune fille sans mains et la mère du roi. Il y a là une équation psychique similaire. Même si, dans le conte, le personnage de la mère du roi manque de profondeur, la vieille femme connaît parfaitement ses anciens rites, au même titre que la jeune fille au début, avec sa robe blanche et son cercle de craie, comme nous le verrons plus tard.

Une fois l'enfant-Soi venu au monde, la reine-mère envoie un message au roi pour le prévenir. Le messager semble normal, mais voilà qu'aux abords d'un cours d'eau, il est pris de somnolence, s'endort et le Diable sort de sa boîte. C'est là un indice qui vient nous dire que la psyché va être de nouveau mise au défi durant sa prochaine tâche dans le monde du dessous.

Dans la mythologie grecque, boire l'eau du Léthé, le fleuve des Enfers, provoque l'oubli de tout ce qui a été dit et fait. En termes psychologiques, cela signifie que l'on sombre dans le sommeil, en oubliant sa vie présente. Le messager censé établir le lien entre les deux composantes principales de la psyché nouvelle ne peut résister à la force destructrice/séductrice dans la psyché. La fonction de communication de la psyché a sommeil, s'allonge, s'endort et oublie.

Et qui retrouve-t-on ? Le vieux poursuivant des jeunes filles, le Diable affamé. Le mot « Diable » lui-même, utilisé dans le conte, révèle qu'une couche de matériel religieux plus récente est venue recouvrir l'histoire.

Dans celle-ci, le messager, le cours d'eau et le sommeil qui provoquent l'oubli révèlent la présence, juste en dessous, de l'ancien culte.

Ce schéma archétypal de descente est vieux comme le monde et nous le suivons, nous aussi. Nous avons pareillement tout un passé de tâches épouvantables derrière nous. Nous avons senti le souffle brûlant de la Mort. Nous avons bravé les forêts qui vous agrippent, les racines qui vous font des crocs-en-jambe, les arbres qui avancent, le brouillard qui aveugle. Nous sommes des héroïnes psychiques et notre valise est emplie de médailles. Qui nous blâmerait aujourd'hui ? Nous avons envie de nous reposer. Et nous le méritons, car nous en avons beaucoup vu. Alors nous nous allongeons. Au bord d'un joli cours d'eau. Nous n'avons pas oublié le processus sacré, non... simplement... simplement nous aimerions faire une pause quelques instants, fermer les yeux une petite minute...

Et, avant que nous puissions dire « ouf ! », voilà que le Diable se pointe et change le message de bonheur en message d'horreur. Le Diable représente l'exaspération psychique qui vient nous tourmenter : « Alors, on reprend ses anciennes manières innocentes et naïves, maintenant qu'on est aimée ? Maintenant qu'on a donné la vie ? Tu crois vraiment que la mise à l'épreuve est terminée, femme stupide ? »

Et parce que nous sommes près du Léthé, nous continuons à ronfler. C'est l'erreur que toutes les femmes font – non pas une fois, mais plusieurs. Nous oublions le Diable. Et le message « La reine a donné naissance à un bel enfant » devient « La reine a donné naissance à un demi-chien ». Dans une version équivalente du conte, le message substitué est encore plus explicite : « La reine a donné naissance à un demi-chien parce qu'elle a copulé avec les bêtes sauvages dans la forêt. »

Cette image du demi-chien n'est pas là par hasard. C'est en fait un fragment glorieux des anciennes religions qui, de l'Europe à l'Asie, étaient centrées sur le culte de la Déesse. A cette époque, on vénérait une Déesse à trois têtes. Les Déesses à trois têtes sont représentées, dans différents systèmes, par Hécate, Baba Yaga, Mère Holle, Berchta, Artémis et autres. Chacune apparaissait avec ces animaux ou avait un lien étroit avec eux.

Ces puissantes divinités féminines sauvages, avec d'autres, étaient porteuses de la tradition de l'initiation des femmes et leur enseignaient les différentes étapes de la vie féminine, de la jeunesse à la vieillesse en passant par la maternité. Le fait de donner naissance à un demi-chien représente une dégradation indirecte des anciennes Déesses sauvages, dont la nature instinctuelle était considérée comme sacrée. La nouvelle religion a tenté de souiller le caractère sacré des triples Déesses en affirmant qu'elles s'unissaient à des animaux et encourageaient les femmes qui les vénéraient à les imiter.

C'est à ce moment-là que l'archétype de la Femme Sauvage fut repoussé très loin sous terre et que la part sauvage des femmes commença à dépérir. Plus encore, on dut en parler à voix basse, en des lieux secrets. Dans bien des cas, les femmes qui aimaient la vieille Mère sauvage durent prendre garde à leur vie. En fin de compte, la connaissance ne fut plus transmise que par des contes de fées, le folklore, les états de transe, les rêves nocturnes. Et il faut en remercier la Déesse.

Dans *Barbe-Bleue*, nous avons appris à considérer le prédateur naturel comme celui qui coupait net les idées, les sentiments, les actes de la femme. Ici, dans *La Jeune Fille sans Mains*, nous étudions un aspect du prédateur beaucoup plus subtil, mais aussi beaucoup plus puissant, qu'il nous faut affronter dans notre psyché et, de plus en plus, au quotidien dans notre société.

La Jeune Fille sans Mains nous révèle comment le prédateur peut dénaturer les perceptions humaines et l'entendement qui nous sont essentiels pour développer une dignité morale, une prospective visionnaire, une faculté de réaction dans notre existence et dans le monde. Dans *Barbe-Bleue*, le prédateur ne laisse la vie sauve à personne. Dans *La Jeune Fille sans Mains*, le Diable épargne la vie de la femme, mais tente d'éviter qu'elle ne renoue avec la connaissance profonde de la nature instinctuelle qui inclut une justesse d'action et de perception automatique.

Aussi, lorsque le Diable modifie le contenu du conte, on peut y voir, en un sens, le rapport véridique d'un événement historique réel, particulièrement pertinent pour les femmes modernes qui effectuent le travail psychique de la descente et de la prise de conscience. Il est à noter que sous de nombreux aspects, la culture (et par là il faut entendre le système collectif dominant de croyances d'un groupe de personnes vivant suffisamment près les unes des autres pour s'influencer mutuellement), la culture, donc, agit encore comme le Diable pour tout ce qui touche le travail intérieur des femmes, leur vie privée et leurs processus psychiques. En tranchant dans ceci, en masquant cela, en coupant une racine ici, en scellant une ouverture là, le « démon » de la culture et le prédateur intrapsychique font que des générations de femmes, tout en éprouvant de la peur, continuent à être dans l'errance sans avoir la moindre idée ni de ses causes, ni de la perte de leur nature sauvage qui pourrait tout leur révéler.

Il est certain que le prédateur a le goût des proies qui, d'une certaine manière, sont affamées d'âme, ou ont perdu leur pouvoir d'une façon ou d'une autre, mais les contes de fées nous montrent qu'il est également attiré par la conscience, la réforme, la liberté toute neuve. Dès qu'il en a vent, il arrive.

On distingue ainsi le prédateur dans d'innombrables schémas narratifs, ceux des histoires que nous avons examinées ici, comme ceux d'autres contes de fées, par exemple *Toutes-Fourrures*, ou ceux des mythes, comme celui d'Andromède chez les Grecs et de Malinche chez les Aztèques. La méthode utilisée va du dénigrement des objectifs de la protagoniste aux punitions injustes, en passant par le langage peu flatteur dont on se sert pour décrire la proie, les jugements aveugles et les proscriptions. Ce sont là les moyens par lesquels le prédateur transforme les messages porteurs de vie entre l'âme et l'esprit en messages de mort qui nous fendent le cœur, provoquent notre honte et, plus important encore peut-être, nous empêchent de prendre les mesures nécessaires.

Sur le plan culturel, il existe maints exemples de la façon dont le prédateur forge les idées et les sentiments de manière à voler la lumière de la femme. Un des exemples les plus frappants de perte de la perception naturelle est celui des générations de femmes dont les mères ont rompu la tradition qui consistait à préparer leurs filles à cet aspect des plus fondamentaux, des plus physiques de la condition féminine, la menstruation [30]. Dans notre culture comme dans bien d'autres, le Diable a modifié le message, de sorte que ce premier sang et tous les cycles suivants ont été entourés d'humiliation et non d'émerveillement. Pour des millions de femmes, cela s'est soldé par une perte de l'héritage du corps miraculeux, remplacé par la crainte de mourir, d'être malades ou punies par Dieu. Tant la culture que les individus qui la composent ont repris le message dénaturé du Diable sans seulement l'examiner et l'ont transmis avec affectation, transformant ainsi une période de sensations fortes, sur le plan émotionnel et sexuel, en un épisode honteux, punitif.

Cette histoire nous montre bien que lorsque le prédateur envahit une culture – que ce soit une psyché ou une société – les différents aspects ou individus de celle-ci doivent faire preuve d'une extrême perspicacité, lire entre les lignes, tenir leur position, pour que les prétentions outrageuses mais excitantes du prédateur ne viennent pas les balayer.

Quand l'âme sauvage est en infériorité par rapport au prédateur, les structures économiques, sociales, émotionnelles et religieuses de la culture se mettent à dénaturer graduellement les ressources les plus créatrices d'âmes, tant dans le domaine de l'esprit que dans le monde extérieur. Les cycles naturels sont affamés et conduits à prendre des formes contraires à la nature, soumis aux outrages d'utilisations abusives, ou bien mis à mort. Ce qui est sauvage, ce qui est visionnaire, se voit dénigré et l'on se livre à de sombres spéculations sur le danger que représente vraiment la nature instinctuelle. Ainsi, les méthodes destructrices, douloureuses, et dépourvues d'authenticité sont-elles présentées comme étant supérieures.

Mais qu'importe : le Diable a beau mentir et tenter de substituer des messages mortifères et emplis de jalousie et de méchanceté aux beaux messages concernant la vraie vie d'une femme, la mère du roi voit ce qui se passe. Elle refuse de sacrifier la jeune reine. Transposé en termes modernes, cela signifie qu'elle ne va pas bâillonner sa fille, l'empêcher de dire sa vérité. La figure maternelle du monde du dessous prend des risques pour suivre ce qu'elle sait être la voie de la sagesse. Au lieu d'aller dans le sens du prédateur, elle le surpasse en finesse. La Femme Sauvage sait ce qui va aider une femme à se développer, sait reconnaître un prédateur quand elle en rencontre un, sait comment s'y prendre avec lui. Même lorsque nous sommes sous la pression des messages psychiques ou culturels les plus dénaturés, même lorsqu'un prédateur est en liberté dans notre culture ou notre psyché, nous entendons toutes encore ses instructions sauvages. Et nous les suivons.

C'est cela que les femmes apprennent quand elles creusent profondément jusqu'à la nature sauvage et instinctive, quand elles travaillent à leur initiation profonde et au développement de leur conscience. Elles sont de mieux en mieux armées, en développant continuellement leur vision, leur ouïe, leur être, leur agir. Elles apprennent à chercher le prédateur au lieu d'essayer de le chasser, de l'ignorer ou d'être gentilles avec lui. Elles apprennent ses tours, ses déguisements, sa façon de penser. Elles apprennent à lire « entre les lignes » des messages, des injonctions, des attentes, des habitudes qui ont été pervertis et ne sont plus authentiques mais manipulateurs. Alors, que le prédateur émane de notre milieu psychique ou de notre environnement culturel, ou des deux, nous avons suffisamment de ruse pour pouvoir le prendre de front et faire ce qu'il faut.

Dans le conte, le Diable symbolise tout ce qui corrompt la compréhension des processus féminins profonds. Voyez-vous, point n'est besoin d'un Torquemada [31] pour persécuter l'âme d'une femme. Ce peut être aussi le fait de manières nouvelles mais non naturelles, qui, si on les pousse trop loin, vont lui dérober sa nature sauvage, source de nourriture, et sa capacité à faire de l'âme. Il n'est pas nécessaire de vivre comme mille ans avant Jésus-Christ ; néanmoins la connaissance ancienne est universelle, éternelle, immortelle et dans cinq mille ans, elle aura la même pertinence qu'aujourd'hui et qu'il y a cinq mille ans. C'est une connaissance archétypale et ce type de savoir n'a pas d'époque. Il ne faut pas oublier que le prédateur, lui non plus, n'en a pas.

L'« échangeur » de messages, en tant que force innée et contraire existant dans la psyché et dans le monde, vient naturellement contrer l'enfant-Soi. Mais, paradoxalement, le combat que nous sommes obligées de mener pour le vaincre ou le contrebalancer vient nous renforcer de manière considérable. Au cours de notre travail psychique, nous recevons constamment des messages échangés par le Diable – « Je réussis ; je ne réussis pas. Je fais un travail utile ; ce que je fais ne rime à rien. Je suis courageuse ; je suis trouillarde. J'apprends ; je devrais avoir honte de moi. » Cela ne va pas sans apporter une certaine confusion, c'est le moins qu'on puisse dire.

Donc, la mère du roi sacrifie une biche à la place de la jeune reine. Curieusement, dans la psyché comme dans le milieu culturel, le Diable apparaît non seulement quand les personnes sont en période de privation, affamées, mais aussi quand un événement heureux s'est produit, en l'occurrence la naissance d'un bel enfant. Il est attiré par la lumière. Or, quoi de plus lumineux qu'une vie nouvelle ?

Il n'empêche qu'il y a dans la psyché d'autres antagonistes qui tentent également d'abaisser ou de ternir ce qui est nouveau. Au cours de l'apprentissage par la femme du monde du dessous, lorsque quelque chose de beau voit le jour, quelque chose de mauvais se manifeste, parfois momentanément, quelque chose qui fait preuve de jalousie, de manque de compréhension ou de dédain. Le nouvel enfant va être dévalué, jugé laid, condamné. Une nouvelle naissance pousse les complexes négatifs – maternels et paternels – et d'autres créatures tout aussi négatives à surgir et à tenter, au mieux, de critiquer vivement le nouvel ordre, au pire de démoraliser la femme et son nouveau rejeton – rêve, vie ou idée.

C'est le scénario des pères de la mythologie grecque, Cronos, Ouranos,

Zeus, qui ont toujours tenté de dévorer ou de bannir leur progéniture, de peur que celle-ci ne prenne leur place. En termes jungiens, on appellerait cette force destructrice un complexe, un ensemble organisé de sentiments et d'idées dans la psyché, dont le moi n'a pas conscience et qui, en conséquence, peut plus ou moins agir à sa guise avec nous. Dans cette approche psychanalytique, l'antidote est que chacun ait conscience de ses points forts et de ses points faibles, de sorte que le complexe ne puisse agir pour son compte.

En termes freudiens, on dit que cette force destructrice émane du ça, sombre territoire psychique indéfini, mais infini, sur lequel, pareils aux restes éparpillés d'un naufrage et aveugles suite au manque de lumière, vivent tous les actes, souhaits, idées, pulsions oubliés, réprimés et révulsifs. Dans cette approche psychanalytique, c'est en se remémorant les pensées et les pulsions fondamentales, en les amenant à la conscience, en les décrivant, en les nommant, en les cataloguant, que se fait la résolution.

D'après certains contes islandais, *Brak*, l'homme de glace, incarne quelquefois cette force destructrice magique au sein de la psyché. Il existe une histoire très ancienne, qui raconte un crime parfait. *Brak* tue une femme, une humaine, qui ne veut pas de lui, au moyen d'un glaçon aussi acéré qu'un poignard. Le glaçon, comme l'homme de glace, fondent au soleil du lendemain. Aucune arme du crime ne vient donc dénoncer l'assassin, dont il ne reste d'ailleurs rien non plus.

Cette sombre figure de l'homme de glace, issue des récits mythologiques, a la même étrange mystique de l'apparition/disparition que les complexes dans la psyché humaine et le même *modus operandi* que le Diable dans le conte *La Jeune Fille sans Mains*. C'est pourquoi l'initiée est si désorientée par l'apparition du Démon. Tel l'homme de glace, il surgit de nulle part, accomplit son travail de mort, puis disparaît sans laisser de traces.

Cette histoire, toutefois, nous donne un indice précieux : si vous vous sentez en pleine confusion, si vous avez l'impression d'être en dehors du coup, à côté de votre mission, cherchez le Diable, celui qui, à l'intérieur de votre propre psyché, se tient en embuscade. Si vous ne pouvez le voir, ni l'entendre, ni le prendre sur le fait, soyez toutefois certaine qu'il est à l'œuvre et surtout, surtout, ne vous endormez pas, gardez l'œil ouvert, fixé sur votre vraie tâche – même si vous êtes épuisée, même si vous avez sommeil.

Quand une femme souffre de ce que nous pourrions appeler un complexe du démon, les choses se passent exactement ainsi. Elle va son chemin, s'occupant de ses affaires et voilà que brusquement surgit le Diable. Tout se met alors à clocher, son travail manque d'énergie, se met à boiter, a quelques soubresauts, puis tombe en panne. Le complexe du démon attaque sa créativité, ses idées, ses rêves, se sert de la voix du moi. Dans le conte, il apparaît comme un élément qui ridiculise ou dévalue l'expérience de la femme dans le monde du dessus ou le monde du dessous et tente de rompre la *conjunctio* naturelle du rationnel et du mystérieux. Le Diable ment en affirmant que le temps passé par la femme dans le monde souterrain a produit une brute, quand en fait il a donné naissance à un bel enfant.

C'est exactement à ce phénomène de l'apparition brutale du Diable que font allusion certains saints dans le récit de leur lutte pour conserver la foi en leur Dieu, lorsqu'ils affirment avoir été assaillis toute la nuit par le Démon qui leur chuchotait à l'oreille des mots brûlants destinés à affaiblir leur résolution, leur faisait sortir les yeux de leurs orbites avec d'horribles apparitions et, en règle générale, mettait leur âme au supplice. Cette embuscade psychique est destinée à relâcher notre foi, non seulement en nous-mêmes, mais dans la tâche délicate que nous accomplissons dans l'inconscient.

Il faut une foi solide pour continuer, mais nous le devons et nous le pouvons. Le roi, la reine et la mère du roi, tous ces éléments de la psyché tirent dans une direction, la nôtre, et nous devons persévérer avec eux. Notre travail approche du but. Ce serait dommage, ce serait même pire d'abandonner maintenant.

Le roi de la psyché ne manque pas de vaillance. Il ne va pas s'évanouir au premier choc. Il ne va pas se recroqueviller, plein de haine, comme l'espère le Diable. Le roi, qui aime sa femme, est bouleversé par le message biaisé, mais renvoie un message disant de veiller sur la reine et son enfant en son absence. C'est là une mise à l'épreuve de notre certitude intérieure. Deux forces peuvent-elles rester en relation même si l'une ou l'autre est tenue pour abominable et méprisable ? Peuvent-elles rester côte à côte malgré tout ? L'union peut-elle se poursuivre quand les graines du doute sont plantées avec autant d'acharnement ? Jusque-là la réponse est oui. Le mariage d'amour entre le monde souterrain sauvage et la psyché terrestre sort triomphant de sa mise à l'épreuve.

Sur le chemin du retour au château, le messager s'endort de nouveau près de la rivière et le Diable change le message en « Tuez la reine ». Ici, le prédateur espère que la psyché va être polarisée et mettre à mort un aspect entier d'elle-même, celui, crucial et récemment éveillé, de la femme sachante.

La mère du roi est horrifiée par ce message. Elle et le roi vont correspondre à plusieurs reprises, chacun tentant de clarifier les messages de l'autre, jusqu'à ce que le Diable transforme le message du roi en « Gardez la langue et les yeux de la reine pour me prouver qu'elle a bien été tuée ».

Nous avons déjà une jeune femme sans aucune prise sur le monde, puisque le Diable a ordonné qu'on lui coupe les mains, et maintenant, celui-ci réclame d'autres amputations. Il veut qu'elle ne puisse parler vrai, ni voir juste. C'est bien là l'œuvre du démon, mais sa demande nous octroie une pause d'importance. Car ce qu'il veut voir se produire, ce sont les comportements mêmes dont les femmes portent le fardeau depuis la nuit des temps. Il veut que la jeune femme obéisse à ces dogmes : « Ne vois pas la vie telle qu'elle est. Ne comprends pas les cycles de vie et de mort. Ne va pas à la poursuite de tes désirs profonds. Ne parle pas de toutes ces choses sauvages. »

La vieille Mère sauvage, personnifiée par la mère du roi, est furieuse de la demande du Diable. Elle trouve que c'est trop demander et refuse purement et simplement. La psyché de la femme qui accomplit sa tâche ne peut ni ne veut tolérer ça. Et, forte de son expérience spirituelle obtenue lors de cette initiation à l'endurance, elle commence à agir avec plus de subtilité.

La vieille Mère sauvage aurait pu sauter à cheval, galoper jusqu'à son fils et lui demander quelle mouche l'avait piqué pour qu'il veuille assassiner la ravissante reine et son premier-né. Mais elle s'en garde bien. Elle préfère utiliser une méthode séculaire et envoyer la jeune initiée vers un autre lieu symbolique d'initiation, la forêt. Dans certains rites, l'initiation avait pour site une caverne, ou les entrailles d'une montagne, mais dans le monde du dessous, où abondent les arbres symboliques, c'est la plupart du temps une forêt.

Tout ceci signifie qu'il aurait été dans l'ordre naturel des choses d'envoyer la jeune femme vers un autre lieu d'initiation, même si le Diable ne s'était pas manifesté pour modifier les messages. En cours de descente, les sites initiatiques se succèdent, chacun avec ses leçons et ses réconforts propres. Le Diable, pour ainsi dire, fait en sorte que nous soyons poussées à bondir vers le suivant.

Souvenez-vous, une fois l'enfant mis au monde, vient le temps où la femme est considérée comme étant du monde du dessous. Elle est baignée de sa poussière et de son eau. Elle a, quand elle était en travail, plongé le regard dans le mystère de la vie et de la mort, de la douleur et de la joie [32]. Pendant une certaine période donc, elle n'est pas « ici », mais encore « là-bas ». Il faut du temps pour ré-émerger.

La jeune reine est comme une femme relevant de couches. Elle émerge du monde du dessous, où elle a donné naissance à de nouvelles idées, à une nouvelle conception de l'existence. Maintenant, voilée, son enfant contre son sein, elle poursuit sa route. Dans la version du conte *La Jeune Fille sans Mains* narrée par les frères Grimm, l'enfant est un garçon, prénommé Affligé. Mais dans les cultes de la Déesse, l'enfant spirituel né de l'union entre la femme et le roi du monde du dessous s'appelle Joie.

On retrouve là une nouvelle trace des anciennes religions. A la suite de la naissance du nouveau soi de la jeune fille, la mère du roi envoie la jeune reine vers une longue initiation qui, nous le verrons, lui apprendra les cycles définitifs de la vie de la femme.

La vieille Mère sauvage bénit doublement la jeune fille : elle attache l'enfant contre son sein gonflé de lait, de sorte que l'enfant-Soi puisse être nourri quoi qu'il arrive, puis, dans la tradition des anciens cultes de la Déesse, elle entoure la jeune femme de voiles, c'est-à-dire qu'elle la vêt à la manière de la Déesse qui entreprend un pèlerinage sacré et ne veut pas être reconnue ou détournée de son but. En Grèce, de nombreux bas-reliefs et sculptures montrent l'initiée voilée, attendant, lors des mystères d'Eleusis, la prochaine étape de l'initiation.

A quoi correspond ce symbole du voile ? Il marque la différence entre le fait de cacher et le fait de déguiser. Il symbolise l'acte de rester à part soi, de ne pas se départir de sa nature mystérieuse. Il porte sur la préservation de l'éros et du *mysterium* de la nature sauvage.

Il nous arrive d'avoir du mal à conserver notre nouvelle énergie vitale dans la marmite de la transformation suffisamment longtemps pour que quelque chose nous arrive. Or, nous devons la conserver sans la donner au premier qui la demande, sans, non plus, la libérer sur l'inspiration du moment.

Jeter le voile sur quelque chose, c'est en renforcer l'action. Toutes les femmes savent cela. Ma grand-mère parlait de « voiler la coupe » quand elle recouvrait le récipient empli de pâte à pain pour la faire lever. Le voile de la coupe et le voile de la psyché ont le même but. Il y a un levain puissant à l'œuvre dans l'âme des femmes en cours de descente, une fermentation active. La vision mystique intérieure s'accroît lorsque l'on est derrière le voile. Derrière un voile, tous les êtres humains ressemblent à des êtres de brume, tous les événements, tous les objets semblent être vus à la lumière de l'aube ou du rêve.

Dans les années 60, les femmes se voilaient le visage avec leurs cheveux. Elles les laissaient pousser très longs, les repassaient et les portaient en quelque sorte comme un rideau, comme si leur chevelure pouvait les protéger, mettre leur personne fragile à l'abri dans un monde où tout était à nu. Nous connaissons toutes la danse des voiles au Moyen-Orient, et, bien sûr, le voile que portent les femmes musulmanes. Les *babouchkas* d'Europe de l'Est, les *trajes* d'Amérique centrale et d'Amérique du Sud sont aussi des vestiges du voile. Les Indiennes et certaines Africaines portent naturellement le voile.

En regardant autour de moi, je n'ai pu m'empêcher de regretter un peu que les femmes modernes n'aient pas de voiles à porter. Car être une femme libre et pouvoir porter le voile quand on le désire, c'est détenir le pouvoir de la Femme mystérieuse. Apercevoir une telle femme voilée est une expérience forte.

Le spectacle qui devait me tenir ma vie durant sous l'emprise du voile fut celui de ma cousine Eva en train de se préparer pour son mariage. J'avais environ huit ans. J'étais assise sur sa valise, la couronne de fleurs de demoiselle d'honneur déjà de travers, une socquette bien tirée et l'autre aspirée à l'intérieur de la chaussure. Elle commença par enfiler sa longue robe de satin fermée dans le dos par quarante petits boutons recouverts de tissu, puis les longs gants de satin blanc avec leurs dix boutons chacun, également recouverts de tissu. Elle tira sur son joli visage et ses épaules le voile qui descendait jusqu'à terre. Ma tante Teréz le fit bouffer ici et là, en priant Dieu pour qu'il tombe à la perfection. Dans l'encadrement de la porte, apparut alors mon oncle Sebestyén. Il fut littéralement cloué de stupeur, car Eva n'était plus une mortelle, elle était une Déesse. Sous le voile, ses yeux brillaient comme de l'argent, des étoiles semblaient orner sa chevelure, sa bouche avait le vermillon d'une fleur. Elle était à part soi, forte et réservée, hors d'atteinte au sens positif du terme.

Certains disent que le voile, c'est l'hymen, d'autres que c'est l'illusion. Ni les uns ni les autres n'ont tort. Mais il y a plus. Il est amusant de constater que si le voile a été utilisé pour dissimuler la beauté de la femme aux regards concupiscents, il fait aussi partie de la panoplie de la *femme* *fatale* *. Porter un voile d'un certain style, à un certain moment, avec un certain amant, d'une certaine manière, c'est exsuder un érotisme torride qui coupe littéralement le souffle. En psychologie féminine, le voile est symbolique de la capacité qu'ont les femmes d'être, en présence ou en essence, ce qu'elles veulent.

Il y a une extrême numinosité dans la femme voilée. Elle inspire un tel respect que ceux qui croisent son chemin s'arrêtent net et ne peuvent que la laisser tranquille. La jeune femme du conte est voilée pour entreprendre son voyage. Elle est donc intouchable. Nul n'oserait lever son voile sans sa permission. Après toutes les intrusions du démon, elle est à nouveau protégée. Cette transformation, les femmes la vivent aussi. Quand elles sont ainsi voilées, les personnes intelligentes savent qu'elles ne doivent pas violer leur espace psychique.

Donc, après tous les faux messages dans la psyché et même en exil, nous sommes également protégées par une sagesse supérieure, une magnifique solitude nourricière qui a pris naissance dans notre lien avec la vieille Mère sauvage. Nous sommes de nouveau sur la route, mais sous protection. En portant le voile, nous signalons notre appartenance à la Femme Sauvage. Nous sommes siennes et si nous ne nous trouvons pas hors d'atteinte, nous ne sommes pas non plus en immersion totale dans la vie ordinaire.

Les distractions du monde du dessus ne nous éblouissent pas. Nous errons à la recherche de notre demeure dans l'inconscient. De même, on dit des arbres fruitiers en fleur qu'ils semblent parés d'un voile ; la jeune fille et nous sommes maintenant des pommiers en fleur qui allons à la recherche de la forêt à laquelle nous appartenons.

Sacrifier un cerf fut à une certaine époque un rite de revivification. Il aurait sans doute été pratiqué par une vieille femme comme la mère du roi, car on l'aurait considérée comme une « connaissante » des cycles de vie et de mort. Avec le sacrifice de la biche, l'ancienne religion montre encore plus le bout de son nez. En sacrifiant un cerf, on libérait, selon un ancien rite, l'énergie douce et néanmoins bondissante de l'animal.

Comme les femmes en cours de descente, cet animal sacré était connu pour survivre aux hivers les plus rudes. On considérait qu'il vivait, se reproduisait, trouvait sa nourriture en accord avec les cycles naturels inhérents. Il est vraisemblable que les participantes à un tel rituel appartenaient à un clan et que le sacrifice avait pour but d'apprendre aux initiées les mystères de la mort, tout en leur transférant les qualités de la bête sauvage.

Nous retrouvons là le sacrifice – une *rubedo* double, un sacrifice sanglant, en fait. En premier lieu, il y a celui de la biche, du cerf, animal sacré pour la lignée de la Femme Sauvage dans les temps anciens. Selon le rite, tuer un cerf en dehors du cycle équivalait à violer la vieille Mère sauvage. Tuer des bêtes était dangereux, car diverses entités inoffensives et utiles prenaient la forme d'animaux. En tuer une en dehors du cycle risquait, pensait-on, de

---

* En français dans le texte.

mettre en danger le délicat équilibre de la nature et de provoquer un châtiment dans des proportions mythiques.

Mais il faut élargir le champ et voir que le sacrifice était celui d'un animal femelle, la biche, représentation du corps féminin de la connaissance. De la sorte, consommer sa chair et porter sa fourrure – pour se tenir chaud et signaler que l'on appartenait à un clan – faisait que l'on *devenait* cet animal. C'était là un rituel immémorial. En conservant ses yeux, ses oreilles, son museau, ses cornes et certains de ses viscères, on prenait le pouvoir que symbolisaient leurs diverses fonctions : voir loin, sentir à distance, évoluer rapidement, être robuste et ainsi de suite.

On discerne la seconde *rubedo* lorsque la jeune reine est séparée du roi et de sa vieille mère. C'est un moment où nous sommes chargées de nous souvenir, de persister à nous nourrir sur le plan spirituel, même si nous sommes séparées de ces forces qui nous ont soutenues par le passé. Nous ne pouvons passer notre vie dans l'extase de l'union idéale. Telle n'est pas la route de beaucoup d'entre nous. Nous devons plutôt travailler à être sevrées, à un moment donné, de ces forces profondément excitantes, mais à rester consciemment en contact avec elles et à entamer notre tâche suivante.

Nous pouvons faire une fixation sur un aspect particulièrement charmant de l'union psychique et tenter de n'en plus bouger, en tétant la mamelle sacrée jusqu'à la fin de nos jours. Cela ne veut pas dire que la substance nourricière soit destructrice. Bien au contraire, elle est absolument essentielle au voyage, et en quantités substantielles, car si elle nous fait défaut, nous allons être en perte d'énergie dans notre quête, sombrer dans la dépression, n'être plus qu'un murmure. Mais si nous restons dans un endroit favori de notre psyché, par exemple dans la seule beauté, dans le seul émerveillement, le processus d'individuation va se ralentir et il sera pénible d'avancer. Pour dire crûment la vérité, il faut abandonner un jour, du moins temporairement, les forces sacrées que nous trouvons dans notre psyché, pour que se déroule la phase suivante du processus.

Comme dans le conte, lorsque les deux femmes en larmes se disent au revoir, nous devons nous séparer des précieuses forces intérieures qui nous ont aidées incommensurablement. Puis, notre enfant-Soi sur notre sein, sur notre cœur, nous prenons la route. La jeune fille est de nouveau en chemin. Elle va partir au hasard vers les grands bois, confiante que, de la forêt, quelque chose va lui venir, quelque chose qui fait de l'âme.

Sixième phase – Le domaine de la Femme Sauvage

La jeune reine arrive dans la forêt la plus vaste, la plus sauvage qu'elle ait jamais rencontrée. Aucun sentier en vue. Elle se fraie un chemin comme elle le peut. A la tombée de la nuit, le même esprit en blanc qui lui est venu en aide auprès de la douve la guide vers une pauvre auberge, tenue par des habitants de la forêt très gentils. Une femme en blanc l'accueille et l'appelle par son nom. Quand la jeune reine lui demande d'où elle connaît son nom, la femme en blanc répond : « Nous, les gens de la forêt, sommes au courant de ces choses-là, ma reine. »

La reine demeure donc sept ans à l'auberge de la forêt, où elle vit heureuse avec son enfant. Ses mains repoussent petit à petit, d'abord comme des mains de bébé, puis de petite fille et enfin de femme.

Cet épisode, brièvement traité dans le conte, est néanmoins le plus long en termes de temps passé et sous l'angle de la maturation de la tâche. Après avoir erré de nouveau, la jeune reine trouve un chez-soi, à proprement parler, pour sept années – séparée de son mari, certes, mais par ailleurs se reconstruisant et s'enrichissant.

En la voyant dans cet état, un esprit vêtu de blanc – désormais son guide – la prend de nouveau en pitié et la conduit à l'auberge de la forêt. Telle est la nature infiniment compatissante de la psyché profonde au cours du voyage d'une femme. Il y a toujours une nouvelle aide à venir. Cet esprit qui la conduit jusqu'à un abri appartient à la vieille Mère sauvage et comme tel, il est la psyché instinctuelle qui sait toujours ce qui va arriver.

Cette grande forêt sauvage où arrive la jeune reine est le terrain sacré d'initiation archétypal. Elle évoque *Leucé*, la forêt de la Grèce antique censée pousser dans les Enfers, plantée d'arbres sacrés et peuplée de quantité de bêtes, certaines sauvages, d'autres domestiquées. Là, la jeune fille sans mains va trouver la paix durant sept années. Parce que c'est la terre des arbres et parce qu'elle est symbolisée par le pommier en fleur, cette terre est enfin celle à laquelle elle appartient, le lieu où son âme ardente et florissante va retrouver ses racines.

Et qui est la patronne de l'auberge du fond des bois ? De même que l'esprit vêtu d'un blanc immaculé, elle est un aspect de la vieille Déesse triple et si l'on retrouvait ici toutes les phases du conte originel, il y aurait aussi à l'auberge, dans une fonction ou une autre, une vieille femme gentille/brutale. Mais ce passage a disparu, un peu comme si l'on avait arraché les pages d'un manuscrit. C'est certainement lors des conflits qui firent rage entre les défenseurs de l'ancienne religion de la nature et ceux de la religion nouvelle que cet élément manquant fut supprimé à l'origine. Mais ce qui reste a suffisamment de force. L'eau de l'histoire est non seulement profonde, mais claire.

Que voyons-nous ? Deux femmes qui, sur une période de sept ans, vont se connaître. L'esprit en blanc est semblable à la Baba Yaga télépathe de Vassilissa, qui est une représentation de la vieille Mère sauvage. De même que Baba Yaga dit à Vassilissa, qu'elle n'a jamais vue auparavant : « Ah oui, je connais les tiens », cet esprit féminin, gardienne d'une auberge dans le monde du dessous, connaît déjà la jeune reine, car elle appartient aussi à Celle qui sait tout.

De nouveau, on se trouve devant une rupture significative de l'histoire. Aucune allusion n'est faite aux tâches exactes et aux leçons propres à ces sept années, si ce n'est pour nous apprendre qu'elles furent reposantes et revivifiantes. On pourrait, bien sûr, dire qu'à l'origine de cette rupture il y a le fait que les enseignements de l'antique religion de la nature sous-jacents à ce conte étaient traditionnellement tenus secrets et n'avaient donc pas à être révélés. Mais, plus probablement, il devait y avoir sept aspects, tâches ou épisodes dans cette histoire, un pour chaque année passée dans la forêt où la jeune reine était en train d'apprendre. Or, souvenez-vous, rien ne se perd dans la psyché.

Grâce à de petits éléments archéologiques issus d'autres sources sur les initiations féminines, nous pouvons reconstituer ce qui s'est passé durant ces sept ans. L'initiation féminine est un archétype et même s'il présente maintes variations, son noyau demeure constant. Voici donc ce que nous savons de l'initiation à la lumière d'autres contes et mythes, écrits et oraux.

La jeune reine demeure sept ans dans l'auberge, parce que c'est la durée d'une saison dans une vie de femme. Le nombre sept correspond aux cycles de la lune. C'est aussi le nombre qui marque d'autres espaces de temps sacré : les sept jours de la Création, les sept jours de la semaine et ainsi de suite.

Au-delà de cette signification mystique, il y en a une autre, d'une importance encore plus considérable. La vie d'une femme est divisée en périodes de sept années chacune. Chaque période de sept ans correspond à un certain ensemble d'expériences et de connaissances. On peut l'entendre au sens concret, en termes de développement d'une personne adulte, mais aussi et surtout y voir des étapes spirituelles du développement qui ne correspondent pas toujours forcément à l'âge chronologique de la femme.

Depuis l'origine des temps, on a divisé la vie des femmes en différentes phases, dont la plupart sont en relation avec les changements qui interviennent dans leur corps. Il est utile de découper ainsi en séquences la vie d'une femme, sur les plans physique, spirituel, émotionnel et sur celui de la créativité, afin qu'elle puisse anticiper « ce qui va se passer » et s'y préparer. Ce qui va se passer est le domaine de la Femme Sauvage instinctuelle. Elle sait toujours. Pourtant, au fil du temps, la décadence des anciens rites initiatiques a également entraîné une occultation de l'instruction des jeunes femmes par les femmes plus âgées à propos de ces étapes.

L'observation empirique des femmes, de leur agitation, de leurs désirs, de leurs changements, de leur évolution remet en lumière les vieux schémas, les anciennes phases de la vie féminine profonde. On pourrait donner un titre à chacune de ces phases, mais toutes sont des cycles d'achèvement, de vieillissement, mort et renaissance. Les sept ans que la jeune reine passe dans la forêt sont destinés à lui apprendre la trame et les schémas de ces phases. Ce sont des cycles de sept années chacun, qui s'étendent sur la vie entière de la femme. Chacune a ses rites, ses tâches. C'est à nous de les accomplir.

Je vous propose ce qui suit uniquement en tant que métaphores de la croissance psychique. Les âges et les phases de la vie de la femme fournissent à la fois des tâches à accomplir et des attitudes dans lesquelles elle puisse s'enraciner. Par exemple, si, d'après le schéma qui suit, nous vivons suffisamment longtemps pour atteindre la demeure et la phase psychiques des êtres de brume, le lieu où toute pensée est aussi neuve que le lendemain et aussi vieille que l'origine des temps, nous nous trouverons en train de passer à une autre attitude encore, à une autre façon de voir, comme nous découvrirons et accomplirons, de ce point de vue, les tâches de la conscience.

Les métaphores ci-dessous ne sont que des fragments. Mais sur la base de ces métaphores, nous pouvons, à partir de ce que nous savons et sentons du savoir ancien, élaborer pour nous-mêmes de nouveaux aperçus à la fois numineux et porteurs de sens aujourd'hui et maintenant. Ces métaphores sont fondées de manière assez libre sur l'expérience et l'observation empiriques, la psychologie du développement, ainsi que des phénomènes découverts dans les mythes de la création, qui, tous, contiennent de nombreuses traces anciennes de la psychologie humaine.

Il ne faut pas lier inexorablement ces phases à l'âge chronologique. En effet, à quatre-vingts ans, certaines femmes sont encore des jeunes filles en fleur sur le plan du développement, d'autres, à quarante, sont dans le monde psychique des êtres de brume, et d'autres encore, à vingt ans, sont aussi couvertes de cicatrices que des vieilles. Les âges n'ont pas pour but de correspondre à une hiérarchie, mais à la conscience des femmes et à l'allongement de leur vie de l'âme. A chaque âge correspond un changement dans l'attitude, un changement dans les tâches, un changement dans les valeurs.

0-7 : âge du corps et du rêve/socialisation, mais avec conservation de l'imagination
7-14 : âge de la séparation, avec néanmoins élaboration d'un lien étroit, entre raison et imaginaire
14-21 : âge du corps nouveau/jeune fille en fleur/sensualité se déployant mais restant protégée
21-28 : âge du nouveau monde/nouvelle vie/exploration des mondes
28-35 : âge de la mère/apprentissage du maternage des autres et de soi
35-42 : âge de la recherche/apprentissage du maternage de soi/ recherche du soi
42-49 : âge du début de l'âge/découverte du camp lointain/faculté de donner du courage aux autres
49-56 : âge du monde souterrain/apprentissage des mots et des rites
56-63 : âge du choix/choix de son monde et du travail restant à accomplir
63-70 : âge de la surveillance/refonte de ce que l'on a appris
70-77 : âge de la réjuvenescence/accroissement de la sagesse de l'âge
77-84 : âge des êtres de brume/où l'on trouve « plus de grand dans le petit »
84-91 : âge du filage du fil rouge/compréhension de la chaîne et de la trame de l'existence
91-98 : âge de l'éthéré/du moins à dire, plus à vivre

98-105 : âge du *pneuma*, du souffle
105 + : âge de l'hors-du-temps

Pour de nombreuses femmes, la première moitié de ces phases de la connaissance d'une femme, disons jusqu'à la quarantaine, va clairement du corps indépendant des réalisations instinctuelles infantiles à la connaissance corporelle de la mère profonde. Mais au cours de la seconde, le corps devient presque exclusivement un instrument de perception intérieure, et les femmes se font de plus en plus subtiles.

Au fur et à mesure que la femme passe par ces cycles, les couches qui constituent ses défenses, sa protection, sa densité s'amincissent de plus en plus, jusqu'à ce que son âme commence à briller au travers. En vieillissant, nous pouvons voir et sentir les mouvements de l'âme à l'intérieur du corps-psyché d'une manière assez extraordinaire.

Donc, sept est le nombre de l'initiation. En psychologie archétypale, les références au symbole du sept sont légion. Il en existe une en particulier, qui me paraît très utile pour aider les femmes à différencier les tâches qui les attendent et pour déterminer dans quel endroit de la forêt souterraine elles se trouvent : ce sont les attributs que l'on accordait dans les temps anciens aux sept sens. On pensait que ces attributs symboliques étaient propres à tous les êtres humains et il semble qu'ils aient constitué une initiation à l'âme par l'intermédiaire des métaphores et des systèmes du corps.

Par exemple, selon les enseignements anciens des méthodes de guérison chez les Nahua, les sens représentent des aspects de l'âme ou le « corps sacré intérieur » et il faut les travailler et les développer. Ce à quoi correspond cette tâche serait trop long à expliquer ici, mais il est dit qu'il y a sept sens et par conséquent sept secteurs à travailler : l'intelligence, le toucher, la parole, le goût, la vue, l'ouïe, l'odorat [33].

Chaque sens était supposé être sous l'influence d'une énergie venue des cieux. En termes plus terre à terre, et plus contemporains, quand des femmes qui travaillent en groupe parlent de ces choses, elles peuvent les décrire, les explorer, en utilisant les métaphores suivantes, issues des mêmes rituels, afin d'essayer de percer les mystères des sens : le feu anime, la terre donne le sens du toucher, l'eau donne la parole, l'air le goût, la brume la vue, les fleurs l'ouïe et le vent du sud l'odorat.

Le petit lambeau de l'ancien rite initiatique que l'on retrouve dans cette partie du conte, et tout particulièrement la formule « sept années », me pousse très fortement à penser que les étapes de la vie entière d'une femme et des sujets comme les sept sens et autres cycles et éléments qui vont traditionnellement par sept étaient portés à l'attention de l'initiée et mêlés à sa tâche. Un autre fragment ancien m'intrigue considérablement. Il me vient de Cratynana, vieille conteuse souabe bien-aimée de notre famille élargie. Selon elle, il y a bien longtemps, les femmes avaient l'habitude de se retirer durant plusieurs années dans la montagne, comme les hommes partaient longtemps servir le roi à l'armée.

Voici donc, en ces temps où la jeune reine apprend dans la forêt profonde, que se produit un nouveau miracle. Ses mains se mettent à repousser, par phases. Ce sont d'abord des mains de bébé. Nous pouvons en déduire que c'est par l'imitation, comme le fait un bébé, qu'elle commence à comprendre tout ce qui s'est passé. Lorsque ses mains grandissent et deviennent celles d'un enfant, elle développe une compréhension concrète, mais pas absolue, des choses. Et quand enfin elles deviennent des mains de femme, elle a une prise expérimentée et plus profonde sur le chemin non concret, métaphorique, sacré qu'elle a parcouru.

Quand nous mettons en pratique les profondes connaissances instinctives que nous acquérons au cours d'une vie, nos mains nous reviennent, les mains de la féminité. Il est parfois amusant de nous observer lorsque nous abordons pour la première fois une étape psychique de notre propre individuation en imitant maladroitement le comportement que nous souhaitons maîtriser. Par la suite, nous accédons à notre propre expression spirituelle, nous prenons notre forme propre.

Il m'arrive d'utiliser une autre version littéraire de ce conte en analyse et quand je raconte mes histoires. Cette fois, la jeune reine s'approche d'un puits. Lorsqu'elle se penche pour tirer de l'eau, l'enfant tombe dans le puits. Elle se met à hurler et un esprit apparaît. Il lui demande pourquoi elle ne va pas au secours de l'enfant. « Parce que je n'ai pas de mains ! s'écrie-t-elle. – Essaie », lance l'esprit. Elle plonge ses bras dans l'eau et les tend vers l'enfant. Alors ses mains se reforment sur-le-champ et l'enfant est sauvé.

C'est là également une métaphore d'une grande force pour l'idée de sauver l'enfant-Soi, l'âme-Soi, afin qu'il ne se perde pas de nouveau dans l'inconscient, afin de ne pas oublier qui nous sommes et quelle est notre tâche. A ce moment de notre vie, les gens les plus charmants, les idées les plus enchanteresses peuvent être facilement rejetés, surtout s'ils n'alimentent pas l'union de la femme avec le Sauvage.

Pour beaucoup de femmes, c'est une transformation miraculeuse que de passer de l'état où l'on se sent emportée par la première idée qui vient, esclave de la première personne qui frappe à la porte, à celui où l'on est une femme dans tout l'éclat de *La Destina*, possédée par le sens profond de sa propre destinée. Le regard fixé droit devant elle, la femme avance dans la vie de cette démarche forte et nouvelle.

Dans cette version, la jeune reine a accompli sa tâche, de sorte que lorsqu'elle a besoin de ses mains pour toucher et conserver sa progression, elles sont là. C'est la crainte de perdre l'enfant-Soi qui les régénère. Cette régénération de la prise qu'une femme a sur sa vie et sur sa tâche provoque parfois momentanément un hiatus dans son travail, car elle n'est pas toujours sûre de ses forces nouvelles. Il lui faudra peut-être les tester quelque temps pour prendre conscience de l'importance de leur portée.

Souvent, nous devons réformer nos idées selon lesquelles ce qui a un jour été privé de pouvoir (de mains) le sera à tout jamais. Après tous nos malheurs, nous découvrons que si nous tendons les bras, nous serons récompensées en attrapant l'enfant qui est le plus précieux à nos yeux. C'est ainsi que la femme sent qu'enfin elle a eu de nouveau prise sur sa vie. Elle possède des mains « pour voir avec », pour façonner sa vie avec, encore une fois. Tout du long, des forces intrapsychiques l'ont soutenue et elle a considérablement mûri. Elle est maintenant vraiment « dans son Soi ».

Nous voici donc bientôt au terme de la longue marche sur le vaste territoire de cette histoire. Manquent le crescendo et l'achèvement. Dans la mesure où ceci est une introduction aux mystères et à la maîtrise de l'endurance, hâtons-nous d'entamer la dernière étape de ce voyage souterrain.

Septième phase – Les mariés sauvages

Maintenant, le roi est de retour. Sa mère et lui comprennent que le Diable a saboté leurs messages. Le roi fait le vœu de se purifier – de rester sans boire ni manger et d'aller jusqu'au bout du monde à la recherche de son épouse et de leur enfant. Sa quête dure sept ans. Ses mains noircissent, sa barbe ressemble à une mousse brune, ses yeux sont rouges et secs. Même s'il ne mange ni ne boit durant tout ce temps, une force qui le dépasse l'aide à vivre.

A la fin, il parvient à l'auberge tenue par les habitants de la forêt. Là, il est recouvert d'un voile, s'endort et trouve à son réveil une jolie femme et un bel enfant qui le regardent. « Je suis ton épouse et voici ton enfant », dit la jeune reine. Le roi ne demande qu'à la croire, mais il remarque qu'elle a des mains. « Mes labeurs et mes soins les ont fait repousser », dit-elle. Et la femme-esprit vêtue de blanc va prendre les mains d'argent dans un coffre où elles ont été précieusement gardées. Un festin spirituel a lieu. Le roi, la reine et l'enfant repartent vers la mère du roi et un second mariage a lieu.

Ici, la femme qui a effectué cette descente a réuni une quaternité de vigoureux pouvoirs spirituels : l'animus royal, l'enfant-Soi, la vieille Mère Sauvage et la jeune fille initiée. Elle a été lavée et purifiée à de nombreuses reprises. Elle n'est plus menée, désormais, par le désir de sécurité du moi. C'est maintenant cette quaternité qui mène la psyché.

La réunion finale et le remariage sont l'aboutissement des errances et des souffrances du roi. Pourquoi lui, le roi du monde souterrain, doit-il vagabonder ? N'est-il pas le roi ? La vérité est que les rois, eux aussi, doivent accomplir un travail psychique, y compris les rois archétypaux. On retrouve dans ce conte cette idée ancienne, mystérieuse, que lorsqu'une des forces de la psyché change, les autres doivent de même se modifier. Ici, la jeune femme n'est plus celle qu'il a épousée. Elle n'est plus une fragile âme errante. Elle a été initiée, elle sait ce que sont les voies de la femme en tous les domaines. Les histoires et les conseils de la vieille Mère Sauvage l'ont emplie de sagesse. Elle a des mains.

Pour se développer, le roi doit donc souffrir. En un sens, il demeure dans le monde souterrain, mais en tant que figure de l'animus, il représente l'adaptation de la femme à la vie collective – il est le vecteur des idées dominantes qu'elle a apprises au cours de son voyage dans le monde du dessus, ou société externe. A ceci près qu'il ne s'est pas encore glissé dans les souliers de la femme. Or, il doit le faire pour emporter à l'extérieur ce qu'elle est et ce qu'elle sait.

Après que la vieille Mère Sauvage l'a informé qu'il a été dupé par le Diable, il se retrouve entraîné dans le processus de sa propre transformation. Il doit errer pour trouver, exactement comme l'a fait la jeune fille avant lui. Il n'a pas perdu ses mains, mais il a perdu sa reine et sa progéniture. Ainsi l'animus suit-il un chemin similaire à celui de la jeune fille.

Par ce *replay* empathique, la façon d'être au monde de la femme se trouve réorganisée. Réorienter l'animus de cette manière, c'est l'initier au travail personnel de cette femme et l'y intégrer. Peut-être d'ailleurs faut-il voir là la raison pour laquelle des hommes furent initiés lors de l'initiation essentiellement féminine d'Eleusis. Ces hommes entreprirent l'apprentissage du savoir féminin dans le but de trouver leurs reines et leur progéniture psychique. L'animus entreprend une initiation de sept ans. De la sorte, ce que la femme a appris va non seulement se refléter à l'intérieur, dans son âme, mais aussi être inscrit sur elle et mis en actes à l'extérieur.

Le roi erre également dans la forêt de l'initiation. Là encore, il nous semble que sept épisodes manquent, les sept phases de l'initiation de l'animus. Toutefois, nous nous trouvons devant des fragments qui nous permettent de nous livrer à des extrapolations. Par exemple, le roi ne mange pas pendant sept ans sans dépérir pour autant. Le fait de ne pas être nourri est lié aux tentatives que nous faisons pour atteindre, sous nos désirs et nos appétits, un sens profond, enfoui dessous. L'initiation du roi est liée à l'apprentissage d'une sorte d'approfondissement de la compréhension des appétits, sexuels [34] et autres, à l'apprentissage de la valeur et de l'équilibre des cycles qui entretiennent les espoirs et le bonheur de la personne humaine.

En outre, dans la mesure où il s'agit de l'animus, sa quête est aussi liée à la découverte du féminin complètement initié de la psyché et à la poursuite de ce but principal sans se laisser détourner par quoi que ce soit. Troisièmement, son initiation au soi sauvage, au cours de laquelle, pendant sept ans, il reste sans se laver et devient d'une nature animale, a pour but de lui ôter les couches de chitine sur-civilisée qu'il a pu acquérir. Cet animus accomplit le véritable travail qui va le préparer à faire preuve de fidélité, dans la vie quotidienne, au Soi-âme de la femme nouvellement initiée.

Avec le voile placé sur le visage du roi pendant son sommeil, on se trouve vraisemblablement devant un autre fragment des autres rites des mystères. Il existe en Grèce une très belle sculpture qui représente un initié voilé, la tête inclinée comme s'il se reposait, s'il attendait quelque chose ou s'il dormait [35]. Nous voyons maintenant que l'animus ne peut pas agir en dessous de son niveau de connaissance à *elle*, sous peine de la voir de nouveau déchirée entre ce qu'elle pense et ce qu'elle sait intérieurement et la manière dont elle se comporte à l'extérieur, via son animus. C'est pourquoi l'animus doit errer dans la nature, dans sa propre nature masculine, dans la forêt.

Rien d'étonnant, donc, à ce que tant la jeune femme que le roi doivent parcourir les territoires psychiques où ont lieu ces processus, car ceux-ci ne peuvent s'apprendre que dans la nature sauvage, contre la peau de la Femme Sauvage. Il est fréquent que la femme ainsi initiée voie son amour souterrain de la nature sauvage émerger à la surface de sa vie dans le monde extérieur. Psychiquement parlant, elle dégage une odeur de feu de bois. Habituellement, elle commence à mettre en actes *ici* ce qu'elle a appris *là-bas*.

Le plus étonnant, dans cette longue initiation, c'est que la femme qui subit ce processus continue à accomplir les gestes de la vie courante : aimer ses amants, donner naissance aux bébés, courir après les enfants, son art, les mots, porter les provisions, les peintures, les écheveaux, se battre pour ceci, pour cela, enterrer les morts, accomplir toutes les tâches quotidiennes en même temps que ce lointain voyage dans les profondeurs.

Elle est souvent, à ce moment-là, tirée dans deux directions opposées, car il lui vient un désir intense de s'avancer dans la forêt comme dans l'eau de la rivière et de prendre un bain de verdure, d'escalader un rocher et de s'asseoir face au vent. C'est la période où une horloge intérieure vient sonner l'heure du besoin soudain d'un ciel au-dessus de sa tête, d'un arbre à enlacer de ses bras, d'un rocher contre lequel presser son visage. Et pourtant elle doit aussi vivre sa vie du dessus.

C'est tout son mérite de ne pas filer vers la ligne d'horizon, malgré le désir qu'elle en a. En fait, la vie de l'extérieur exerce la pression adéquate pour entreprendre les tâches souterraines et mieux vaut rester dans le monde dans ces moments-là plutôt que de le quitter. Il y a plus de tension et la tension crée une vie précieuse, profonde, impossible à atteindre autrement.

Nous voyons donc l'animus en train d'effectuer sa propre transformation et s'apprêtant à être un partenaire à la hauteur pour la jeune femme et l'enfant-Soi. Ils sont enfin réunis. Et c'est le retour à la vieille mère, la mère qui peut tout supporter, dont l'intelligence et la sagesse sont d'un grand secours. Cette fois, tout le monde est uni, dans l'amour et l'affection.

Les tentatives du Malin pour prendre le dessus sur l'âme ont définitivement échoué. L'âme s'est révélée d'une endurance victorieuse. La femme passe tous les sept ans par ce cycle – faiblement la première fois, puis, habituellement, vigoureusement une fois au moins, et par la suite comme lors d'une sorte de mémorial ou de renouvellement. Maintenant, reposons-nous un peu, le temps de contempler ce fabuleux panorama de l'initiation féminine et de ses tâches. Une fois le cycle accompli, nous pouvons choisir de reprendre une tâche, ou toutes, pour rénover notre existence, n'importe quand et pour n'importe quelle raison. En voici quelques-unes :

- quitter les vieux parents de la psyché, descendre vers les territoires psychiques inconnus tout en dépendant de la bonne volonté de ceux que nous rencontrerons sur notre route
- panser les blessures qu'a provoquées le marché de dupes conclu à un moment donné de notre existence

- errer, psychiquement affamées, et faire confiance à la nature pour nous nourrir
- trouver la Mère Sauvage et son bon secours
- prendre contact avec l'animus protecteur du monde souterrain
- converser avec le psychopompe (le magicien)
- contempler les vergers antiques (les formes d'énergie) du féminin
- incuber l'enfant-Soi spirituel et lui donner vie
- supporter d'être incomprises, d'être coupées encore et encore de l'amour
- nous retrouver couvertes de boue, de saleté
- demeurer dans le domaine des habitants de la forêt pendant sept ans, jusqu'à ce que l'enfant ait l'âge de raison
- attendre
- régénérer notre vision intérieure, notre connaissance intérieure, la guérison intérieure de nos mains
- aller de l'avant même si nous avons tout perdu, sauf l'enfant spirituel
- retracer notre enfance, notre prime jeunesse, notre âge adulte et retrouver prise sur eux
- réformer l'animus pour qu'il devienne un homme sauvage, un homme primitif; l'aimer et qu'il nous aime
- consommer le mariage sauvage en présence de la vieille mère Sauvage et du nouvel enfant-Soi.

Le terrain commun au masculin et au féminin, c'est le fait que tant la jeune fille sans mains que le roi souffrent au long des sept années d'initiation. Cela nous permet d'envisager qu'au lieu d'un antagonisme, un amour profond peut exister entre ces deux forces, surtout s'il est enraciné pour l'un comme pour l'autre dans la recherche de son soi.

La Jeune Fille sans Mains est une histoire sur les vraies femmes, dans la vraie vie. Elle ne traite pas d'une partie de notre existence, mais des phases d'une vie entière. Elle nous apprend en essence que les femmes ont pour tâche d'errer encore et encore dans la forêt. Notre âme et notre psyché sont équipées de façon à ce que nous puissions effectuer la traversée des territoires psychiques souterrains, en nous arrêtant ici et là, pour écouter la voix de la vieille Mère Sauvage, pour nous nourrir des fruits de l'esprit, et retrouver tout ce que nous aimons et tous ceux que nous chérissons.

Au début, c'est dur d'être avec la Femme Sauvage. Restaurer l'instinct endommagé, bannir toute naïveté et, au fil du temps, apprendre à connaître les aspects les plus profonds de l'âme et de la psyché, nous accrocher à ce que nous avons appris, ne pas nous détourner de notre route, défendre nos positions... tout cela nécessite une endurance sans limites, une endurance mystique. Quand nous émergeons du monde du dessous après l'une de nos incursions, il est possible que nous ne semblions pas changées. Pourtant, à l'intérieur, nous avons reconquis un vaste espace de féminité sauvage. En surface, nous sommes encore amicales, mais sous la peau, nous n'avons plus rien de domestique.

15

SUIVRE COMME UNE OMBRE : *CANTO HONDO*, LE CHANT PROFOND

Suivre quelqu'un comme une ombre, cela signifie pouvoir observer sans être vu, tant on a le pas léger, et évoluer librement dans la forêt. C'est ce que fait le loup, qui piste ainsi tout ce qui traverse son territoire et obtient de cette manière ses informations. C'est un peu comme se manifester, puis s'évanouir en fumée, et se remanifester.

Les loups peuvent se mouvoir avec une incroyable légèreté. Ils ne font pas plus de bruit que *los angeles timidos*, les plus timides des anges. Au début, ils suivent l'objet de leur curiosité comme son ombre, puis ils apparaissent en avant de lui, risquant un œil d'or derrière l'abri d'un arbre. Et soudain, ils font volte-face et disparaissent, pour revenir sur leurs pas et réapparaître un peu plus tard derrière l'étranger. Comme une ombre.

Il y a des années que la Femme Sauvage suit les femmes comme leur ombre. Parfois, nous l'apercevons. Parfois elle redevient invisible. Pourtant, elle apparaît à tant de reprises dans notre existence, sous des formes tellement variées, que nous nous sentons cernées par ses images et ses impulsions. Elle vient à nous dans nos rêves et dans les histoires, car elle veut voir qui nous sommes et savoir si nous sommes prêtes à la rejoindre. Il suffit de jeter un œil à l'ombre que nous projetons pour voir que ce n'est pas l'ombre d'une personne humaine marchant sur deux jambes, mais la forme exquise de quelque chose de libre, quelque chose de sauvage.

Nous sommes destinées à résider en permanence et non pas en touristes sur son territoire, car nous sommes issues de cette terre : c'est notre patrie et notre patrimoine. Il y a une raison pour que la force sauvage de notre âme-psyché nous suive ainsi. On disait au Moyen Age qu'en cours de descente, si l'on est poursuivi par une puissance et que celle-ci est capable d'attraper notre ombre, alors on devient à son tour une puissance.

La force sauvage de notre psyché a bien l'intention de mettre la patte sur notre ombre, montrant par là que nous sommes siennes. Et une fois que la

Femme Sauvage l'a fait, nous sommes à nouveau nous-mêmes, nous sommes chez nous.

La plupart des femmes n'en ont pas peur. En fait, elles ont une envie folle de ces retrouvailles. Si elles pouvaient alors trouver la tanière de la Femme Sauvage, elles se précipiteraient pour se lover dans son giron. Elles ont seulement besoin d'être mises sur la bonne voie ; le chemin mène toujours vers le bas : c'est une plongée à accomplir dans le travail, dans la vie intérieure de chacune, dans le tunnel, jusqu'à la tanière.

Dans l'enfance ou à l'âge adulte, nous avons entamé notre recherche du Sauvage parce qu'au milieu d'un effort, nous avons senti une présence sauvage auprès de nous. Peut-être avons-nous découvert ses traces sur la neige fraîche d'un rêve. Ou, psychiquement parlant, peut-être avons-nous remarqué une brindille brisée ici et là, des cailloux retournés de manière à montrer leur face humide. Et nous avons su que quelque chose de béni était passé sur notre route. Nous avons deviné dans notre psyché un souffle familier venu de loin, nous avons senti trembler le sol et nous avons su intérieurement qu'une liberté sauvage s'était mise en branle en nous.

Nous ne pouvions nous en détourner. Nous avons plutôt accompagné le mouvement, en apprenant de mieux en mieux à sauter, à courir, à suivre comme son ombre tout ce qui traversait notre territoire psychique. Nous avons commencé à suivre la Femme Sauvage comme son ombre et, en retour, elle a fait de même avec nous, affectueusement. Elle a hurlé comme les loups et nous avons tenté de lui répondre, même avant de savoir parler son langage, même avant de savoir à qui nous parlions. Et elle nous a attendues, encouragées. C'est le miracle de la nature sauvage et instinctuelle qui se trouve en nous-mêmes. Sans avoir toutes les connaissances, nous avons su. Sans avoir une vision globale, nous avons compris qu'une force miraculeuse, une force affectueuse existait au-delà des limites du seul moi.

Voici ce qu'enfant, Opal Whitely écrivait sur la réconciliation avec le pouvoir du sauvage :

Aujourd'hui, vers le soir, j'ai guidé
les pas de la fille qui n'y voit pas
dans la forêt
où régnaient les ombres et régnait l'obscurité.
Je l'ai conduite vers une ombre
qui venait vers nous
et lui a touché la joue
de ses doigts de velours.
Et elle, maintenant,
a un faible pour les ombres.
Sa peur passée l'a quittée.

Il suffit de suivre l'ombre des femmes pour retrouver les choses qu'elles ont perdues depuis des siècles. Ces trésors perdus, volés, projettent leur ombre sur nos rêves nocturnes et nos rêveries diurnes, dans les très vieilles histoires, dans la poésie, dans tous les moments d'inspiration. Partout de par le monde, les femmes – votre mère, la mienne, vous et moi, vos sœurs, vos amies, vos filles, toutes les tribus des femmes que vous ne connaissez pas encore – nous rêvons toutes de ce qui est perdu, de ce qui doit monter de l'inconscient. Nous faisons les mêmes rêves. Nous ne sommes jamais sans la carte. Nous ne sommes jamais séparées des autres. Nous sommes unies par nos rêves.

Les rêves jouent un rôle compensatoire. Ils offrent un miroir pour voir dans l'inconscient profond, reflétant la plupart du temps ce qui est perdu, ce qui est encore nécessaire pour corriger, pour équilibrer. L'inconscient produit en permanence des images qui nous apprennent. Ainsi, tel le légendaire continent perdu, le territoire sauvage de nos rêves monte et s'élève au-dessus de nos corps endormis, avec ses vapeurs, ses courants, et vient former un abri, une patrie au-dessus de nous toutes. C'est le continent de notre savoir, le continent de notre Soi.

Et c'est de cela que nous rêvons : nous rêvons de l'archétype de la Femme Sauvage, nous rêvons d'être réunies à elle. Et chaque jour, nous naissons et renaissons de ce rêve et son énergie nous fait créer dans la journée. Nous naissons et renaissons nuit après nuit de ce même rêve sauvage et nous retournons au grand jour, les pieds noircis par la terre humide, la chevelure emplie d'une odeur marine ou de la fragrance d'un feu de bois.

Nous quittons cette terre sauvage pour enfiler nos vêtements diurnes, nos vies diurnes, pour nous installer devant nos ordinateurs, nos fourneaux, nos livres, nos professeurs, nos clients. Nous soufflons le Sauvage dans notre profession, nos décisions, notre travail artistique, nos opinions politiques, nos projets, notre commerce, notre vie de famille, notre éducation, nos libertés, nos droits, nos devoirs. Le féminin sauvage doit être soutenu dans tous les univers, mais surtout il *soutient* tous les univers.

Admettons-le. Nous les femmes, sommes en train de nous construire une patrie, chacune avec son petit arpent économisé après une nuit de rêves, une journée de travail. Lentement, en cercles de plus en plus larges, ce sol s'étend. Un jour, il ne formera plus qu'une terre, ressuscitée d'entre les morts. *Munda de la Madre*, une patrie psychique, co-existante, co-égale avec tous les autres mondes. Ce monde-là est constitué de nos vies, de nos cris, de nos rires, de nos os. C'est un monde qui vaut qu'on le construise, qu'on y vive, un monde dans lequel prédomine une belle santé mentale sauvage.

Le terme *réclamation* dérive du vieux français *réclaimer*, qui signifie « rappeler le faucon pour le faire revenir après l'avoir fait voler ». Oui, il s'agit de faire revenir quelque chose qui appartient au monde sauvage en le rappelant et en ce sens ce mot nous convient parfaitement *. Il s'agit de rappeler à nous l'intuition, l'imagination – la Femme Sauvage – en usant de la voix de nos âmes, de nos vies, de nos esprits. Et la Femme Sauvage vient à nous.

Les femmes ne peuvent s'y soustraire. Si les choses doivent changer, nous sommes le changement. Nous portons en nous *La Que Sabe*, Celle qui Sait. S'il doit y avoir changement individuel, intérieur, c'est l'affaire de chacune. S'il doit y avoir changement au niveau mondial, nous les femmes, avons notre propre façon d'aider à sa réalisation. La Femme Sauvage nous murmure les mots, les moyens à employer et nous suivons. Elle a couru, s'est arrêtée, a attendu pour voir si nous la rattrapions. Elle a des choses, beaucoup de choses à nous montrer.

Aussi, si vous êtes sur le point de tout quitter, de prendre un risque, d'oser briser les interdits, creusez le plus profond possible, déterrez un maximum d'os, faites fructifier les aspects sauvages et naturels des femmes, de la vie, des hommes, des enfants, de la terre. Servez-vous de votre amour *et* de vos bons instincts pour savoir quand gronder, bondir, donner un violent coup de patte, quand tuer, quand battre en retraite, hurler jusqu'à l'aube. Pour vivre aussi près que possible du sauvage numineux, la femme doit déborder encore plus, avoir plus de flair, plus de créativité, plus de vie naturelle, plus de flamme, plus de solitude, être plus souvent en compagnie des autres femmes, se mettre plus encore les mains dans la terre, mijoter plus de mots, plus d'idées. Elle doit se reconnaître encore plus comme sœur des autres femmes, semer plus, conserver plus de racines, avoir plus de bienveillance envers les hommes, révolutionner encore plus son environnement immédiat, faire plus de poésie, décrire encore plus les gestes et la geste du féminin sauvages. Et hurler plus comme les loups. Il faut beaucoup plus de *canto hondo*, de chant profond.

Elle doit secouer sa fourrure, fouler le vieux chemin, affirmer sa connaissance instinctuelle. Toutes, nous pouvons affirmer notre appartenance au clan ancien des cicatrices, arborer fièrement les cicatrices de nos combats, écrire nos secrets sur les murs, refuser d'avoir honte, montrer le chemin vers l'issue. Ne nous usons pas à être en colère. Laissons au contraire cette colère nous rendre fortes. Et surtout, surtout, faisons preuve d'astuce et servons-nous de notre tête de femme.

N'oublions pas que le meilleur ne doit pas rester caché. La méditation, l'éducation, l'analyse des rêves, tout le savoir du monde ne sont d'aucune valeur quand on les garde pour soi ou pour un petit cercle d'intimes. Alors, sortez du bois, où que vous soyez. Laissez derrière vous de profondes traces, vous le pouvez. Soyez la vieille femme qui, dans le rocking-chair, berce l'idée jusqu'à ce qu'elle redevienne jeune. Soyez la femme courageuse et patiente qui, dans *L'Ours au Croissant de Lune*, apprend à voir au-

* « Réclamer : à l'époque classique, prend le sens de revendiquer comme sien, requérir, exiger » (Le Robert. Dictionnaire historique de la Langue française). *(N.d.T.)*

delà des illusions. Ne soyez pas distraites par les allumettes enflammées et les fantaisies comme la Petite Marchande d'Allumettes.

Tenez bon, jusqu'à ce que vous retrouviez les vôtres, comme le Vilain Petit Canard. Nettoyez la rivière créatrice pour que *La Llorona* puisse trouver ce qui lui appartient. Comme la Jeune Fille sans Mains, laissez le cœur endurant vous conduire par la forêt. Ramassez, telle *La Loba*, les os des valeurs perdues et chantez jusqu'à ce qu'elles reprennent vie. Pardonnez autant que vous le pourrez, oubliez un peu, créez beaucoup. Ce que vous faites aujourd'hui aura une influence sur vos descendantes. Il est probable que les filles des filles de vos filles se souviendront de vous et, surtout, suivront vos traces.

Il y a maintes façons de vivre avec la nature instinctive et les réponses changent au fur et à mesure que nous changeons et que le monde change. Aussi est-il impossible d'affirmer : « Faites ceci, dans cet ordre précis, et tout ira bien. » Mais au cours de ma vie, j'ai rencontré des loups et je me suis efforcée de découvrir pourquoi ils vivent en majorité dans une telle harmonie. Aussi, dans un but tout à fait pacifique, je vous propose de vous exercer à pratiquer tout ce qui est sur la liste suivante. Celles qui luttent et se débattent en tireront un meilleur profit en commençant par le numéro 10.

RÈGLES GÉNÉRALES DE VIE SELON LE LOUP

1. Manger
2. Se reposer
3. Rôder, entre-temps
4. Faire preuve de loyauté
5. Aimer les enfants
6. Faire des cabrioles au clair de lune
7. Accorder ses oreilles
8. S'occuper des os
9. Faire l'amour
10. Hurler souvent

16

LE CIL DU LOUP

Si tu ne vas pas dans les bois,
jamais rien n'arrivera, jamais ta vie ne commencera.

– Ne va pas dans les bois, disaient-ils, n'y va pas.

– Et pourquoi donc ? Pourquoi n'irais-je pas ce soir dans les bois ? demanda-t-elle.

– Dans les bois vit un grand loup, qui mange les humains comme toi. Ne va pas dans les bois, n'y va pas.

Bien sûr, elle y alla. Elle alla malgré tout dans les bois et bien sûr, comme ils avaient dit, elle rencontra le loup.

– On t'avait prévenue, fit le chœur.

– C'est ma vie, pauvres noix, rétorqua-t-elle. On n'est pas dans un conte de fées. Il faut que j'aille dans les bois. Il faut que je rencontre le loup, sinon ma vie ne commencera jamais.

Mais le loup qu'elle rencontra était pris dans un piège. Dans un piège était prise la patte du loup.

– Viens à mon aide, viens à mon secours ! Aïe, aïe, aïe ! s'écria le loup. Viens à mon aide, viens à mon secours et je te récompenserai comme il se doit.

Car ainsi font les loups dans ce type de contes.

– Et comment serais-je sûre que tu ne vas pas me faire mal ? interrogea-t-elle – c'était son rôle de poser des questions. Comment serais-je sûre que tu ne vas pas me tuer et me réduire à un tas d'os ?

– La question n'est pas la bonne, dit ce loup-ci. Tu dois me croire sur parole. Et il se remit à gémir et à crier :

Oh, là, là ! aïe, aïe, aïe !
Belle dame
Il n'y a qu'une question qui vaille
Ououououououh

ehehehehehеh
aaaaaaaaam ?

– C'est bien, le loup. Je prends le risque. Allons-y ! Et elle écarta les mâchoires du piège. Le loup retira sa patte, qu'elle pansa avec des herbes et des plantes.

– Oh, merci aimable dame, merci, dit le loup, soulagé.

Et, parce qu'elle avait lu trop de contes d'un certain type, le mauvais, elle s'exclama :

– Allons, finissons-en. Tue-moi. Maintenant.

Mais ainsi le loup ne fit-il pas. Pas du tout. Il posa la patte sur son bras.

– Je suis un loup qui vient d'ailleurs, un loup qui vient d'un autre temps, dit-il. Et il s'arracha un cil, puis le lui offrit en disant : – Sers-t'en avec discernement. Désormais, tu sauras qui est bon et qui ne l'est guère ; il te suffira de voir par mes yeux pour voir clair.

Tu m'as permis de vivre
Et pour cela
Je t'offre de vivre ta vie
comme jamais tu ne le fis.
Souviens-toi, belle dame,
Il n'y a qu'une question qui vaille
Ouououououoh
eheheheheh
laaaaaaaaam ?

Ainsi revint-elle au village
Ravie d'être encore en vie
Et cette fois, quand ils disaient
« Reste ici, marions-nous »
Ou « Fais ce que je te dis »
Ou « Dis ce que je te dis de dire,
Surtout n'aie aucun avis »
Elle portait à son œil le cil du loup
Et voyait à travers lui
Leurs véritables motivations
Comme elle ne l'avait jamais fait.
Alors quand le boucher
Posa la viande sur la balance
Elle vit qu'il pesait son pouce avec.
Et quand elle regarda son soupirant
Qui soupirait « Je suis parfait pour toi »
Elle vit que ce soupirant-là
N'était même pas bon à quoi que ce soit.
De sorte qu'elle fut à l'abri
Sinon de tous les malheurs du monde
Du moins d'une grande partie.

Plus encore : non seulement cette nouvelle façon de voir lui permit de distinguer le cruel et le sournois, mais son cœur ne connut plus de limites, car elle regardait tout un chacun et l'évaluait grâce au don du loup qu'elle avait sauvé.

Et elle vit les gens de bonté vraie
Et elle s'en approcha,
Elle trouva le compagnon
De sa vie et resta près de lui,
Elle distingua les êtres de courage
Et d'eux se rapprocha,
Elle connut les cœurs fidèles
Et se joignit à eux,
Elle vit la confusion sous la colère
Et se hâta de l'apaiser,
Elle vit l'amour briller dans les yeux des timides
Et tendit la main vers eux
Elle vit la souffrance des collets montés
Et courtisa leur sourire,
Elle vit le besoin chez l'homme sans parole
Et parla en son nom
Elle vit la foi luire au plus profond
De la femme qui la niait
Et la raviva à la flamme de la sienne.
Elle vit tout
Avec son cil de loup,
Tout ce qui était vrai,
Tout ce qui était faux,
Tout ce qui se retournait contre la vie
Et tout ce qui se tournait vers la vie,
Tout ce qui ne peut se voir
Qu'à travers le regard
Qui évalue le cœur avec le cœur
Et non à la seule aune de l'esprit.

C'est ainsi qu'elle apprit que ce que l'on dit est vrai : le loup est le plus avisé de tous. Et si vous prêtez l'oreille, vous entendrez que le loup, lorsqu'il hurle, est toujours en train de poser la question la plus importante. Non pas « Où est le prochain repas ? », ni « Où est le prochain combat ? », ni « Où est la prochaine danse ? »

mais la question la plus importante
pour voir à l'intérieur, pour voir derrière,
pour estimer la valeur de tout ce qui vit,

Ououououououh
eheheheheh
laaaaaaaaam ?
Ououououououh
eheheheheh
laaaaaaaaam ?
Où est l'âme ?
Où est l'âme ?

Va dans les bois, va.
Si tu ne vas pas dans les bois, jamais rien n'arrivera,
jamais ta vie ne commencera.
Va dans les bois, va
Va dans les bois, va
Va dans les bois, va.

Extrait de « The Wolf's Eyelash », poème en prose original de C.P. Estès, © 1970, extrait de *Rowing Songs for the Night Sea Journey, Contemporary Chants.*

Postface

L'histoire comme remède

Je vais maintenant vous exposer dans ses grandes lignes l'*ethos* du conte selon les traditions ethniques de ma famille, celles dans laquelle ma création d'histoires et ma poésie plongent leurs racines. Je vais aussi vous parler un peu de l'usage que je fais de *las palabras*, des mots et de *los cuentos*, les histoires, afin de soutenir la vie de l'âme.

A mes yeux, *Historias que son medicina*, Les histoires sont une médecine, un remède.

« ... Chaque fois que l'on raconte un conte de fées, la nuit s'installe. Quels que soient le lieu, l'heure, la saison, la narration d'un conte fait toujours se déployer au-dessus de ceux qui l'écoutent un ciel constellé d'étoiles où vient luire une lune blanche. Quand l'histoire tire à sa fin, la pièce est parfois emplie des lueurs de l'aube, à moins qu'il n'y demeure un éclat d'étoile ou une effilochée de nuages, issue d'un ciel d'orage. Et ce qui est ainsi laissé derrière, c'est le don qui va être utilisé, le don qui va servir à faire de l'âme [1]. »

Le travail que j'effectue dans l'humus des histoires n'a pas uniquement sa source dans ma formation psychanalytique. Il vient tout autant d'une déjà longue existence au sein d'une famille qui m'a laissé un héritage profondément ethnique. Les miens n'étaient pas des lettrés. Ils ne savaient pratiquement pas lire ni écrire et néanmoins, ils possédaient une forme de sagesse souvent absente de la culture moderne.

J'ai connu dans ma jeunesse ces moments où, lors d'un repas, d'un mariage ou d'une veillée, on racontait des histoires et des blagues, on venait chanter et danser. Pourtant, la grande majorité de ce que je porte en moi, que je raconte sous sa forme brute ou transforme par l'écriture en histoires plus littéraires, je l'ai reçu, non pas assise autour d'une table, mais grâce à un travail ardu, nécessitant beaucoup d'intensité et de concentration.

Pour moi, seul le travail permet à l'histoire de prospérer – travail d'ordre intellectuel, spirituel, familial, physique et intégral. Elle ne vient jamais avec facilité. On ne la ramasse pas comme une fleur, pas plus qu'on ne l'étudie durant ses heures de loisir. Son essence ne peut voir le jour ni se conserver dans une atmosphère confortable et climatisée, elle ne peut croître dans un esprit dont l'enthousiasme ne s'accompagne pas d'un engagement total, pas plus qu'elle ne peut vivre dans un environnement peuplé mais vide de sens. Une histoire, ça ne « s'étudie » pas. On l'apprend par assimilation, en restant dans sa proximité, avec ceux qui la connaissent, la vivent, l'enseignent – plus par le biais des tâches de la vie quotidienne que lors des moments nettement plus cérémonieux.

L'histoire en tant que médecine qui guérit ne saurait exister dans le vide [2]. Elle ne peut exister coupée de sa source spirituelle. On ne peut s'en servir comme d'un produit tout préparé. Si l'on veut être honnête avec l'histoire, il faut vivre dedans une authentique existence. Si l'on est élevé en elle, elle en sera visiblement illuminée.

Dans les traditions les plus anciennes de ma famille, qui remontent très loin, « à autant de générations qu'il y a de générations », comme disent mes *abuelitas*, le bon moment pour raconter l'histoire, le choix des contes, celui des mots employés, le ton de la voix, les commencements et les fins, le déroulement du texte et tout particulièrement *l'intention* derrière chacun d'entre eux, tout cela est le plus souvent dicté par une sensibilité intérieure aigue et non par une impulsion extérieure ou l' « occasion du moment ».

Certaines traditions spécifient à quels moments raconter une histoire. Chez mes amis de différentes tribus Pueblo, on réserve les histoires de Coyote à l'hiver. Mes *comadres* et mes proches du sud du Mexique racontent uniquement au printemps les histoires du « grand vent d'est ». Dans ma famille d'adoption, certains contes issus d'Europe de l'Est ne sont racontés qu'à l'automne, après les moissons. Dans ma famille de sang, on commence traditionnellement à raconter au début de l'hiver mes histoires d'*El día de los muertos* et on les poursuit jusqu'au retour du printemps.

Dans les anciens rites de guérison intégraux apparentés au *curanderisma* et chez les *mesemondók*, on règle le moindre détail à la lumière de la tradition : quand raconter une histoire, laquelle et à qui, sous quelle forme et de quelle longueur, avec quels mots et dans quelles circonstances. Nous prenons soigneusement en compte le moment, le lieu, la bonne ou la mauvaise santé de la personne, notre mandat sur sa vie intérieure et sa vie extérieure et autres facteurs de grande importance, afin de parvenir à la médecine nécessaire. Dans les méthodes les plus fondamentales, il y a, derrière nos rituels ancestraux, à la fois un esprit de sainteté et de totalité ; et nous racontons une histoire quand nous y sommes appelés par le pacte que nous avons avec elle, et non l'inverse [3].

Tout comme dans le cadre d'une formation analytique sérieuse ou autres arts de la guérison rigoureusement enseignés et contrôlés, nous sommes formés, pour utiliser les histoires comme une médecine, non seulement à savoir ce qu'il faut faire et quand le faire, mais aussi et surtout à savoir *ce qu'il ne faut pas faire*. C'est cela, plus que tout autre élément, qui différencie l'histoire en tant que distraction – forme parfaitement valable en soi – de l'histoire comme remède.

Ma culture « la plus reculée » jette un pont avec le monde moderne, mais en même temps, elle repose sur un système de transmission immémorial, par lequel un conteur ou une conteuse transmet ses histoires et la connaissance du remède qu'elles contiennent à une personne ou plus – *las semillas*, les « graines ». Les « graines » sont des gens qui « ont le don dès la naissance ». Ils portent les espoirs des anciens. Ce sont les futurs conservateurs d'histoires. On reconnaît ceux qui montrent ce talent. Plusieurs anciens se regroupent, d'un commun accord, pour leur accorder aide et protection au cours de leur apprentissage.

Ces heureux élus vont difficilement, péniblement, entreprendre un travail rigoureux qui va durer de nombreuses années. Ils apprendront à perpétuer la tradition comme ils l'ont apprise, avec les préparations, les bénédictions, les percussions adéquates, et avec les intuitions, l'éthique et les attitudes essentielles, qui constituent le corps du savoir de la guérison, selon ses exigences – et non les leurs – selon ses initiations, selon ses formulations.

On ne peut ni réduire la durée de cette formation ni la moderniser. Elle ne s'acquiert pas sur quelques week-ends ou en quelques années. Si elle exige beaucoup, beaucoup de temps, ce n'est pas sans raison : c'est parce que cette tâche ne doit pas se banaliser, se modifier ou être mal employée, comme c'est souvent le cas lorsqu'un travail n'est pas en bonnes mains, qu'il est utilisé pour de mauvaises raisons ou dans les meilleures intentions du monde mais en parfaite ignorance [4]. Dans ce cas, rien de bon ne pourrait en sortir.

Les « graines » sont choisies selon un processus mystérieux qui échappe à toute définition. Sauf pour ceux qui le connaissent bien. Il n'est en effet fondé ni sur un ensemble de règles, ni sur l'imagination, mais s'élabore plutôt à partir d'une relation de longue date, d'un face-à-face, d'une personne à une autre. L'ancien choisit le plus jeune, l'un choisit l'autre, parfois en se frayant un chemin jusqu'à lui, mais la plupart du temps nous tombons nez à nez et tous deux, nous nous reconnaissons comme si nous nous connaissions depuis toujours. Ce n'est parce qu'on a envie d'être comme cela que l'on est cela.

Dans une famille, ce talent se repère dès l'enfance. Les anciens qui ont le don gardent l'œil ouvert et souvent, ils cherchent celui qui est « *sin piel* », sans peau, celui dont la sensibilité est forte et profonde et qui observe les grandes phases de la vie comme les minuscules détails de l'existence. Ils cherchent, comme moi, dans la cinquantaine maintenant, je cherche ceux qui, d'avoir vécu dans une écoute attentive pendant des décennies, en sont venus à posséder un certain niveau d'acuité.

La formation des *curanderas, cantadoras y cuentistas* est très semblable, parce que, dans ma tradition, on considère que les histoires sont écrites, comme *un tatuaje del destino*, comme un léger tatouage sur la peau de celui qui les a vécues.

Les dons pour la guérison, croit-on, découlent de la lecture de cette écriture légère sur l'âme et du développement de ce que l'on découvre là. L'histoire, une des cinq parties d'une discipline de la guérison, est le destin de celui qui porte une telle inscription. Tous n'ont pas cette marque, mais ceux qui la possèdent portent leur propre avenir écrit sur eux. On appelle ces personnes « *Las unicas* », celles qui sont seules en leur genre [5].

L'une des premières questions que nous posons donc lorsque nous rencontrons un(e) conteur (conteuse)/guérisseur (guérisseuse) est celle-ci : « *Quienes son tus familiares ? Quienes son tus padres ?* », « Quels sont les tiens ? » Autrement dit : de quelle famille de guérisseurs es-tu issu ? Il ne faut pas entendre par là qu'on l'interroge sur l'école qu'il a fréquentée, les cours qu'il a suivis et les ateliers auxquels il a participé. Cette interrogation signifie, littéralement : « De quel lignage spirituel descends-tu ? » Comme toujours, nous sommes à la recherche de l'authenticité, de la connaissance plutôt que de la vivacité intellectuelle, d'une dévotion religieuse inébranlable et ancrée dans la vie quotidienne, d'une attitude attentionnée propre à toute personne qui a connaissance de cette Source d'où dérive toute guérison [6].

Il y a aussi, dans la tradition des *cantadoras/cuentistas*, des parents, des grands-parents et parfois des *madrinas y padrinos*, des parrains et marraines d'une histoire. Il s'agit de la personne qui vous l'a apprise, vous en a enseigné le sens, vous en a fait bénéficier (le père ou la mère de l'histoire) et de la personne qui l'a apprise à la personne qui vous l'a apprise (*el abuelo o la abuela*, le grand-père ou la grand-mère de l'histoire). C'est ainsi qu'il doit en être.

Il est absolument essentiel d'obtenir explicitement la permission de raconter le conte d'une autre personne et de l'attribuer correctement, si l'autorisation est donnée, car ainsi se maintient le cordon ombilical généalogique ; nous sommes à un bout, le placenta qui donne la vie se trouve à l'autre extrémité. C'est un signe de respect, et c'est aussi, pourrait-on dire, la politesse de ceux qui ont été bien élevés avec les histoires que de demander la permission et de la donner [7], de ne pas s'approprier une œuvre qui n'a pas été offerte, de respecter le travail des autres, car leur œuvre est constituée de leur travail et de leur vie. Une histoire, ce n'est pas seulement une histoire. En son sens le plus intime, le plus adéquat, c'est la vie de quelqu'un. C'est en effet le *numen* de sa vie et sa familiarité avec les histoires dont il est dépositaire qui font de l'histoire un « remède ».

Le parrain et la marraine du conte sont ceux qui l'ont accompagné d'une bénédiction. Parfois, réciter la généalogie d'un conte prend beaucoup de temps, avant d'en venir à l'histoire proprement dite. Cette liste n'est pas un ennuyeux préambule, des petites histoires viennent l'épicer. C'est comme si l'histoire plus longue qui suit était le plat de résistance dans un festin.

Dans toutes les authentiques traditions du conte et de la guérison de ma connaissance, la narration d'une histoire se débute en hissant, en tirant, en faisant émerger des contenus psychiques, tant individuels que collectifs. Le processus prend beaucoup de temps et d'énergie, intellectuellement et spirituellement parlant. Cela n'a rien d'un loisir. Même si des *intercambiamos cuentos*, des échanges d'histoires, ont lieu, il s'agit d'un don mutuel qui ne peut exister que parce que deux personnes en sont venues à bien se connaître et à développer, si elle n'était pas innée, une relation de familiarité. Et c'est bien ainsi.

Même si certaines personnes utilisent des histoires uniquement dans le but de distraire, et si la télévision, en particulier, se sert trop souvent d'intrigues qui décrivent la nécrose de l'existence, les contes sont, au sens le plus ancien, un art de la guérison. Quelques-uns sont appelés à pratiquer cet art et les meilleurs, à mon sens, sont ceux qui sont vraiment entrés dans le lit de l'histoire et ont trouvé au plus profond d'eux-mêmes ses parties sœurs... Ils ont passé beaucoup de temps avec leur mentor, beaucoup de temps à être des disciples, beaucoup de temps à se perfectionner dans leurs disciplines. On reconnaît ces personnes aisément, rien qu'à leur présence.

La fréquentation des histoires nous fait manipuler l'énergie des archétypes, qui, pour employer une métaphore, s'apparente à l'électricité. Elle est capable d'animer et d'illuminer, mais si elle est utilisée au mauvais endroit, au mauvais moment, avec le mauvais dosage, avec la mauvaise histoire, par le mauvais conteur ou un conteur insuffisamment préparé, par une personne qui sait à peu près ce qu'il faut faire mais ignore ce qu'il ne faut *pas* faire [8], elle n'aura pas les effets désirés, comme tous les remèdes, ou alors des effets nuisibles. Les personnes qui collectent des histoires ne se rendent pas toujours compte de ce qu'elles demandent quand elles réclament une histoire de cette dimension.

L'archétype nous modifie. Il infuse une honnêteté et une endurance reconnaissables – s'il n'y a pas de changement chez le conteur, c'est qu'il n'y a pas eu fidélité, pas eu vrai contact avec l'archétype, pas eu transmission – rien qu'une traduction toute rhétorique ou une mise en avant de sa personne. C'est une responsabilité importante de transmettre une histoire. Cela va très loin. Il me faudrait des volumes et des volumes pour décrire dans leur intégralité les processus de guérison qui utilisent l'histoire parmi bien d'autres composantes. Mais dans l'espace limité de ces pages, le plus important est de transmettre l'idée que nous sommes chargés de veiller à ce que les gens soient suffisamment « équipés », comme on dirait en parlant d'installation électrique, par rapport aux histoires dont ils sont dépositaires et narrateurs.

Chez les meilleurs conteurs-guérisseurs que je connaisse, et j'ai le bonheur d'en connaître beaucoup, les histoires croissent à partir de leur vie comme l'arbre pousse à partir de ses racines. Ce sont les histoires qui les ont fait croître, *eux*, qui ont fait d'eux ce qu'ils sont. La différence ne nous échappe pas : nous savons quand quelqu'un a fait « croître » une histoire de manière facétieuse et quand l'histoire a fait authentiquement croître les gens. Les traditions intégrales reposent sur ce dernier principe.

Parfois, une personne étrangère me demande une des histoires que j'ai mise au jour, modelée, portée en moi durant des années. En tant que gardienne de ces histoires, qui m'ont été données sur la base de promesses réclamées et de promesses tenues, je ne les sépare pas des autres mots et des autres rites qui les entourent, surtout ceux qui ont été développés, nourris dans les racines de *la familia*. Ce n'est pas le fruit d'un plan soigneusement élaboré, c'est affaire d'âme. Tout dépend de la relation, de l'affinité.

Le rapport maître-apprenti suscite l'atmosphère attentive et attentionnée dont j'ai besoin pour aider mes élèves à rechercher et à développer les histoires qui vont les accepter et rayonner en eux et non pas briller à la surface de leur être comme un bijou de pacotille. Il ne faut pas se tromper de méthode. Quelques-unes, rares, sont aisées, mais je n'en connais aucune qui manifeste une totale intégrité. Beaucoup plus nombreuses sont celles qui présentent de bien plus grandes difficultés, mais garantissent l'intégrité et valent le mal qu'on se donne.

Ce qui habilite absolument à soigner avec les histoires, c'est l'importance de la part de soi-même dont on veut bien faire le sacrifice. Et par *sacrifice*, j'entends le terme dans toute son acception. Le sacrifice n'est pas une souffrance choisie de plein gré, ni une « souffrance commode » dont le sacrifié contrôle le terme. Le sacrifice n'est pas un combat ni même un désagrément majeur. Il est dans le fait « d'entrer dans un enfer que l'on n'a pas soi-même créé » et d'en revenir, parfaitement calmé, parfaitement recentré, parfaitement dévoué. Ni plus, ni moins.

Au sein de ma famille, on dit que le portier des contes va prendre son dû, c'est-à-dire vous forcer à vivre une certaine forme de vie, à suivre une discipline quotidienne, à vous obliger à de longues années d'études – non pas des études oisives, comme il plaît au moi, mais des études exigeantes, qui suivent des schémas épuisants. Je ne saurais trop mettre l'accent sur cela.

Dans les traditions familiales de la narration, dans la tradition des *cuentistas* comme dans la tradition des *mesemondók* que j'ai apprises et utilisées depuis l'enfance, il y a ce qu'on appelle *La Invitada*, l'invitée, c'est-à-dire la chaise vide que l'on trouve, d'une façon ou d'une autre, lors de chaque séance. Parfois, pendant qu'on raconte une histoire, l'âme d'une ou de plusieurs personnes de l'assistance vient s'y asseoir, car elle manifeste un besoin. Même si j'ai soigneusement réfléchi au matériau dont je vais me servir pour toute la durée de la soirée, je peux alors en modifier la progression pour prendre en considération cet esprit qui vient sur la chaise vide, lui fournir remède, jouer avec lui. « L'invitée » parle pour les besoins de tous.

J'encourage les gens à creuser à la recherche d'histoires issues de leur propre vie et j'insiste *tout particulièrement* auprès des personnes qui apprennent avec moi sur cette recherche d'histoires provenant de leur propre héritage. En effet, si nous nous tournons toujours vers les contes directement transmis par les traducteurs des frères Grimm, par exemple, les contes de notre héritage personnel seront perdus à tout jamais lorsque nos parents viendront à disparaître. Je soutiens de toutes mes forces ceux qui vont chercher ces histoires, les préservent, les arrachent à la mort par négligence. Il est évident que partout dans le monde, ce sont les personnes âgées qui constituent le squelette, l'architecture des structures spirituelles et des structures de guérison.

Tournez-vous vers votre famille, vers votre existence. Ce n'est pas un hasard si ce conseil est le même chez les grands guérisseurs comme chez les grands écrivains. Regardez *la réalité* de votre vie. Le genre d'histoires que vous y découvrirez ne se trouve pas dans les livres. Elles sont le fruit de témoignages visuels.

Si vous creusez vraiment à la recherche d'histoires issues de votre propre existence et de la vie des gens de votre famille, ainsi que du monde moderne dans la mesure où il est également lié à votre vie, vous connaîtrez des moments pénibles et des épreuves. Vous saurez que vous êtes sur la bonne voie si vous avez vécu ce qui suit : les phalanges éraflées, le sommeil à même un sol froid – et non pas occasionnellement, mais encore et encore – les tâtonnements dans l'obscurité, les cent pas dans la nuit, les révélations à vous glacer le sang et les aventures à vous faire dresser les cheveux sur la tête. Cela vaut la peine. Il doit y avoir un peu – et dans certains cas beaucoup – de sang versé sur chaque histoire, sur chaque aspect de votre propre vie, pour que le *numen*, pour qu'une vraie médecine se transmettent.

J'espère que vous allez laisser les histoires, c'est-à-dire la vie, vous arriver, que vous allez travailler avec ces histoires issues de votre existence – la vôtre, pas celle de quelqu'un d'autre – les arroser de votre sang et de vos larmes et de votre rire, jusqu'à ce qu'elles fleurissent et que vous fleurissiez pleinement à votre tour. C'est là la tâche, l'unique tâche [9].

Addendum

En réponse...

Pour répondre aux lecteurs qui nous ont interrogés sur divers aspects de mon travail et de ma vie, nous avons fait de légers ajouts à certaines parties de la première édition *, sous forme de nombreuses anecdotes, d'éclaircissements, de notes supplémentaires. La postface a été étoffée et un poème en prose est publié ici pour la première fois. Toutes ces interventions ont été effectuées avec soin et de façon à ne pas modifier le rythme de l'ouvrage.

Trois ans plus tard...

De nombreuses personnes ont écrit pour faire part de leur appréciation, pour donner des nouvelles des groupes de lecture qui ont étudié *Femmes qui Courent avec les Loups*, pour adresser leurs encouragements et leurs questions à propos de mes ouvrages à venir. Elles ont lu cet ouvrage avec le plus grand soin et dans le plus grand détail, et souvent plus d'une fois [1].

J'ai été agréablement surprise de découvrir que les racines spirituelles de mon travail, dont je n'avais pas fait état de manière manifeste, étaient si évidentes pour beaucoup. Je remercie du fond du cœur les personnes qui m'ont adressé des bénédictions, des mots d'amitié, des pensées particulières, l'expression de leur générosité de cœur, des cadeaux faits de leurs mains et de nombreux gestes d'accueil et d'encouragement, comme d'inclure mon travail, la santé de ma famille et des êtres qui me sont chers, ainsi que moi-même, dans leurs dévotions quotidiennes. Tout cela, je le garde précieusement dans mon cœur.

---

* Américaine. *(N.d.T.)*

Il y a longtemps, mais ce n'est pas si loin...

Je vais essayer ici d'apporter mes commentaires à certains points sur lesquels les lecteurs ont manifesté de l'intérêt.

Vous avez été nombreux à demander comment j'ai été conduite à écrire *Femmes qui Courent avec les Loups*. « L'écriture commença bien avant que ne commence l'écriture [2]. » Elle a commencé lorsque je suis née dans les structures familiales insolites et exaltées qu'*El Destino* m'avait réservées. Elle a commencé par des dizaines d'années passées à être remplie d'une beauté poignante et à voir les tourmentes de la culture, de la société, entre autres, emporter tant d'espoir. Elle a commencé à la suite d'amours et d'existences à la fois douces et dures. Oui, je le dis, « L'écriture commença bien avant que ne commence l'écriture ».

Sur le plan concret, j'ai commencé à écrire ce livre, à la main, en 1971, lorsque je suis revenue chez moi après un pèlerinage dans le désert et que j'ai demandé à mes aînés de me donner leur bénédiction pour rédiger le corps d'un ouvrage particulier, enraciné dans le langage musical de nos racines spirituelles. Et ils me l'ont accordée. De nombreuses promesses ont alors été données et tenues au long de toutes ces années. A la lettre. La plus importante étant : « Ne nous oublie pas, nous et ce pour quoi nous avons souffert [3]. »

Femmes qui Courent avec les Loups est la première partie d'une série de cinq titres réunissant cent contes sur la vie intérieure. Il m'a fallu un peu plus de vingt ans pour rédiger les cent fois vingt-deux pages de la totalité. En essence, ce travail s'efforce d'ôter tout caractère pathologique à la nature instinctuelle intégrale et de faire la preuve de ses liens essentiels, sur le plan de l'âme et sur le plan psychique, avec le monde de la nature. Cette prémisse fondamentale, que l'on retrouve dans toute mon œuvre, affirme que tous les êtres humains naissent avec des dons.

A propos du langage...

J'ai volontairement rédigé cet ouvrage dans un mélange en parties égales de langage universitaire, via ma formation de psychanalyste, et du langage qui est celui des traditions de guérison et du dur labeur qui reflète mes origines ethniques – celles des immigrants, des classes laborieuses, des *Católicos*. En grandissant, j'ai eu pour héritage le rythme du labeur, ce qui m'a façonnée d'abord et avant tout comme *una poeta*, une poétesse.

Dans la mesure où il s'agit d'un document à la fois psychologique et spirituel, un certain nombre de libraires ont placé *Femmes qui Courent avec les Loups* dans plusieurs rayons à la fois : psychologie, poésie, ouvrages sur les femmes et religion. Certains disent que ce livre n'entre dans aucune catégorie ou qu'il en crée une en soi. Je ne sais s'il en est ainsi, mais j'aimerais qu'il soit, très profondément, une œuvre d'art tout autant qu'une étude psychologique sur l'esprit.

Courrier des lecteurs...

Femmes qui Courent avec les Loups se veut une aide au travail conscient d'individuation. On aura une meilleure approche du livre en le considérant comme une œuvre contemplative qui comporte une vingtaine de sections, chacune indépendante des autres.

Les quatre-vingt-dix-neuf pour cent du courrier reçu relatent la façon dont les personnes lisent l'ouvrage, pour elles-mêmes, bien sûr, mais elles expliquent aussi comment elles le lisent à un être cher ou avec lui : une mère à sa fille, une petite-fille à sa grand-mère, deux amants ensemble, au sein de groupes de lecture hebdomadaires ou mensuels. Il faut plus d'une semaine, plus d'un mois pour le lire, aussi se prête-t-il à l'étude. Il invite à comparer sa vie à ce qui est proposé dans ses pages, à évaluer les décisions à prendre, ce à côté de quoi l'on est passé, ce qu'il faut approfondir, ce sur quoi il faut revenir, ce qu'il faut voir au cours d'un processus constant de maturation.

Prenez votre temps pour le lire. Il a été écrit lentement, sur une longue durée. J'ai rédigé des pages, puis l'ai abandonné pour réfléchir [4], ai repris sa rédaction, l'ai de nouveau laissé de côté, et ainsi de suite. Beaucoup le lisent comme je l'ai écrit. A petites doses, en le laissant reposer et en y réfléchissant avant d'y revenir [5].

Souvenez-vous...

Au sens le plus ancien du terme, la psychologie, c'est l'étude de l'âme. Quoique des contributions essentielles et intéressantes aient été faites dans ce domaine au cours du dernier siècle et que d'autres soient à venir, on est encore loin d'avoir établi la carte de la nature humaine dans toute sa précieuse variété. La psychologie n'a pas une centaine d'années. Elle a des milliers d'années. On honore comme il se doit la mémoire des hommes et des femmes de qualité qui ont apporté leur contribution à la connaissance de la psychologie, mais la psychologie n'est pas née là. Elle est née avec chacun de ceux qui ont entendu une plus grande voix que la leur et se sont sentis poussés à rechercher son origine.

Certains ont affirmé que mon œuvre constitue « l'émergence d'un champ nouveau ». Avec tout le respect que je leur dois, je dirai que l'essence de la tâche à laquelle je me consacre appartient à une très ancienne tradition. Ce genre d'œuvre ne saurait tranquillement se laisser étiqueter dans le rayon des « émergences ». Dans le monde entier, au sein de chaque génération, il y a des milliers de personnes – et surtout des personnes âgées, souvent « non éduquées », mais d'une grande sagesse, qui ont veillé sur ses paramètres à la fois précis et complexes et les ont protégés. Cette tâche a toujours été vivante, elle s'est toujours développée, parce qu'eux étaient vivants, parce qu'eux se développaient et qu'ils la maintenaient dans certaines formes, dans certaines voies [6].

Une mise en garde...

La maturation individuelle est une question d'effort purement personnel. Il ne s'agit pas de répéter comme un perroquet : « Fais-ci, ou ça. » Chacun avance à sa manière qui est *unique* et ne saurait être codifiée selon un principe du genre « procédez en dix étapes faciles et tout ira bien ». Ce n'est pas une tâche aisée. Elle ne convient pas à tout le monde. Si vous recherchez un guérisseur, un analyste, un thérapeute, un conseiller, veillez à ce qu'ils soient issus d'une discipline qui compte des prédécesseurs de poids et qu'ils sachent vraiment faire ce dont ils prétendent être capables. Interrogez vos amis, vos proches, vos collègues auxquels vous faites confiance pour vous recommander quelqu'un. Assurez-vous que le professeur que vous choisirez bénéficie d'une formation adéquate tant sur le plan de la méthode que de celle de l'éthique[7].

Ma vie aujourd'hui...

La plupart du temps, je suis « en dessous », en train d'écrire et de travailler, mais disons que, de temps en temps, je jette un œil à la surface. Je continue à vivre comme je le fais depuis des années maintenant... ardemment introvertie, tout en luttant farouchement pour être dans le monde. Je poursuis mon œuvre d'analyste, d'écrivain, de poétesse et m'occupe de ma famille élargie, une grande famille. Je continue d'intervenir sur des questions de société, d'enregistrer des cassettes audio, de peindre, de composer, de traduire, d'enseigner et de participer à la formation de jeunes psychanalystes. J'enseigne, en tant que professeur invité, la littérature, l'écriture, la psychologie, la mythopoésie, la vie contemplative et autres dans diverses universités[8].

Il arrive qu'on m'interroge sur l'événement qui a été pour moi le plus mémorable au cours des dernières années. Il y en a beaucoup, en vérité, mais je crois que celui qui m'a fait le plus chaud au cœur, c'est le bonheur des aînés de notre famille lorsque cet ouvrage est paru – pour eux, c'était le premier livre de l'un des leurs à être publié. Une image, entre autres : Quand mon père vit pour la première fois ce livre, il s'écria, avec son accent : « Un livre, un livre, un vrai livre ! » et, malgré ses quatre-vingt-quatre ans, il se mit à danser, en plein milieu de son jardin, une vieille danse *Csíbraki* du vieux pays.

L'œuvre...

En tant que *cantadora* (gardienne des vieilles histoires) et que femme entre deux cultures ethniques, il me serait difficile de *ne pas* reconnaître la diversité culturelle, psychologique, entre autres, des êtres humains. Je crois donc que ce serait une erreur de privilégier telle méthode par rapport à une autre. Cet ouvrage se veut une contribution à ce que l'on sait et à ce qui est nécessité dans une authentique psychologie féminine – celle qui inclut *toutes* les espèces existantes de femmes et *toutes* les formes de vie qu'elles mènent.

Mes observations et mes expériences, au cours de mes vingt et quelques années de pratique tant avec des hommes qu'avec des femmes, m'ont conduite à penser que, quel que soit l'état, l'étape ou la position où l'on se trouve dans la vie, il faut avoir de la force, sur le plan psychologique et spirituel, pour avancer – avancer à petits pas, et aussi avancer en luttant contre les vents contraires qui, de temps à autre, soufflent dans la vie de chacun.

La force ne vient pas *après* qu'on a escaladé l'échelle ou la montagne. Elle ne vient pas non plus *après* qu'on « y » est arrivé, quoi que ce « y » représente. Il est *essentiel* de se donner de la force au cours du processus de l'effort – *surtout avant et pendant* l'effort – tout autant qu'après. Je suis persuadée, pour ma part, que la force quintessentielle vient de l'attention et de la dévotion à la nature de l'âme.

A tout moment, quelque chose peut mettre la pagaille dans l'âme et dans l'esprit en essayant de réduire à néant la volonté d'avancer, ou en poussant à oublier les questions importantes comme « Où est l'âme dans cette affaire ? » C'est la force de l'esprit qui fait avancer dans la vie, gagner du terrain, se battre contre l'injustice et lutter contre vents et marées.

Ce qui donne des forces, que ce soit par le biais des mots, de la prière, de toutes les sortes de contemplation, provient d'un *numen*, d'une grandeur qui se trouve au centre de la psyché et pourtant est plus grande que la totalité de la psyché. Le *numen* est entièrement accessible. On doit s'en occuper, le nourrir. Quel que soit le nom qu'on lui donne, son existence est un fait psychique incontestable.

L'essence de tout cela est difficile et riche – c'est ainsi qu'elle se présente à toute personne qui connaît une authentique maturation – et elle se voit, à l'intérieur comme à l'extérieur de cette personne qui s'efforce d'aller vers elle. Cela, nous le savons. Il y a une différence visible entre une vie des profondeurs réfléchie et celle qui se fonde sur des croyances fantasmagoriques. Au cours de ce voyage vers un « vrai chez-soi », il nous arrive de temps en temps de nous retourner pour voir ou pour mesurer d'où nous venons, mais si nous nous retournons, ce n'est pas pour y retourner.

Notes

J'appelle parfois les notes en fin de volume *los cuentitos*, les historiettes. Issues du texte principal, elles sont destinées à être une œuvre en elles-mêmes, et peuvent être lues indépendamment de bout en bout, si on le souhaite, sans qu'on se réfère obligatoirement au texte principal. Je vous invite à les lire des deux façons.

Introduction

Chanter au-dessus des os

1. La langue du conte et de la poésie est sœur du langage des rêves. Si l'on analyse de nombreux rêves (tant contemporains qu'anciens, tels qu'ils ont été racontés par écrit), des textes sacrés, l'œuvre de mystiques comme Catherine de Sienne, saint François d'Assise, Rumi et Maître Eckhart ainsi que l'œuvre de nombreux poètes, tels Emily Dickinson, Edna Millay, Walt Whitman, entre autres, il semble que la psyché abrite une fonction de création de poèmes et de réalisation d'œuvres d'art qui opère lorsque, spontanément ou volontairement, une personne s'aventure près du noyau instinctif de cette psyché.

Ce lieu de la psyché où se rencontrent les rêves, les contes, la poésie et l'art, constitue l'habitat mystérieux de la nature instinctuelle ou sauvage. Dans les rêves et la poésie contemporaine, comme autrefois dans les contes folkloriques et les écrits des mystiques, le noyau tout entier se conçoit comme un être avec sa vie propre. En poésie, en peinture, dans la danse et dans les rêves, il est la plupart du temps symbolisé par des éléments vastes, comme l'océan, la voûte du firmament, la glaise, ou comme un pouvoir animé d'une personnalité, tels *La Reine des Cieux, La Biche Blanche, L'Amie, Le Bien-Aimé, L'Amant* ou *Le Compagnon*.

Du noyau de la psyché, montent les idées et les sujets numineux et la personne a l'impression « d'être remplie par quelque chose de “ non-moi ” ». Par ailleurs, de nombreux artistes apportent leurs idées et leurs sujets propres, nés du moi, au bord du noyau de la psyché et les y plongent, sentant avec raison qu'ils vont en revenir pénétrés ou lavés par son remarquable sens psychique de la vie. Dans les deux cas, cela provoque, soudainement et profondément, une modification, une information ou un éveil des sens, de l'humeur ou du cœur de l'être humain. Lorsqu'on est fraîchement informé, l'humeur en est modifiée. Et lorsque l'humeur est modifiée, le cœur n'est plus le même. C'est pourquoi les images et le langage qui montent de ce noyau ont une telle importance. Ensemble, ils ont le pouvoir de changer une chose en une autre, d'une façon que la volonté seule ne pourra accomplir qu'avec difficulté et selon des voies tortueuses. En ce sens, ce Soi instinctuel est à la fois guérisseur et porteur de vie.

2. *L'axe Moi/Soi* est une formule utilisée par Edward Ferdinand Edinger (*Ego and Archetype*, New York, Penguin, 1971) pour décrire la vision jungienne du moi et du Soi en tant que relation complémentaire, chacun, le moteur et le mû, ayant besoin de l'autre pour fonctionner.

3. « *Para La Mujer Grande,* the Great Woman », © 1971, C.P. Estès, extrait de *Rowing Songs For the Night Sea Journey : Contemporary chants* (publication privée).

4. Voir la postface, pour les traditions ethniques auxquelles je me conforme quant aux délimitations des histoires.

5. *El duende*, c'est, au sens propre du terme, « le lutin » qui, en tant que vent ou que force, est derrière les actes et la vie créatrice d'une personne, y compris sa démarche, le son de sa voix, et même sa façon de lever le petit doigt. On l'utilise dans le flamenco et il désigne aussi la capacité de « penser » en images poétiques. Parmi les *curanderas* latinas qui collectent les histoires, on l'interprète comme une capacité à être rempli par l'esprit, lequel dépasse celui de la personne propre. Que l'on soit l'artiste ou celui qui l'écoute, le regarde ou le lit, on ressent la présence de *El Duende* derrière les mots, la musique, l'œuvre d'art, la danse. On sait qu'il est là. On sait aussi quand il n'est pas là.

6. Il est essentiel, si l'on constitue un corpus d'étude de la psychologie féminine, que les femmes elles-mêmes observent et décrivent ce qui se passe dans leurs propres vies. L'appartenance ethnique, les convictions religieuses, les valeurs d'une femme forment un tout et il faut en tenir compte car, ensemble, elles constituent son sens de l'âme.

CHAPITRE 1

Hurler avec les loups : résurrection de la Femme Sauvage

1. *E. coli* : abréviation de *Escherichia coli*, bacille que l'on attrape en buvant de l'eau contaminée et qui provoque des gastro-entérites.

2. Romulus et Rémus ; les jumeaux de la mythologie navajo : ce sont là de célèbres jumeaux mythologiques parmi d'autres.

3. Site de ruines au Mexique.

4. Voir l'ouvrage *Luminous Animal* du poète Tony Moffeit (Cherry Valley, New York : Cherry Valley Editions, 1989).

5. Je dois cette histoire à ma tante Tirezianany. Dans une version talmudique, intitulée « Les Quatre Qui Entrèrent au Paradis », les quatre rabbis pénètrent au Paradis pour y étudier les mystères célestes et trois deviennent plus ou moins fous en contemplant la *Shekina*, la vieille divinité féminine.

6. « La Fonction transcendante », in *L'Ame et le Soi*, Paris, Albin Michel, 1990.

7. On l'appelle aussi parfois « La Femme en Dehors du Temps ».

CHAPITRE 2

Traquer l'intrus : un début d'initiation

1. Dans les contes de fées, le prédateur naturel apparaît sous la forme du voleur, du fiancé animal, du violeur, de l'étrangleur et quelquefois de la

femme malfaisante. Les images des rêves féminins suivent de près le schéma distributeur du prédateur naturel dans les contes de fées dont les femmes sont les protagonistes. Des liens affectifs délétères, des figures de l'autorité abusive, des prescriptions négatives issues de la culture influencent les images des rêves et du folklore au moins autant que le schéma archétypal inné de chacune. En fait, l'image fait partie du motif « rencontre avec la force de Vie et de Mort » et non de la catégorie « rencontre avec la sorcière ».

2. Les recueils de contes de Jakob et Wilhelm Grimm, de Charles Perrault, Henri Pourrat et autres comportent des versions très différentes de *Barbe-Bleue.* Des versions orales existent également dans toute l'Asie et l'Amérique centrale. La version littéraire de *Barbe-Bleue* qui est de ma main a comme particularité la clef qui ne cesse de saigner. Il s'agit là d'un élément caractéristique de notre histoire familiale de Barbe-Bleue que ma tante m'a transmise. L'époque où elle-même et d'autres femmes, des Magyares, des Françaises, des Belges, étaient dans un camp de travaux forcés durant la Seconde Guerre mondiale a façonné l'histoire dont je suis dépositaire.

3. Dans le folklore, la mythologie et les rêves, le prédateur naturel est presque toujours lui-même la proie d'un prédateur ou la victime d'une traque. C'est la lutte entre les deux qui apporte finalement un changement ou un équilibre. Lorsque ce n'est pas le cas, ou lorsque aucun antagoniste positif n'intervient, on intitule le plus souvent l'histoire « récit d'épouvante ». L'absence d'une force positive qui vienne s'opposer victorieusement au prédateur négatif terrifie l'homme au plus profond de son cœur.

Aujourd'hui aussi, dans la vie quotidienne, les voleurs de lumière et les tueurs de conscience sont légion. Un être prédateur va généralement utiliser pour son propre usage ou son propre plaisir la sève créatrice d'une femme, la laissant exsangue et perplexe sur ce qui a pu se passer, tandis que lui va devenir de plus en plus bouillonnant. Il va souhaiter qu'elle ne fasse pas cas de ses instincts, de peur qu'elle ne s'aperçoive qu'on siphonne son imagination, son cœur, sa sexualité ou autre.

On peut trouver l'origine d'un tel schéma dans l'enfance, lorsque ceux qui prenaient soin de l'enfant voulaient que les dons de celui-ci comblent leur propre vide et leur propre faim. Le prédateur inné en tire un pouvoir immense et il prépare celle qui a été élevée ainsi à être par la suite une proie pour les autres. Si elle ne remet pas de l'ordre dans ses instincts, elle sera très vulnérable à l'envahissement par les besoins psychiques non exprimés et dévastateurs des autres. En règle générale, une femme qui a de bons instincts sait que le prédateur est dans les environs lorsqu'elle se retrouve embarquée dans une relation amoureuse ou dans une situation qui rend sa vie plus étriquée au lieu de l'élargir.

4. Bruno Bettelheim, *Psychanalyse des contes de fées*, Paris, Laffont 1976/ Hachette Pluriel.

5. Pour Marie-Louise von Franz, par exemple, Barbe-Bleue est « un meurtrier et rien de plus... » (*L'Interprétation des contes de fées*, La Fontaine de Pierre, 1978.)

6. A mes yeux, Jung entendait par là que le créateur et la création étaient tous deux en train d'évoluer, la conscience de chacun influençant l'autre. Cette idée qu'un être humain puisse influencer la force derrière l'archétype est remarquable.

7. L'appel téléphonique raté est l'un des vingt scénarios de rêves les plus courants. Habituellement, soit l'appareil ne fonctionne pas, soit la rêveuse ne sait pas le faire marcher. Les fils ont été arrachés, les numéros sur

l'agenda ne sont pas bons, la ligne est occupée, on a oublié le numéro des urgences ou bien il ne répond pas. Des situations de ce genre rappellent beaucoup les courriers mal formulés ou falsifiés, comme dans le conte *La Jeune Fille sans Mains*, où le démon change un message apportant de bonnes nouvelles en message malveillant.

8. Le nom des groupes et des lieux a été modifié pour préserver l'identité des personnes.

9. Le nom des groupes et des lieux a été modifié pour préserver l'identité des personnes.

10. Le nom des groupes et des lieux a été modifié pour préserver l'identité des personnes.

11. Le nom des groupes et des lieux a été modifié pour préserver l'identité des personnes.

Chapitre 3

Découvrir les faits au flair : le rétablissement de l'intuition en tant qu'initiation

1. Il existe de nombreuses ressemblances entre l'histoire de Vassilissa et celle de Perséphone.

2. Il faut toute une vie pour étudier les débuts et les fins des contes dans leur variété. Steve Sanfield, merveilleux conteur juif, écrivain, poète et premier conteur sur un campus aux Etats-Unis dans les années 70, a eu la gentillesse de m'initier à la collecte des débuts et des fins comme une forme d'art en soi.

3. J'ai découvert l'expression « mère suffisamment-bonne » dans l'œuvre de Donald Winnicott. C'est une métaphore élégante, l'une de ces formules qui en disent plus en trois mots simples que des pages et des pages.

4. Selon la psychologie jungienne, on peut dire que la structure maternelle à l'intérieur de la psyché est constituée de couches – l'archétypal, le personnel et le culturel. C'est leur somme qui constitue l'adéquation ou l'absence d'adéquation dans la structure maternelle intériorisée. Comme on l'a constaté en psychologie du développement, la construction d'une mère interne adéquate semble avoir lieu selon des étapes, chaque étape s'édifiant sur la maîtrise de l'étape antérieure. Les abus qu'un enfant subit peuvent démanteler ou déstabiliser l'image maternelle dans la psyché et scinder les couches suivantes de la psyché en des polarités qui vont se révéler antagonistes au lieu de coopérer entre elles. Ceci peut non seulement nuire aux étapes antérieures du développement, mais encore conduire à une déstabilisation et à une constitution fragmentaire ou particulière des étapes ultérieures.

On peut remédier à ces ruptures du développement qui déstabilisent la formation de la confiance, de la force, de l'enrichissement de soi, car cette matrice semble être non pas construite comme un mur de briques (qui s'effondrerait avec le retrait d'un trop grand nombre de briques à la base) mais plutôt maillée comme un filet. C'est pourquoi tant de femmes (et d'hommes) fonctionnent malgré de nombreux manques et ruptures dans ces systèmes : ils privilégient les aspects du complexe maternant là où le filet psychique est le moins endommagé. Le fait de chercher à être guidé sur le plan de la sagesse et de l'enrichissement peut aider au remaillage du filet, quel que soit le nombre d'années que l'on a passées avec une telle blessure.

5. Dans les contes de fées, on utilise d'une manière à la fois positive et

négative le symbole de la belle-famille : beau-père, belle-mère – au sens de conjoint du parent – et enfants de ce conjoint. Aux Etats-Unis, où le taux de remariages est très élevé, on est un peu chatouilleux sur l'usage de ce symbole sous son angle négatif, mais nombreuses aussi sont les histoires qui, dans les contes de fées, mettent en scène des belles-familles et des familles adoptives tout à fait gentilles et positives. Parmi les motifs les plus connus, il y a celui du brave vieux couple dans la forêt qui découvre un enfant abandonné, et celui du beau-parent qui accueille un enfant handicapé d'une manière ou d'une autre et l'aide à recouvrer la santé ou à se découvrir des pouvoirs extraordinaires.

6. Je ne veux pas dire pour autant qu'il ne faille pas se montrer chaleureuse lorsque c'est mérité et qu'on le décide de son propre chef. La gentillesse dont nous parlons ici tient de l'esclavage et confine à la servilité. Elle naît du désir irrépressible de quelque chose que l'on peut éprouver tout en sentant son impuissance, un peu comme l'enfant qui a peur des chiens et dit « gentil toutou, gentil toutou » dans l'espoir d'amadouer l'animal.

Il y a une forme encore plus maligne de « gentillesse ». C'est lorsqu'une femme se sert de sa séduction pour s'attirer les faveurs des autres, pour les mettre dans de bonnes dispositions, afin d'obtenir ce qu'elle n'aurait pas autrement. Elle sourit et s'incline pour que l'autre se sente bien, qu'il soit gentil avec elle, la soutienne, ou ne la trahisse pas, entre autres. Elle accepte de ne pas être elle-même, de se conformer en façade à ce que l'autre paraît souhaiter. Ce genre de démarche est certes une tactique de camouflage dans certaines circonstances difficiles que la femme maîtrise mal ou ne maîtrise pas du tout, mais si celle-ci s'installe volontairement dans ce système, elle s'illusionne et abandonne sa principale source de pouvoir : parler en son nom propre, en toute sincérité.

7. *Mana* est un terme mélanésien, que Jung tira de travaux anthropologiques vers le début du siècle. Pour lui, *mana* décrivait la qualité magique qui émane à travers certaines personnes, certains talismans, certains éléments naturels, tels la mer et la montagne, les arbres, les plantes, les rochers, certains lieux et événements. Cependant, les études anthropologiques de l'époque ne prennent pas en compte les témoignages personnels des primitifs qui mettaient en avant le caractère à la fois pragmatique et mystique du *mana*, qui informe et meut en même temps. De plus, nous savons, d'après ce que les mystiques de tous temps ont rapporté sur leurs états d'âme en relation avec ledit *mana*, que l'affiliation à la nature profonde qui produit cet effet s'apparente beaucoup à l'état d'amour ; sans lui, on se sent en deuil. Même si, au début, cela peut prendre beaucoup de temps et nécessiter une longue incubation, on en vient plus tard à une relation riche et profonde.

8. Les *homunculi* sont les petites créatures, comme les elfes et autres êtres minuscules. Même si certains disent que l'homunculus est un sous-homme, ceux qui l'ont dans leur héritage culturel le considèrent comme étant supra-humain, empli de ruse et de sagesse.

9. Certains dénigrent le concept de psyché animale, ou prennent leurs distances avec l'idée que l'être humain puisse à la fois avoir une âme et être un animal. Le problème vient en partie du fait que l'on n'accorde pas, à un degré ou à un autre, une âme aux animaux. Pourtant le mot *animal* lui-même est un terme latin ; il signifie « être vivant », ou plus exactement « tout ce qui est vivant » ; *animalis* signifie « qui a le souffle de vie », d'*anima*, l'air, le souffle, la vie. Un jour viendra, peut-être bientôt, où l'idée même de cet anthropocentrisme nous étonnera, comme nombre d'entre nous sont aujourd'hui stupéfaits que beaucoup aient pu juger un jour accep-

table l'idée d'une discrimination entre les êtres humains fondée sur la couleur de la peau.

10. Si l'on n'y prend garde, ce flot continuera d'être damné, de diverses façons, chez celles qui viendront après elle. Elle peut arranger les choses en prenant du temps pour y remédier. Il ne s'agit pas de viser la perfection mais une certaine solidité.

11. Avec les femmes en prison, nous faisons parfois dans nos ateliers des poupées de paille. Nous créons des poupées avec des haricots, des pommes, des grains de blé, de maïs, du tissu, du papier de riz. Certaines femmes peignent ces matériaux, d'autres les cousent, d'autres les collent. Au bout du compte, il existe des rangées de dizaines de poupées, souvent élaborées à partir des mêmes matériaux, mais toutes différentes, toutes uniques comme leur créatrice.

12. Les vieilles théories concernant la psychologie féminine souffrent d'une vision très limitée de la vie des femmes. La psychologie classique étudiait des femmes en repli, bien plus que des femmes essayant de se libérer, ou tentant de se déployer, d'aller plus loin. La nature instinctuelle réclame une psychologie qui observe des femmes en train de lutter aussi bien que des femmes qui sont en train de se déployer après être restées des années lovées sur elles-mêmes.

13. L'intuition dont nous parlons diffère de la typologie des fonctions élaborée par Jung : sentiment, pensée, intuition, sensation. Dans la psyché, qu'elle soit masculine ou féminine, l'intuition déborde la typologie. Elle est de l'ordre de la psyché instinctive, de l'âme. Elle apparaît comme étant innée, comme ayant un processus de maturation, des capacités à percevoir, conceptualiser, symboliser. C'est une fonction qui est le propre de chaque femme (et de chaque homme) en dehors de toute typologie.

14. Apparemment, dans la plupart des cas, mieux vaut répondre à un appel (ou à une pression) tant que nous avons encore un semblant d'agilité et de ressort, que de freiner des quatre fers et de résister jusqu'à ce que de toute manière les éléments psychiques fassent éruption et que nous soyons traînées, tirées, poussées, ensanglantées, pleines de bleus et de bosses. Quelquefois, d'ailleurs, nous n'avons pas le choix, il n'est pas question de tergiverser, mais quand tel est le cas, il vaut mieux aller de l'avant, afin d'économiser son énergie.

15. Mère Nuit, l'une des Déesses de la Vie/Mort/Vie de la mythologie scandinave.

16. Dans toute l'Amérique centrale, *la máscara*, le masque, signifie qu'une personne a maîtrisé l'union avec l'esprit, représentée à la fois par le masque et par le vêtement spécial porté. Cette identification à l'esprit par le biais du vêtement et de l'ornement du visage a presque complètement disparu dans les sociétés occidentales. Néanmoins, filage et tissage sont des façons en soi d'inviter l'esprit ou d'être animé par lui. Il ne fait guère de doute aujourd'hui que l'on a jadis utilisé le filage et la fabrication de vêtements comme méthodes religieuses pour enseigner les cycles de la vie, de la mort et de l'au-delà.

17. Il est bon d'avoir plusieurs *personae*, de les collectionner, d'en assembler certaines au fur et à mesure que nous avançons dans la vie. En vieillissant, nous nous apercevons qu'ainsi nous pouvons montrer n'importe quel aspect de notre soi pratiquement à chaque fois que nous le souhaitons. Néanmoins, il y a un moment – notamment lorsqu'on atteint l'âge mûr, puis la vieillesse, où les *personae* s'échangent et se mélangent de manière mystérieuse. Par la suite, une sorte de « fonte » se produit, une perte des *personae*,

qui révèle ce que l'on pourrait appeler, sous son plus bel éclairage, « le vrai soi ».

18. Il faut pour cela simplifier, rester proche des sensations et des sentiments plutôt que d'avoir tendance à sur-intellectualiser. Parfois, comme disait Jan Vanderbugh, il est utile de penser en des termes que comprendrait un enfant de dix ans.

19. Il se trouve que ce sont aussi les qualités d'une vie de l'âme réussie, et également d'une vie professionnelle et économique réussie.

20. Pour Jung, on pouvait entrer en contact avec la source la plus ancienne par le biais des rêves nocturnes. (*C. G. Jung Parle, Rencontres et Interviews*, sous la direction de W. McGuire et R.F.C. Hull. Traduit par M. M. Louzier-Sahler et B. Sahler. Paris, Buchet-Chastel, 1989.)

21. Il s'agit en fait d'un phénomène d'états hypnagogiques et hypnopompiques – quelque chose entre la veille et le sommeil. On a pu observer dans les laboratoires du sommeil que si l'on pose une question à quelqu'un dans l'état « crépusculaire » qui précède le sommeil, un tri semble s'effectuer parmi les « faits archivés » dans le cerveau durant les phases ultimes du sommeil, ce qui augmente la capacité d'avoir directement à l'esprit la réponse au réveil.

22. Quand j'étais petite, il y avait une vieille femme qui habitait une cabane dans les bois, non loin de la maison. Elle prenait chaque jour une cuillerée de terre. Cela éloignait les soucis, disait-elle.

23. La tradition écrite et orale comporte de nombreuses contradictions sur le sujet. Dans certains contes, on dit que si l'on a la sagesse dans sa jeunesse, on vivra vieux. D'autres, à l'inverse, affirment qu'il n'est pas bon d'être vieux tant qu'on est jeune. Certains sont en fait des proverbes que l'on peut comprendre différemment selon la culture et l'époque. D'autres, cependant, me paraissent plus s'apparenter à un *koan* qu'à une instruction – en d'autres termes, ces phrases ont pour but d'être contemplées et non pas d'être prises au pied de la lettre, et cette contemplation peut conduire plus tard au *satori* – ou illumination soudaine.

24. Cette alchimie dérive peut-être d'observations plus anciennes que les écrits métaphysiques. D'après plusieurs vieilles conteuses que j'ai rencontrées tant au Mexique qu'en Europe de l'Est, le symbolisme du noir, du rouge et du blanc est issu du cycle menstruel et reproductif de la femme. Comme toutes les femmes le savent, le noir représente la garniture inutilisée de la paroi de l'utérus non gravide, le rouge symbolise à la fois la rétention du sang dans l'utérus durant la grossesse et la goutte de sang qui annonce le début du travail – donc l'arrivée d'une vie nouvelle, et le blanc est la couleur du lait maternel nourricier. On considère cela comme un cycle intégral d'intense transformation. Ce qui me pousse à me demander si l'alchimie n'était pas un effort pour créer un réceptacle similaire à l'utérus et un jeu entier de symboles et de gestes qui se rapprocheraient du cycle des menstrues, de la grossesse, de l'accouchement et des soins nourriciers. Il est vraisemblable qu'il existe un archétype de la grossesse à ne pas prendre au pied de la lettre; il s'attache aux deux sexes, qui doivent alors trouver moyen de le symboliser pour eux-mêmes de manière satisfaisante.

25. J'ai passé des années à étudier la signification de la couleur rouge dans les mythes et les contes de fées – fil rouge, souliers rouges, chaperon rouge et autres. A mes yeux, nombre de fragments sont dérivés des vieilles « Déesses Rouges », ces divinités qui président au spectre de la transformation féminine dans sa totalité – tous les événements « rouges » : sexualité, naissance et érotisme –, et sont à l'origine partie intégrante des arché-

types des trois sœurs : naissance, mort, renaissance, tout comme elles appartiennent aux mythes du soleil levant et couchant dans le monde entier.

26. A tort, l'anthropologie du XIXe siècle a considéré le respect des aînés et des grands-parents disparus manifesté par les primitifs, et la préservation rituelle de l'histoire de la vie de ces aînés, comme une forme de « culte ». Cette projection malheureuse imprègne encore différents textes « modernes ». En ce qui me concerne, toutefois, je dirais, en m'appuyant sur des décennies de rituels familiaux d'*El Dia de los muertos*, que le terme « culte des ancêtres » forgé il y a longtemps par l'anthropologie classique, serait avantageusement remplacé par le terme plus exact de « *parenté* avec les ancêtres », c'est-à-dire une relation permanente de chacun avec ses aînés vénérés. Le rituel de parenté respecte la famille, bénit l'idée que nous ne sommes pas séparés les uns des autres, que la vie d'un être humain isolé n'est pas dépourvue de sens et surtout que les actes positifs, les actes remarquables de ceux qui s'en sont allés avant nous, sont infiniment riches d'enseignements et peuvent nous guider.

27. On a retrouvé de nombreux ossements féminins à Çatal Hüyük, la ville néolithique d'Anatolie où ont lieu des fouilles.

28. Il existe de nombreuses variations de cette histoire, tout comme d'autres épisodes et, dans certains cas, des épilogues à la fin du thème central.

29. Ces formes pelviennes extrêmement symbolisées se retrouvent sur des coupes et des icônes découvertes sur des sites de l'est des Balkans et de l'ex-Yougoslavie. Marija Gimbutas les fait remonter à 5000-6000 ans avant J.-C. Marija Gimbutas, *The Goddesses and Gods of Old Europe : Myths and Cult Images* (Berkeley, University of California Press, 1974, 1982).

30. L'image du *dit* apparaît aussi dans les rêves, souvent sous la forme de quelque chose qui se change en un élément utile. Certains de mes collègues, médecins, pensent qu'il peut symboliser l'embryon, ou l'œuf, à son stade le plus précoce. Les conteurs l'appellent souvent *ova*.

31. Il est possible que l'esprit et la conscience d'un individu « sentent » d'une manière sexuée et que cette féminité ou cette masculinité de l'esprit soit innée, indépendamment du sexe physique.

CHAPITRE 4

Le compagnon : l'union avec l'autre

1. La petite rime finale est traditionnelle en Afrique de l'Ouest. C'est Opalanga, la griotte, qui me l'a apprise.

2. Il existe à la Jamaïque une chanson qui est peut-être un vestige de ce conte : « Juste pour m'assurer que son " oui "/ est bien un " oui " définitif/ je pose, repose, re-repose la question. » Elle a été confiée à mes soins par V.B. Washington qui a toujours été une mère pour moi.

3. Le chien agit différemment dans une communauté de chiens et en tant qu'animal domestique dans une famille humaine.

4. Robert Bly, communication personnelle, 1990.

Chapitre 5

La chasse : quand le cœur est un chasseur solitaire

1. Cela ne veut pas dire que la relation amoureuse touche à sa fin, mais que certains de ses aspects sont en train de muer, de disparaître pour réapparaître sous une autre forme.

2. Lors d'un de mes voyages au Mexique, je fus prise d'une rage de dents et un *boticario* m'envoya chez une femme connue pour soulager ce genre de douleur. Pendant qu'elle m'appliquait ses remèdes, elle me parla de Txati, le grand esprit féminin. D'après ce qu'elle me dit, il était clair que Txati était une Déesse de la Vie/Mort/Vie, mais je n'en ai pas trouvé trace à ce jour dans les publications universitaires. Entre autres choses, *mi abuelita, la curandera* me raconta que Txati est une grande guérisseuse, et qu'elle est à la fois le sein et la tombe. Txati porte une coupe de cuivre. Tournée d'un côté, elle déverse son contenu nourricier, tournée de l'autre, elle devient le réceptacle de l'âme de ceux qui viennent de mourir. Txati veille sur la grossesse, la copulation et la mort.

3. Il existe de nombreuses versions de l'histoire de Sedna. C'est une déité puissante, qui vit sous les eaux. Les guérisseurs lui vouent un culte. Ils lui demandent de rendre la santé aux malades et la vie aux mourants.

4. Le fait de « prendre ses distances » correspond peut-être à un réel besoin de solitude, mais c'est aussi sans doute le mensonge le plus courant, aujourd'hui, dans les rapports amoureux. Plutôt que de parler de ce qui ne va pas, on « prend ses distances ». C'est la version adulte de l'excuse des enfants, répétée pour la cinquième fois : « Le chien a mangé mes devoirs » ou du « Ma grand-mère est morte ».

5. Et aussi le pas-encore-beau.

6. D'après l'envoûtant poème d'Adrienne Rich, « Integrity », *The Fact of a Doorframe, Poems Selected and New, 1950-1984*, New York, W.W. Norton, 1984.

7. L'inclusion de l'épisode du plus jeune qui panse la blessure de l'ancien est issue de l'histoire que l'on raconte dans notre famille intitulée « La Blessure qui Puait ».

8. C'est là un résumé d'une très longue histoire qui prend habituellement « trois soirées à la saison des insectes attirés par la lumière » si l'on veut la raconter correctement.

Chapitre 6

Découvrir sa vraie bande : les bienfaits de l'appartenance

1. Même si certains analystes jungiens estiment qu'Andersen était un « névrosé » et ne jugent donc pas utile d'étudier son œuvre, celle-ci me paraît revêtir une grande importance, tout particulièrement *les thèmes des contes* qu'il a choisi d'embellir – en dehors de *la façon* dont il a apporté ces embellissements – car ils montrent la souffrance des petits enfants, la souffrance du Soi-âme. Cette façon de trancher, de découper en menus morceaux l'âme enfantine n'est *pas seulement* un fait courant à l'époque et à l'endroit où vivait Andersen. C'est toujours un point critique pour l'âme, dans le monde entier. Même si cette question des abus sur l'âme et l'esprit des enfants, des adultes et des personnes âgées, souffre d'être présentée sous un angle romanesque et intellectuel, Andersen me paraît l'aborder franchement. Sur le plan de la compréhension de l'ampleur des abus sur les enfants, toutes classes et toutes

cultures confondues, la psychologie classique dans son ensemble est en avance sur la société. Et les contes de fées sont en avance sur la psychologie sur le plan de la mise au jour du mal que les êtres humains peuvent se faire intentionnellement les uns aux autres.

2. Le conteur paysan est quelqu'un que le cynisme n'a pas encore trop contaminé, qui a gardé son bon sens et aussi le sens du monde nocturne. Selon cette définition, rien n'empêche une personne élevée dans une grande ville d'être un paysan, car le terme s'applique plus à un état d'esprit qu'à un habitat. Ce sont mes vieilles tantes du côté paternel, les trois Katie – paysannes les unes et les autres – qui m'ont raconté ce *Vilain petit Canard*-ci quand j'étais petite.

3. C'est l'une des principales raisons qui poussent les adultes à entreprendre une analyse ou une auto-analyse : trier et ordonner les complexes et les facteurs parentaux, culturels, historiques et archétypaux, de manière que, comme dans les histoires de *La Llorona*, la rivière soit aussi transparente que possible.

4. Sisyphe, le Cyclope, Caliban : on connaît ces trois figures masculines mythologiques pour leur endurance, leur capacité à se montrer féroces et leur peau dure. Dans les cultures qui ne permettent pas aux femmes de se développer librement en tous sens, c'est le plus souvent dans le domaine de ces pouvoirs dits « virils » qu'on les inhibe. Quand les femmes sont contraintes, pour des raisons culturelles et psychologiques, de ne pas s'épanouir sur ce plan, on leur refuse le droit à tenir le calice, le stéthoscope, le pinceau, les cordons de la bourse, on les écarte de la politique et ainsi de suite.

5. Voir les ouvrages d'Alice Miller, *C'est pour ton Bien, Le Drame de l'Enfant doué, L'Enfant sous Terreur, in* la bibliographie.

6. Point n'est besoin de prendre des exemples particulièrement frappants de la manière dont on coupe les femmes d'un mode de vie et d'une façon de travailler qui leur seraient propres. Il existe des lois qui rendent difficile ou impossible le travail à domicile pour les femmes (et les hommes) souhaitant demeurer tout à la fois proches du monde du travail, de leur foyer et de leurs enfants. Il y a longtemps que des lois qui empêchent les gens de maintenir l'unité de leur travail, de leur famille et de leur vie privée devraient avoir été abolies.

7. Il existe encore un esclavage important de par le monde. On ne l'appelle pas toujours ainsi, mais quand une personne n'est pas libre de « partir » et se voit punie si elle « s'enfuit », c'est de l'esclavage. A chaque fois qu'on « force » quelqu'un, on le met aussi dans un état d'esclavage. Et si quelqu'un est forcé à faire un travail pénible ou des choix avilissants qui vont à l'encontre de ses intérêts afin de pourvoir à ses besoins minimum ou d'avoir un minimum de protection, c'est aussi un esclavage. Les familles, les esprits qui subissent ces esclavages de toute sorte, sont brisés, perdus pour des années, sinon à tout jamais.

Il existe aussi un esclavage au sens strict du terme. Quelqu'un qui revenait des Caraïbes me racontait il y a peu que, dans un hôtel de luxe de l'une de ces îles, un prince du Moyen-Orient était arrivé avec sa suite, qui incluait plusieurs femmes esclaves. Tout le personnel de l'hôtel s'efforçait de faire en sorte que leurs pas ne croisent pas ceux d'un membre du Mouvement des Droits civiques, un Noir américain qui séjournait au même endroit.

8. Il faut mettre à ce nombre des mères-enfants qui n'avaient pas plus de douze ans, des adolescentes, des femmes plus âgées, enceintes après une nuit d'amour, ou une nuit de plaisir, ou une nuit d'amour et de plaisir, d'autres qui étaient victimes d'un viol incestueux. Aucune n'était maternée et toutes étaient attaquées méchamment parce que leur culture était conditionnée à faire preuve d'ostracisme à l'égard de l'enfant et de la mère.

9. De nombreux auteurs ont écrit sur ce sujet, dont Robert Bly, Guy Corneau, Douglas Gillette, Sam Keen, John Lee, Robert J. Moore.

10. C'est l'un des mythes les plus stupides qui soit sur le passage à l'âge adulte : la femme serait complète, elle n'aurait besoin de rien et serait pour les autres et en tous domaines comme une fontaine. Eh bien non, elle continue à être comme un arbre qui a besoin d'air et d'eau, quel que soit son âge. La vieille femme est pareille à l'arbre ; pas de finalité, ni d'achèvement soudain, mais plutôt une majesté de racines et de branches et, avec les soins adéquats, une floraison conséquente.

11. C'est Faldiz, une amie espagnole, une parente par l'esprit, qui m'en a fait don.

12. Les jungiens utilisent ce terme pour désigner l'innocent des contes de fées qui finit presque toujours par s'en sortir.

13. Communiqué personnellement par Jan Vanderburgh.

14. Il y a eu dans la psychologie jungienne un présupposé qui peut nuire au diagnostic d'un trouble profond : c'est l'idée que l'introversion est un état normal, même si la personne est mortellement tranquille. En fait, le silence mortel que l'on prend quelquefois pour de l'introversion cache le plus souvent un grave traumatisme. Lorsqu'une femme est « timide » ou profondément « introvertie » ou encore extrêmement « discrète », il faut aller voir ce que cela cache et déterminer si c'est inné ou s'il s'agit d'une blessure.

15. Carolina Delgado, jungienne, artiste, fait partie des travailleurs sociaux de Houston ; elle utilise des *ofrendas,* par exemple des plateaux avec du sable, en tant qu'outil de projection afin de déterminer l'état psychique d'un individu.

16. La liste des femmes « différentes » serait très longue. Il suffit de penser à l'une des figures-phares des deux ou trois siècles passés. Il y a de fortes chances qu'elle ait fait des débuts en marge, ou soit issue d'un sous-groupe, ou se soit trouvée à l'écart du courant dominant.

Chapitre 7

Le corps joyeux : la chair sauvage

1. Les femmes tehuana tapotent et touchent sans cesse non seulement leurs bébés et leurs hommes, leurs grands-pères et leurs grand-mères, mais aussi la nourriture, les vêtements, les animaux du foyer, et les autres femmes. C'est une culture du toucher, qui semble épanouir les êtres.

De même, quand on regarde jouer les loups, on s'aperçoit qu'ils se touchent en une sorte de danse. Ce lien né du contact de la peau crée un sentiment d'appartenance.

2. Des observations informelles de divers groupes isolés d'indigènes révèlent que, mis à part quelques solitaires – vivant seulement à temps partiel avec la tribu et ne partageant pas forcément tout le temps les valeurs du noyau tribal – les groupes centraux approchent les hommes et les femmes avec respect, quels que soient leur âge, taille et forme. Il leur arrive de se plaisanter à un propos ou à un autre, mais ce n'est jamais dans une intention méchante ou pour exclure. Il semble que cette approche du corps, du sexe et de l'âge fasse partie d'une perspective plus vaste et d'un amour de la diversité des natures.

3. Certains font remarquer que considérer l'existence selon des critères passés ou selon des valeurs « aborigènes, anciennes ou ancestrales » est une approche sentimentale : un retour sur le passé, un fantasme illogique. A l'appui, ils avancent que jadis, les femmes avaient une vie dure, qu'il y avait les maladies et ainsi de suite. Il est vrai qu'aujourd'hui comme hier, les femmes

ont/avaient à travailler dur, souvent dans des conditions d'exploitation, qu'elles sont/étaient maltraitées, qu'il y a/avait les maladies. Et c'est vrai aussi pour les hommes.

Toutefois, si je considère les indigènes et aussi ma propre parenté, tant du côté latino qu'hongrois, constituée de gens fondamentalement tribaux, faiseurs de clans, créateurs de totems, qui filent, tissent, plantent, sèment, engendrent, je m'aperçois que la vie a beau être dure et devenir de plus en plus difficile, les vieilles valeurs – même s'il faut creuser pour aller les rechercher ou les réapprendre – soutiennent l'âme, soutiennent la psyché. Ce qu'on appelle les vieilles traditions est une forme de nutrition qui ne s'altère jamais et augmente même au fur et à mesure qu'on s'en sert.

Il y a certes une façon sacrée et une façon profane d'approcher toute chose, mais à mes yeux, admirer des « valeurs traditionnelles » ou se fonder sur elles est une preuve d'intelligence et de sensibilité plus de que de sentimentalité. Dans la plupart des cas, attaquer l'héritage que nous ont laissé les valeurs anciennes, les valeurs de l'âme, est une fois encore tenter de couper une femme de son héritage matrilinéaire. Quand on emprunte dans un même temps à la connaissance du passé, au pouvoir du présent et au futur des idées, c'est bon pour la paix de l'âme.

4. S'il y avait un « esprit du mal » dans le corps des femmes, il serait en grande partie le fait d'une introjection effectuée par une culture peu claire vis-à-vis du corps naturel. Une femme peut être, certes, sa pire ennemie, mais elle ne hait pas son corps en naissant et même éprouve, en tant que bébé, une joie pure à le découvrir et à l'utiliser.

5. Ou celui de son père, en l'occurrence.

6. On a énormément écrit, depuis des années, sur les formes et la taille du corps humain en général et de celui des femmes en particulier ; en général, ces ouvrages sont l'œuvre d'auteurs que telle ou telle configuration fait souffrir ou repousse. Il est important que des femmes bien dans leur peau puisse témoigner, et tout particulièrement celles qui sont grosses et se sentent bien. Ce n'est pas le propos du livre, mais « la femme qui hurle pour sortir » semble en premier lieu une introjection et une projection de la culture. Il faudrait examiner de près cette question sous l'angle des préjudices culturels et des pathologies mettant en jeu des idées autres que la taille, comme la sexualité hypertrophique dans la culture, la faim de l'âme, les structures hiérarchiques et les castes en matière de configuration corporelle et autres. Il serait bon, à proprement parler, d'allonger la culture sur le divan de l'analyste.

7. Dans une perspective archétypale, il est possible qu'une partie de l'obsession de tailler dans son propre corps fasse irruption chez une personne lorsque son monde, ou le monde en général, lui échappe, à un point tel qu'elle préfère contrôler le minuscule domaine de son corps.

8. « Acceptée » au sens de la parité et du terme mis à la dérision.

9. Martin Freud, *Glory Reflected : Sigmund Freud, Man and Father,* New York, Vanguard Press, 1958. Traduction française, *Freud, mon Père*, Paris, Denoël, 1975.

10. Dans les histoires de tapis magique, de nombreuses descriptions différentes du tapis sont faites : il est rouge, bleu, vieux, neuf, persan, indien, vient d'Istanbul, appartient à une vieille dame qui... et ainsi de suite.

11. Le tapis magique est un motif archétypal central dans les contes magiques du Moyen-Orient. L'un d'eux, « Le tapis du prince Hussein », similaire à « L'histoire du prince Ahmed », fait partie des *Contes des Mille et Une Nuits*.

12. Le corps humain sécrète des substances dont certaines sont bien connues, comme la sérotonine, qui semblent provoquer un certain bien-être,

voire une certaine euphorie. Traditionnellement, on accède à ces états par la prière, la méditation, la contemplation, l'usage de l'intuition et de la perspicacité, les transes, la danse, certaines activités physiques, le chant et autres états profonds de l'âme.

13. Lors de mes recherches interculturelles, j'ai été impressionnée par des groupes qui, poussés à l'écart du courant dominant, parviennent néanmoins à conserver, voire à affermir leur intégrité. Il est fascinant de voir que peu à peu, ces groupes sont alors souvent l'objet de l'admiration de ceux-là mêmes qui, à un moment, les ont chassés.

14. Un des nombreux moyens de perdre le contact est de ne plus savoir où sont enterrés les membres de sa famille.

15. Il s'agit d'un pseudonyme pour protéger sa vie privée.

16. Ntozake Shange, *for colored girls who have considererd suicide when the rainbow is enuf* (New York, Macmillan, 1976).

Chapitre 8

L'instinct de conservation : identifier les pièges, cages et appâts empoisonnés

1. De nombreux mots sont dérivés de la racine « sen », entre autres sénile, sénat, Señor, Señora.

2. Il existe des cultures intérieures comme des cultures extérieures et les unes comme les autres se comportent de façon étonnamment similaire.

3. Défini par Barry Holston Lopez dans son ouvrage *Of Wolves and Men*, par la formule « une cuite de viande ». (New York, Scribner's, 1978.)

4. On peut aisément « tomber dans l'excès », qu'on ait été élevé dans la rue ou dans de la soie. Les faux amis, l'autoprotection, l'anesthésie de la douleur et autres comportements touchent tout un chacun.

5. D'après l'abbesse Hildegarde de Bingen, ou sainte Hildegarde. Réf. : MS2 Wiesbaden, Hessische Landesbibliothek.

6. La méthode « Tu auras un gâteau quand tu auras terminé tes devoirs » est aussi appelée principe de Primack ou « règle de grand-mère ». La psychologie classique elle-même semble reconnaître que ce genre de règle est l'apanage des personnes âgées.

7. En ne portant pas de maquillage, Janis Joplin n'accomplissait pas un geste politique. Elle avait une peau à problèmes, comme beaucoup d'adolescents, et semblait à l'école secondaire se considérer à l'égard des jeunes gens comme une copine plus que comme une petite amie éventuelle.

Au cours des années 60, aux Etats-Unis, nombre de femmes militant depuis peu évitaient de se maquiller, voyant là un acte politique. Elles entendaient en particulier éviter ainsi de se montrer attirantes envers les hommes. Par comparaison, dans les cultures indigènes, les deux sexes se peignent le corps et le visage à la fois pour attirer et repousser. L'ornement du corps est l'apanage des femmes et un langage propre à chacune.

8. Il existe une excellente biographie de Janis Joplin, qui vécut une version moderne des *Souliers rouges* : c'est celle de Myra Friedman, *Buried Alive : The Biography of Janis Joplin* (New York, Morrow, 1973), bientôt remise à jour.

9. Pour autant, il n'est pas question de ne pas prendre en compte l'étiologie organique et, dans certains cas, les atteintes iatrogéniques.

10. Les versions les plus modernes que nous ayons des *Souliers rouges* sont probablement plus révélatrices qu'un gros volume de recherches historiques sur la manière dont on a déformé et corrompu le matériau original de ces

rites. Néanmoins, les versions qui restent, même fragmentaires, sont précieuses, car parfois les couches les plus récentes et les plus grossières d'un conte de fées nous disent exactement ce que nous devons savoir pour survivre et nous épanouir dans une culture et/ou un environnement psychique qui reproduit le processus destructeur révélé dans le conte. En ce sens, nous avons une certaine chance de nous trouver devant un conte fragmentaire qui nous indique clairement les pièges psychiques qui nous attendent ici et maintenant.

11. Chez les aborigènes, les rites féminins anciens et contemporains sont souvent appelés « rites de puberté » ou « rites de fertilité ». Ce sont toutefois des formules qui ont été envisagées sous un angle généralement masculin, en anthropologie, archéologie et ethnologie, au moins depuis le milieu du XIXe siècle. Elles déforment et fragmentent le déroulement de la vie féminine plus qu'elles ne représentent une réalité objective.

Métaphoriquement parlant, la femme passe à de nombreuses reprises et de différentes façons entre les os de son pubis, dans un sens et dans l'autre, et chaque fois elle y gagne la possibilité d'acquérir un savoir nouveau. Ce processus se déroule sa vie durant. Il ne commence pas à la menstruation pour se terminer à la ménopause, au cours de ladite « période de fertilité ». On devrait plutôt appeler les rites de « fertilité » rites de « passage », chacun étant nommé en fonction de son pouvoir de transformation spécifique, – non seulement ce qui doit s'accomplir de manière évidente, mais ce qui est accompli à l'intérieur. Chez les Navajos (Diné), le rituel de bénédiction intitulé « La Voie de la Beauté » est un exemple du langage et des termes employés qui définit bien ce qui est en cause.

12. L'excellent ouvrage *Mourning Unlived Lives – A Psychological Study of Childbearing Loss*, de l'analyste jungienne Judith A. Savage, est l'un des rares à traiter de ce sujet si important pour les femmes. (Wilmette, Illinois, Chiron, 1989.)

13. Les rites, comme le hatha yoga, le yoga tantrique, la danse et tout ce qui aide à la mise en perspective du lien entre une personne et son corps, redonnent une puissance considérable.

14. Dans certains folklores, on dit que le Diable ne se sent pas à l'aise sous forme humaine, qu'il n'est pas très bien dans cette peau, et boite en conséquence. Le conte *Les souliers rouges* nous montre l'enfant amputée de ses pieds et obligée de boiter désormais, car elle a à proprement parler « dansé avec le Diable ». Elle a pris sa claudication, c'est-à-dire sa vie pas tout à fait humaine, excessive et mortelle.

15. A l'époque chrétienne, les outils du vieux cordonnier devinrent synonymes des instruments de torture du Diable : pinces, marteau et autres. Chez les païens, les cordonniers avaient la responsabilité spirituelle de rendre propices les animaux dont était fait le cuir des chaussures. Au XVIe siècle, l'Europe non païenne affirmait que « faux prophètes sont faits de chaudronniers et savetiers ».

16. Des études sur la normalisation de la violence et l'impuissance acquise ont été conduites par Martin Seligman, spécialiste en psychologie expérimentale, entre autres.

17. A la fin des années 70, Lenore E. Walker publia un ouvrage sur les femmes battues qui fit date, *The Battered Woman* (New York, Harper & Row, édition de 1980). Pour elle, ce principe expliquait le mystère des femmes qui restent auprès d'un homme qui les maltraite.

18. Ou au détriment de ceux qui, autour de nous, sont jeunes ou faibles.

19. Aux Etats-Unis, le mouvement de libération de la femme, N.O.W., et d'autres organisations, dont certaines avec une orientation écologique et d'autres plus particulièrement axées sur l'éducation et la défense des droits,

étaient/sont dirigés, développés, élargis par de nombreuses femmes qui ont pris le risque de prendre la parole et, plus important encore, peut-être, de continuer à pleine voix. Dans le domaine de la défense des droits, beaucoup de voix d'hommes et de femmes se mêlent pour faire des propositions.

20. Cet alignement voulu par ses égales et les femmes plus âgées atténue les controverses et augmente la sécurité de la femme vivant dans des conditions hostiles. Néanmoins, en d'autres circonstances, cela entraîne des trahisons qui les coupent d'un autre héritage matrilinéaire – celui des femmes âgées qui parlent pour les plus jeunes et interviennent, décident, se réunissent avec d'autres afin que la société conserve son équilibre et que les droits de toutes soient défendus.

Au sein d'autres cultures, où chaque sexe est considéré soit comme frère soit comme sœur, les paramètres hiérarchiques qu'imposent l'âge et le pouvoir sont atténués par le fait que chacun prend soin de l'autre et par une responsabilité mutuelle.

Les femmes qui ont été trahies dans leur enfance s'attendent toujours à être trahies de nouveau, par leur amant, leur employeur, leur culture. Cette trahison première a pu se produire à l'intérieur de leur propre lignée, féminine ou familiale. Le fait qu'elles puissent faire encore confiance après avoir été trahies de la sorte est encore un miracle de la psyché.

La trahison, c'est quand ceux qui peuvent voir le problème détournent le regard, quand on trahit sa promesse, quand on néglige de tenir ses engagements, quand on manque de courage et qu'à la place on se montre préoccupé, indifférent.

21. L'addiction, c'est tout ce qui vide la vie de son sens tout en la faisant paraître meilleure.

22. Ce ne sont ni la famine, ni le fait de redevenir sauvage, ni l'addiction qui provoquent en eux-mêmes la psychose, mais plutôt une forme primaire et permanente d'attaque des forces de la psyché. Un complexe opportuniste pourrait théoriquement venir l'inonder. C'est pourquoi il est d'une importance capitale de restaurer l'instinct endommagé, afin que, dans la mesure du possible, la personne ne continue pas à être dans un état de détérioration ou de vulnérabilité.

23. Charles Simic, *Selected Poems*, New York, Braziller, 1985. (En français, on peut lire de cet auteur : *Démantèlement du Silence*, traduit de l'américain par M. Freney et M. Follain, Paris, Rougerie, 1984. [N.d.T.])

24. « *The Elements of Capture* », © 1982, C.P. Estés, Ph. D., extrait de sa thèse post-doctorale.

Prenez une originale.

Domestiquez-la précocement, de préférence avant qu'elle ne parle ou ne marche.

Socialisez-la à l'extrême.

Créez chez elle une terrible faim de sa nature sauvage.

Coupez-la des souffrances et des libertés des autres, de façon à ce qu'elle n'ait aucun élément de comparaison avec sa propre vie.

Ne lui donnez qu'un seul point de vue.

Laissez-la dans l'indigence (ou la sécheresse, ou le froid) aux yeux de tous, sans que personne l'en informe.

Faites en sorte qu'elle reste coupée de son corps naturel et de la relation avec lui.

Lâchez-la dans un environnement où elle va pouvoir faire une orgie de choses excitantes et dangereuses, où elle va pouvoir tuer à foison ces proies qui lui étaient auparavant interdites.

Donnez-lui des amies affamées comme elle et qui vont l'encourager dans ses excès.
Laissez en l'état ses instincts de prudence et de protection qui ont été endommagés.
Suite à ses excès (nourriture insuffisante ou pléthorique, drogue, manque ou excès de sommeil), laissez la Mort s'approcher.
Laissez-la se battre avec la restauration de sa *persona* de « fille sérieuse », avec un succès certain, mais épisodique.
Puis, pour finir, laissez-la se lancer à nouveau, de façon frénétique, dans une conduite psychologique ou physiologique addictive, fatale en soi ou par le biais d'un usage inapproprié (alcool, sexe, colère, pouvoir et autres).
Elle est captive. Renversez le processus et elle apprendra à être libre. Restaurez ses instincts et elle redeviendra forte.

CHAPITRE 9

Rentrer chez soi : retour à soi-même

1. Le thème au cœur de cette histoire – la découverte de l'amour et du chez-soi, l'affrontement de la nature de mort – se retrouve fréquemment de par le monde. (On trouve également dans les pays froids du monde entier la technique qui consiste à devoir « libérer des mots gelés des lèvres du conteur et à les faire dégeler auprès du feu pour en prendre connaissance ».)

2. On dit également, au sein de nombreux groupes ethniques, que l'âme ne s'incarne ni ne donne naissance à l'esprit avant d'avoir la certitude que le corps qui va l'abriter est en parfaite santé. C'est pourquoi, dans nos traditions les plus anciennes, on attend sept jours, ou bien deux cycles lunaires, ou même plus, après la naissance de l'enfant, pour lui donner un nom, la preuve étant alors faite que la chair a suffisamment de force pour être investie par l'âme qui va donner ensuite naissance à l'esprit. De plus, beaucoup s'attachent à l'idée qu'il ne faut en conséquence pas battre un enfant, car cela chasse l'esprit de son corps et l'y ramener est un processus long et difficile.

3. Le mot *initiation* vient du latin *initiare*, qui signifie commencer, introduire à, instruire. L'*initiée* est celle qui est au début d'une nouvelle voie, qui s'est présentée pour être introduite à, instruite de. L'*initiatrice* est celle qui a la tâche de rassembler les connaissances sur cette route, qui transmet le savoir-faire et guide l'initiée.

4. Lors d'une initiation manquée, l'initiatrice ne fait parfois que se préoccuper des faiblesses de l'initiée et oublie ou néglige le reste, qui constitue les 70 % de l'initiation : le renforcement des dons de la femme. Souvent, elle va créer une difficulté sans apporter pour autant de soutien. C'est là un emprunt à un style masculin d'initiation, qui veut que la honte et l'humiliation affermissent quelqu'un. Ou bien, la procédure est effectuée avec une grande attention, mais les besoins essentiels de l'âme ne font pas partie des priorités. Sur le plan de l'âme et de l'esprit, une initiation cruelle ou inhumaine ne renforce jamais la sororité ou l'affiliation.

En l'absence d'initiatrices compétentes ou dans un milieu d'initiatrices qui utilisent des procédures abusives, la femme va tenter une auto-initiation. Si elle y réussit aux trois quarts, ce sera déjà formidable, car elle doit écouter la psyché sauvage au coup par coup, sans avoir l'assurance que cela ait réussi auparavant des milliers de fois.

5. Il existe un perfectionnisme négatif et un perfectionnisme positif. Le perfectionnisme négatif tourne autour de la crainte de ne pas être à la hauteur, le

positif produit un effort maximum et s'attache à ce qui peut aider à maîtriser les choses. Dans ce dernier cas, la psyché est poussée à apprendre à *mieux* faire les choses, à mieux écrire, mieux parler, mieux manger, mieux se détendre, mieux vénérer et ainsi de suite... Le perfectionnisme positif fait agir dans certains cas de façon à reconnaître un rêve.

6. Cette formule est empruntée à Yancey Ellis Stockwell, thérapeute et conteuse remarquable. (En anglais, la formule est textuellement *Put on the Brass Brassiere,* « Mettre un soutien-gorge de cuivre », et joue sur l'allitération. *N.d.T.)*

7. Sponsorisée par Women's Alliance, et par de nombreuses guérisseuses remarquables, dont le Dr. Tracy Thompson, très aimable médecin de la prison, et l'énergique guérisseuse-conteuse Kathy Park.

8. Extrait du poème « Woman Who Lives Under the Lake », © C.P. Estés, *Rowing Songs For the Night Sea Journey; Contemporary Chants* (publication privée, 1989).

9. Extrait du poème « Come Cover Me with your Wildness », © 1980, C.P. Estés, *ibid.*

10. Traduction du poème *La bolsita negra,* © 1970, C.P. Estés, *ibid.*

11. Cette façon de s'exprimer s'est étendue dans la région aux communautés d'origine hispanique et est-européenne.

12. Ce peut être aussi n'importe quoi : « Mes plantes vertes, mon chien, mon compagnon, mes pétunias. » C'est juste une ruse. Au fond d'elle-même, la femme a peur de partir et elle a peur de rester.

13. Le complexe du « dévouement à tous » pousse la femme à agir comme si elle était la « grande guérisseuse ». Or, pour un être humain, tenter d'incarner un archétype est comme essayer d'être Dieu. On ne peut y parvenir, mais les efforts qu'on déploie dans ce but sont très éprouvants et très destructeurs pour la psyché.

Un archétype peut supporter d'être la projection d'êtres humains, mais les êtres humains ne peuvent supporter d'être eux-mêmes traités comme un archétype, infatigable et invulnérable. Quand on attend d'une femme qu'elle joue le rôle de l'infatigable archétype de la grande guérisseuse, elle finit par aller au tapis sous le fardeau de ce perfectionnisme négatif. Mieux vaut, lorsqu'on nous demande d'endosser les luxueux habits archétypaux d'un idéal, regarder droit devant soi, secouer négativement la tête et poursuivre la route vers notre chez-soi.

14. Adrienne Rich, in *The Fact of a Doorframe* (New York, Norton, 1984), p. 162.

15. Dans d'autres contes, telle *La Belle au Bois Dormant,* la jeune endormie s'éveille, non pas parce que le prince l'embrasse, mais parce que l'heure est venue, tout simplement, la malédiction des cent années prenant fin. Et autour d'elle, la forêt d'épines s'évanouit non pas parce que le héros est supérieur, mais parce que la malédiction s'éteint et que le moment est venu. C'est ce que disent et redisent les contes de fées : quand c'est l'heure, c'est l'heure.

16. Selon la psychologie jungienne traditionnelle, on dirait que cet enfant est un psychopompe, c'est-à-dire un aspect de l'*anima* ou de l'*animus,* ainsi nommé d'après Hermès, qui conduit les âmes dans l'autre monde. Dans d'autres cultures, on appelle le psychopompe *juju, anqagok, tzaddik.* On utilise ces mots à la fois comme des substantifs et comme des adjectifs pour décrire la qualité magique d'un objet ou d'une personne.

17. Dans l'histoire, l'odeur de la peau de phoque fait éprouver à l'enfant le puissant impact de l'amour maternel. Quelque chose de l'âme de sa mère le traverse – il en prend conscience sans pour autant être blessé. Aujourd'hui encore, dans certaines familles inuit, quand un être cher vient à mourir, ceux

qui restent donnent les fourrures, bonnets, bottes et autres vêtements et objets familiers du défunt. Les membres de la famille et amis qui en bénéficient considèrent qu'il s'agit là d'une transmission d'âme à âme, nécessaire à la vie elle-même. On pense que les vêtements, les peaux et les outils du défunt retiennent une importante partie de son âme.

18. Mary Uukalat est ma source; c'est elle qui m'a transmis cette vieille notion du souffle fait de poésie.

19. *Ibid.*

20. Oxford English Dictionary.

21. Les femmes ont tendance à prendre le temps nécessaire pour s'occuper des problèmes de santé physique, surtout celle des autres, mais elles négligent de le faire pour entretenir la relation avec leur âme propre. Elles ne comprennent pas que l'âme est la génératrice de leur énergie, et que la relation avec elle est un instrument d'une importance extrême qui a besoin d'être mis à l'abri, nettoyé, huilé, réparé. Autrement, cette relation va s'abîmer, comme une voiture, et ralentir la vie quotidienne de la femme, nécessiter une énorme énergie pour les tâches les plus simples, avant de la lâcher complètement loin de la ville et du moindre téléphone.

22. Cité par Robert Bly, dans une interview publiée dans *The Bloomsbury Review* (janvier 1990), « The Wild Man In the Black Coat Turns : A Conversation », par Clarissa Pinkola Estés, Ph. D. © 1989, C.P. Estés.

Chapitre 10

L'eau claire : nourrir la vie créatrice

1. Ce film (de Phil Alden Robinson, avec Kevin Costner, *N.d.T.)* s'inspire du roman de W.P. Kinsella, *Shoeless Joe.*

2. Quand la vie créatrice s'embourbe, cela est généralement dû à plusieurs causes : complexes négatifs à l'intérieur, absence de soutien de la part du monde extérieur, quelquefois aussi sabotage.

En ce qui concerne la destruction par des causes extérieures de nouveaux efforts, de nouvelles idées, il me semble que la cause principale en est l'utilisation du modèle « ou/ou ». Qu'est-ce qui était premier? L'œuf ou la poule? Cette question a souvent pour conséquence que l'on cesse d'examiner quelque chose, de voir comment c'est construit et quel usage cela pourrait avoir. Il est généralement plus utile de suivre le modèle comparatif et coopératif « et/et ». Une chose est ceci *et* aussi cela *et* cela *et* cela. On peut l'utiliser/ne pas l'utiliser de cette manière *et* de cette manière *et* de celle-ci.

3. *La Llorona* : prononcer Lio-ro-na, en mettant l'accent sur le « ro » et en roulant légèrement le « r ».

4. On raconte cette histoire depuis l'origine des temps, avec de petites variations, particulièrement sur la façon dont *La Llorona* est vêtue. « Elle était vêtue comme une prostituée et l'un des types l'a levée près de la rivière à El Paso. Il a plutôt été surpris ! » « Elle était vêtue d'une longue chemise de nuit blanche. » « Elle portait une robe de mariée, avec un long voile blanc sur le visage. »

Chez les Latinos, les parents utilisent *La Llorona* comme une sorte de babysitter mystique. Leur progéniture est en général si effrayée par les histoires où elle peut voler des enfants pour remplacer les siens, qui ont été noyés, que les gosses des villes traversées par une rivière savent se tenir à l'écart de l'eau et rentrer chez eux à l'heure.

Parmi les personnes qui étudient ces contes, certaines affirment que ce sont des histoires morales, destinées à effrayer les gens suffisamment pour qu'ils se conduisent bien. Connaissant la passion qui habite ceux qui se trouvent à l'origine de ces contes, je dirai de ces derniers qu'ils me frappent comme étant des histoires révolutionnaires, destinées à faire prendre conscience de la nécessité de créer un monde nouveau. Certains conteurs intitulent les histoires du genre de *La Llorona, Cuentos de la Revolución,* Contes de la Révolution.

Les histoires qui ont pour thème une lutte, psychique ou autre, appartiennent à unc vieille tradition antérieure à la conquête du Mexique. Certains des vieux *cuentistas*, des conteurs mexicains de ma famille et de son entourage, affirment que lesdits manuscrits des Aztèques ne sont *pas*, comme l'ont pensé de nombreux chercheurs, des récits de guerre, mais des picto-récits des grandes batailles morales que doivent mener tous les hommes et les femmes. Pour nombre d'érudits de la vieille école, c'était là chose impossible, car à leurs yeux, les civilisations indigènes étaient incapables d'avoir une pensée abstraite et symbolique et les membres des cultures anciennes, comme des enfants, prenaient tout au pied de la lettre. On peut néanmoins voir, en étudiant la poésie Nathuatl et Maya de l'époque, que la métaphore était abondamment utilisée et que leur capacité d'abstraction, tant sur le plan de la pensée que de l'écriture, était remarquable.

5. Comme lors de la Green National Convention dans les Rocheuses, en 1991.

6. Communiqué par Marik Pappandreas Andropoulos, conteuse de Corinthe, qui le tient elle-même de Andrea Zarkokolis, aussi de Corinthe.

7. Marcel Pagnol, *Jean de Florette* et *Manon des Sources* (Editions Bernard de Fallois, Paris, 1988) dont ont été tirés les films de Claude Berri.

Dans le premier ouvrage, des personnes mal intentionnées tarissent une source afin d'empêcher un jeune couple de réaliser son rêve de vivre libre dans la nature, entouré d'arbres, de fleurs et d'animaux sauvages en tirant ses revenus de ses cultures. Les jeunes gens meurent de faim, puisque leurs terres ne sont plus arrosées. Ceux qui les persécutent espèrent acheter leur propriété pour une bouchée de pain une fois que la terre sera réputée infertile. Le mari meurt, la femme vieillit prématurément et leur enfant grandit sans héritage.

Le deuxième tome voit l'enfant, une fille, découvrir plus tard le complot. Elle venge sa famille et, dans la boue jusqu'aux genoux, les mains ensanglantées, libère la source qui jaillit de nouveau, révélant le stratagème.

8. La « peur de l'échec » est un de ces clichés qui ne rendent pas exactement compte de ce que la femme craint véritablement. La peur se décompose généralement en trois parties : un résidu du passé (habituellement source de honte), une absence de confiance dans le présent, la crainte d'une issue médiocre ou de conséquences négatives.

En ce qui concerne la créativité, l'une des peurs les plus communes n'est précisément pas la crainte de l'échec, mais plutôt la crainte de mettre son ardeur à l'épreuve. On peut décrire les choses à peu près comme ça : si tu échoues, tu peux repartir à zéro, mais admettons que tu réussisses très moyennement, même si tu t'es donné un mal considérable ? Pour ceux qui créent, c'est le pire scénario. Parmi quantité d'autres. C'est pourquoi les sentiers de la création sont tortueux. Cette complexité même ne doit pas pour autant nous en détourner, car la vie créatrice est au cœur de la nature sauvage. La nature instinctive nous enrichit, malgré nos craintes.

9. Les Harpies étaient des Déesses de la tempête. C'étaient des divinités de la vie et de la mort. Malheureusement, elles furent dépouillées de ce double rôle pour n'en n'avoir plus qu'un seul. Comme nous l'avons vu dans l'interprétation de la nature de Vie/Mort/Vie, toute force qui gouverne la vie gouverne également la mort. En Grèce, toutefois, la culture, dominée par les idées et les idéaux d'un petit nombre, mit tellement l'accent sur l'aspect « mort » des

Harpies en tant qu'oiseaux de mort, que démons, qu'elles furent dépouillées de leur nature incubatrice, nourricière et donneuse de vie. A l'époque des tragédies orestiennes, tout ce qui constituait l'aspect revivifiant de leur nature avait été consciencieusement enterré.

10. C'est une version post-orestienne. Il faut signaler que toutes les couches ultérieures négatives ne sont pas d'ordre patriarcal, pas plus que tout ce qui est patriarcal n'est négatif. On peut même trouver une valeur à ces vieilles couches ultérieures négatives patriarcales, ajoutées aux mythes qui montraient autrefois un féminin solide et sain. En effet, non seulement elles nous montrent comment une culture conquérante vient entamer les croyances antérieures, mais elles peuvent aussi révéler comment une femme aux instincts endommagés, ou soumise, était alors – et aujourd'hui encore – poussée à se considérer elle-même, et aussi comment guérir.

Un faisceau d'injonctions destructrices à l'égard des femmes (et des hommes) laisse derrière lui une sorte de radiographie archétypale de ce qui s'est donc développé en dehors du monde chez la femme éduquée au sein d'une culture qui ne considère pas le féminin comme recevable. Point alors n'est besoin de nous livrer à des devinettes. Tout est enregistré dans les différentes couches des contes de fées et des mythes.

11. Nombre de symboles ont des attributs à la fois féminins et masculins. En règle générale, il est important de pouvoir décider soi-même de celui dont on va se servir comme d'une loupe pour examiner les questions de l'âme et de la psyché. Il ne sert à rien de discuter pour déterminer si tel ou tel symbole est masculin ou féminin, car en fin de compte il s'agit simplement d'une manière créatrice d'examiner un sujet et le symbole lui-même inclut en fait d'autres forces. Néanmoins, l'utilisation des attributs féminins ou masculins a son importance, car nous pouvons beaucoup apprendre de ces points de vue différents. C'est à mes yeux la raison pour laquelle je recherche les symboles, pour savoir ce qu'ils peuvent nous apprendre, comment nous pouvons nous en servir et surtout pour soigner quelle blessure.

12. Jennette Jones et Mary Ann Mattoon, « Is the Animus Obsolete ? », dans l'anthologie *The Goddess Reawakening*, réunie par Shirley Nichols (Wheaton, Illinois, Quest Books, 1989). Ce texte examine dans le détail comment différents analystes/auteurs considèrent l'animus jusqu'en 1987.

13. Les grandes Déesses ont fréquemment un fils issu de leur propre corps, fils qui devient plus tard leur amant/conjoint/époux. Bien que certains prennent cela au pied de la lettre et y voient la description d'un inceste, il faut plutôt le considérer comme une description de la manière dont l'âme donne naissance à un potentiel masculin, qui, en se développant, devient une forme de sagesse et de force et se combine de multiples manières à ses propres pouvoirs.

14. Et quelquefois, également, l'impulsion qui meut ce bras.

15. En essence, si nous nous coupons de l'idée de la nature masculine, nous perdons l'une des polarités les plus fortes quant à la conception et à la compréhension du mystère de la nature duelle des êtres humains à tous les niveaux. Néanmoins, dans le cas où une femme s'étoufferait à l'idée que le masculin puisse faire partie du féminin, je préfère qu'elle nomme comme elle le souhaite cette nature qui fait le pont entre les mondes, afin qu'elle ait toujours la possibilité d'imaginer et de comprendre comment les polarités fonctionnent entre elles.

16. Oxford English Dictionary (le Robert pour la langue française [*N.d.T.*]).

17. Je décrirai cela comme la puissante nature négociatrice du masculin, qui, chez les hommes, a aujourd'hui tendance dans plusieurs cultures à être écrasée par des tâches quotidiennes sans intérêt et sans valeur d'âme, ou par la

culture qui va les induire sournoisement à prendre le collier et les maintenir ainsi jusqu'à ce qu'il ne reste pas grand-chose d'eux.

18. D'après mes renseignements, il semblerait aussi que, sous une certaine forme, cette histoire soit une variante d'anciens contes du solstice d'hiver, dans lesquels ce qui a fait son temps meurt pour renaître de plus belle.

19. Reçue affectueusement de Kata, qui a subi quatre ans de camp de travail en Russie dans les années 40.

20. La transformation par le feu est un motif universel. On retrouve ce thème, en liaison avec *Les Trois Cheveux d'Or,* dans la mythologie grecque, où Déméter, la grande Déesse-Mère, maintient un enfant mortel *dans* le feu pour le rendre immortel. La mère, Metaneira, hurle lorsqu'elle découvre la scène, interrompant le processus. « Dommage, dit alors Déméter à Metaneira, maintenant l'enfant sera seulement mortel. »

CHAPITRE 11

La chaleur : retrouver une sexualité sacrée

1. Tout ce qui stimule le bonheur et le plaisir est toujours aussi une « porte de derrière » – par laquelle on peut nous exploiter ou nous manipuler.

2. Les histoires de l'Oncle Tuong-Pa ou Trungpa sont des histoires friponnes dont on a retrouvé trace pour la première fois au Tibet, mais il existe des histoires de « tricksters » dans le monde entier.

3. Il y a sur un mur, à Çatal Hüyük, la représentation d'une femme dont les jambes largement écartées montrent « la bouche du bas », peut-être comme un oracle.

4. On raconte traditionnellement les histoires de Coyote seulement en hiver.

CHAPITRE 12

Marquer le territoire : les limites de la rage et du pardon

1. Au sein de la famille et dans l'environnement culturel immédiat.

2. Ce qui fait blessure au moi, à l'instinct et à l'esprit dans l'enfance, ce sont des manques d'attention, des marques de rejet, une absence de considération. Chez beaucoup de femmes, une part considérable de ces blessures provient des espoirs déçus alors qu'elles attendaient raisonnablement de voir tenues les promesses qu'on leur avait faites – d'être traitées dignement, nourries à leur faim, d'avoir la liberté de parole, de pensée, de sentiment, de création.

3. D'une certaine manière, l'émotion ancienne ressemble, mentalement, à des cordes de piano au sein de la psyché. Un simple grondement peut les faire vibrer avec force, sans qu'il soit besoin de les toucher directement. Les événements qui, par le ton, les mots, un aspect visuel, rappellent les événements originels, peuvent faire que la personne va « se battre » pour éviter que le vieux matériel ne se mette à « vibrer ».

En termes de psychologie jungienne, on dit que c'est la constellation d'un complexe. Au contraire de Freud, qui qualifiait ce comportement de névrotique, Jung considérait qu'il s'agissait en fait d'une réaction cohésive, semblable à celle que l'on rencontre chez les animaux qui ont été pourchassés, torturés, terrifiés ou blessés. L'animal a tendance à réagir à des odeurs, des mouvements, des instruments, des sons, similaires à ceux qui l'ont blessé au départ. On trouve ce même schéma de reconnaissance et de réaction chez les êtres humains.

Beaucoup de gens contrôlent l'ancien matériel du complexe en se tenant à l'écart des personnes ou des événements qui les font réagir. C'est une attitude parfois utile et rationnelle, mais pas toujours. Ainsi un homme va-t-il éviter toutes les femmes aux cheveux roux comme ceux de son père, qui le battait, une femme fuir toute discussion contradictoire, car cela lui rappelle trop de mauvais souvenirs. Nous essayons cependant de renforcer nos capacités à assumer toutes sortes de situations, quels que soient les complexes en cause, car c'est en restant dans ces situations que nous pouvons faire entendre notre voix et changer le monde. Si nous nous bornons à réagir à nos complexes, nous allons finir notre vie cachées au fond d'un trou. Si nous pouvons parvenir à un accord avec eux, en faire nos alliés, utiliser par exemple notre vieille colère pour mettre un peu de mordant dans nos déclarations, nous pouvons alors avancer dans la vie.

4. Il existe en fait des syndromes de troubles du cerveau d'origine organique, dans lesquels les accès de fureur incontrôlés sont des traits marquants. On les traite par les médicaments et non par la psychothérapie. Mais nous parlons ici de la rage que provoque le souvenir d'une torture psychologique antérieure. Je dois ajouter que dans les familles où il y a un enfant « sensible », les autres enfants dont la constitution psychologique n'est pas la même peuvent fort bien ne pas se sentir torturés du tout, même s'ils sont traités de la même manière.

Les enfants ont différents besoins, ils ont « la peau plus ou moins dure », ils perçoivent plus ou moins la souffrance. Celui qui a le moins de « récepteurs », pour ainsi dire, ressentira le moins, au niveau conscient, les effets des abus. L'enfant qui en a le plus ressentira consciemment tout et peut-être même ressentira-t-il fortement les blessures des autres. Il n'est pas ici question de vérité, mais de la capacité de capter les transmissions qui se font autour de soi.

A propos du métier de parent, la vieille maxime qui dit qu'il faut élever les enfants non d'après les manuels, mais en se fondant sur ce que l'on apprend en observant les dons, la sensibilité, la personnalité de chaque enfant est tout à fait judicieuse. Dans la nature, le svelte philodendron semble capable de vivre une éternité sans eau, tandis que le saule, bien plus puissant, bien plus lourd, en est incapable. La nature varie aussi chez les êtres humains.

En outre, il ne faudrait pas interpréter systématiquement la colère chez l'adulte comme le signe d'un problème de l'enfance non réglé. La colère franche et justifiée a sa place, particulièrement lorsqu'on en a en vain essayé de faire prendre conscience d'une chose, et sur tous les tons. Quand il s'agit d'attirer l'attention, la colère est l'étape hiérarchique suivante.

Toutefois, des complexes négatifs peuvent transformer une colère normale en une rage destructrice ; le catalyseur est généralement minime, mais il suscite une réaction disproportionnée. Sous maints aspects, les dissonances de l'enfance, ce qui a été subi alors, peuvent influencer positivement les causes que nous défendons en tant qu'adultes. Nombre de leaders à la tête de grandes tribus ou « familles », politiques ou autres, les guident mieux et d'une manière beaucoup plus enrichissante que leur propre famille ne les a élevés.

5. Des conteurs appartenant à la tradition japonaise m'ont fait part d'une variation sur le thème de « l'ours en tant que figure précieuse », dans laquelle l'ours est étranglé par un esprit du mal, afin qu'aucune vie nouvelle ne puisse prédominer parmi la population qui vénérait l'ours brun. Le corps de celui-ci est porté en terre en grand deuil. Mais les larmes d'une femme, en tombant sur sa tombe, le rendent à la vie.

6. La libération d'une rage ancienne calcifiée, morceau par morceau ou couche après couche, est une entreprise essentielle pour les femmes. Il vaut mieux essayer d'emporter cette véritable bombe à l'air libre pour la faire explo-

ser, loin des gens innocents et ce d'une manière qui soit utile et ne cause aucun dommage. Il est bon de s'éloigner de tout stimulus, de toute personne, de tout projet. Il existe pour cela plusieurs moyens : changer de pièce, de décor, de préoccupations. C'est extrêmement utile.

Le vieux dicton qui conseille de « tourner sept fois sa langue dans sa bouche » est parfaitement fondé. Si nous arrivons à bloquer, même de façon temporaire, le flot d'adrénaline et autres substances chimiques « combatives » qui se répandent dans nos systèmes dans les premiers temps de la colère, nous pouvons arrêter le processus qui nous ramène aux émotions et aux réactions éprouvées lors de traumatismes passés. Dans le cas contraire, les substances chimiques continuent de se répandre pendant un certain temps et nous poussent littéralement à accentuer notre comportement agressif, que nous soyons sincèrement motivés ou non.

7. Le grand conteur-guérisseur soufi Idries Shah donne une version de cet ancien conte dans *Contes derviches, Sagesse des Idiots*, Paris, Le Courrier du Livre, 1979.

8. Si l'on décide d'agir ainsi, cela dépend de plusieurs facteurs, dont : la conscience de l'élément ou de l'individu qui a nui, sa capacité de nuire de nouveau et ses intentions futures, l'évaluation du rapport de pouvoir avec lui.

9. On utilise également le terme *descanso* pour parler d'un *lieu où l'on repose,* comme dans un cimetière.

10. Quand il y a eu inceste, maltraitance ou autres abus graves, le cycle peut prendre des années avant d'arriver au pardon. Dans certains cas, le fait de ne pas pardonner peut rendre plus fort pendant un certain temps. C'est également acceptable. Ce qui est inacceptable, c'est de rager en permanence à propos des événements jusqu'à la fin de nos jours. C'est une épreuve pour l'âme et la psyché comme pour le corps que de bouillir ainsi. Il faut y remédier. Il y a différentes approches. On doit consulter quelqu'un de solide, un thérapeute spécialisé dans ce genre de cas. La question à poser est : « Quelle est votre expérience en matière de réduction de la rage et de renforcement de l'esprit ? »

11. On trouve une définition un peu différente de cette sorte de pardon dans l'Oxford English Dictionary : 1865 J. Grote, *Moral Ideas*, viii (1876), 114 : « Pardon actif – rendre le bien pour le mal. » C'est à mes yeux l'ultime forme de réconciliation.

12. Non seulement les gens ont leur propre rythme pour accorder aux autres leur pardon, mais encore l'offense joue un rôle dans le temps nécessaire au pardon. Ce n'est pas la même chose de pardonner un malentendu et de pardonner un meurtre, l'inceste, des abus, un traitement injuste, la trahison, un vol. Selon leur nature, les abus uniques sont quelquefois plus faciles à pardonner que les abus répétés.

13. Parce que le corps aussi a sa mémoire, il faut lui prêter attention. L'idée n'est pas de prendre de vitesse sa fureur, mais de l'épuiser, de la démanteler et de reconfigurer la libido ainsi libérée d'une façon totalement différente. Cette libération physique doit s'accompagner d'une compréhension psychique.

Chapitre 13

Cicatrices de guerre : faire partie du clan des cicatrices

1. Je rejoins Jung : lorsqu'on a commis une injustice, on ne peut en guérir tant qu'on n'a pu dire l'entière vérité à son propos et l'affronter franchement.

2. C'est dans l'œuvre d'Eric Berne et de Claude Steiner que j'ai trouvé cette sorte de schéma pour la première fois.

3. La WAE (Word Association Experiment) de Jung le confirme également. Dans le test, il y a une résonance du matériau perturbant non seulement lorsqu'on entend un mot qui catalyse des associations négatives, mais aussi lorsqu'il est fait mention de plusieurs autres termes, beaucoup plus « neutres ».

4. Quelquefois, des photos et des histoires de pères, d'oncles, de frères, d'époux, de grands-pères suivent (et aussi, de temps à autre, de fils et de filles), mais le travail le plus important s'effectue sur les générations de femmes précédentes.

5. Elles souffrent seules de leur condition de boucs émissaires, de mangeuses de péché, sans avoir les avantages et le pouvoir des uns et des autres, c'est-à-dire les honneurs, la gratitude de la communauté.

6. *Mary Culhane et L'Homme mort* : c'est l'une des histoires racontées par les Folktellers, deux femmes originaires de la Caroline du Nord bourrées de talent : Barbara Freeman et Connie Regan-Blake.

7. Paul C. Rosenblatt, *Bitter, Bitter Tears : Nineteenth-Century Diarists and Twentieth-Century Grief Theories*, Minneapolis, University of Minnesota Press, 1983. Référence que m'a apportée Judith Savage.

Chapitre 14

La Selva subterránea : initiation dans la forêt souterraine

1. L'approche par Jung de la notion de « participation mystique » se fonde sur les conceptions anthropologiques de la fin du XIXe et du début du XXe siècle, à un moment où la plupart de ceux qui étudiaient les tribus se sentaient très loin d'elles – et l'étaient souvent –, plus que sur la compréhension du comportement des primitifs comme faisant partie d'un continuum humain capable de se produire n'importe où, dans toutes les cultures humaines, sans distinction de race ou de nationalité.

2. En aucun cas cette discussion ne soutient que le mal fait à un individu est acceptable dans la mesure où il le rend plus fort par la suite.

3. Pour plus d'informations sur les traumas liés au père, voir *I Never Told Anyone : Writings by Women Victims of Child Abuse*, sous la direction de E. Bass et L. Thornton, avec J. Brister (New York, Harper & Row, 1983). Egalement *Multiple Personality Disorder from the Inside Out*, sous la direction de B. Cohen, E. Giller, W. Lynn (Baltimore, Sidran Press, 1991).

4. La perte brutale de l'innocence est censée provenir majoritairement du monde extérieur au milieu familial. C'est un processus graduel, que nous subissons presque toutes et qui culmine par un éveil douloureux à l'idée que tout n'est ni beau, ni sûr, dans le monde. L'innocence n'est pas censée être moissonnée par à-coups par le père et la mère. Chaque chose en son temps. Les parents sont supposés être là pour guider, aider s'ils le peuvent, mais surtout pour ramasser les morceaux et remettre leur enfant sur pied.

5. Le symbole du meunier ou de la meunière se rencontre sous un aspect aussi bien positif que négatif dans les contes de fées. Quelquefois il (ou elle) est pingre, quelquefois il se montre généreux, comme dans les histoires du meunier qui laisse du grain aux elfes.

6. Il est moins douloureux de s'éveiller graduellement – c'est-à-dire d'abaisser lentement ses défenses, sur une période donnée – que d'avoir ses défenses investies d'un seul coup. En termes de thérapie ou de réparation, cependant, même si cette dernière méthode est initialement plus douloureuse, le travail peut parfois commencer et porter ses fruits plus tôt. Chaque optique a ses mérites.

7. Dans d'autres contes, le trois représente le point culminant d'un effort intense et on peut le comprendre comme le sacrifice lui-même, qui culmine en une vie nouvelle.

8. Lao Tseu, philosophe et poète chinois. Voir le *Tao Te King*.

9. Il existe différentes méthodes et chacun peut choisir la sienne. Certaines sont très actives extérieurement, comme la danse, d'autres agissent différemment, comme la danse dc la prière, la danse de l'intellect, la danse du poème.

10. © 1989, C.P. Estés, *Warming the Stone Child, Myths and Stories of the Abandoned and Unmothered Child*, cassette audio (Boulder, Colorado, Sounds True, 1989).

11. Il faut noter que les hommes et les femmes qui sont dans une période de transition psychique importante trouvent un intérêt moindre aux choses du monde extérieur, car ils pensent, rêvent, trient à un niveau d'une telle profondeur que celles-ci leur semblent lointaines. Il semblerait que l'âme éprouve un intérêt mitigé pour les petites histoires de la vie quotidienne, sauf si elles ont un certain *numen*.

Néanmoins, cela ne doit pas être confondu avec un syndrome prodromique, qui entraîne la détérioration des soins que l'on apporte à sa personne et signale un sérieux trouble de la fonction mentale et sociale.

12. Il me semble bizarre que le Ku Klux Klan utilise péjorativement l'expression « boueux » pour désigner les personnes de couleur. Au sens ancien, l'usage du mot « boue » est des plus positifs. En fait, c'est sans doute la formule exacte pour donner les pleins pouvoirs à la nature instinctive et à sa sagesse profonde. La plupart des récits de la création montrent les êtres humains et le monde créés à partir de la boue et autres substances similaires.

13. La *labrys*, les lèvres de la vulve ou *labia*, et la hache ont une forme similaire.

14. En ce qui concerne la hache double de la Déesse, il s'agit d'un symbole ancien, que des mouvements actuels de femmes considèrent comme un symbole du retour du pouvoir féminin. En outre, parmi les membres de mon groupe de recherches de *cuentos, Las Mujeres*, beaucoup pensent que les *labia*, en forme de papillon aux ailes déployées, et la hache à double tranchant sont des symboles similaires, venus de l'Antiquité, où l'on considérait que la forme du papillon aux ailes ouvertes était celle de l'âme.

15. Ce qui est mystique est la connaissance des questions terrestres et spirituelles sous ce double aspect ; c'est-à-dire celui de l'intellect et de l'expérience de première main de l'esprit et la psyché. Le mysticisme pragmatique recherche toute forme de vérité, non pas seulement une des facettes de la vérité, puis réfléchit à la place à tenir, à la manière d'agir.

16. Les vieux contes donnent le sentiment qu'il s'agit aussi d'un sentiment et d'une connaissance que tous les parents transmettent aux enfants, en dehors de toute considération de sexe.

17. Comme nous l'avons vu, les larmes ont des buts divers, elles sont destinées à la fois à protéger et à créer.

18. Cela fait des siècles qu'une grande partie de la culture féminine est littéralement enterrée et nous n'avons que quelques indices sur ce qui gît en dessous. Les femmes doivent avoir le droit de faire des recherches sans en être empêchées avant même d'avoir commencé. L'idée est de vivre pleinement, selon les mythes instinctifs de chacune.

19. Les nombres ont un pouvoir considérable. De nombreux érudits, de Pythagore aux Kabbalistes, ont tenté de comprendre le mystère de la mathématique. Il faut sans doute voir dans les poires numérotées une signification issue du mysticisme et peut-être aussi d'une gamme tonale.

20. La Jeune Fille sans mains, la Jeune Fille aux cheveux d'or et la Petite

Marchande d'allumettes doivent toutes affronter le fait qu'elles sont d'une certaine manière l'étrangère. De très loin, c'est l'histoire de la jeune fille sans mains qui comporte le cycle psychologique le plus complet.

21. Vous vous demandez peut-être combien il y a de « soi », c'est-à-dire de centres de la conscience, dans la psyché. Il y en a beaucoup, avec un qui, habituellement, domine. Comme les *pueblos* et les *casitas* du Nouveau-Mexique, la psyché se trouve toujours au moins à trois stades : la partie délabrée, la partie où l'on vit, la partie en construction. Cela se passe ainsi.

Il faut aussi noter que selon la théorie de Jung, le Soi avec un « s » majuscule signifie la force de l'âme dans sa vastitude. Le soi avec un « s » minuscule signifie la personne que nous sommes, au sens plus personnel, plus limité.

22. En matière d'archives « écrites », ce qui nous est parvenu de plus complet sur les rites est issu de l'Antiquité grecque. La plupart des cultures anciennes ont conservé de même de vastes archives des rites, des lois, de l'histoire – sur des supports divers – sculpture, écriture, peinture, architecture et ainsi de suite, mais les conquêtes successives en ont, avec des intentions et des motifs divers, détruit le plus gros, sinon la totalité. (Pour subvertir une culture, il faut anéantir la classe sacrée : les artistes, les écrivains et toutes leurs œuvres, les prêtres et prêtresses, les guérisseurs, les orateurs, les historiens et les gardiens des histoires, tous les chanteurs, danseurs et poètes, tous ceux qui ont la capacité de remuer les âmes et les esprits du peuple.) Néanmoins, les « os » de maintes cultures détruites sont parvenus directement jusqu'à nous par l'intermédiaire des histoires.

23. Elisabeth est âgée, et elle est enceinte de Jean. C'est un passage intensément mystique, où l'on voit son époux être frappé de mutisme.

24. Quelquefois, ce n'est pas tant selon l'âge chronologique que selon les besoins et le timing de la psyché et de l'esprit que l'on parvient à ces étapes.

25. Le symbole archétypal du roi est étudié par Robert L. Moore et Douglas Gillette, *in King, Warrior, Magician, Lover* (San Francisco, Harper, 1990).

26. Les symboles du jardinier, du roi, du magicien, etc. appartiennent aux hommes comme aux femmes et sont évocateurs pour les uns comme pour les autres. Ils ne sont pas spécifiques à un sexe, mais chaque sexe les comprend parfois de manière différente et les utilise également différemment.

27. C'est de la bouche de James Hillman, qui bouillonne d'idées, que j'ai entendu pour la première fois la formule « faire de l'âme ».

28. La doyenne des triples Déesses grecques.

29. Dans la *Théogonie* d'Hésiode, Perséphone et la vieille Hécate apparaissent comme préférant leur compagnie mutuelle à toute autre chose.

30. Dans son travail d'une grande clarté sur la ménopause, Jean Shinoda Bolen fait remarquer que les femmes qui l'ont atteinte retiennent l'énergie du sang menstruel à l'intérieur de leur corps et produisent une sagesse intérieure au lieu de faire des enfants à l'extérieur. *The Wise Woman Archetype : Menopause as Initiation* (Boulder, Colorado, Sounds True, 1991).

31. Chef de l'Inquisition espagnole. D'une cruauté pathologique, il était en quelque sorte en son temps un *serial killer* autorisé à tuer.

32. C'est là un rite de consécration que les vieilles guérisseuses des traditions *Católicas* de ma famille pratiquaient sur les jeunes mamans.

33. Ecclésiastique (Siracide), 17, 6-7.

34. Par exemple, certains hommes d'aujourd'hui ont perdu le sens du flux et du reflux des cycles sexuels. Certains ne ressentent rien, d'autres sont en permanence en surmultiplié.

35. Dans certaines versions du conte, le voile est un mouchoir et ce n'est pas le *pneuma*, le souffle, qui le fait choir, mais le petit garçon qui joue à l'ôter du visage de son père et à le remettre.

Postface
L'histoire comme remède

1. Extrait du poème intitulé « At the Gates of The City of the Storyteller God », © 1971 C.P. Estés, extrait de *Rowing Songs for the Night Sea Journey* : *Contemporary Chants* (publication privée).

2. Voici l'un des rares écrits, par un témoin oculaire, qui décrive clairement ce qui fait l'essence de l'art du conteur : le caractère inséparable de l'*éthos*, de la culture et de cet art. Les lignes qui suivent sont l'œuvre du maître conteur et poète Steve Sanfield, qui, pendant des décennies, s'est efforcé d'accomplir à l'intérieur de la psyché le dur labeur qu'elle requiert.

Sur le maître conteur

« Il faut toute une vie, et non quelques années ni même une décennie, pour devenir un maître en quelque chose. Cela nécessite une immersion complète dans l'art en question. Il est pompeux, après seulement quelque vingt ou trente années, pour nous, les conteurs, individuellement ou globalement, de prétendre à la " maîtrise ".

« Si un maître doit faire son apparition, aucun doute ne sera permis à son sujet. Il ou elle manifestera une " qualité ", probablement intangible, immédiatement reconnaissable. Le conteur aura vécu une histoire donnée durant des années, ou toute sa vie, elle sera devenue partie intégrante de sa psyché et le conteur racontera " de l'intérieur " de l'histoire. On ne rencontre pas souvent cette qualité-là...

« La compétence ne suffit pas. La maîtrise, ce n'est *pas* la faconde, les petits trucs pour tenir l'auditoire en haleine, pour le faire participer. Ce n'est *pas* raconter pour se faire aimer, pour gagner de l'argent, pour acquérir une réputation. La maîtrise, ce n'est *pas* raconter les histoires des autres. Ce n'est *pas* essayer de faire plaisir à l'une des personnes de l'assistance ou à une partie de l'assistance, *ni* à qui que ce soit. C'est écouter votre propre voix intérieure, puis mettre tout votre cœur, toute votre âme dans chaque histoire, même si ce n'est qu'une anecdote ou une plaisanterie.

« Le maître conteur doit être versé dans les arts de la performance : ceux du geste, de la grâce, de la voix, de la diction. Sur le plan poétique, le maître s'efforcera " d'étirer le langage ". Sur le plan magique, il tissera un charme du premier mot à la dernière image qui persistera à la fin. Grâce à la compréhension qu'il aura *acquise* en travaillant dans le monde et en vivant à fond sa vie, le conteur aura un sens surnaturel de la personnalité des membres de son auditoire et de leurs besoins. Pour être capable d'effectuer ces choix, il faut avoir un vaste répertoire de qualité. C'est avant tout à l'étendue et à la qualité de son répertoire qu'on reconnaît le maître conteur.

« Un beau répertoire se constitue lentement. Le grand conteur connaît non seulement l'histoire sur le bout des doigts, mais il sait tout ce qui la concerne. Les histoires n'existent pas dans le vide... »

Extrait de « Notes from a Conversation at Doc Willy's Bar », enregistré par Bob Jenkins. © 1984 Steve Sanfield.

3. L'archétype, c'est-à-dire la force de vie qui échappe à toute représentation, est évocateur. C'est vraiment peu de dire qu'il est puissant. Je ne saurais trop insister sur le fait que les disciplines de guérison nécessitent une formation auprès de quelqu'un qui connaisse la voie et les méthodes, quelqu'un qui y ait consacré sa vie.

4. Ma grand-mère Katerín disait que la personne ignorante entre toutes, n'est pas celle qui ne sait pas, mais « celle qui ne sait pas qu'elle ne sait pas ». Et pire encore, plus dangereuse encore pour les autres est « celle qui sait qu'elle ne sait pas et s'en moque ».

5. *La unica que vivio las historias*, celle qui a vécu les histoires.

6. *Católica* depuis toujours, solennellement consacrée à Elle par l'intermédiaire de La Sociedad de Guadalupe dans ma petite enfance, je tire mes racines et les voix les plus intimes de mon œuvre de la dévotion au Fils de *La Diosa* et à Sa Mère, *Nuestra Señora, Guadalupe*, Mère Bénie sous tous Ses saints noms et ses saintes faces – à ma connaissance et à mes risques et périls, sauvage entre les sauvages, force entre les forces.

7. Il y a souvent aussi des ramifications légales.

8. C'est la règle majeure des professions de la guérison. Si tu ne peux pas aider, au moins ne fais pas de mal. Pour ne pas faire de mal, encore faut-il *savoir ce qu'il ne faut pas faire.*

9. « L'œuvre parfaite est taillée pour bien tomber / non sur la forme de qui l'accomplit / mais sur la forme de Dieu. » Extrait du poème « La Diosa *de la Clarista, un manifiesto pequeño* », © 1971 C.P. Estés, extrait de *Rowing Songs for the Night Sea Journey · Contemporary Chants* (publication privée).

Addendum

1. Pour moi comme pour d'autres, la bonne compréhension de la plupart des livres commence à la relecture.

2. Extrait de « Commenting Before the Poems », © 1967 C.P. Estés, extrait de *La Pasionara, Collected Poems*, à paraître aux Etats-Unis chez Knopf.

3. Dans *la familia*, souffrir ne veut pas dire être une victime, mais faire preuve de courage dans l'adversité, avoir de la bravoure. Même si l'on ne peut intervenir sur une situation ou une destinée, il faut néanmoins y donner tout de soi-même. C'est en ce sens que j'emploie le terme « souffrance ».

4. Les écrivains qui sont aussi des parents demandent souvent : « Où ? Quand écriviez-vous ? » Tard le soir, avant l'aube, pendant la sieste, dans le bus, en allant à l'église, à la *missa*, à tous les moments disponibles ; n'importe quand, n'importe où, sur n'importe quoi.

5. Permettez-moi de vous mettre gentiment en garde : Quand on s'intéresse à tout ce qui touche l'individuation, on pense plus, on ressent mieux et il faut faire attention à ne pas se contenter d'accumuler les idées et les expériences. Il faut aussi consacrer beaucoup de temps à utiliser ce qu'on en a tiré dans la vie quotidienne. Ma pratique quotidienne et celle que j'enseigne aux autres est avant tout celle d'une contemplation du monde, avec toutes les complexités que cela comporte. Une pratique régulière est nécessaire, où que l'on commence, de quelque manière qu'on commence. Elle n'a pas besoin de durer très longtemps, mais plutôt d'être très concentrée sur la période qu'on y consacre. Il faut s'y consacrer au maximum à chaque fois et, bien sûr, quotidiennement.

6. Voir la postface, « L'histoire comme remède. »

7. Certaines dépressions, manies et autres souffrances sont de nature organique, ce qui veut dire qu'elles proviennent d'un dérèglement dans le fonctionnement de l'un des systèmes physiques du corps. Les problèmes d'origine organique doivent faire l'objet d'un diagnostic médical.

8. Les jeunes que j'ai rencontrés dans les universités, dans les collèges et en séminaire ont une envie terrible d'aimer ce monde qui nous entoure, d'apprendre, d'enseigner, de créer, d'aider. Dans la mesure où ils sont notre avenir, il est bien évident que l'avenir recèle de fantastiques trésors.

EDUCATION D'UNE JEUNE LOUVE : UNE BIBLIOGRAPHIE

Cette bibliographie [1] contient certains des ouvrages les plus accessibles sur les femmes et la psyché. Je les recommande à mes étudiantes et analysantes [2]. Au début des années 70, lors de mes cours de psychologie de la femme, j'ai lu à mes étudiantes beaucoup de ces titres désormais classiques – dont des ouvrages de Maya Angelou, Simone de Beauvoir, Gwendolyn Brooks, Irene de Castillejo, Willa Cather, Phyllis Chesler, Betty Friedan, M.E. Harding, Erica Jong, Jung, Maxine Hong Kingston, Robin Morgan, Pablo Neruda, Erich Neumann et P. Qoyawayma – et des anthologies pour leur « nourrir l'âme ». A cette époque, on parlait peu d'« études féminines » et la plupart des gens ne voyaient guère d'utilité à la chose.

Depuis, on a publié de nombreux ouvrages sur les femmes. Il y a vingt-cinq ans, ces livres auraient circulé sous forme de polycopiés ou auraient été publiés par d'éphémères et courageuses petites maisons d'édition, créées pour donner naissance à une poignée de titres importants et disparaissant aussi vite qu'elles étaient apparues. Pourtant, malgré le terrain gagné depuis sur le plan éditorial, l'étude de la vie des femmes, que ce soit sous l'angle psychologique ou toute autre approche, en est encore à ses débuts et demeure très incomplète. On a certes publié de par le monde des ouvrages attentifs et honnêtes sur les femmes, certains sur des sujets autrefois tabous, mais il reste beaucoup à faire, tant en ce qui concerne le droit des femmes à s'exprimer sur elles-mêmes que l'accès à la presse et aux réseaux de distribution.

Une bibliographie n'est pas faite pour ennuyer, ni pour dire à une personne ce qu'elle doit penser. Elle doit chercher à proposer une base de réflexion aussi riche et variée que possible. Une bonne bibliographie aspire à offrir une vision d'ensemble du passé et du présent pour préparer une vision claire de l'avenir. Celle-ci met l'accent sur les auteurs féminins, mais ne fait aucune discrimination fondée sur le sexe. Dans l'ensemble, ces ouvrages sont excellents, passionnants, originaux. Certains sont interculturels, tous sont multidimensionnels. Ils sont bourrés d'informations, pleins de flamme, riches d'idées. Un petit nombre appartiennent à une époque révolue ou sont issus de pays différents des Etats-Unis. A titre de comparaison, j'en ai ajouté deux ou trois qui me paraissent refléter une grande ignorance ; vous vous en apercevrez en les lisant, mais vous pouvez avoir des idées tout à fait différentes des miennes sur la question.

Les auteurs sont très variés. La plupart sont des spécialistes ou des précurseurs, certains sont des iconoclastes, des *outsiders*, d'autres des conformistes, des universitaires, des esprits bohèmes ou indépendants. Il y a parmi eux de nombreux poètes, car ils sont les visionnaires et les historiens de la vie psychique. Dans bien des cas, leurs observations et leurs intuitions sont si pointues qu'elles dépassent en exactitude et en profondeur les suppositions de la psychologie traditionnelle. De toute façon, la plupart des auteurs sont *las compañeras o los compañeros*, des compagnons de route et des contemplatifs qui sont arrivés à leurs conclusions en vivant une vie profonde et en la décrivant avec soin [3]. Il y en a des quantités d'autres tout aussi brillants, mais en voici un choix de plus de deux cents.

Alegria, Claribel. *Women of the River*. Pittsburgh, University of Pittsburgh Press, 1989.
– *Louisa in Realityland*. New York, Curbstone Press, 1989.
– *Guerilla Poems of El Salvador*. New York, Curbstone Press, 1989.
Allen, Paula Gunn. *The Sacred Hoop : Recovering the Feminine in American Indian Traditions*. Boston, Beacon Press, 1986.
– *Grandmothers of the Light : A Medicine Woman's Sourcebook*. Boston, Beacon Press, 1991.
– *Shadow Country*. Los Angeles, University of California Press, 1982.
Allison, Dorothy. *Bastard Out of Carolina*, New York, Dutton, 1992.
Andelin, Helen. *L'Univers fascinant de la femme*. Paris, Un monde différent, 1970.
Angelou, Maya. *I Shall Not Be Moved*. New York, Random House, 1990.
– *All God's Children Need Traveling Shoes*. New York, Random House, 1986.
– *Je sais pourquoi chante l'Oiseau en Cage*. Traduit de l'américain par C. Besse. Paris, Bordas 1988, UGE 1994.
Anzaldúa, Gloria et Moraga, Cherrie (sous la direction de). *This Bridge Called My Back*. New York, Kitchen Table/Women of Color Press, 1983.
Atiya Nayra. *Kuh-Khaal, Cinq Femmes égyptiennes*. Traduit de l'anglais par G. Raad. Paris, Peuples du Monde, 1990.
Atwood, Margaret. *La violeuse d'hommes*. Paris, Laffont, 1994.
Avalon, Arthur. *Shakti et Shakta, Introduction à l'Hindouisme*. Paris, Dervy, 1983.

Barker, Rodney. *The Hiroshima maidens : A Story of Courage, Compassion and Survival*. New York, Viking, 1985.
Bass, Ellen et Thornton, Louise (sous la direction de). *I Never Told Anyone : Writings by Women Victims of Child Sexual Abuse*. New York, Harper & Row, 1983.
Beauvoir, Simone de. *Mémoires d'une jeune fille rangée*. Paris, Gallimard 1958, Folio 1972.
– *Le Deuxième Sexe*, Paris, Gallimard, Folio 1986.
Bertherat, Thérèse. *Le corps a ses raisons*, Paris, Le Seuil 1976, Points-Seuil 1993.
Bhagavad Gita, commentée par Shri Aurobindo, Paris, Albin Michel – et chez d'autres éditeurs.
Bly, Robert. *L'Homme sauvage et l'Enfant : l'Avenir du Genre masculin*. Traduit de l'anglais par C. Clerc et M. Loiseau. Paris, Le Seuil, 1992.
Boer, Charles. *The Homeric Hymns*, Dallas, Spring Publications, 1987.
Bolen, Jean Shinoda. *Ring of Power : The Abandoned Child, the Authoritarian Father and the Disempowered Feminine*. San Francisco, Harper Collins, 1992.
– *Goddesses In Every Woman : A New Psychology of Women*. San Francisco, Harper & Row, 1984.
– *Le Tao de la Psychologie*. Paris, Mercure de France, 1983.
Boston Women's Health Book Collective. *The New Our Bodies, Ourselves*. New York, Simon & Schuster, 1984.
Brooks, Gwendolyn. *Selected Poems*. New York, Harper & Row, 1984.
Brown, Rita Mae. *Rubyfruit Jungle*. Plainfield, Vt. Daughters, Inc., 1973.
Browne, E. Susan; Connors, Debra; Stern, Nanci. *With the Power of Each Breath : A Disabled Woman's Anthology*. San Francisco, Cleis Press, 1985.
Budapest, Zsuzsanna E. *The Grandmother of Time*. San Francisco, Harper & Row, 1989.

Castellanos, Rosario. *The Selected Poems of Rosario Castellanos*. Traduction américaine Magda Bogin. St. Paul, Minn., Graywolf Press, 1988.
Castillejo, Irene Claremont de. *Knowing Woman : A Feminine Psychology*. Boston, Shambala, 1973.
Castillo, Ana. *My Father was a Toltec*. Novato, Calif., West End Press, 1988.
– *So Far From God*. New York, W. W. Norton, 1993.
Cather, Willa. *My Antonia*. Boston, Houghton Mifflin, 1988.
– *Death Comes For the Archbishop*, New York, Vintage, 1971.
Chernin, Kim. *Obsession*. New York, Harper & Row, 1981.
Chesler, Phyllis. *Les Femmes et la Folie*. Paris, Payot, 1979.
Chicago, Judy. *The Dinner Party : A symbol of Our Heritage*. Garden City, N.Y., Anchor 1979.
– *Embroidering Our Heritage : The Dinner Party Needlework*. Garden City, N.Y., Anchor, 1980.
– *The Birth Project*. Garden City, N.Y., Doubleday 1982.
Christ, Carol P. *Diving Deep and Surfacing : Women Writers on Spiritual Quest*. Boston, Beacon Press, 1980.
Coles, Robert. *Les Enfants et Dieu*. Traduit de l'américain par Léo Carlier, Paris, Robert Laffont, 1993.
Colette, *Œuvres Complètes*. Paris, Flammarion, 1973.
Cowan, Lyn. *Masochism : A Jungian View*. Dallas, Spring Publications, 1982.
Craig, Mary. *Spark from Heaven : The Mystery of the Madonna of Medjugorje*. Notre Dame, Ind., Ave Maria Press,1988.
Craighead, Meinrad. *The Mother's Songs : Images of God the Mother*. New York, Paulist Press, 1986.
Crow, Mary. *Woman Who Has Sprouted Wings*. Pittsburgh, Latin American Literary Review Press, 1988.
Curb, Rosemary et Manahan, Nancy (textes réunis par). *Lesbian Nuns*, Tallahassee, Fla., Naiad Press, 1985.

Daly, Mary. *Gyn/Ecology*. Boston, Beacon Press, 1978.
– Avec Jane Caputi. *Webster's First New Intergalactic Wickedary of the English Langage*. Boston, Beacon Press, 1987.
Derricotte, Toi. *Natural Birth : Poems*. Freedon, Calif., Crossing Press, 1983.
Dickinson, Emily. *Poèmes*. Traduit de l'américain par G.J. Forgue. Paris, Aubier-Flammarion, 1970.
Doniger, Wendy. *Women, Androgynes and Other Mythical Beasts*. Chicago, University of Chicago Press, 1980.
Drake, William. *The First Wave : Women Poets in America*. New York, Macmillan, 1987.

Eisler, Riane. *Le Calice et l'Epée*. Paris, Robert Laffont, 1987.
Erdrich, Louise. *L'Amour Sorcier*. Traduit de l'américain par M. et I. Perrin, Paris, Le Seuil, 1992.

Fenelon, Fania. *Playing for Time*. Traduction américaine J. Landry. New York, Atheneum, Paris, 1977.
Fisher, M.F.K. *Sister Age*. New York, Knopf, 1983.
Forche, Carolyn. *The Country Between Us*. New York, Harper & Row, 1982.
Foucault, Michel. *Histoire de la Folie à l'Age classique*. Paris, Gallimard, 1972.
– *Histoire de la Sexualité* (3 tomes). Paris, Gallimard, 1976.
Fox, Matthew. *Original Blessing*. Santa Fe, Bear & Company, 1983.
Franz, Marie-Louise von, *La Femme dans les Contes de Fées*. Traduit par F. Saint René Taillandier. Paris, Albin Michel, 1993.
Friedan, Betty. *La Femme mystifiée*. Paris, Gonthier, 1964.
Friedman, Lenore. *Meeting with Remarkable Women : Buddhist Teachers in America*. Boston, Shambala, 1987.
Friedman, Myra. *Buried Alive, Biography of Janis Joplin*. New York, W. Morrow, 1973.

Galland, China. *Longing for Darkness : Tara and the Black Madonna : A Ten Years Journey*. New York, Viking, 1990.
Gaspar de Alba, Alicia ; Herrera-Sobek, Maria ; Martinez, Demetria, *Three Times a Woman*, Tempe, Arizona, Bilingual Review Press, 1989.
Gilbert, Sandra et Gubar, Susan. *The Madwoman in the Attic*. New Haven, Yale University Press, 1979.
Gilligan, Carol. *In a Different Voice*. Cambridge, Harvard University Press, 1982.
Gimbutas, Marija. *The Goddesses and Gods of Old Europe : Myth and Cult Images*. Berkeley et Los Angeles, University of California Press, 1982.
Goldberg, Natalie. *Writing Down the Bones : Freeing the Writer Within*. Boston, Shambala, 1986.
– *Long Quiet Highway*. New York, Bantarn Books, 1993.
Golden, Renny et McConnell, Michael. *Sanctuary : The New Underground Railroad*. New York, Orbis Books, 1986.
Goldenburg, Naomi R. *Changing of the Gods : Feminism and the End of Traditional Religions*. Boston, Beacon Press, 1979.
Grahn, Judy. *Another Mother Tongue*. Boston, Beacon Press, 1984.
Guggenbühl-Craig, Adolph. *Pouvoir et Relation d'Aide*. Traduit de l'allemand par A. Pinterovic. Paris, Editions P. de Mardaga. 1986.

Hall, Nor. *The Moon and the Virgin : Reflections on the Archetypal Feminine*. New York, Harper & Row, 1980.
Harding, M. Esther. *Woman's Mysteries, Ancient and Modern*. New York, Putnam, 1971.
Harris, Jean et Alexander, Shana. *Marking Time : Letters from Jean Harris to Shana Alexander*. New York, Scribner, 1991.
Heilbrun, Carolyn G. *Writing a Woman's Life*. New York, Ballantine 1989.
Herrera, Hayden. *Frida, a Biography of Frida Kahlo*. New York, Harper & Row, 1983.
Hillman, James. *Inter-Views : Conversation with Laura Pozzo*. New York, Harper & Row, 1983.
Hoff, Benjamin. *The Singing Creek Where the Willows Grow : The Rediscored Diary of Opal Whitely*. New York, Ticknor & Fields, 1986.
Hollander, Nicole. *Tales from the Planet Sylvia*. New York, St. Martin's, 1990.
Hull, Gloria T. ; Scott, Patricia Bell ; Smith, Barbara (sous la direction de). *All the Women Are White, All the Blacks Are Men, But Some of Us Are Brave*. New York, Feminist Press, 1982.

Ibarruri, Dolorès. *They Shall not Pass : Autobiography of La Pasionaria*. New York, International Publishers, 1976.
Iglehart, Hallie. *Womanspirit : A Guide to Women's Wisdom*. New York, Harper & Row, 1983.

Jong, Erica. *Le Complexe d'Icare*. Traduit de l'américain par G. Belmont. Paris, Robert Laffont, 1976, LGF, 1991.
– *Becoming Light, Poems, News and Selected*. New York, Harper-Collins 1991.
Jung, C.G. *Collected Works*, Princeton University Press, Princeton 1972. (En France, les œuvres de C.G. Jung sont publiées par plusieurs éditeurs, principalement Albin Michel, Buchet-Chastel et Gallimard. Citons, entre autres : *Métamorphoses de l'Ame et ses symboles*, préface et traduction d'Y. Le Lay, Buchet-Chastel, 2e édition, Paris 1973 ; *Ma vie – Souvenirs, Rêves et Pensées, recueillis par Aniela Jaffé*, traduction du Dr R. Cahen et Y. Le Lay, Gallimard, Paris, réédition 1985 ; *Psychologie et Alchimie*, traduction du Dr R. Cahen et H. Pernet, Buchet-Chastel, Paris 1970 ; *L'Homme à la Découverte de son Ame*, Albin Michel, Paris 1987 ; *L'Ame et le Soi. Renaissance et Individuation*, traduction de C. Maillard, C. Pflieger-Maillard et R. Bourneuf, Albin Michel, Paris, 1990. *N.d.T.*).

Kalff, Dora, *Sandplay, A Psychotherapeutic Approach to the Psyche*. Santa Monica, Sigo, 1980.

Keen, Sam. *The Faces of the Enemy : Reflections of the Hostile Imagination.* Photographies d'Ann Page. San Francisco, Harper & Row, 1986.
Kerényi, *C. Zeus and Hera.* Traduction américaine C. Holme. Princeton, Princeton University Press, 1975.
– *Eleusis, Archetypal Image of Mother and Daughter.* New York, Schocken Books, 1977.
King, Florence. *Southern Ladies and Gentlemen.* New York, Stein & Day, 1975.
Kingston, Maxine Hong. *The Woman Warrior : Memoirs of a Girlhood Among Ghosts.* New York, Knopf, 1976.
Kinkaid, Jamaica. *At the Bottom of the River.* New York, Plume, 1978.
Kinnell, Galway. *The Book of Nightmares.* Londres, Omphalos and J-Jay Press, 1978.
Klepfisz, Irena. *Dreams of an Insomniac : Jewish Feminist Essays, Speeches and Diatribes.* Portland, Ore., The Eigth Mountain Press, 1990.
Kolbenschlag, Madonna. *Kiss Sleeping Beauty Goodbye : Breaking the Myth of Feminine Myths and Models.* New York, Doubleday, 1979.
Krysl, Marilyn. *Midwife and Other Poems on Caring.* New York, National League for Nursing. 1989.
Kumin, Maxine. *Our Ground Time Here Will Be Brief.* New York, Penguin, 1982.

Laing, R.D. *Nœuds.* Paris, Stock, 1977.
Lao Tseu. *Tao Te King, Le Livre de la Voie et de la Vertu,* en traduction française chez plusieurs éditeurs, dont Albin Michel et Le Rocher, Paris.
Leonard, Linda S. *The Wounded Woman.* Boulder, Colorado, Shambala, 1983.
Le Sueur, Meridel. *Ripening : Selected Work, 1927-1980.* Old Westbury, N.Y., Feminist Press, 1982.
Lindbergh, Anne Morrow. *Solitude Face à la Mer.* Paris, Presses de la Cité, 1968.
Lippard, Lucy. *From the Center : Feminist Essays in Women's Art.* New York, Dutton, 1976.
Lisle, Laurie. *Portrait of an artist : A Biography of Georgia O'Keeffe.* New York, Seaview, 1980.
López-Pedraza, Rafael. *Cultural Anxiety.* Publié en Suisse, Daimon Verlag, 1990.
Lorde, Audre. *Sister Outsider : Essays and Speeches.* Freedon, Californie, Crossing Press, 1984.
Luke, Helen M. *The Way of Women, Ancient and Modern.* Three Rivers, Mich., Apple Farm, 1975.

Machado, Antonio. *Poésies.* Paris, Gallimard, 1973.
Masson, Jeffrey. *The Assault on Truth : Freud Suppression of the Seduction Theory.* New York, Farrar, Strauss, Giroux, 1983.
Matsui, Yayori. *Women's Asia.* Londres, Zed Books, 1987.
Matthews, Ferguson Gwyneth. *Voices from the Shadows : Women with Disabilities Speak Out.* Toronto, Women's Educational Press, 1983.
McNeely, Deldon Anne. *Animus Aeternus : Exploring the Inner Masculine.* Toronto, Inner City, 1991.
Mead, Margaret, *Du Givre sur les Ronces,* Paris, Le Seuil, 1977.
Metzger, Deena. *Tree.* Berkeley, Wingbow Press, 1983.
– *The Women Who Slept with Men to Take the War Out of Them.* Berkeley, Wingbow Press, 1983.
Millay, Edna St. Vincent. *Collected Poems,* réunis par Norma Millay. New York, Harper & Row, 1917.
Miller, Alice. *L'Enfant sous terreur.* Traduit de l'allemand par J. Etoré. Paris, Aubier, 1986.
– *C'est pour ton Bien.* Traduit de l'allemand par J. Etoré. Paris, Aubier, 1983.
– *Le Drame de l'Enfant doué.* Traduit de l'allemand par B. Denzler et J. Etoré. Paris, P.U.F., 1983.
Morgan, Robin. *Sisterhood is Powerful.* New York, Vintage, 1970.
Mulford, Wendy (textes réunis par). *Love Poems by Women.* New York, Fawcett/Columbine, 1990.

Neruda, Pablo. *Résidence sur la terre.* Traduction Guy Suarès. Paris, Gallimard, 1972.
Neumann, Erich. *The Great Mother.* Princeton, Princeton University Press, 1963.
Nin, Anaïs. *Venus Erotica.* Paris, LGF, 1981.

Olds, Sharon. *The Gold Cell.* New York, Knopf, 1989.
Olsen, Tillie. *Silences.* New York, Delacorte, 1979.
Orbach, Susie. *Fat is a Feminist Issue.* New York, Paddington Press, 1978

Pagels, Elaine. *Les Evangiles secrets.* Paris, Gallimard, 1982.
Partnoy, Alicia (textes réunis par). *You Can't Drown the Fire : Latin American Women Writing in Exile.* San Francisco, Cleis Press, 1988.
Perera, Sylvia Brinton. *Retour vers la Déesse.* Traduit de l'américain par F. Roberts. Préface de P. Solié. Paris, Editions Seveyrat, 1990.
Piaf, Edith, et Saka, Pierre. *Hymne à l'Amour.* Préface de Y. Salgues. Paris, LGF, 1994.
Piercy, Marge. *Circles on the Water.* New York, Knopf, 1982.
– (Textes réunis par) *Early Ripening : American Women's Poetry Now.* Londres, Pandora, 1987.
– *The Moon is Always Female.* New York, Random House, 1980.
– *Women on the Edge of Time.* New York, Knopf, 1976.
Pogrebin, Letty Cottin. *Among Friends,* New York, McGraw-Hill, 1987.
Prager, Emily. *Les Pieds Bandés.* Traduit de l'américain par Claire Fargeot et Elisabeth Gille. Paris, Denoël, 1986.

Quoyawayma, Polingaysi (White, Elizabeth Q.) *No Turning Back : A Hopi Indian Woman's Struggle to Live in Two Worlds.* Avec la collaboration de Vada F. Carlson. Albuquerque, University of New Mexico Press, 1964.

Raine, Kathleen. *Selected Poems.* Great Barrington, Massachusetts, Lindisfarne, 1988. (Sont publiés en français : *Isis Errante* et *Le premier Jour,* Paris, Granit, 1978 et 1980. *N.d.T.*)
Rich, Adrienne, *The Facts of a Doorframe.* New York, Norton, 1984.
– *Naître d'une femme.* Paris, Denoël, 1980.
– *Diving into the Wreck.* New York, Norton, 1973.
Robinson, James M. (textes réunis par), *The Nag Hammadi Library in English.* San Francisco, Harper & Row, 1977.
Rosen, Marjorie. *Vénus à la Chaîne.* Paris, Editions des Femmes, 1976.

Samuels, A. ; Shorter, B. ; Plaut, F. *A Critical Dictionary of Jungian Analysis.* Londres/New York. Routledge & Kegan Paul, 1986.
Sanday, Peggy Reeves. *Female Power and Male Dominance : On the Origins of Sexual Inequalities.* Cambridge, Cambridge University Press, 1981.
Savage, Judith. *Mourning Unlived Lives.* Wilmette, Illinois, Chiron, 1989.
Sexton, Anne. *The Complete Poems.* Boston, Houghton Mifflin, 1981.
– *No Evil Star.* Ann Arbor, University of Michigan Press, 1985.
Shange, Ntozake. *Nappy Edges.* New York, St. Martin's, 1972.
– *A Daughter's Geography.* New York, St. Martin's, 1972.
– *for colored people who have considered suicide when the rainbow is enuf : a choreopoem.* New York, Macmillan, 1977.
Sheehy, Gail. *Passages.* New York, E.P. Dutton, 1974.
Shikibu, Izumi et Lomachi, Onono. *Poèmes de Cour.* Présentés et traduits du japonais par F. Yosato. Paris, La Différence, 1991.
Silko, Leslie Marmon. *Storyteller.* New York, Seaver Press, 1981.
– *Cérémonie.* Traduit de l'américain par M. Valmary. Paris, Albin Michel 1992 ; UGE, 1995.
Simon, Jean-Marie. *Guatemala : Eternal Spring, Eternal Tyranny.* Londres, Norton, 1987.
Singer, June. *The Boundaries of the Soul : The Practice of Jung's Psychology,* Garden City, New York, Doubleday, 1972.

Spretnak, Charlene. *Lost Goddesses of Early Greece*. Boston, Beacon Press, 1981.
– (sous la direction de). *The Politics of Women's Spirituality*. Garden City, N.Y., Doubleday, 1982.
Starhawk. *Truth or Dare*. New York, Harper & Row, 1979.
Stein, Leon. *The Triangle Fire*. Philadelphia, Lippincott, 1962.
Steinem, Gloria. *Une révolution intérieure*. Traduit de l'américain par Gérard Merlo. Paris, Interéditions, 1992.
– *Outrageous Acts and Everyday Rebellions*. New York, Holt, Rinehart, Winston, 1983.
Stone, Merlin, *Quand Dieu était Femme*. Traduit de l'américain par C. Germain, C. Eveillard, T. François, N. Orlikow. Paris. L'Etincelle, 1989.
– *Ancient Mirrors of Womanhood*, Boston, Beacon Press, 1984.
Swenson, May. *Cage of Spines*. New York, Rhinehart, 1958.

Tannen, Deborah. *Décidément, tu ne me comprends pas*. Traduit de l'américain par E. Gasarian et S. Smith. Paris, Robert Laffont, 1993, J'ai Lu, 1994.
Teish, Louisa. *Jambalaya*. San Francisco, Harper & Row, 1985.
Tuchman, Barbara. *A Distant Mirror*, New York, Knopf, 1978.

Waldman, Anne. *Fast-Speaking Woman and Other Chants*. San Francisco, City Lights, 1975.
Walker, Alice. *Le secret de la Joie*. Traduit de l'américain par L. Treham. Paris, L'Archipel, 1994.
– *Couleur pourpre*. Traduit de l'américain par M. Perrin. Paris, Laffont, 1984, sous le titre *Cher Bon Dieu*; J'ai Lu, 1987.
– *Good Night Willie Lee, I'll See you in the Morning*. New York, Dial Press, 1979.
Walker, Barbara. *The Woman's Encyclopedia of Myths and Secrets*. San Francisco, Harper & Row, 1983.
– *The Woman's Dictionary of Symbols and Sacred Objects*. San Francisco, Harper & Row, 1988.
– *The Crone*. San Francisco, Harper & Row, 1985.
Walker, Lenore. *The Battered Woman*. New York, Harper & Row, 1980.
Warner, Marina. *Seule entre toutes les femmes*. Paris, Rivages, 1989.
Watson, Celia. *Night Feet*. New York, The Smith, 1981.
White, Steve F. *Poets of Nicaragua*. Greensboro, Unicorn Press, 1982.
Whitman, Walt. *Feuilles d'Herbe*. Traduit et préfacé par Jacques Darras. Paris, Grasset, « Cahiers Rouges », 1994.
Wickes, Frances. *The Inner World of Childhood*. New York, Farrar, Straus, Giroux, 1927.
William, Terry Tempest. *Refuge*. New York, Pantheon, 1991.
Willmer, Harry. *Practical Jung : Nuts and Bolts of Jungian Psychotherapy*. Wilamette, Ill. Chiron, 1987.
Wilson, Colin. *The Outsider*. Boston, Houghton Mifflin, 1956.
Wolkstein, Diane et Kramer, Noah. *Inanna, Queen of Heaven and Earth*. San Francisco, Harper & Row, 1983.
Wollstonecraft, Mary. *A Vindication of the Rights of Women*. Reprint de 1792. New York, W.W. Norton, 1967.
Woodman, Marion. *Addiction to Perfection*. Toronto, Inner City, 1988.
Woolf, Virginia. *Une Chambre à Soi*. Traduit de l'anglais par Clara Malraux. Paris, Denoël, 1992.
Wynne, Patrice. *The Womanspirit Sourcebook*. San Francisco, Harper & Row, 1988

Yolen, Jane. *Sleeping Ugly*. New York, Coward, McCann & Geoghegan, 1981

Zipes, Jack. *The Brothers Grimm*. New York, Routledge, Chapman & Hall, 1988

1. Cette bibliographie été conçue dans le cadre d'une vue d'ensemble du développement de la nature instinctuelle. Pour d'autres questions concernant les femmes, j'utilise

des variantes de cette liste. On retrouve certains de ces titres dans les bibliographies attachées à d'autres ouvrages, généralement écrits par des femmes sur les femmes. Ils sont copieusement cités et constituent une sorte de « biblio-mantra ». Parmi les femmes qui les ont cités, beaucoup ne sont plus là, mais leurs ouvrages leur survivent.

2. Je ne suis pas contre le fait de prendre en compte les observations et les théories des deux sexes ou des différentes écoles, mais une grande partie de ce matériel ne vaut pas que l'on perde du temps à le lire car il est pré-digéré. Ce qui veut dire que ce n'est plus qu'une coquille vide, comme un manège sans chevaux, sans musique, sans personne, qui tourne indéfiniment à vide.

Quant au travail re-digéré, c'est une autre affaire encore. J'entends par là le fait de répéter quelque chose que l'on a lu ou entendu, sans se demander si c'est vrai, si c'est utile, si c'est pertinent, s'il ne peut y avoir d'autres points de vue. On rencontre souvent cela dans la vie. C'est comme une mine d'argent. Elle peut être complètement épuisée et ne pas valoir la peine qu'on continue à l'exploiter. Elle peut même n'avoir jamais produit suffisamment.

Et puis il y a aussi l'œuvre délayée. Une œuvre délayée, c'est la pâle copie d'une œuvre forte, d'une œuvre originale. La capacité de cette dernière à infuser, à communiquer son intention, son sens, son remède, se retrouve diminuée, fragmentée, déformée. À chaque fois que cela vous est possible, lisez le premier choix, l'œuvre que l'auteur a vécu, rassemblée en un lieu, analysée et qu'il a non seulement aimée, mais pour laquelle il a fait des sacrifices. Comme nous l'avons vu, revendiquer notre nature sauvage, c'est nous reconstituer un discernement. Il faut l'appliquer non seulement à ce qui se trouve déjà dans notre esprit, mais à ce que nous y mettons.

3. Je procède en général de la sorte : je demande à mes étudiantes de choisir trois ouvrages dans cette liste et de les considérer comme un puzzle ou une énigme, puis j'y ajoute des textes de Kant, Kierkegaard, et autres. Comment se comportent-ils ensemble ? Qu'est-ce que l'un apporte à l'autre ? Comparez et voyez le résultat. Certaines combinaisons sont une vraie bombe, d'autres produisent des semences.

Remerciements

Cela fait maintenant quelque vingt-cinq ans que je travaille à cet ouvrage sur la nature instinctive des femmes. Au cours de cette période, de nombreuses personnes sont entrées dans ma vie et m'ont apporté leur témoignage et leurs encouragements. Dans les traditions qui sont les miennes, exprimer sa reconnaissance prend habituellement plusieurs jours ; c'est pourquoi la plupart de nos célébrations, des veillées aux mariages, doivent durer au moins trois jours – le premier jour consacré au rire et aux larmes, le second passé à se battre et à crier, le troisième à se reprendre, puis à chanter et à danser encore. Merci donc à tous les êtres de ma vie qui continuent à chanter et à danser :

Bogie, mon mari, mon amant, qui m'a aidée à mettre au point le manuscrit sur le plan intellectuel et pratique. *Tiaja*, qui a proposé spontanément son aide et s'est occupée des démarches administratives, des provisions, m'a fait rire et a fini par me convaincre qu'une fille adulte est aussi une sœur. *Tout spécialement aux miens, à mes familles, à ma tribu, à mes aînés, vivants et en esprit* – pour avoir laissé les traces de leurs pas.

Ned Leavitt, ser humano, mon agent, doué pour les allées et venues d'un monde à l'autre. *Ginny Faber*, ma responsable éditoriale chez Ballantine, qui, lorsque ce livre voyait le jour, a donné naissance à une œuvre parfaite, une petite sauvage, *Susannah*

Tami Simon, productrice audio, artiste et inspiratrice dont la flamme brûle clair, pour m'avoir demandé ce que je savais. *Devon Christensen*, chef de l'intendance et vigie sur le pont. *A eux et à leur équipage de Sounds True*, y compris l'alter ego de chacun, *The Duck*, pour avoir veillé au grain et m'avoir apporté leur soutien afin que je puisse me consacrer à la rédaction de ce livre.

Lucy et *Virginia*, qui arrivèrent comme ça, et juste à temps. Toute ma gratitude à *Spence*, leur mère, un cadeau en soi, pour partager avec moi ces deux bénédictions. La *N.O.N.A. Nonagirl*, qui a entendu l'appel et, malgré les difficultés du chemin, est arrivée au bon moment. *Juan Manuel, m'hijo*, ce merveilleux *traductor especial*.

Mes trois filles, dont la vie en tant que femmes m'inspire. *Mes analysantes et analysants*, qui au fil des ans ont fait preuve de profondeur et de souffle et m'ont révélé les multiples nuances de l'ombre, les innombrables facettes de la lumière. *Yancey Stockwell* et *Mary Kouri*, qui se sont intéressées à ce que j'écrivais depuis le début. *Craig M.*, pour son soutien et son affection de toute une vie. *Jean Carlson*, chère vieille grincheuse, qui m'a rappelé de me lever et de tourner trois fois en rond. *Jan Vanderburg*, qui a laissé un dernier don avant de disparaître. *Betsy Wolcott*, qui a si généreusement alimenté la joie des autres par son soutien psychique. *Nancy Pilzner Dougherty*, pour ce qu'elle m'a dit des possibilités à venir. *Kate Furler*, de l'Oregon, et *Mona Angniq McElderry*, de Kotzebue, Alaska, pour les histoires racontées tard dans la nuit il y a vingt-cinq ans de cela. *Arwind Vasavada*, psychanalyste jungien hindou, mon aîné au sein de ma famille psychique. *Steve Sanfield*, pour avoir aussi aimé la femme du sud à laquelle les patins à glace seyaient mal.

Lee Lawson, amie et artiste de talent, qui appela le vol de l'âme par son nom. *Normandi Ellis*, auteur et poète, pour m'avoir rappelé le « f » dans l'*ineffable Jean Yancey*, pour avoir été là, tout simplement. *Fran Lees, Staci Wertz Hobbit*, et *Joan Jacobs*, mes talentueuses sœurs de plume. *Joann Hildebrand, Connie Brown, Bob Brown, Tom Manning*, de Critter Control, *Elenanor Alden*, présidente de la Jung Society de Denver et *Ann Cole*, la cavalière des Rocheuses, pour leur affectueux soutien au long de ces années. *Les femmes sauvages originelles de* La Forêt – présentes dès le début.

Mes frères et sœurs griots, cantadoras y cuentistas y mesemondók, conteurs et conteuses, chercheurs en folklore, traducteurs, pour leur amitié et leur immense générosité : *Nagyhovi Meyer*, universitaire gitan magyar, *Roberta Macha*, interprète maya, *La Pat* : *Patricia Dubrava Kuening*, poétesse et traductrice spécialisée, *les hommes et les femmes des forums sur CIS – Natives, S.F., Juifs, Chrétiens, Musulmans et Païens* – pour les faits obscurs et fort intéressants qu'ils m'ont rapportés. *Maria de Los Angeles Zenaida González de Salazar*, experte attentionnée des Nahuatl y Aztecas. *Opalanga Pugh*, griotte et spécialiste en folklore africain et afro-américain. *Nagynéni Liz Hornyak, Mary Pinkola, Josef Pinkola* et *Roelf Sluman*, spécialistes hongrois. *Makoto Nomura*, spécialiste de culture japonaise. *Cherie Karo Schwartz*, conteuse internationale, chercheuse en folklore, notamment dans la culture juive. *J.J. Jerome*, conteur audacieux. *Leif Smith* et *Patricia J. Wagner*, de Pattern Research, pour leur présence et leur solidité. *Arminta Neal*, organisatrice d'expositions du Musée de Denver maintenant en retraite, qui a généreusement puisé dans ses archives. *La Chupatinta : Pedra Abacadaba*, écrivain public d'Uvallama. *Tiaja Karenina Kaplinsky*, messagère interculturelle. *Reina Pennington*, de l'Alaska, sœur en voyages, pour ses bénédictions. *Tous les conteurs et conteuses que j'ai rencontrés* et qui m'ont offert des histoires, en ont échangé avec moi, m'ont donné des graines d'histoires, m'ont légué des histoires en héritage spirituel ou familial, ont reçu en retour les miennes et les ont choyées comme leurs propres enfants, ainsi que je l'ai fait moi-même.

Nancy Mirabella, qui a traduit les mystiques latino-américaines et m'a indiqué le Rocky Mountain Women's Institute. Le *Rocky Mountain Women's Institute*, pour m'avoir appointée en 1990–1991 comme professeur associé afin de travailler sur le projet *Las Brujas* et m'avoir offert le soutien de *Cheryl Bezio-Gorham* et de mes sœurs en art là-bas : *Patti Leota Genack*, artiste peintre, *Vicky Finch*, photographe, *Karen Zidwick*, écrivain, *Hannah Kahn*, chorégraphe, *Carole McKelvey*, écrivain, *Dee Farnworth*, artiste peintre.

Women's Alliance et *Charlotte Kelly*, tisserande d'élite, pour m'avoir permis de donner des cours dans la Sierra Madre durant la semaine où ce livre a trouvé un éditeur. C'était un don du ciel de pouvoir rencontrer des femmes aussi magnifiques : artistes, guérisseuses et militantes. Elles m'ont entourée au cours de cette semaine comme les remorqueurs escortent le navire vers la haute mer. *Ruth Zaporah*, artiste, *Vivienne Verdon-Roe*, cinéaste. *Fran Peavey*, comédienne. *Ying Lee Kelley*, coprésidente de Rainbow Coalition. *Naomi Newman*, conteuse juive. *Rhiannon* chanteuse de jazz et conteuse. *Colleen Kelley*, artiste bouddhiste. *Adele Getty*, auteur et percussionniste. *Kyos Featherdancing*, « native » et ritualiste. *Rachel Bagby*, chanteuse afro-américaine. *Jalaja Bonheim*, danseuse, la grâce même. *Norma Cordell*, « native », conteuse et professeur. *Tinowyn*, musicienne, fabricante de tambours. *Dina Metzger*, auteur, le courage incarné. *Hiah Park*, danseuse coréenne. *Barbara Borden*, percussionniste. *Kay Tift*, démêleuse de fils. *Margaret Pavel*, virtuose du métier à tisser. *Gail Benevenuta*, « La Voix ». *Rosemary Le Page*, tisserande. *Pat Fnochs*, artiste ès nourriture. Et *M'Hijas, mis lobitas*, mes petites louves qui se reconnaîtront au passage. Et pour finir, *la femme qui hurle* – et que nous ne mentionnerons pas.

Jean Shinoda Bolen, pour m'avoir été une *madre del alma* en toute clarté, pour m'avoir fourni maints exemples et pour m'avoir donné Valerie. *Valerie Andrews*, auteur et nomade, pour m'avoir donné du temps et Ned.

Manisha Roy, qui m'a ravie à propos des femmes bengali. *Bill Harless, Glen Carlson, Jeff Raff, Don Williams, Lyn Covan, José Arguelles*, pour les encouragements qu'ils m'ont prodigués dès le début. Ceux de mes talentueux *collègues jungiens de l'IRSJA et de l'IAAP*, qui s'intéressent à la fois aux poètes et à la poésie et les protègent. Mes collègues du *C.G. Jung Center of Colorado, les analystes en formation*, ceux d'hier et d'aujourd'hui, les *candidats* psychanalystes de *l'IRSJA*, pour la passion qu'ils mettent à apprendre et à poursuivre leurs buts.

Molly Moyer, divine femme à tout faire de Tattered Cover, qui n'a cessé de me chuchoter des encouragements à l'oreille, et les trois libraires de Denver, qui ont en abondance tous les titres interculturels que j'ai pu souhaiter : *Kasha Songer*, de The Book Garden, *Clara Villarosa*, de The Hue-Man Experience-Bookstore, *Joyce Meskis*, de The Tattered Cover. *Mark Graham, Stephen White, Hannah Green*, auteurs, le personnel de *The Open Door Bookstore*, les membres de *Poets of the Open Range, les poètes du Naropa Institute*, pour leur soutien et pour l'importance qu'ils attachent aux mots qui ont un sens. *Mes frères et mes sœurs poètes* qui m'ont permis de créer à travers leurs cœurs.

Mike Wesley, expert en Macintosh de CW Electronics, pour avoir récupéré la totalité de mon manuscrit « perdu » dans le disque dur et *Lonnie Wright*, technicien virtuose qui ressuscita plus d'une fois mon SE30. *Les auteurs du Litforum et les champions de l'ordinateur dans le monde entier*, au Japon, Royaume-Uni, Mexique, en France, aux Etats-Unis, pour être restés devant leur appareil à minuit afin de me parler des femmes et des loups.

Mes professeurs *les plus essentiels : Tous les bibliothécaires*, gardiens des salles des trésors emplis de tous les soupirs de l'humanité, des peines, des joies et des espoirs, avec ma profonde gratitude : vous m'avez toujours aidée, avez toujours été avisés, quelle que soit l'obscurité de ma demande.

Georgia O'Keefe, qui n'a pas ri lorsqu'à dix-neuf ans je lui ai dit que j'étais poète *Dorothy Day*, qui m'a dit que les racines de l'herbe avaient de l'importance. « Les folles vêtues de noir », selon la formule de quelqu'un, ces religieuses qui étaient aussi des visionnaires, les *Sœurs de la Sainte Croix* et tout particulièrement *Sœur John Michela, Sœur Mary Edith, Sœur Francis Loyola, Sœur John Joseph, Sœur Mary Madeleva, Sœur Maria Isobela et Sœur Maria Concéption. Bettina Steinke*, qui m'a appris à distinguer la ligne blanche sur le pli du velours. *Le journaliste de « The Sixties »* qui m'a adressé en retour une dizaine de mots qui m'ont encouragée pendant une vingtaine d'années. Mes professeurs de psychologie, jungiens et autres, fort nombreux, mais notamment, pour leur exemple en tant qu'auteurs, *Toni Wolff, Harry Wilmer, James Hillman* et *Carl Gustav Jung*, dont l'œuvre m'est un tremplin, pour sauter dedans mais aussi pour bondir en dehors. L'œuvre de Jung a eu sur moi un immense attrait, car il a vécu la vie d'un artiste : il a sculpté, écrit, lu, ouvert des tombeaux, descendu des rivières.

Les membres de *Colorado Council on the Arts and Humanities, Artist in Residence Program* et *Young Audiences* et tout particulièrement les artistes-administrateurs *Daniel Salazar, Patty Ortiz* et *Maryo Ewell* pour leur vitalité, leur enthousiasme. *Marylin Auer*, rédactrice et éditeur, *Tom Auer*, éditeur et rédacteur en chef de *The Bloomsberry Review* pour leur chaleur et leur loufoquerie, leur gentillesse et leur culture. A ceux qui, les premiers, ont publié mon travail, et m'ont ainsi transfusé de l'énergie pour continué avec cet ouvrage : *Tom DeMers, Joe Richey, Anne Richey, Joan Silva, David Chorlton, Antonia Martinez, Ivan Suvanjieff, Allison St. Claire, Andrei Codrescu, José Armijo, Saltillo Armillo, James Taylor III*, et *Patricia Calhoun*, la femme sauvage du comté de Gilpin. Les poètes et poétesses qui furent des témoins : *Dana Pattillo, Charlie Mehroff, Ed Ward* et les trois Maria, *Maria Estevez, Maria Ignacio, Maria Reyes Marquez.*

Tous les lutins, gobelins, et autres gnomes du Reivers, l'un des cafés où j'aime écrire et tout particulièrement *les garçons de la cabane dans les arbres* sans l'aide et les avis desquels ce livre n'aurait pu voir le jour. Les petits villages du Colorado et du Wyoming que j'habite, *mes voisins, mes amis et tous ceux qui m'ont rapporté des histoires des quatre coins du monde. Lois et Charlie*, les parents de mon mari, qui lui ont donné un amour si profond, si beau, qu'il en est rempli et le déverse à son tour sur moi-même et sur notre famille.

Merci, enfin, à *ce très vieux chêne, cet « arbre-à-messages »* dans les bois, sur lequel, quand j'étais enfant, j'aimais écrire. A *la bonne odeur de terre, au bruit des eaux libres, aux esprits de la nature* qui se précipitent tous sur la route pour voir qui passe. *A toutes les femmes qui sont parties avant moi* et ont rendu le chemin un peu plus net, un peu plus facile. Et, avec une infinie tendresse, à *La Loba.*

INDEX

TABLE

LE DON DE LA FEMME SAUVAGE :

LES HISTOIRES

Cet ouvrage a été réalisé par la
SOCIÉTÉ NOUVELLE FIRMIN-DIDOT
Mesnil-sur-l'Estrée
pour le compte des Éditions Grasset
en juillet 2001

Imprimé en France
Première édition, dépôt légal : octobre 1996
Nouveau tirage, dépôt légal : juillet 2001
N° d'édition : 12046 - N° d'impression : 56253
ISBN : 2-246-49851-1